CUNARD

◆◇◆

Library

Out of respect for your fellow guests, please return all books as soon as possible. We would also request that books are not taken off the ship as they can easily be damaged by the sun, sea and sand.

Please ensure that books are returned the day before you disembark, failure to do so will incur a charge to your on board account, the same will happen to any damaged books.

Anna McPartlin wurde 1972 in Dublin geboren und verbrachte dort ihre frühe Kindheit. Wegen einer Krankheit in ihrer engsten Familie zog sie als Teenager nach Kerry, wo Onkel und Tante sie als Pflegekind aufnahmen. Nach der Schule studierte Anna ziemlich unwillig Marketing. Nebenbei stand sie auch als Comedienne auf der Bühne, doch ihre wahre Liebe galt dem Schreiben, das sie bald zum Beruf machte. Bei der künstlerischen Arbeit lernte sie ihren späteren Ehemann Donal kennen. Die beiden leben heute zusammen mit ihren drei Hunden und zwei Katzen in Dublin.

Bereits ihr Debüt «Weil du bei mir bist» war international ein Bestseller. Mit dem Roman «Die letzten Tage von Rabbit Hayes», in dem Anna McPartlin viel von ihrer eigenen Vergangenheit verarbeitet hat, rührte und begeisterte sie unzählige Leserinnen und Leser und landete einen Riesenerfolg.

Anna McPartlin

Niemand kennt mich so wie du

Roman

Aus dem Englischen
von Sabine Längsfeld

Rowohlt Taschenbuch Verlag

Die Originalausgabe erschien 2011
unter dem Titel «The Space Between Us»
bei Poolbeg Press Ltd., Dublin.

Neuausgabe Oktober 2015
Deutsche Erstausgabe
Veröffentlicht im Rowohlt Taschenbuch Verlag,
Reinbek bei Hamburg, Juni 2012
Copyright © 2012 by Rowohlt Verlag GmbH,
Reinbek bei Hamburg
«The Space Between Us» Copyright © 2011 by Anna McPartlin
Redaktion Christiane Wirtz
Umschlaggestaltung und Illustration Felicitas Horstschäfer,
www.felicitas-horstschaefer.de, Agentur Susanne Koppe,
www.auserlesen-ausgezeichnet.de
Satz Apollo MT PostScript (InDesign) bei
Pinkuin Satz und Datentechnik, Berlin
Druck und Bindung CPI books GmbH, Leck, Germany
ISBN 978 3 499 27182 3

Für alle meine Freunde.
Die Welt wäre ein trostloser Ort ohne euch.

1 Darf ich vorstellen? Die einzigartige Eve Hayes!

Liebe Lily,

du bist gerade mal eine Woche weg, und mir kommt es vor wie ein Jahr! Also, was gibt's Neues an der Heimatfront? Eigentlich nicht viel. Kennst du den Spinner, der in der Bowlingbahn arbeitet? (Ich meine den, der aussieht wie Glenn Medeiros, nicht den Popelfresser.) Der ist mir von der Pommesbude bis zum Hafen nachgelaufen. Ich konnte ihn die ganze Zeit hinter mir spüren, aber ich habe mir nichts anmerken lassen. Doch dann wurde es langsam dunkel, und es war niemand sonst in der Nähe. Also habe ich mich zu ihm umgedreht und gefragt: Was willst du? Er zeigte auf sein Fahrrad, das direkt vor mir angekettet war, und sagte: Mein Fahrrad. ECHT PEINLICH! Wir haben uns dann über Musik unterhalten, er ist REM-Fan (Gähn! Wie alle), und auf einmal hat er gesagt, dass er mich mag! Einfach so. Ich habe ihm gesagt, er wäre mir zu klein. War das fies von mir? Du bist schließlich mein Filter, wenn es um soziale Kontakte zur Arbeiterklasse geht. Er sah gekränkt aus, aber mein Gott, ich bin nun mal eins achtzig. Und er? Eins fünfundsechzig, wenn's hochkommt? Wir würden dermaßen doof zusammen aussehen! Außerdem ist er schräg drauf. Und dann sagte er – und ich lüge jetzt nicht: Im Liegen wären wir gleich groß!!! Kannst du das glauben, Lily? Der redet von Sex! Frechheit! Also habe ich gesagt, ich fände, er wäre schräg drauf, und das hat er natürlich abgestritten. Er meinte, er wäre einfach anders, und anders zu sein wäre sexy. Glaubst du das? Schon klar, habe ich gesagt, aber nur, wenn anders bedeuten würde, in irgendwas megamäßig gut zu sein oder absolut originell und eine Vision zu haben, aber nicht, sich eine Dauerwelle legen zu lassen, in den Blusen seiner Schwester rumzulaufen und an irgendwelchen Straßenecken grottenschlechte Gedichte in die Welt rauszuposaunen. Das hat gesessen. Das mit der Dauerwelle und den Blusen schien ihn nicht zu tangieren, aber das mit den Gedichten hat ihn echt getroffen. Ich habe sofort ein schlechtes Gewissen bekommen, weil er aussah, als hätte ich ihn mit einer Nadel gepiekt. Ich habe mich entschuldigt, aber er sah trotzdem aus, als würde er gleich anfangen zu heulen. Er nannte mich eine eingebildete dumme Ziege und raste davon. Ich setzte mich auf eine Mauer und wollte meine Pommes essen, aber die waren inzwischen kalt geworden, sodass ich den Großteil an einen Hund verfüttert habe, der am Strand die Scheiße von anderen Hunden gefressen hat. Dann kamen Gar, Declan und Paul vorbei. Declan geht es echt schlecht ohne dich. Er wollte wissen, ob ich was von dir gehört habe. Ich sagte, nur den einen Anruf Mittwochabend aus der Telefonzelle, und er meinte, da hättest du ihn auch angerufen.

Und, wie läuft's da unten in Dingle so? Klappt es mit dem Kellnern schon besser? Verdienst du genug Kohle, um zu bleiben? Ich vermisse dich total. Ich bin hier so einsam ohne dich. Gar versucht die ganze Zeit, wieder mit mir zusammenzukommen. Ich habe zwar echt kein Interesse daran, aber — bitte schlag mich jetzt nicht — ich habe ihn gestern Abend trotzdem geküsst. Ich war ein bisschen be-

trunken, und er war so nett und sagte, meine Augen würden so grün leuchten wie Smaragde. Ich weiß schon – würg! –, aber wenn man blau ist, fühlt man sich bei solchen Sachen ganz toll. Na ja, wenigstens fühlte ich mich toll, bis wir uns geküsst haben und mir klarwurde, dass ich das echt nicht noch mal will. Ich mag Gar wirklich gern, als Freund und so, aber mehr auch nicht. Ich habe irgendeine Ausrede erfunden und gesagt, dass ich leider gehen müsste, und jetzt bleibt mir nichts anderes übrig, als ihm nüchtern unter die Augen zu treten und ernsthaft mit ihm zu sprechen!

Meinst du, du kannst im August nach Hause kommen – vorausgesetzt, das Trinkgeld stimmt und es gelingt dir bis dahin, genug auf die Seite zu schaffen? Ich kann einfach nicht glauben, dass das wirklich unser letzter gemeinsamer Sommer sein könnte, und du bist da unten und ich hier oben. Ohne dich ist alles so unglaublich langweilig. Ich weiß, dass deine Mutter pleite ist, aber könnte sie deinen Vater nicht um etwas Geld bitten? Es kann doch nicht so schwer sein, in Griechenland anzurufen und ihn daran zu erinnern, dass er in Irland eine Tochter hat, die aufs College gehen möchte und Unterstützung bei den Studiengebühren braucht? Es ist ja nicht gerade so, als wäre er jemals für dich da gewesen, und ich weiß, wie weh dir das tut, und es tut mir auch leid, dass ich davon anfange, aber es muss nun mal gesagt werden. Das ist er dir schuldig.

Ich nutze die Zeit, um zu recherchieren. Ich verbringe meine Tage oft in der Bücherei. Die Jungs glauben schon, ich wäre endgültig übergeschnappt, aber ich liebe die Bücherei. Ich habe viel über die Mode im Laufe der Jahrhunderte gelesen. Es ist echt interessant. Um mich darüber hinwegzutrösten, dass du weg bist, hat Dad mir eine neue Nähmaschine gekauft. Die ist viel besser als meine alte,

*und letzten Donnerstag habe ich mir bei der Wohlfahrt jede
Menge viel zu große Klamotten gekauft. Die trenne ich auf
und nähe sie neu. Bis jetzt würde ich die Sachen, die ich
genäht habe, allerdings nicht mal tragen, wenn ich tot bin –
dazu ist das Material viel zu geschmacklos, aber so habe
ich wenigstens was zu tun.*

*Clooney ist so gut wie nie zu Hause, und falls ich ihn
doch mal sehe, hat er jedes Mal ein anderes Mädchen dabei. Dad findet das offensichtlich lustig. Ich nicht. Er hat
sich total verändert, und seit er bei diesem bescheuerten
Collegesender angefangen hat, rennt er durch die Gegend,
als wäre er Bono persönlich. Lächerlich! Die, die er gestern
dabeihatte, war vielleicht drauf! Wilde schwarze Locken,
als hätte Kate Bush in die Steckdose gefasst, eine Million
Armreifen und ein T-Shirt, das seit mindestens einem Jahr
nicht mehr gewaschen wurde. Sie haben zusammen in seinem Zimmer übernachtet, weil Dad nicht da war. Ich frage
mich, ob Dad das auch noch so lustig fände. Das kommt
mein Brüderchen teuer zu stehen! Das nächste Mal, wenn er
mich nervt, verlange ich zwanzig Mäuse Schweigegeld. Und
sie nennt ihn Puschelchen!!! Kannst du das fassen? Wirklich widerlich. Ich habe gestern Abend noch mal «Young
Guns 2» gesehen (extra laut aufgedreht). Also, sag mir bitte, mit wem du gehen würdest, in absteigender Reihenfolge:*

*Emilio Estevez, Kiefer Sutherland, Lou Diamond Phil-
lips, Christian Slater.*

Meine Liste sieht so aus:

1. Emilio Estevez (sehr süß, auf ernste Weise)

2. Lou Diamond Phillips (exotisch)

*3. Kiefer Sutherland (In «Lost Boys» hat er mir gefallen,
   aber in «Young Guns 2» war er einfach nur so dabei.)*

4. Christian Slater (Redet der echt so?)

Also, ich muss Schluss machen, ich trenne gerade eine Latz-
hose in Größe 48 auf. Keine Ahnung, was ich daraus mache,
aber ich hoffe auf mindestens drei neue Teile.

ICH VERMISSE DICH, ICH VERMISSE DICH, ICH
HAB DICH LIEB.

Deine beste Freundin
Eve

PS: Paul hat mir erzählt, dass Glenn Medeiros aus der
Bowlingbahn (sein echter Name ist Ben Logan) diese
Gedichte über seine tote Schwester schreibt. Jetzt habe ich
erst recht ein schlechtes Gewissen. Sie ist mit zehn Jahren
gestorben. Darum geht es in diesem Gedicht (das er immer
mit dieser komischen Stimme wiederholt) − zehn, zehn,
alles dahin. Ich finde es immer noch schräg. Ich vermisse
meine Mum auch, trotzdem schreibe ich keine Gedichte über
ihren Tod.

Damals, ich war fünf, war meine Mutter noch am Leben,
doch kaum wurde ich sieben, hat es sie nicht mehr gegeben!

PPS: Wie ist das Wetter da unten eigentlich? Hier regnet
es seit drei Tagen durch. Ich habe die Nase voll von nassen
Haaren. Denke ernsthaft über einen Sinéad-O'Connor-Look
nach. So viel zum Sommer.

* * *

Am 1. Juli 2010 und zwanzig Jahre, nachdem die achtzehnjährige Eve Hayes an einem regnerischen Sonntagnachmittag an ihrem Schreibtisch gesessen und ihrer besten Freundin Lily Brennan einen Brief geschrieben hatte, saß eine sehr viel ältere und klügere Eve an genau demselben Tisch. Es regnete, wie es in all den Jahren zuvor geregnet hatte. Eves Gedanken kehrten wie so oft, wenn sie traurig oder einsam war, zu jenem Sommer zurück. Damals kam einem eine Woche noch wie ein ganzes Jahr vor. Bei der Erinnerung an die übertriebene Verzweiflung in ihr musste sie lächeln. Sie hatte ihre beste Freundin dermaßen vermisst, dass ihr das Herz weh tat und sie wie ein Zombie durch die Gegend lief, weil sie wegen eingebildeter Zwiegespräche mit Lily nachts kaum zum Schlafen kam. In Gedanken sagte Eve zum Beispiel: *He, Lily, nächstes Jahr um diese Zeit sind wir …*, und die Lily in ihrem Kopf beendete ihren Satz mit: *Millionäre.* Sie waren beide große Fans der Fernsehserie *Only Fools & Horses* und kannten sämtliche Dialoge auswendig. Eve nannte Lily *Dusselchen,* woraufhin die Lily in ihrem Kopf Eve als *dreiste alte Schachtel* bezeichnete. Wenn es Eve zu langweilig wurde, sich im Grunde selbst zu beschimpfen, erzählte sie der Lily in ihrem Kopf sämtliche Kleinigkeiten und widrigen Ereignisse aus ihrem Alltag. Sie schilderte ihr zum Beispiel den Morgen, als sie dachte, ihr Bruder Clooney wäre auf dem Klo gestorben, weil er nicht antwortete, als sie unter wüsten Beschimpfungen gegen die Tür hämmerte. Mit überkreuzten Beinen stand sie vor dem Bad, hielt sich den Bauch und überlegte, ob sie lieber in die Spüle oder unter den Baum im Garten pinkeln sollte. Die Spüle siegte. *Kannst du das glauben, Lily? Ich habe in unsere Küchenspüle gepinkelt. Der Garten ging auf gar keinen Fall, weil man von den Noonans aus zu uns rüberschauen kann und wir schließlich alle wissen, dass Terry «der Tourist» ein perverser Spanner ist, der ständig sein Fernglas und die alte Polaroidkamera zur Hand hat. Ich wollte nicht riskieren, dass mein Hinterteil künftig seine Wände ziert!* Eve erinnerte sich daran, dass Clooney, zehn Minuten, nachdem sie in die Spüle gepinkelt hatte, mit einem Mädchen und selbstgefälligem Blick im Gesicht aus dem Bad kam, während sie bis zu den Ellbogen in Desinfektionsmittel und Seifenlauge steckte. Sie hätte ihm am liebsten eine gescheuert, doch diesen Wunsch hatte die achtzehnjährige Eve sehr häufig, was den zwanzigjährigen Clooney betraf. Stattdessen schrie sie nur, sie würde alles ihrem Vater erzählen, sobald der nach Hause käme. Clooney lachte sie aus, und als sie der Lily in ihrem Kopf davon erzählte, lachte die ebenfalls. Lily und Clooney hielten zusammen wie Pech und Schwefel.

Damals hatte Lily sich auf den Rat der Beratungslehrerin Mrs. Moriarty hin entschieden, an die medizinische Hochschule zu gehen und Medizin zu studieren. Ihr gefiel die Vorstellung, Ärztin zu sein, aber sie wollte niemanden aufschlitzen, und Gynäkologin zu werden kam erst recht nicht in Frage, weil sie und Eve der einhelligen Meinung waren, dass der weibliche Intimbereich ekelhaft war. Außerdem war die Arbeit als Allgemeinmedizinerin kinderfreundlicher. Solange Eve denken konnte, wollte Lily Mutter werden, und die beiden waren schon als Krabbelkinder Freundinnen. Lily spielte mit ihrer Puppe, bis sie zehn Jahre alt war. Ihre Puppe hieß Layla, und Lily behandelte sie wie einen echten Menschen. Als Lilys Lehrerin Mrs. Marsh anfing, sich Sorgen zu machen, Layla könnte Lily in ihrer psychologischen Entwicklung behindern, machte Lilys Mutter dem Unsinn ein Ende und gab die Puppe der Caritas. Lily weinte eine ganze Woche lang, und Eve versuchte, sie zu trösten, indem sie ihr ihren eigenen kostbaren Stoffaffen schenkte, doch schon während sie Lily das Äffchen in den Arm drückte, wurde ihr klar, dass Layla unersetzlich war. Also nahm Eve ihr Äffchen wieder mit nach Hause, drückte es die ganze Nacht lang an sich und versprach, es niemals wieder herzugeben.

Eve war schon immer fest entschlossen gewesen, Designerin zu werden. Sie nähte, seit sie zwölf war. Sie liebte es, sich Stoffe zu besorgen, zu zeichnen und zu nähen. Unnötig zu erwähnen, dass die kleine, zierliche Lily, die selbst aussah wie ein Puppe, das perfekte Modell war. Mochten Design oder Zusammenstellung auch noch so schrecklich sein, Lily trug Eves Kreationen immer. Eves Arbeit wurde über die Jahre immer besser. Nach fünf Jahren gewann sie ihren ersten Designpreis und durfte daraufhin vier Debütantinnenkleider entwerfen und im Auftrag einer Cousine zweiten Grades ihres Vaters ein Kommunionskleid. Noch ehe sie ihr Abschlusszeugnis in Händen hielt, hatte sie sich mit dem bequemen Polster eines ansehnlichen Wertpapierdepots im Rücken einen Studienplatz am St. Martin's College of Design in London gesichert. Lily war das klügste Mädchen der Klasse. Sie meisterte die Schule, ohne sich groß anzustrengen, und konnte daher neben dem Unterricht Kurse in Fotografie, Kunst und Klavier belegen. Sie war in allem, was sie tat, einfach gut, und das galt, sehr zu Eves Entrüstung, sogar fürs Nähen. Doch ihr fehlte Eves kreative Ader, und so kamen sie sich nie in die Quere.

«Du wirst mal den ganz großen Durchbruch schaffen», sagte Lily immer zu Eve.

«Ja», stimmte Eve ihr dann zu. «Coco Chanel hat jetzt schon die Hosen voll.»

Sie wussten beide, dass Lily, falls kein unvorhergesehener Hirnschaden dazwischenkam, den Medizinstudienplatz an der Universität ihrer Wahl bekommen würde. Sie machte ihre Präferenzen jedoch von der Entscheidung ihres Freundes Declan abhängig, was Eve wirklich auf die Nerven ging, weil Lily selbst nie auf die Idee gekommen wäre, Dublin zu verlassen, um aufs College zu gehen. Declan dagegen wollte unbedingt nach Cork. Eve hielt das für eine Ausrede, denn es war allgemein bekannt, dass es leichter war, an der UCC unterzukommen als an der UCD. Lily hätte die Aufnahme an der UCD oder am Trinity oder sogar am College of Surgeons mühelos geschafft, aber Declan würde schon alle Hebel der Welt in Bewegung setzen müssen, um auch nur in Cork aufgenommen zu werden. Sie hatten sich deswegen ernsthaft gestritten, doch Lily blieb stur und bestand darauf, sich am gleichen College zu bewerben wie Declan. Da Eve sowieso nach London gehen würde, so Lilys Argument, könne ihr schließlich völlig egal sein, wo Lily studierte, und so ließ Eve das Thema schließlich fallen. *Und doch …*

Es waren verheißungsvolle, aufregende Zeiten, und der einzige echte Unterschied zwischen den beiden Mädchen war die Tatsache, dass Lily verzweifelt erwachsen werden wollte, während Eve die Veränderungen nur widerwillig akzeptierte. Jener Sommer vor zwanzig Jahren hätte eigentlich ihr letzter gemeinsamer Sommer werden sollen, doch dann musste Lily Geld fürs College verdienen, und die einzige Möglichkeit dazu bestand darin, 366 Kilometer und eine ganze Welt weit entfernt im Süden des Landes im Restaurant ihres Onkels zu jobben. In den Jahren, die folgten, fragte Eve sich oft, was gewesen wäre, wenn sie Lily nachgereist wäre. *Wären wir dann Freundinnen geblieben?*

Eve musste lächeln, als ihr das kleine Mantra wieder einfiel, das sie sich jeden Abend vor dem Einschlafen vorgesagt hatte. *Gute Nacht, Lily. Ich vermisse dich, ich vermisse dich, ich hab dich lieb.* Und kam zu dem Schluss, dass Teenager nicht ganz dicht waren.

Von ihrem alten Schreibtisch ging der Blick hinaus auf den Garten hinter dem Haus, auf die großen alten Bäume und das Schaukelgestell, und weiter zum Fenster des leeren Zimmers von Terry dem Touristen im Nachbarhaus hinüber. Sie hatte ihn seit Jahren nicht gesehen. Seine Familie war nach dem Schulabschluss umgezogen, und Gar hatte ihr erzählt, dass Terry inzwischen in England als Pressefotograf arbeitete, was ziemlich naheliegend war. Wozu in Kriegsgebieten Tote fotografieren, wenn man genauso gut das Kleid von irgendeinem Star vor dem Ivy ablichten kann?

Gedankenverloren fuhr Eve mit dem Finger die verblassten Buchstaben nach, die sie einst in mühevoller Kleinarbeit in die hölzerne Tischplatte geritzt hatte: BGML. Ben «Glenn Medeiros» Logan war im gleichen Moment in Eves Leben getreten, als Lily daraus verschwunden war. In jenem Sommer vor zwanzig Jahren hatte Eve sich verliebt, einen großen Fehler begangen, die Wahrheit gesagt, ihre beste Freundin verloren und war erwachsen geworden.

Das Haus war leer geräumt und der alte Schreibtisch das letzte Möbelstück, das die Umzugsleute aus dem Haus tragen würden. Sie machten gerade Pause, saßen auf der Ladefläche ihres Lastwagens und aßen Wurstbrötchen, während Eve ein letztes Mal das Haus durchstreifte, in dem sie aufgewachsen war. Sie verließ ihr altes Zimmer und ging die Treppe hinunter. Der rote Anstrich war verblasst, und dort, wo die Familienfotos gehangen hatten, waren unterschiedlich große, leuchtend rote Flecken an der Wand. Die Bilder hingen nicht mehr dort, doch Eve hatte sie trotzdem ganz deutlich vor Augen. Es gab ein ovales von ihrer Mutter, ihrem Vater, Clooney, Eve und Lily. Sie war zwei Jahre alt und saß auf den Schultern ihres Vaters. Eves Mutter hatte die Arme um den vierjährigen Clooney geschlungen, und Lily hielt Clooneys Hand. Es war ein Sommer in den Siebzigern, sie standen sommersprossig unter einem riesigen blauen Himmel, und bis auf Eve lächelten die Anwesenden breit wie die Grinsekatze aus Alice im Wunderland. Über dem ovalen Fleck hatte früher ein Foto von Clooney und Eve gehangen, Arm in Arm in ihren Schuluniformen, aufgenommen an Eves erstem Tag an seiner Grundschule. Clooney sah aus, als würde er sich furchtbar freuen, und hielt Eve fest gedrückt, nur dass er dadurch wirkte wie ein Grizzlybär mit seiner Beute. Eve war unglücklich und versuchte, sich zu befreien. Den Platz des größten roten Rechtecks hatte früher das Familienporträt eingenommen, das Eves Vater in Auftrag gegeben hatte, als ihre Mutter krank geworden war. Die Familie saß im Sonntagsstaat aufgereiht auf dem Sofa. Mum saß am einen Ende, Dad am anderen, und Clooney und Eve dazwischen. Clooney hielt seine Schwester an der Hand, und die ganze Familie lächelte; nur Eve machte ein mürrisches Gesicht. Sie war sechs gewesen und Clooney acht, und sie erinnerte sich noch genau daran, wie entnervt der Fotograf gewesen war, weil sie sich weigerte zu lächeln, wenn er «Cheese» sagte.

«Wenn man Cheese sagt, muss man einfach lächeln», sagte er.

«Das ergibt doch keinen Sinn», antwortete Eve.

«Warum möchtest du denn nicht lächeln?»

«Weil mir nicht danach ist.»

«Wenn du nicht lächelst, kann ich aber kein Bild von dir machen.»

«Können Sie wohl. Sie müssen nur den Knopf drücken.»

«Es ist doch nur für eine Sekunde. Davon fällt dir nicht gleich das Gesicht auseinander. Versprochen.»

«Mum? Wieso kann er nicht einfach seine Arbeit machen und wieder verschwinden?»

Ihre Mutter erklärte dem Mann, dass Eve es hasste, fotografiert zu werden.

«Wir haben alle unsere kleinen Macken», sagte sie, um Eves Launenhaftigkeit zu entschuldigen.

«Hören Sie, meine Liebe, ich verlange von dem Kind schließlich weder, ein Flugzeug zu fliegen, noch, in den Liffey zu springen. Ich möchte lediglich, dass sie ihre Mundwinkel in Richtung Augen hebt.»

Ihr Vater befahl Eve mit einem Tonfall zu lächeln, den er immer anschlug, wenn er es ernst meinte. Der Fotograf verharrte hinter der Kamera, und in dem Augenblick, als es «Klick!» machte, streckte Eve die Zunge heraus. Er blieb unbeeindruckt. Clooney fand es lustig. Ihr Vater ermahnte sie drohend, sich augenblicklich zu benehmen, aber Eve dachte nicht daran, und ihre Mutter war erschöpft, also wurde der Fotograf angewiesen, ein letztes Bild zu schießen, ob Eve lächelte oder nicht. Er tat, was von ihm verlangt wurde: Drei strahlten, als hätten sie gerade im Lotto gewonnen, und Eve machte ein Gesicht, als wäre eben jemand gestorben. So sah sie auf den meisten Fotos aus, und würde man nach diesen Aufnahmen urteilen, könnte man meinen, Eve wäre eine übellaunige kleine Heulsuse gewesen, doch das Gegenteil stimmte. Die meiste Zeit war sie vom Leben, von sich selbst und der Welt, die sie umgab, entzückt. Dieses Entzücken verschwand nur, wenn eine

Kamera auf sie gerichtet war. Doch nach dem Tod ihrer Mutter wurden diese Gelegenheiten selten, denn wie sich herausstellte, hasste Eves Vater Fotoapparate ebenso sehr, wie seine Tochter es tat, und so hatte selbst dieses Unglück sein Gutes gehabt.

Eve ging von Zimmer zu Zimmer, schritt über den alten Holzfußboden und ließ ihren Erinnerungen freien Lauf. Obwohl die Küche inzwischen renoviert worden war, glitt Eve mühelos in der Zeit zurück, als sie die Augen schloss und ganz still in der Mitte des Raumes verharrte – dort, wo früher der große Esstisch gestanden hatte. Sie hatte den Geruch der angebrannten Chilitomatensoße in der Nase, an der ihr Vater sich versucht hatte. Sie sah ihn, wie er sich in seiner mit Marienkäfern bedruckten Schürze über den Topf beugte und hektisch rührte. Er war voller Soßenspritzer und warf Nudeln an die Wand, weil er darauf beharrte, dass sie fertig waren, wenn sie kleben blieben.

«Kinder! Gleich fliegt hier alles an die Decke!»

Dann sah sie Clooney, Eve und Lily am Esstisch sitzen. Ihr Vater nahm ein altes Radio auseinander, das er in einer Mülltonne gefunden hatte, und aß gleichzeitig mit einer Hand. Sie konnte sogar das Radio hören, das er auf wunderbare Weise repariert hatte, während er gleichzeitig einen Teller klebrige Nudeln mit angebrannter Soße vertilgte. Eves Vater hatte immer sein Bestes gegeben, und seine Kinder hatten im Grunde nicht sonderlich unter seiner mangelnden Kochkunst gelitten, denn sie kannten es nicht anders, weil auch ihre Mutter keine große Köchin gewesen war. Eve hatte einmal mitbekommen, wie ihre Tante zu ihrem Onkel Rory sagte: «Du lieber Gott, diese Kinder würden sogar gebratenen Mist essen, wenn ihr Vater ihn lächelnd serviert.» Sie hatte recht, und die arme Lily, tja, für sie strahlte Eves Vater sowieso wie Sonne, Mond und Sterne zugleich. Er war lieb zu ihr und machte sie stillschweigend zu einem Mitglied seiner Familie. Sie nannte ihn nicht nur Danny, weil er Danny hieß, sondern auch, weil Danny fast wie Daddy klang. Und weil Eve ihrer Freundin, so lange sie denken konnte, schon immer alles nachgemacht hatte, wurde ihr Vater auch für sie schon früh zu Danny. In diesem Haus gab es keine einzige Erinnerung, die Lily nicht auf irgendeine Weise mit einschloss.

Eve trat an die Glastüren, die auf die gepflasterte Terrasse hinausführten, und fing auf einmal an, die Melodie von Paul Youngs und Zuccheros *Senza Una Donna* vor sich hin zu summen. Sie musste daran denken, wie Clooney stattdessen immer «Scent of Madonna», also Geruch von Madonna, gesungen hatte, um Lily zum Lachen zu bringen und Eve zu nerven. Eve war als Teenager leicht zu nerven gewesen.

«Scent of Madonna, gives me pain and some sorrow, scent of Madonna, she'll still smell bad tomorrow.»

«Arsch!»

«Evey, du sollst nicht Arsch zu deinem Bruder sagen!»

«Dann sag ihm, er soll aufhören, sich wie einer zu benehmen.»

«Clooney, hör auf, deine Schwester zu nerven!»

«Ich singe doch nur!»

«Nein, du gehst mir auf die Nerven!», sagte Eve.

«Davon geht doch die Welt nicht unter, Evey.»

Der Garten war zugewuchert, das alte Baumhaus stand schon lange nicht mehr, aber die große alte Eiche gab es immer noch. Eve lehnte sich gegen den Stamm und betrachtete das Haus, in dem sie aufgewachsen war. Sie erinnerte sich daran, dass ihre Mutter vor ihrem Tod monatelang nur im Schlafzimmer gewohnt hatte. Als es mit ihr zu Ende ging, durfte Eve sie einmal am Tag für ein paar Minuten besuchen. Sie kam nie ohne Lily, die stumm am Bett stand und Eves Mutter die Hand streichelte.

«Wie geht es dir, Mum?»

«Gut», pflegte ihre Mutter mit einem strahlenden Lächeln zu antworten.

«Du siehst aber nicht gut aus.»

«Nein.»

«Du siehst komisch aus.»

«Hab keine Angst.»

«Ich habe keine Angst. Ich bin traurig.»

Eves Vater hatte oft versucht, ihr beizubringen, dass es nicht immer klug war, alles, was sie dachte, laut auszusprechen, vor allem wenn es ihre kranke Mutter zum Weinen brachte. Die Kunst feiner Andeutungen hatte sich Eve bis heute nicht erschlossen.

Sie setzte sich auf die alte Holzschaukel, auf der Lily und sie fast jeden regenfreien Tag gesessen hatten, bis sie mit zwölf fürs Schaukeln zu cool geworden waren. Eigentlich hätte die Schaukel nach dreißig Jahren morsch und völlig unsicher sein müssen, doch ihr Vater hatte sich die ganzen Jahre darum gekümmert. Das Gerüst war fest in die Erde zementiert und fügte sich ebenso selbstverständlich in die Landschaft ein wie die großen alten Bäume. Eve fing zaghaft an zu schaukeln und musste daran denken, wie sie und Lily als kleine Mädchen immer gekreischt hatten, wenn sie versuchten, sich zu übertrumpfen, und immer höher schaukelten, bis die Füße an den Himmel stießen.

«Wer am höchsten kommt, hat einen Wunsch frei!», rief Eve immer, und Lily flippte jedes Mal aus, weil sie so viele

Wünsche hatte, dass sie sich unmöglich für einen einzigen entscheiden konnte.

«Mir fällt nichts ein, mir fällt nichts ein!», rief Lily dann verzweifelt, als wäre es das allererste Mal, dass sie einen Wunsch äußern sollte.

Sie schaukelten und schaukelten, und wenn es nicht mehr höher ging, schrie Lily, so laut sie konnte: «Ich hab dich lieb, Eve Hayes!»

Und Eve antwortete schreiend: «Ich hab dich lieb, Lily Brennan», und dann kicherten sie und strampelten wie wild mit den Beinen.

Eve hatte seit Ewigkeiten nicht mehr geschaukelt oder überhaupt irgendetwas aus vollem Herzen getan, und so saß sie nur still auf der Schaukel und starrte zu Boden, auf den Flecken Gras vor ihr, auf dem sie oft zusammen mit ihrer Freundin Lily gelegen und gegen das gleißende Sonnenlicht blinzelnd zum Himmel und zum Fenster ihrer Mutter hinaufgesehen hatte. So wie an dem Tag, als sie gestorben war. Sie hatten im Gras gelegen und sich über dies und das unterhalten. Im Haus herrschte Aufruhr, Erwachsene kamen und gingen, Eves Tante weinte, und ihr Onkel telefonierte ununterbrochen. Eves Vater rief nach Clooney, und dann geschah etwas. Die Leute hörten auf, im Haus hin und her zu laufen, alles wurde still, und dann zog jemand Unsichtbares im Zimmer von Eves Mutter die Vorhänge zu. Lily hielt Eves Hand, und obwohl sie damals beide erst sechs Jahre alt waren, wussten sie, dass Eves Mutter gestorben war.

Eve beschattete ihre Augen vor der strahlenden Sonne, die schien, obwohl es regnete, und sah zu dem Zimmer hinauf, in dem ihr so viel genommen worden war. Es war das einzige Zimmer im Haus, dem sie keinen letzten Besuch abgestattet hatte. Der Schmerz in ihr war noch viel zu präsent, denn in demselben Zimmer war vor nur elf Monaten auch ihr Vater gestorben. Diesmal war Eve dabei gewesen, und die Hand, die sie gehalten hatte, war nicht Lilys, sondern seine gewesen.

Er starb an einem Oktobermorgen nach kurzer, schwerer Krankheit. Er war zweiundsechzig Jahre alt geworden und bis zu dem Tag seiner Krebsdiagnose der fröhliche, gesunde, vielbeschäftigte Mann geblieben, der er immer gewesen war. Er arbeitete immer noch als Investmentbanker, er war immer noch verrückt nach Booten und Golf und widmete sich beidem, wann immer er die Gelegenheit dazu bekam. Er hatte eine Freundin namens Jean, eine Frau Mitte fünfzig. Die Beziehung war noch jung, doch sie hatten viele Gemeinsamkeiten, und er mochte sie sehr. Er verreiste noch immer und besuchte Eve mindestens dreimal im Jahr in New York. Bei seinem letzten Besuch brachte er Jean mit, und die beiden wirkten sehr verliebt. Ihm machte seit einer ganzen Weile der Rücken zu schaffen. Vor einigen Jahren war bei ihm Diabetes vom Typ 2 diagnostiziert worden, und obwohl er die Erkrankung anfänglich gut im Griff hatte, spielten seit einiger Zeit seine Blutzuckerwerte verrückt. Seine Tage begannen und endeten mit Übelkeit, und auf Jeans Drängen hin suchte er schließlich seinen Hausarzt auf. Zwei Wochen später, am 16. August, bekam er die Diagnose: Bauchspeicheldrüsenkrebs im Endstadium. Jean war diejenige, die Eve in New York anrief.

«Hallo, Eve?»

«Ja, hallo?»

«Hier spricht Jean … McCormack … die … äh … die Freundin deines Vaters.»

«Oh, Jean, hallo, wie geht es dir?»

«Ja, also, mir geht es gut. Danke. Danke, nett, dass du fragst.» Sie klang seltsam, und man musste kein Genie sein, um zu merken, dass dies kein Höflichkeitsanruf war.

«Was ist los, Jean?»

«Es geht um deinen Vater, Liebes.» Sie klang, als würde sie sich bemühen, nicht in Tränen auszubrechen.

«Was ist mit ihm?» Eves Herz schlug schneller, ihr wurde heiß, und das Blut, das eben noch in ihrem Kopf gewesen war, sauste ihr in die Füße. Sie musste sich an einem Stuhl festhalten. *Nun spuck's schon aus, Jean, Himmel noch mal!*

«Er hat Krebs.»

«Oh nein!»

«Es ist die Bauchspeicheldrüse.»

«Oh nein!»

«Du musst nach Hause kommen, Liebes.»

«Was ist mit Clooney?»

«Bitte sorg dafür, dass er auch nach Hause kommt.» Dann brach Jean zusammen, und Eve hörte sich selbst dabei zu, wie sie die Freundin ihres Vaters tröstete, während sie die ganze Zeit das Gefühl hatte, im Nebenzimmer zu stehen und ein fremdes Telefonat zu belauschen.

«Alles wird gut, Jean, es wird alles wieder gut. Ich rufe Clooney an, und wir kommen nach Hause, und wir kümmern uns um ihn, und bald geht es ihm wieder gut, weil ich Geld habe und bezahlen kann, was immer es kostet. Du kannst dich wieder beruhigen, ich kümmere mich darum. Okay?»

«Okay, Liebes», sagte Jean. «Okay.»

Doch sie hatte es bereits gewusst. Sie hatte gewusst, dass kein Geld der Welt Eves Vater mehr retten konnte, und sie tat das Einzige, was sie noch tun konnte: Sie sorgte dafür, dass die Menschen da waren, die er liebte und die ihn liebten, bis er zwei Monate später starb. Nach der Diagnose ging es mit seinem Gesundheitszustand rapide bergab, und so waren diese letzten beiden Monate sehr außergewöhnlich. Eve und Clooney hatten seit jenem Sommer im Jahr 1990 nicht mehr zu Hause gelebt. Ihr Vater wollte weder ins Krankenhaus noch in ein Hospiz, und so war es nur sinnvoll, dass sie während der Zeit, die ihm noch blieb, zusammenwohnten. Eves Geld konnte ihn zwar nicht retten, doch es ermöglichte rund um die Uhr die Pflege, die er brauchte.

Clooney traf zwei Tage nach Eve zu Hause ein. Trotz der Bräune wirkte er aschfahl, und noch als sie sich am Flughafen umarmten, gruben sich neue Fältchen in die Partie um seine Augen. An jenem Abend betrank er sich und weinte wie ein kleines Kind. Eve erstellte Listen mit Dingen, die zu tun und zu besorgen waren, und stattete das Zimmer, in dem ihre Mutter gestorben war, mit allen Bequemlichkeiten aus, die nötig waren, um ihrem Vater das Sterben zu erleichtern. Innerhalb einer Woche war der Raum eingerichtet wie ein hochmodernes Krankenhauszimmer. Eves Vater war fröhlich, und wenn er zornig oder verbittert war, ließ er sich nichts anmerken. Es wirkte aufrichtig und glaubwürdig, nur ab und zu, wenn er dachte, er wäre allein zu Haus, schrie und brüllte er, und manchmal schluchzte er so heftig, dass Eve ihren Bruder vor seiner Zimmertür zurückhalten musste.

«Er braucht das», sagte sie.

«Er braucht uns», hatte Clooney geantwortet.

«Wann warst du das letzte Mal froh darüber, beim Heulen Publikum zu haben?», erwiderte sie, und Clooney nickte und ließ seinen Vater in Ruhe.

Wenn sie bei ihm waren und er keine Schmerzen hatte, genoss er jeden Augenblick. Die Abende waren dunkel und trüb, und der Regen schlug gegen die Fenster, doch er hatte den Klang des Regens immer geliebt. Jean war von Anfang bis Ende dabei, ohne sich je aufzudrängen. Sie war eine Dame durch und durch. Sie benahm sich stets angemessen, auch wenn Eve und Clooney es seltsam fanden, dass sie am Sterbebett eines Agnostikers oft stumm betete und den Rosenkranz durch ihre Finger gleiten ließ. Eines Tages sprach Eve sie bei einer Tasse Kaffee darauf an.

«Du weißt, dass mein Vater Agnostiker ist.»

«Ja, Liebes, das weiß ich.»

«Trotzdem betest du.»

«Ich weiß. Egoistisch, oder?»

«Ich fürchte, da komme ich nicht ganz mit.»

«Weißt du, ich bete für mich.»

«Ach so.»

«Und du? Bist du auch Agnostikerin?»

«So lange, bis die Jungfrau Maria oder ein dicker fetter Buddha, Allah oder Brahma ans Fußende meines Bettes tritt und mir das Gegenteil beweist», antwortete Eve.

«Es wird schwer für dich werden, ihn gehen zu lassen», sagte Jean.

«Ja», stimmte Eve ihr zu und konnte nicht mehr weitersprechen, weil ihre Nase juckte und Tränen in ihren Augen brannten.

«Ich bete für ihn, weil es mir dann besser geht, und ich bete für mich, dafür, dass ich die Kraft habe weiterzumachen, wenn er nicht mehr da ist.»

«Das wirst du», sagte Eve mit der Überzeugung, die die Erfahrung mit sich bringt, auch wenn ihr schon bei dem bloßen Gedanken daran das Herz weh tat.

«Und du?», fragte Jean.

«Menschen leben, und dann sterben sie, Jean», sagte Eve nüchtern und ließ Jean ihren Kaffee allein zu Ende trinken.

Wenn sie unter sich waren, flirteten und lachten Jean und Eves Vater miteinander, und weder der Katheter noch der Stomabeutel vermochten seinen gewitzten Charme zu schmälern. Jean brachte Licht in sein abgedunkeltes Zimmer, und er war nicht der Einzige in der Familie Hayes, der ihr dankbar dafür war.

Eve und Clooney verbrachten ganze Tage in dem Zimmer. Danny liebte Kreuzworträtsel und die Wiederholungen von «Wer wird Millionär?». Clooney verkündete die Antworten stets lauthals und in einem Brustton der Überzeugung, der keinen Zweifel zuließ. Oft genug lag er mit seiner Antwort daneben und brachte die anderen damit zum Lachen. Einmal lautete die Frage: «Welcher legendäre deutsche Gelehrte verkaufte seine Seele an den Teufel?», gefolgt von den üblichen vier Antwortmöglichkeiten.

Eve sah ihren Vater an und zuckte die Achseln. Ihm ging es genauso.

«Tannhäuser», verkündete Clooney selbstbewusst.

Der 50:50-Joker kam zum Einsatz. Es blieben Faust und Tannhäuser. Clooney warf ihnen einen Blick zu und nickte selbstgefällig. Der Kandidat entschied sich für Faust.

«Oh, oh, jetzt bist du am Arsch.»

Der Moderator zog die Kunstpause beinahe unerträglich in die Länge, ehe er verkündete, dass der Kandidat soeben 16 000 Pfund gewonnen habe.

Alle jubelten, bis auf Clooney, der so tat, als würde er sich furchtbar über das Gelächter seines Vaters ärgern.

«Faust. Verdammt noch mal! Faust! Ja klar!»

«Ja klar? So ein Blödsinn! Du hattest keinen blassen Schimmer!», sagte Eve.

«Na schön», gab er zu. «Aber hätten wir gepokert, hätte ich die Hand gewonnen.»

«Trottel!», sagte Eve.

«Na schön, immer noch besser Trottel als Bigfoot!», sagte Clooney und lachte über seinen eigenen Witz. Ihrer Größe wegen war Eve bereits in der ersten Klasse von einem Jungen namens Eoin Shaw Bigfoot getauft worden und war den Namen bis zum Gymnasium nicht mehr losgeworden.

«Danny!», rief Eve in einem Tonfall, der ihre Entrüstung über die Ungeheuerlichkeit zum Ausdruck brachte, dass Clooney es wagte, den Namen auszusprechen, der im Hause Hayes nicht genannt werden durfte.

Eves Vater lachte und wiederholte leise: «Bigfoot.» Er kratzte sich die fahle Wange und schwelgte in der Erinnerung an das Spottlied, das Eves Klassenkameraden immer gesungen hatten – alle bis auf Lily natürlich.

«Bigfoot Eve schwänzt die Messen, zieht es vor, nur Gras zu fressen … Wie ging das noch mal weiter?»

«Danny!», wiederholte Eve im gleichen Tonfall, doch ihr Lächeln verriet, dass sie nicht so beleidigt war, wie sie tat.

Clooney dachte einen Augenblick nach, dann hob er die Hand und rezitierte: *«Bigfoot Eves Riesenfüße brauchen Schuh in Übergröße.»*

Eves Vater kicherte. «Das waren aber auch keine preisverdächtigen Dichter.» An jenem Abend ging er mit einem Lächeln schlafen, und es war eine der letzten Nächte, in denen sein Schlaf nicht von Schmerzmitteln betäubt war.

Manchmal spielten sie nachmittags gemeinsam Monopoly. Eve gewann fast immer. Clooney stellte die Behauptung auf, das läge an ihrer eiskalten, berechnenden Kapitalistenmentalität.

«Ach, komm schon, Evey, nicht auch noch die Shrewsbury Road! Die kriegst du immer!», sagte ihr Vater, als es wieder mal so aussah, als würde sie gewinnen.

«Die ist auch nicht mehr das wert, was sie mal war, falls dich das tröstet, Danny.»

«Jetzt lass sie ihm doch einfach.»

«Kann ich nicht machen, Clooney.»

«Ich trenne mich gern vom Flughafen Shannon, Dad», erbot sich Clooney, doch sein Vater lachte nur.

«Na sicher, mein Sohn.»

Solange er noch zu richtigen Gesprächen fähig war, sprachen sie über alles und jeden, doch kein einziges Mal darüber, dass er im Sterben lag. Jean kümmerte sich um seinen letzten Willen und sein Testament, und sie war es auch, die seine Bestattungswünsche mit ihm besprach. Mit Papier und Stift saß sie da und schrieb mit, sobald er einen Wunsch äußerte. Die Hayes waren Agnostiker, und der Tod von Eves Mutter hatte ebenso wenig an ihrer Einstellung geändert, wie es Dannys Tod tun würde. Er hatte mit Religion nichts am Hut. Er glaubte nicht an ein Leben nach dem Tod, zumindest nicht in der Form, wie es einem von den diversen Organisationen verkauft wurde. Weder nahm er an, dass er künftig auf irgendeiner Wolke im Himmel rumhängen würde, noch fürchtete er, in der ewigen Hölle zu schmoren. Er erwartete kein Wiedersehen mit Eves Mutter – es wäre nett, wenn es passieren würde, doch er hatte keine Angst vor dem endgültigen Aus. Auch als es ihm zusehends schlechter ging und der Umgang mit den Schmerzen immer schwieriger wurde, taten sie alle weiter so, als wären Clooney und Eve einfach zu einem ausgedehnten Besuch im Haus und als wäre alles in bester Ordnung.

Als er ihnen schließlich langsam entglitt, war es für Clooney unerträglich, und Eve gab es auf, den Schein zu wahren. Als er um seinen letzten, mühseligen Atemzug rang, hielt sie seine Hand und flüsterte ihm ins Ohr. «Du darfst loslassen, Danny», sagte sie, und er drückte sanft ihre Hand, schloss die Augen und war nicht mehr.

Jean saß an der Tür, den abgegriffenen Rosenkranz zwischen den Händen. Clooney stand am Fenster und sah hinaus. Er drehte sich lange nicht um. Eve blieb einfach sitzen, hielt ihrem Vater die Hand und machte sich mit der Rechten Notizen über die Dinge, die als Nächstes zu tun sein würden.

Er wollte eine schlichte Trauerfeier in einem schönen Bestattungsinstitut, dazu ein paar Worte von Clooney und Eve, auch wenn er Verständnis dafür hätte, falls Eve nichts sagen wollte, denn schließlich wüsste er ja, wie sie sei. Er wünschte sich, dass sein alter Freund Lenny Gitarre spielte und ein paar Bob-Dylan-Songs sang, und nachdem sie ein paar Worte gesprochen, ein paar Lieder gesungen, ein paar Brötchen gegessen und ein paar Tassen Tee getrunken hatten, wollte er, dass sie seine Asche mit seinem geliebten Segelboot hinaus aufs Meer schipperten, um ihn dort feierlich ins Wasser zu kippen.

«Ist das überhaupt erlaubt?», fragte Clooney Jean seinerzeit.

«Wen interessiert das denn?», sagte Eve.

Und so taten sie genau das. Eve packte einen Picknickkorb, eine teure Flasche Wein inklusive, und sie fuhren hinaus. Jean, Clooney und Eve standen an Deck, jeder von ihnen in seine eigenen Gedanken und Erinnerungen versunken. Sie vergewisserten sich genau, aus welcher Richtung der Wind wehte, weil Danny streng darauf bestanden hatte, damit sie ihn nicht versehentlich einatmeten oder verschluckten.

«Die Windrichtung ist wesentlich», hatte er Jean gewarnt.

«Verstanden.»

«Absolut wesentlich», hatte er wiederholt, den Zeigefinger angeleckt und ihn in die Luft gehalten.

«Hab's kapiert.»

«Und lasst bitte die Urne nicht ins Wasser fallen.»

«Okey-dokey.»

«Das wäre Umweltverschmutzung.»

«Verstanden.»

«Aber behalten sollt ihr die Urne auch nicht.»

«Und was soll ich damit machen?»

«Recyceln.»

«Wird gemacht.»

«Ich wünschte, mir bliebe mehr Zeit, dich zu lieben, Jean», sagte er und lächelte sie an. «Das tut mir so furchtbar, furchtbar leid.»

«Mir auch», hatte sie gesagt und sich eine leise Träne gestattet, während sie seine Wünsche notierte.

Nachdem die Windrichtung bestimmt war, reichte Eve Clooney die Urne, und die drei standen etwa eine Minute lang stumm da, ehe er die Asche über Bord warf. Eve schenkte drei Gläser Wein ein, und sie stießen auf ihn an. Jean weinte die ganze Rückfahrt über, leise und in ein großes Taschentuch, weil sie auf keinen Fall zu viel Aufhebens um sich machen wollte. Clooney war schweigsam und rührte sein Glas kaum an. Als sie in den Hafen einliefen, hatte Eve beinahe die ganze Flasche allein geleert.

In den elf Monaten seit dem Tod ihres Vaters hatte sich viel geändert. Es war an der Zeit, das Haus ihrer Kindheit hinter sich zu lassen. Vor ihr lag ein neues Kapitel ihres Lebens, ein langsameres. Für Eve war es Zeit, stehen zu bleiben und an den Rosen zu riechen.

Sie schloss die glänzende dunkelblaue Haustür hinter sich, und als sie das Ende der kurzen, baumbestandenen Allee erreicht hatte, drehte sie sich noch einmal um und warf einen allerletzten Blick auf das große weiße Haus, das von Kletterpflanzen und rosarot blühenden Ranken umgeben war, und die große Eiche im Vorgarten mit der Bank, die darunterstand. *Mach's gut, altes Haus! Mach's gut, Kindheit! Mach's gut, Mum! Mach's gut, Danny! Ihr wart wunderbar, wir sind froh, dass wir euch beide hatten. Ich vermisse euch. Ich liebe euch. Ich danke euch, sollten wir uns nicht wiedersehen.* Sie zögerte nicht und vergoss auch keine Träne. Eve neigte nicht zur Rührseligkeit, und ihre Mutter und Jean hatten ihr beigebracht, dass eine Dame stets weiß, wann es Zeit ist zu gehen. Sie nickte den Möbelpackern in ihrem Lieferwagen zu, die gerade ihre Pause beendeten, dann überquerte sie die Straße und stieg ins Auto. Sie steckte den Zündschlüssel ins Schloss und verließ die Straße, in der sie aufgewachsen war – und zwar, wie sie glaubte, endgültig.

Am Morgen hatte Eve kurz mit Clooney telefoniert. Er befand sich in irgendeinem elenden Loch in Afghanistan, bewahrte Waisen und Flüchtlinge vor dem Verhungern und scherte sich nicht um die Einzelheiten des Hausverkaufs.

«Ich brauche deine Bankverbindung.»

«Wozu das denn?»

«Für das Geld aus dem Hausverkauf.»

«Überweis meinen Anteil einfach an irgendeine Krebs-hilfeorganisation.»

«Bitte mach es nicht so kompliziert.»

«Ich mache es einfach.»

«Nein. Du machst es schwierig. Ich werde dein Geld nicht verschenken.»

«Und wenn ich ganz lieb bitte sage?»

«Schön. Ich richte dir ein Bankkonto ein.»

«Ach. Heißt das etwa, dass ich mich mit Steuern rum-schlagen muss?»

«Man verschenkt sein Geld doch nicht, weil man sich nicht mit den Steuern rumschlagen will!»

«Du nicht. Ich schon.» Er wechselte das Thema. «Du klingst erschöpft.»

«Tja, ich bin ja auch erschöpft. Ich kümmere mich hier um alles, während du in Afghanistan herumturnst.»

«In Kriegsgebieten turnt man nicht herum.»

«Nein, wohl eher nicht», gab sie zu.

«Du bist doch sicher froh, wieder zu Hause zu sein.»

«Ach ja», antwortete sie halbherzig, «es ist toll.»

«Vielleicht komme ich dich bald mal besuchen», sagte er, und sie lachte.

«Na, das kann dauern», sagte sie. «Es muss schon je-mand sterben, damit du mal nach Hause kommst.»

Clooney widersprach ihr nicht. Stattdessen beendete er das Gespräch, indem er ihr sagte, sie solle mit dem Geld machen, was sie wolle. «Ich brauche es nicht, Eve, und ich will es auch nicht.»

Clooney war, was Geld betraf, schon immer ziemlich eigen gewesen. Er hatte sich nie wirklich dafür interessiert. Schon als Kind hatte er sich von materiellen Dingen nicht beeindrucken lassen. Er hatte jahrelang auf Spesen gelebt und sein Geld aufs Sparbuch gepackt. Er führte ein Nomadendasein ohne Verpflichtungen. Er kannte noch nicht mal seinen Kontostand. Er speiste die Armen unter den schlimmsten Bedingungen, die man sich vorstellen konnte, und dazu brauchte er weder einen Anzug noch ein teures Auto. Eve dachte oft, dass ihr Bruder in einer Krise der verlässlichste Mensch auf Erden war, aber sobald die Krise vorbei war, war er wieder weg und zog weiter, weil er es wichtig fand, gebraucht zu werden.

Clooney war mit zwanzig zu Hause ausgezogen, kurz bevor im September 1990 sein drittes Studienjahr auf dem College anstand. Er studierte Ingenieurswesen, aber irgendwie hatte er es bereits im ersten Semester geschafft, einen Job beim Campussender zu ergattern. Gemeinsam mit einem Mädchen namens Vera Kilpatrick moderierte er seine eigene Sendung. Sie hatten montags bis freitags jeden Abend von acht bis zehn ihren festen Sendeplatz. Seinen Namen hatte Clooney noch nie gemocht. Seine Mutter hatte ihn in einem Namensbuch entdeckt, und obwohl seine Eltern sich im Vorfeld eigentlich auf Matthew geeinigt hatten, änderte sie ihre Meinung in dem Augenblick, als sie ihn, ein Auge geöffnet und eines geschlossen, auf ihrem Arm liegen sah.

«Das ist kein Matthew. Das ist ein Clooney.»

Sein Vater war sich nicht ganz sicher, ob ihm die Idee gefiel, doch ihr Entschluss stand fest.

«Das ist ein gälischer Ausdruck für Schlawiner. Und der hier ist definitiv ein Schlawiner.»

Und sie hatte sich nicht in ihrem Sohn getäuscht. Die meisten Menschen hatten den Namen noch nie gehört, und er wurde oft gebeten, ihn zu wiederholen oder zu buchstabieren – zumindest bis George Clooney 1994 in «Emergency

Room» Dr. Doug Ross spielte. Ab diesem Moment kannte die gesamte westliche Welt plötzlich den Namen Clooney, und Eves armer Bruder musste sich bei den raren Gelegenheiten, wenn er zum Beispiel Weihnachten nach Hause kam, spöttische Kommentare anhören.

«Clooney? Findest du dich auch so toll?»

«Clooney? Ich brauche sofort eine Mund-zu-Mund-Beatmung.»

«Hey, Clooney, als Batman warst du wirklich scheiße!»

Sein Vater pflegte immer zu scherzen, dass er in Wahrheit nicht in der Dritten Welt lebte und arbeitete, weil er so altruistisch war, sondern nur, um dem Fluch von George Clooney zu entkommen. In den späten Achtzigern und frühen Neunzigern, noch vor George und dem Ruf der Ärmsten der Armen, gaben sich viele DJs alberne Namen, und Clooney war keine Ausnahme. Aus Clooney Hayes wurde Cloudy Dayz, und sein Sidekick Vera Kilpatrick kannte man nur als V Kill P. Sie spielte Kylie und Jasons «Especially For You», er spielte «Belfast Child» von den Simple Minds. Sie spielte «Eternal Flame» von den Bangles und er «Paradise City» von Guns N' Roses, und zwischen ihren musikalischen Grabenkämpfen machten sie ihre Hörerschaft mit Sex, Drugs und Rock 'n' Roll bekannt. Sie diskutierten aus der männlichen und weiblichen Perspektive heraus. Sie redeten über alles, schonungslos und ohne Kompromisse, und sie waren ein gutes Team. Sie feierten und erläuterten die Bedeutung der Entscheidung des Europäischen Gerichtshofs für Menschenrechte von 1988, homosexuelle Kontakte zwischen Erwachsenen im gegenseitigen Einverständnis zu entkriminalisieren, das Ergebnis einer Klage von David Norris gegen den Staat Irland und seine drakonischen und unfairen Gesetze. Sie warben dafür, Beschwerde gegen das Urteil des Obersten Gerichtshofs einzulegen, das es Studenten untersagte, Broschüren und Kontaktadressen britischer Abtreibungsagenturen zu verteilen. Sie diskutierten die strafrechtliche Gesetzesnovelle über Vergewaltigung und erklärten, was es mit der Abschaffung der ehelichen Ausnahme auf sich hatte. Sie waren unglaublich leidenschaftlich, die Chemie zwischen ihnen stimmte, und die Sendung war ziemlich gut, obwohl Eve das damals nie zugegeben hätte.

Clooney hätte zum Rundfunk gehen können, wenn er gewollt hätte, er wäre auch ein guter Ingenieur geworden, doch sein blutendes Herz gab den Weg für die Zukunft vor. Clooney war vierzehn, als Bob Geldorfs Live Aid die Welt veränderte, und es hatte einen gewaltigen Effekt auf ihn. Millionen von Menschen starben unter schlimmsten Bedingungen, und die Gesichter der Verhungernden aus aller Welt, die über den Bildschirm flimmerten, spukten noch lange, nachdem das Megakonzert vorbei war, in Clooneys Kopf herum. Als er die Gelegenheit bekam, sich als Freiwilliger dem Friedenscorps anzuschließen und nach Afrika zu gehen, warf er sein Studium und die vielversprechende Radiokarriere hin und machte sich auf die Reise, sobald er sämtliche Impfungen hinter sich gebracht und seinen Vater davon überzeugt hatte, dass es sinnlos war, ihn aufzuhalten. In den darauffolgenden Jahren arbeitete er für viele private Organisationen auf drei Kontinenten, und die beiden Monate, die er am Sterbebett seines Vaters verbrachte, waren Clooneys längster Irlandaufenthalt, seit er zwanzig war.

Eve ging im selben Herbst, als er aufbrach, nach St. Martin's. Im ersten Studienjahr hatte sie noch den Bachelor in Modedesign im Visier, doch als ihr klarwurde, dass ihr

Talent nie an das einiger ihrer Kommilitonen heranreichen würde, wechselte sie das Fach und fand im Schmuckdesign ihre Nische. Das Studium dauerte drei Jahre, und obwohl sie die Zeit in London genoss, ging sie, sobald sie ihren Abschluss in der Tasche hatte, zu einem Schmuckdesigner nach Paris, wo sie weitere drei Jahre verbrachte. Eve war kein Partygirl. Sie besaß eine hohe Arbeitsmoral und genügend Hingabe und Entschlossenheit, um erfolgreich zu sein. Um ihr Ziel zu erreichen, machte sie unzählige Überstunden, und da sie nicht gewillt war, Drogen zu nehmen, um tagsüber arbeiten und die Nächte durchfeiern zu können, besaß sie kaum nennenswerte Erinnerungen an das aufregende Partyleben, das man bei einer jungen Frau in Paris erwarten würde. Doch das spielte keine Rolle, weil sie ihre Arbeit liebte, und als sie genug Erfahrungen gesammelt hatte, ging sie nach Amerika, entwickelte dort ihre eigene Schmucklinie und baute damit ein internationales Millionenunternehmen auf. Amerika und ihre eigene Firma ließen ihr kaum Raum für ein Privatleben. Trotzdem war das Leben gut, und sie war dankbar und zufrieden – jedenfalls bis ihr Vater starb. Die beiden kostbaren Monate in Irland hatten alles verändert. Sie hatte ein paar Gänge zurückgeschaltet und wieder Kontakt zu ihrem Vater, ihrem Bruder, ihren alten Freunden und ihrer Heimat geknüpft.

Nach Jahren der Funkstille hatte Eve über Facebook alte Freunde angesprochen. Gar Lynch, der Junge, mit dem sie als Teenager zusammen gewesen war, bot ihr als Erster die Freundschaft an, und aus dieser Freundschaft ergab sich ein paar Wochen später die Verbindung zu ihrem gemeinsamen Kumpel Paul Doyle. Gar hatte Gina McCarthy geheiratet. Gina war zwei Jahre älter als Eve, doch sie waren in unmittelbarer Nachbarschaft aufgewachsen und als Kinder immer Freundinnen gewesen, bis Gina mit zwölf auf einmal feststellte, dass zwei Jahre Altersunterschied die Welt bedeuteten und sie Eve und Lily die Freundschaft kündigte, indem sie ihnen die Tür vor der Nase zuknallte, als sie die Frechheit besaßen, bei ihr zu klingeln und zu fragen, ob sie Lust hätte, zum Spielen rauszukommen. Trotz dieser Abfuhr hatte Eve Gina immer gemocht. Sie waren in jenem Sommer 1990 wieder in Kontakt gekommen, kurz bevor Eve Irland verließ, und sie freute sich darüber, dass Gar bei Gina gelandet war. Dank Facebook erfuhr sie, dass die beiden glücklich waren, zwei Kinder hatten, zwei Hunde, eine Katze und ein Boot. Sie waren immer in der Gegend geblieben, weil Gar keinen Grund gewusst hätte wegzugehen.

«Meerluft, gute Schulen, tolle Restaurants, der beste Pub Irlands, und die DART-Bahnlinie die Küste runter führt auch direkt hier vorbei. Was will man mehr?», schrieb er in einer persönlichen Nachricht, aber Gar war schon immer mit seinem Zuhause zufrieden gewesen, und, um ehrlich zu sein, nicht völlig zu Unrecht. Eves alte Heimatstadt kam dem perfekten Fleckchen Erde näher als jeder andere Ort, an dem sie bis jetzt gewesen war.

Sie erfuhr, dass Paul nach dem Studium nach England gezogen war. Als die Wirtschaft in Irland boomte, kehrte er jedoch zurück und blieb trotz des gespannten Verhältnisses zu seinen Eltern ebenfalls. Gar schrieb, Paul habe sich zu ihrer aller Überraschung in seinem zweiten Jahr am Trinity College geoutet. Er schien einfach nicht der Typ dafür zu sein. Paul war ein großartiger Rugbyspieler, knallhart und ständig von Mädchen umringt. Eve war aufgefallen, dass er nie wirklich mit einem Mädchen aus ihrem Ort zusammen gewesen war. Seine Freundinnen wohnten immer eine Busfahrt weit entfernt, und er blieb nie länger als fünf

Minuten mit der Gleichen zusammen, aber irgendeine gab es immer. Für die Jungs war er eine Legende. Für Eve war Paul immer ein übler Schwerenöter gewesen, wenn auch ein netter, aber Mädchen, die ihren guten Ruf oder gar die Jungfräulichkeit bewahren wollten, hielten Paul Doyle lieber auf Abstand. Sie war schon in London, als er sich outete, die Verbindung zu ihrer alten Clique löste sich bereits, und so hatte sie das Drama damals verpasst. Sie erfuhr erst später durch Gar und dann durch Gina, dass es jede Menge Aufruhr gegeben hatte. Pauls Vater ging drei Tage und Nächte auf Sauftour, ehe er mit einem Loch im Schädel und ohne Erinnerung in der Notaufnahme wieder zu sich kam. Seine Mutter drohte, ein ganzes Päckchen Schlaftabletten zu schlucken, wovon sie nur der örtliche Priester mit dem Versprechen abhalten konnte, für ihren Sohn zu beten, damit ihm die ewige Verdammnis erspart bliebe. Der Priester erwies sich später als pädophil, eine Nachricht, die Mrs. Doyle nicht so schlecht aufnahm wie die Homosexualität ihres Sohnes. Paul lebte jahrelang mit einem Mann namens Paddy zusammen, und das Ende der Beziehung bekamen alle über Pauls neuen Facebook-Status mitgeteilt. In Pauls Gesellschaft fühlte man sich wohl, doch er sprach kaum über sein Privatleben, und deshalb wusste niemand, was Paul tat, mit wem er es tat oder ob er überhaupt irgendwas mit irgendjemandem tat, seit Paddy auf so mysteriöse Weise aus seinem Leben verschwunden war. Als sie vor einem Jahr abends miteinander essen waren, hatte Eve versucht, ihm irgendwelche Informationen aus der Nase zu ziehen, indem sie ihn mit ihrem sterbenden Vater emotional zu erpressen versuchte.

«Nein.»

«Ach, komm schon, erzähl mir was.»

«Nein.»

«Ich brauche Ablenkung.»

«Nein.»

«Wieso denn nicht?»

«Weil ich nicht will.»

«Du bist ein schlechter Schwuler.»

«Du hast ja keine Ahnung.»

Er lächelte sie an, nickte vielsagend und wechselte zu einem Thema, das mit seinem Privatleben nichts zu tun hatte. Also sprachen sie den Rest des Abends über Eve.

Sie hatte es während ihres kurzen Irlandaufenthaltes sogar geschafft, sich mit Ben Logan zu treffen. Er hatte sie ein halbes Jahr vor der Diagnose ihres Vaters ebenfalls über Facebook kontaktiert. Sie dachte lange und gründlich darüber nach, ob sie seine Freundschaft akzeptieren sollte, ehe sie eine Entscheidung traf. Sie holte sich sogar bei ein paar amerikanischen Freundinnen Rat.

«Nie, nie, *nie* einen Ex auf die Freundesliste setzen», sagte Debbie.

«Natürlich nimmst du die Freundschaft an! Ist ja schließlich nicht so, dass du hier was am Laufen hättest», hielt Marsha dagegen.

«Es ist gefährlich», sagte Debbie.

«Was soll denn daran gefährlich sein?», wollte Marsha wissen. «Er lebt da, sie lebt hier, und es ist nur ein winziger Flirt im Netz. Sie muss weiß Gott was unternehmen.»

«Wieso kauft sie sich nicht einfach ein neues Kleid, brezelt sich auf und verabredet sich?»

«Ich bin übrigens anwesend», warf Eve ein, um sich in Erinnerung zu bringen.

Trotz Debbies Warnung gewann ihre Neugierde schließlich die Oberhand, und nachdem sie lange genug gewartet hatte, um auch wirklich niemandem und schon gar nicht Ben das Gefühl zu geben, übereifrig zu sein, bestätigte sie seine Freundschaftsanfrage und klickte sich sofort durch seine Fotos und die Pinnwand. *Immer noch klein und immer noch ein absoluter Blickfang.* Sein Haar war dicht, er war sonnengebräunt und strotzte vor Gesundheit. *Oh, Ben, für mich wirst du immer Glenn Medeiros bleiben.* Er ging eindeutig ins Fitnessstudio, und seine Augen fingen immer noch an zu strahlen, sobald eine Kamera in der Nähe war. Er besaß eine edle Biosupermarktkette mit Filialen in Dublin, Wicklow, Galway und Cork. Er war mit einer Frau namens Fiona verheiratet. Die Fotos legten nahe, dass sie trotz des Minilebensmittelimperiums oft verreisten und keine Kinder hatten. Ein paar Stunden, nachdem Eve seine Freundschaft akzeptiert hatte, schrieb er ihr eine Nachricht.

Hey, Blondie,

war mir nicht sicher, ob du annehmen würdest. Schön, dass du's getan hast. Gratuliere zu deinem Erfolg. Ich wusste immer, dass du es schaffen würdest, auch wenn ich überrascht bin, dass du beim Schmuck gelandet bist. Aber ich dachte ja auch immer, ich werde ein Rockstar, und jetzt verkaufe ich Lebensmittel. Was macht das Leben? Kommst du ab und zu nach Hause?

Kuss, Ben alias Glenn M.

Sie hatte ihm freundlich geantwortet und ihm zu seinem beruflichen Erfolg und seiner Ehe gratuliert. Sie schrieb, dass sie seit Jahren nicht zu Hause gewesen sei, wünschte ihm alles Gute und verabschiedete sich höflich. Danach kommentierten sie gegenseitig ihre Statusmeldungen, markierten einander auf alten Fotos oder lustigen YouTube-Videos, und ab und zu klickten sie «Gefällt mir», wenn der andere etwas gepostet hatte.

Das war mehr oder weniger der Stand der Dinge, als Eves Vater krank wurde.

Eve war seit einer Woche zu Hause, als Ben anrief und fragte, ob sie sich mit ihm auf eine Tasse Kaffee treffen wolle. Sie hatte bisher die meiste Zeit damit verbracht, im Krankenhaus ein und aus zu gehen, und dabei gleichzeitig versucht, zu Hause das Zimmer für ihren Vater einzurichten und die häusliche Pflege zu organisieren. Wenn sie nicht gerade durch die Gegend rannte, war sie allein zu Hause und wartete auf Clooneys Rückkehr. Sie hatte sich weder bei Gar noch bei Paul gemeldet, da spürte Ben sie plötzlich auf.

«Woher wusstest du, dass ich hier bin?», fragte sie fassungslos.

«Ich dachte, ich hätte dich in Donnybrook rumlaufen sehen, und da hab ich's einfach probiert und dich angerufen.»

«Ich war nicht mal in der Nähe von Donnybrook.»

«Na, dann muss es wohl Schicksal sein», sagte er und klang dabei sehr wie der Junge, den sie in einem Sommer vor zwanzig Jahren geliebt und wieder verloren hatte.

Ihr Herz machte einen Satz. *Er ist verheiratet, Eve, benimm dich!*

Sie trafen sich in der Nähe des Krankenhauses auf eine Tasse Kaffee, und ihre Befürchtungen, es könnte ein bisschen komisch werden, waren unbegründet. Sie gingen völlig unbefangen miteinander um, ohne sich zurückzuhalten und ohne viel in der Vergangenheit zu schwelgen.

«Aha, also Edelsupermärkte», sagte sie.

«Aha, also billiger Modeschmuck.»

«Das ist nur ein winziger Teil des Geschäfts, und abgesehen davon bevorzuge ich den Ausdruck ‹erschwinglich›.

Und wolltest du nicht eigentlich vom gequälten Dichter zum Rockstar werden?»

«Tja, es hat sich rausgestellt, dass du recht hattest und ich scheiße war, aber wolltest du nicht eigentlich die nächste Coco Chanel werden?»

«Dinge ändern sich.»

«Du hast dich kein bisschen verändert.»

Er sah sie anerkennend an, und ihr Herz schlug schneller.

Eve war nicht so leicht in Verlegenheit zu bringen. Sie war weder besonders eitel, noch litt sie an Selbstüberschätzung, und sie fühlte sich nur selten schön, obwohl sie selbst die Schönheit noch in den eigenwilligsten Gesichtern entdeckte. Daran hatten auch viele Jahre in der Modebranche nichts geändert.

In Wirklichkeit galt Eve bei den Menschen, die ihr nahestanden, als ziemlich schön. Sie war eins achtzig groß, von Natur aus blond, und der Pixiehaarschnitt passte gut zu ihrem Gesicht. Sie hatte eine schlanke, sportliche Figur, makellose Haut und grüne Augen. Wäre ihre Abneigung gegen Kameras nicht gewesen, hätte Eve Model werden können. Sie hatte sich schon immer etwas knabenhaft gefühlt. Mit Anfang zwanzig entschied sie sich für einen Kurzhaarschnitt und trug noch heute eine Version davon, nicht weil es modisch, sondern weil es praktisch war. Zur großen Empörung ihrer amerikanischen Freundinnen trug sie grundsätzlich Jeans, Tops und Blazer und schminkte sich so gut wie nie. Sie war kein Girlie, sie besaß keine Million Schuhe, und obwohl sie Schmuck entwarf, war das Einzige, was sie selbst trug, ein kreisrunder goldener Anhänger um den Hals, in den der Name ihrer Mutter eingraviert war. Weil sie so groß war, musste sie sehr oft nach unten sehen und daher auf ihre Haltung achten, denn wenn sie sich gehen ließ, machte sie einen Buckel. Aber das geschah eher selten. Wenn Eve in den Spiegel schaute, sah sie trotz der einhelligen Meinung nicht, was die anderen sahen. Um ehrlich zu sein, fühlte Eve Hayes sich nur schön, wenn sie sich mit Ben Logans Augen sah. Und jetzt, zwanzig Jahre nachdem sie sich in der schlimmsten Nacht ihres Lebens getrennt hatten, saß sie mit ihm in einem Café in Dublin und errötete, weil sie sich eine Stunde lang wieder schön fühlte.

Nach diesem erfolgreichen Wiedersehen trafen sie sich regelmäßig. Zuerst nur zum Kaffeetrinken, dann zum Mittagessen, dann zum Abendessen, auf ein paar Drinks in einer Bar, und als sie schließlich miteinander schliefen, geschah es mit der Übereinkunft, dass er seine Frau und sie ihr Leben liebte und sie nichts weiter voneinander wollten als ein bisschen Abwechslung. Beiden war bewusst, dass Eves Aufenthalt in Irland zeitlich begrenzt war. Sie fühlten beide dasselbe. Sie wollten beide dasselbe. Sie waren fest überzeugt davon, dass niemand leiden würde.

Eve hatte nicht damit gerechnet, dass ihre Rückkehr nach Hause und der Tod ihres Vaters sie so gravierend verändern würden. Das von pausenloser Arbeit geprägte Leben, das sie sich in Amerika aufgebaut hatte, würde mit der veränderten Eve in Zukunft nicht länger klarkommen und – noch viel wichtiger – sie mit diesem Leben auch nicht mehr.

Zu Beginn leugnete sie, dass sie ein anderes Leben wollte oder brauchte, und versuchte verzweifelt, wieder Tritt zu fassen. Sie war ausgebrannt und wollte kein Wirtschaftsunternehmen mehr führen. Sie wollte keinen Schmuck mehr entwerfen. Sie wollte ihn nicht mehr vermarkten und verkaufen. Ihr Leben bestand bereits derart lange aus purem Stress, dass sie, ohne es zu merken, zum Workaholic mit wenig bis gar keiner Lebensqualität mutiert war. Die Gesellschaft ihres Vaters, von Clooney und ihren alten Freunden öffnete ihr die Augen, und ihr kam der Gedanke, dass im Grunde niemand tatsächlich Notiz davon nähme, wenn sie sterben würde. Dieser Gedanke machte ihr Angst. *Ich habe es so satt, allein zu sein.* Der Firmenvorstand zahlte sie mit Freuden aus. Es lagen schon länger strategische Pläne für das Unternehmen in der Schublade, die Eve immer blockiert hatte, und so war ihr plötzlicher Sinneswandel für die Firma ein Geschenk des Himmels. Amerika hatte es sehr gut mit Eve gemeint, doch ihre alte Heimat rief, und ein halbes Jahr, nachdem sie ihren Vater auf See bestattet hatte, zog sie nach Hause zurück. Alles, was sie nach zwanzig Jahren fern der Heimat mit zurückbrachte, waren zwei Koffer und eine Kiste mit Büchern über Design. *Nicht nur Clooney reist mit leichtem Gepäck.* Sie besaß ein dickes Bankkonto, was in Irland unüblich war, zwei solide Wohnhäuser in New York und eine Wohnung mit Blick auf den Central Park. Eves Steuerberater war für diese Käufe verantwortlich. In dem Penthouse hatte sie gewohnt, und die Häuser hatte sie vermietet, ohne je dort gewesen zu sein. Mochten Clooney und Eve in vielem auch sehr unterschiedlich sein, einer der wenigen Punkte, in dem sie sich wirklich ähnelten, war das mangelnde Interesse an materiellen Dingen.

Sie mietete ein Luxusapartment mit Meerblick, nur zehn Minuten entfernt von der Straße, in der sie aufgewachsen war. Sie meldete sich in einem Fitnessstudio an und belegte einen Yogakurs.

Sie traf sich mit Gina zum Kaffeetrinken, aber nur wenn die Kinder in der Schule waren, denn Eve hatte Kinder noch nie gemocht. Für sie waren Kinder lärmende kleine Menschen, die interessante Gespräche ständig mit banalen, hirnlosen Kommentaren störten, wie zum Beispiel:

«Mama, Mama, Mama, Mama, Mama, Mama!!»

«Mama unterhält sich gerade.»

«Mama, Mama, Mama, Mama, Mama!»

«Was denn?»

«Ich, ich, ich, bin … ich mag Käse.»

Eve hatte nie zu den Menschen gehört, die so taten, als würden sie Kinder mögen, nur weil es gesellschaftlicher Konsens war. Es gab Menschen, die ihre Offenheit durchaus schätzten, und andere, die damit ihre Schwierigkeiten hatten. Eve traf sich mit denjenigen, die damit zurechtkamen. Als Gina Eve zum ersten Mal vorschlug, sie mit den Kindern zu treffen, machte Eve deutlich, dass sie es nicht mit Kindern hatte. Glücklicherweise akzeptierte Gina Eves Einstellung. Im Gegenteil, sie war dankbar für eine nette vormittägliche Unterhaltung ohne Unterbrechungen im Stile von «Ich mag Käse» oder «Mein Freund Reece hat einen Hund, der Chappi heißt».

Eve ging mit Gar Golf spielen und unterhielt sich mit ihm über die Bankenkrise, die Konsequenzen eines IWF-Deals und darüber, ob Irland die Eigentümer von Staatsanleihen in ihrer Macht beschneiden sollte. Er war davon überzeugt, dass Irland sich wieder erholen würde, dies aber zwanzig Jahre dauern könnte. Er arbeitete im Export und hatte damit einen der wenigen relativ sicheren Jobs, dachte aber trotzdem darüber nach, mit seiner Familie nach Australien auszuwandern.

«Was ist nur mit diesem Land passiert?», fragte Eve.

«Wir sind gierig geworden und haben es verkackt», sagte er traurig.

Im Grunde wollte er nicht weg, aber er machte sich Sorgen um steigende Hypothekenzinsen und Steuern, um die Zukunft seiner Kinder und um die von sich und Gina. Ihre Renten waren so gut wie verloren. Er wollte in einem Land leben, wo seine Kinder wenigstens die halbwegs realistische Chance hatten, einen Job zu bekommen.

Typisch! Ich komme zurück, und meine Freunde hauen ab.

Einmal pro Woche traf sie sich mit Paul zum Tennisspielen, danach gingen sie abendessen, und sonntags unternahmen sie manchmal einen Spaziergang auf den Klippen. Paul teilte Gars Befürchtungen nicht. Er sah die Dinge entschieden positiv. Es würde ein paar Jahre lang hart werden, dann würden die Iren sich recken und strecken und besser dastehen als je zuvor. Paul war ein unerschütterlicher Optimist, doch schließlich hatte er, genau wie Eve, keine Kinder, um die er sich Sorgen machen musste. Auch wenn er im Justizministerium eine heftige Gehaltskürzung hatte hinnehmen müssen, war seine Fünfzimmerdoppelhaushälfte beinahe abbezahlt, er hatte sich während der Boomjahre nicht verschuldet und immer noch ein kleines Polster für schlechte Zeiten auf der hohen Kante. Paul war ungewöhnlich, aber Eve wusste, dass Paul noch nie gewöhnlich gewesen war.

Als sie eines Tages über die Klippen spazierten, deutete er aufs Meer hinaus. «Man braucht kein Geld, um es sich gut gehen zu lassen», sagte er.

«Klar», antwortete sie, «man braucht auch kein Geld, um sich umzubringen.» Sie spielte auf den örtlichen Investmentbanker an, der sich erst vergangene Woche mit Mitte vierzig von den Klippen gestürzt hatte.

«Dass du immer so schwarzmalen musst!» Er schüttelte den Kopf.

«So bin ich nun mal», sagte sie und zog die Schultern hoch.

«Dir Gedanken über die Sorgen fremder Leute zu machen sieht dir aber gar nicht ähnlich, Eve», sagte er, und er hatte recht. Eve war meistens viel zu sehr mit ihrer eigenen Welt beschäftigt, um sich um andere Leute zu kümmern oder überhaupt mitzubekommen, was bei ihnen lief.

«Vielleicht werde ich endlich erwachsen.»

«Dazu ist es längst zu spät», sagte er, und sie gingen weiter. Paul hatte auch damit recht. Eve benahm sich oft wie ein verwöhnter Fratz. Sie war es gewohnt, ihren Kopf durchzusetzen. Vor allem in Bezug auf Ben benahm Eve sich immer noch wie ein dummer Teenager.

Ein Monat ging ins Land, ehe sie Kontakt zu ihm aufnahm. Ihre Affäre hatte darauf basiert, dass es für Eve ein Abreisedatum gab, und schon ehe sie wieder wegging, war deutlich gewesen, dass seine Firma in Schwierigkeiten steckte. Für Edelsupermärkte sah es in einer Krise nicht so gut aus. Eve redete sich ein, dass sie nur wissen wollte, wie es ihm ging, und dass sie sich fortan mit der Rolle der guten Freundin zufriedengeben würde. Sie trafen sich wieder in einem Café, und diesmal war er angespannt und zappelig. Er fühlte sich in ihrer Gegenwart unwohl, und das machte sie traurig. Sie sagte ihm, dass sie keine Hintergedanken habe und nur wissen wolle, wie es ihm inzwischen ergangen sei. Das löste die Spannung zwischen ihnen zwar ein wenig, aber nicht vollständig. Er erzählte von den Schwierigkeiten, in denen er steckte. Er hatte bereits zwei Filialen geschlossen, und wenn es ihm nicht bald gelang, das Ruder herumzureißen, standen die restlichen drei vor dem Konkurs. Die Lieferanten zu bezahlen und die Läden zu schließen, konnte er sich nicht leisten. Er konnte nur hoffen, dass das Geschäft irgendwie weiterlief, aber das wurde zusehends schwieriger, und ihm gingen die Ideen aus. Er war ein Häuflein Elend, und sie hatte Mitleid mit ihm. Er musste sich auf sein Geschäft konzentrieren, restrukturieren, mit sterbenden Banken verhandeln und seine Frau auf den möglichen Verlust ihrer Lebensgrundlage vorbereiten. Sie sagte ihm, sie sei für ihn da, wenn er einen Freund bräuchte. Er bedankte sich und ging.

Danach telefonierten sie ein paarmal. Seine Situation war ein ständiges Auf und Ab. Er fand einen Investor, doch der ließ den Deal platzen. Er hatte diverse Pläne, die alle machbar waren, doch nur bei gesicherter Finanzierung. Er war ein Kämpfer, er würde einen Weg finden. Sie unterhielten sich ausschließlich über Geschäftliches. Sie gab ihm Ratschläge, und er war ihr dankbar. Sie hörte ihm zu und machte Vorschläge. Sie bot ihm an, einen Blick in die Bücher zu werfen. Er lehnte ab und rief dann an, um zu fragen, ob sie es doch tun würde. Sie holte sich die Unterlagen bei seinem Steuerberater ab und verbrachte eine Woche damit, sich Notizen zu machen und darüber nachzudenken, wie man das Unternehmen umstrukturieren und retten könnte. Als sie glaubte, einen Weg gefunden zu haben, wie man das Geschäftsmodell den veränderten Umständen anpassen könnte, hinterließ sie ihm eine Nachricht mit der Bitte um einen Termin, weil sie ihre Idee mit ihm durchsprechen wollte. Der Plan beinhaltete eine umwälzende Veränderung, und sie war sich nicht sicher, ob Ben bereit dazu wäre, aber es war ein schönes Gefühl, überhaupt einen Vorschlag präsentieren zu können. Sie hatte den verzweifelten Wunsch, ihm zu helfen. Er meldete sich nicht gleich zurück, und sie wollte ihn nicht unter Druck setzen. Ihre Beziehung hatte sich verändert. Das akzeptierte sie.

Außerdem war sie damit beschäftigt, sich zu erholen und zu entspannen – schließlich war das der Grund, weshalb sie ihr altes Leben hinter sich gelassen hatte.

Es gab Tage, da war sie so gelangweilt und einsam, dass sie davon überzeugt war, einen Riesenfehler begangen zu haben. Dann dachte sie oft an Lily. Sie kaute zum x-ten Mal jenen Sommer vor zwanzig Jahren durch: Wer was getan und wer was zu wem gesagt hatte und an welcher Stelle schließlich alles kaputtgegangen war. Die Mischung aus unschönen Erinnerungen, Reue und Bedauern verursachte ihr Kopfschmerzen, einen flauen Magen und Herzrasen, und dann legte sie sich auf ihr unbequemes weißes Designersofa und sah durch ihre raumhohen Fenster hinaus auf das Meer, in dem die Asche ihres Vaters schwamm. Sie beobachtete ein winziges Schiff, das in Zeitlupe am Horizont entlangfuhr, und als das Schiff endlich außer Sicht war, schlief sie tief und fest.

Nickerchen wurden Eves neues Ritual. Obwohl sich in ihrem neuen Leben alles um Entspannung drehte, litt sie noch immer unter Stresskopfschmerzen und Angstzuständen, die mit dem Tod ihres Vaters begonnen hatten. Ihr Kopf fühlte sich oft an, als würde er jeden Moment zerspringen, und sie hatte ein Loch in ihrem Herzen, das jeden Tag ein Stückchen weiter aufriss. Sie dachte, sie hätte einen Hirntumor oder ein Herzproblem oder beides, und schließlich ging sie zum Arzt.

«Sie erfreuen sich bester Gesundheit.»

«Erzählen Sie das mal dem Apotheker, der mich praktisch schon des Drogenmissbrauchs bezichtigt, weil ich mir in diesem Monat bereits die vierte Packung Solpadeine besorgen wollte.»

«Wie lange liegt der letzte Sehtest zurück?»

«Jahre.»

«Gut, dann ist es an der Zeit für einen neuen.»

«Und was ist mit dem Loch in meinem Herzen?»

«Sie haben kein Loch in Ihrem Herzen.»

«Es fühlt sich aber definitiv so an.»

«Sind Sie schon einmal auf den Gedanken gekommen, dass es sich bei Ihren Gefühlen vielleicht um Trauer handeln könnte?»

«Meine Symptome sind physisch und nicht emotional!»

«Sie haben Ihren Vater verloren, Sie haben Ihr Unternehmen und Ihr Leben in New York hinter sich gelassen, und Sie versuchen in fremder Umgebung während einer Wirtschaftskrise neu anzufangen.»

«Mein Vater ist seit fast einem Jahr tot. Mein Unternehmen war mein Leben in New York, und ich hege nicht die Absicht, hier irgendwas Neues aufzubauen. Ich genieße meinen wohlverdienten, wenn auch womöglich leicht verfrühten Ruhestand.»

«Manche Menschen trauern Jahre, wissen Sie?»

«Ich bin aber nicht ‹manche Menschen›. Mit mir stimmt etwas nicht.»

Nach diesem Gespräch begab sie sich in eine Privatklinik, um sich gründlich durchchecken zu lassen. Sie wurde von Kopf bis Fuß untersucht, innen und außen gleichermaßen gründlich, und bis auf die Notwendigkeit, künftig beim Lesen oder bei der Arbeit am Computer eine Brille zu tragen, wurde ihr bescheinigt, bei bester Gesundheit zu sein. *Dämliche Ärzte, von nichts eine Ahnung!*

Sie verbrachte viel Zeit mit Lesen und im Internet. Ab und zu spionierte sie Leute aus, die sie über Facebook kannte. Eines Tages startete sie den zaghaften Versuch, Lily ausfindig zu machen. Sie suchte sie mit ihrem Mädchen- und mit ihrem Ehenamen, doch Lily war nicht da. Und selbst wenn, hätte Eve wahrscheinlich nichts unternommen. Bei der Trauerfeier gab es einen Augenblick, als sie dachte, sie hätte Lily gesehen, doch als die Frau näher kam, war alle Ähnlichkeit verschwunden. Gar hatte Lily und ihren Mann Declan kurz nach Eves Rückkehr einmal erwähnt. Er hatte ihr erzählt, Declan sei Herzchirurg geworden und sie hätten zwei Kinder, doch viel mehr wusste er auch nicht. Sie waren am Ende jenes Sommers gemeinsam nach Cork ans College gegangen und sprichwörtlich von der Bildfläche verschwunden. Paul hatte gehört, sie wären vor ein paar Jahren nach Killiney gezogen, was im Grunde direkt um die Ecke lag, nur eine halbe Stunde Fahrt, aber sie ließen sich nie blicken. Eve gab sich gleichgültig, doch das war gelogen, und sobald sie wieder zu Hause war, googelte sie Declan Donovan. Es gab ein paar Artikel zu einer bestimmten herzchirurgischen Methode, die mit ihm in Verbindung stand. Außerdem gab es jede Menge Treffer zu seinen privaten Sprechzeiten und zu dem Krankenhaus, an dem er arbeitete, doch sonst nichts weiter. Es gab ein Foto. Er war zwar älter geworden, aber immer noch derselbe. Eve hätte das Bild am liebsten ausgedruckt und verbrannt, doch das wäre kindisch gewesen, und so zeigte sie stattdessen dem Bildschirm den Stinkefinger. *Fick dich, Arschgesicht Donovan. Ich hoffe, du verreckst!* Sie googelte Lily, doch es gab keine Treffer. Sie fragte sich, ob Lily sie jemals auch gegoogelt hatte oder ob Lily jemals an sie dachte und sie auch so vermisste. Wahrscheinlich nicht. Schließlich hatte Lily ein erfülltes Leben mit Kindern und einem Ehemann, und Eve war sich ziemlich sicher, dass es Lily vollkommen egal war, ob sie noch am Leben war.

Nachdem Eve den Umzugsleuten das Feld überlassen hatte, kehrte sie mit pochendem Schädel in ihre Wohnung zurück. Sie gab zwei Schmerztabletten in ein Glas und drehte den Wasserhahn auf. Völlig in Gedanken schwenkte sie die Tabletten in dem Glas und merkte erst, dass das Wasser überlief, als sie in der Pfütze ausrutschte und sich fast das Bein gebrochen hätte. *Haarscharf. Das hätte mir gerade noch gefehlt. Mutterseelenallein mit einem gebrochenen Bein.* Als die Tabletten sich aufgelöst hatten, leerte sie das Glas in einem Zug. Ihr war heiß, obwohl es kein besonders warmer Tag war und sie Ende Mai die Fußbodenheizung ausgestellt hatte. Die weißen Hochglanzfliesen unter ihren Füßen waren kühl. Sie stellte das leere Glas auf die Anrichte und setzte sich im Lotussitz auf den Fußboden. Sie streckte die Arme über den Kopf, beugte sich nach vorn, ließ das Gesicht auf dem Boden ruhen und umarmte sich selbst. Die kühlen Fliesen an ihrer Wange waren so wohltuend, dass sie eine Ewigkeit liegen blieb – bis ihr die Hüfte weh tat und ihre Beine derart taub waren, dass sie glaubte, keine Füße mehr zu haben.

Sie tanzte gerade durch die Küche, um die tausend kribbelnden Ameisen in ihren Füßen wieder loszuwerden, als das Telefon klingelte. Es war Ben, und er klang deprimiert. Er hatte sich fürchterlich mit seiner Frau gestritten, und sie war abgehauen, um bei ihrer Mutter zu übernachten. Er wollte vorbeikommen. Eves Kopfschmerzen waren abgeklungen, sie hatte gerade eine ungestörte Stunde kauernd auf dem Küchenboden verbracht, und es war noch früh. Weil sie kein Fernsehmensch war, hatte sie nicht wirklich etwas vor, es war der erste Telefonanruf seit drei Tagen, sie war so einsam und gelangweilt, dass sie es förmlich schmecken konnte, und sie vermisste ihn so sehr, dass es weh tat.

Sie willigte mit Freuden ein. *Juhuhhh, Ben kommt zu mir!*

Sie duschte ausgiebig und föhnte in fünf Minuten ihre kurzen Haare trocken. Sie zog ihre Glücksunterwäsche an, hüllte sich in eine Parfümwolke und schlüpfte in eines der beiden Kleider, die sie besaß. Es war ein schwarzes Jerseywickelkleid, bequem und leicht auszuziehen. Sie hoffte wirklich, wirklich sehr, dass Ben nicht kam, um ihre Vorschläge zu diskutieren, sondern dass er auf der Suche nach ein bisschen Ablenkung war, denn die hatten sie beide nötig.

Hätte Eve gewusst, welche Wendung die Dinge nehmen würden, hätte sie Ben gesagt, er solle seiner Frau nachfahren. Sie hätte ihn gebeten, sie nie wieder anzurufen. Sie hätte aufgelegt. Aber genau das war schon immer Eves Problem gewesen. Sie verschwendete nie viele Gedanken auf Konsequenzen.

2 *Möge die echte Lily Donovan sich erheben!*

Liebe Eve,

heiliges Kanonenrohr, ich fass es nicht, dass du mit Glenn Medeiros gesprochen hast! Habe ich gelacht, als du ihn gefragt hast, was er will, und er auf sein Fahrrad gezeigt hat! Trotzdem hart, dass er einfach so damit rausgeplatzt ist, dass er dich mag. Ich meine, dazu braucht es schon ziemlich viel Mumm. Das gefällt mir. Er glotzt dir ja schon Ewigkeiten hinterher, also war es eigentlich nur logisch, aber trotzdem: Man muss schon ganz schön mutig sein, um es einfach so zu sagen, vor allem bei einem Mädchen wie dir, und du weißt, was ich damit meine. (So à la Eve, besser bekannt als die Oberzicke, hahaha!) Ach ja, und ihn auf Dauerwelle, Mädchenblusen und schlechte Gedichte anzusprechen war nicht unbedingt allererste Sahne, aber wenigstens hast du ihn damit nicht zum Heulen gebracht, das ist auch schon was wert. Ich bin stolz auf dich. Wo wir gerade dabei sind: Ich kann es nicht fassen, dass du Gar SCHON WIEDER geküsst hast! Was ist denn eigentlich los mit dir? Und ja, ich verspreche, dass ich es nicht weitererzähle, obwohl es mich schon juckt. Ich bin froh, dass du fest entschlossen bist, endgültig und für immer die Finger von ihm zu lassen, und bitte halte dich auch dran, egal, wie viele

Flaschen Ritz du intus hast. Und wenn du ihm das Herz
brichst, denk bitte daran, wie empfindlich er ist und dass
er immer noch auf dich steht, also erzähl ihm bitte AUF
KEINEN FALL, dass du findest, dass er wie ein nasser
Waschlappen küsst, oder was immer dir da auf der Zunge
lag. Erzähl ihm einfach, du hättest nachgedacht, und weil
du im September nach London gehst und er nach Dublin,
fändest du es besser, wenn ihr beide Freunde bleibt und es
dabei belasst. Mehr nicht. Okay?

Hier wird alles immer besser. Ich bin jetzt viel glück-
licher als am Anfang. Das Restaurant ist toll. Die Leute
da sind richtig cool. Es ist immer gerammelt voll, die Zeit
vergeht wie im Flug, und das Trinkgeld ist echt üppig. Ich
arbeite an sechs Abenden in der Woche, aber immer nur
von 18:00 bis 23:30 Uhr, und danach genehmigen wir
uns alle zusammen in der Küche ein paar Drinks. Um die
Ecke gibt es eine Bar, die länger geöffnet hat, und einen
Nachtclub, aber die sind beide ein Witz. Ich habe mich
mit zweien vom Personal angefreundet. Sie sind ungefähr
in unserem Alter. Ellen ist neunzehn, sie hat gerade in
Cork ihr erstes Collegejahr beendet und deshalb jede Men-
ge Geschichten auf Lager. Ich weiß, es nervt dich, dass
ich im Herbst wegen Declan auch da hingehe, aber er will
nun mal unbedingt nach Cork, und das Trinity wäre ohne
ihn furchtbar, und mal ganz im Ernst: Ich weiß wirklich
nicht, warum du dich darüber so aufregst. Du bist dann
doch sowieso in London, und ich kenne in Cork inzwischen
schon Ellen, und das ist toll. Colm ist siebzehn, er macht
nächstes Jahr seinen Abschluss. Du würdest ihn lieben. Er
ist eins neunzig groß, mit einer Figur wie ein Schrank. Er
hat dunkle Haare und braune Augen und ist total witzig.
Ehrlich, ich lache die ganze Zeit. Er spielt Gaelic Football

*(bitte keine Landeiwitze) und soll angeblich ziemlich gut
sein.*

*Du kennst mich ja, ich bin Frühaufsteherin, also lese ich
morgens immer ziemlich viel. Ich habe mir Ned Linney's
Lehrbücher für Bio, Physik und Chemie aus dem ersten
Studienjahr geliehen. Weißt du, wen ich meine? Ned ist der
Sohn von der Frau, die oben auf dem Hügel wohnt, die schicke, bei der meine Mutter putzt. Ist ja auch egal. Er studiert
jedenfalls Medizin (im dritten Jahr), und die Bücher sind
okay, ich kapiere es so halbwegs. (Ich weiß, voll die Lang-
weilerin!) Wenn ich nicht lese, treffe ich mich so gegen elf mit
Colm und Ellen zum Kaffeetrinken, und bei schönem Wetter
kaufen wir uns was zu essen und gehen runter an den Strand,
wo wir mehr oder weniger den Tag verbringen. Wenn es
bedeckt ist oder regnet, gehen wir zu Ellen, hören Musik
und reden über alles Mögliche. Zu Hause hat es ja meistens
geregnet, aber hier unten ist es tatsächlich oft sonnig, schon
großartig! Du solltest mich mal sehen. Ich bin so braun geworden, dass meine eigene Mutter mich nicht wiedererken-
nen würde. Übrigens, hast du sie mal gesehen? Ich habe ein
paarmal versucht, sie anzurufen, aber sie ist nie zu Hause.*

*Mein Teint bringt mich auf meinen nicht vorhandenen
Vater: Ich würde ihn niemals auch nur um einen einzigen
Penny bitten. Das steht völlig außer Frage, also fang bitte
nie wieder davon an. Außerdem verdiene ich hier echt viel
Geld. Trotzdem muss ich den ganzen Sommer bleiben, Eve.
Ich muss so viel Kohle ranschaffen, wie ich kann, und ich
weiß, dass es hart ist, aber ich kann es nicht ändern. Es
tut mir total leid, ich vermisse dich, und ich weiß, dass du
Ellen und Colm mögen würdest und sie dich auch.*

*Hör mal, da ist noch was, und es ist ein bisschen heikel.
Ich weiß, ich habe versprochen, dich einmal pro Woche an-*

zurufen, aber ich habe nur ein bestimmtes Budget zum Tele-fonieren, und – na ja – Declan ist echt am Boden ohne mich. Er hat mich angefleht, ihn jeden Tag anzurufen, und er redet und redet, es kostet mich echt ein Vermögen. Ich kann es mir einfach nicht leisten, dich auch noch anzurufen. Lass uns doch einfach bei unseren Briefen bleiben, okay? Wie wär's, wenn du mir immer sonntags schreibst und ich dir immer mittwochs? Ich weiß, es ist nicht ideal, und bitte erzähl das mit Declan niemandem. Du weißt ja, wie er ist, und ich lie-be ihn, und deshalb bitte ich dich um Verständnis.

Okay, ich mach dann mal Schluss. Ich muss bald anfan-gen, und Colm holt mich gleich ab. Ach, noch was … Bitte erzähl Declan nicht, dass ich mit Colm befreundet bin. Ich weiß, es klingt komisch, und ich bin mir sicher, dass er nichts dagegen hätte, aber er ist momentan so durch den Wind. Ich will nicht, dass er glaubt, da liefe was, weil da nichts läuft, und er hat es ohne mich sowieso schon schwer genug, und ich möchte es nicht noch schlimmer machen. Danke.

Ich vermisse dich auch, und ich hab dich lieb, und ich verspreche dir, dass wir noch viele Sommer zusammen ver-bringen werden.

1000 Küsse,
Lily

PS: Sei nett zu Glenn Medeiros und KÜSSE GAR NIE WIEDER!!!

PPS: Fast hätte ich die Antwort zu «Young Guns 2» ver-gessen. Ich kann nicht fassen, dass du Emilio Estevez an erste und Lou Diamond Phillips an zweite Stelle setzt. Bist du irre? Meine Liste ist genau das Gegenteil von deiner:

1. Christian Slater (Ich liebe es, wie er spricht!)
2. Kiefer Sutherland (in braunem Leder, bist du irre?)
3. Lou Diamond Phillips (ganz okay, aber nachrennen
   würde ich ihm nicht.)
4. Emilio Estevez (Ich sehe einfach immer den bescheuerten
   Kirby Keger in ihm.)

Aber das ist wahrscheinlich gar nicht so schlecht – wenigstens werden wir uns nie um Männer streiten. Kuss!

* * *

Lily wachte immer um sieben Uhr morgens auf, ganz gleich, wann sie abends ins Bett gefallen war. Punkt sieben Uhr und *ding dong* – Lily Donovan war wach. Sie versuchte oft, sich dagegen zu wehren, doch schließlich gewannen ihre zappeligen Beine und ihr hellwaches Gehirn die Oberhand, und sie stand auf, um sich dem langen Tag zu stellen, der vor ihr lag. Lilys Ehemann Declan sagte immer, Lily sei einfach im Einklang mit ihrem Körper. In seinen Augen war das eine gute Sache, doch Lily war nicht seiner Meinung. Manchmal wünschte sie, ihr Gehirn und ihr Körper würden sich wenigstens ab und zu kurzfristig voneinander lösen. Lily war selbst im Schlaf noch rastlos, was zur Folge hatte, dass ihr Mann oft das Ehebett verließ und ins Gästezimmer umzog. Sie mochte es, wenn er weg war, und genoss jede einzelne Sekunde, in der sie das ganze Bett für sich allein hatte. Dann streckte sie sich aus, befreit und unbeschwert.

Am 1. Juli 2010 wachte Lily mit schlechter Laune auf. Sie bekämpfte Geist und Körper, hielt stur die Augen fest geschlossen und atmete ruhig und gleichmäßig. Declan ging im Zimmer herum. Die Uhr sprang auf 07:01 Uhr, und er fing an zu pfeifen.

«Ich weiß, dass du wach bist», sagte er.

«Ich schlafe.»

«Du bist wach.» Er warf mit einem Kissen nach ihr.

«Na gut.»

Sie machte Anstalten aufzustehen und merkte, dass sie Unterleibsschmerzen hatte. Als er sich vorbeugte, um sie zu küssen, musste sie dem Drang widerstehen, ihn weg-zuschieben. Doch das war auch gar nicht nötig, weil er ihr stattdessen durch die Haare fuhr und ihren schlechten Atem monierte. Er pfiff weiter, und sie hörte ihn im Bad hantieren. Sie schwang die Beine aus dem Bett und legte den Kopf in den Nacken, um die Decke anzustarren, die sie schon in der letzten Nacht angestarrt hatte. *Guten Morgen, Decke. Irgendwelche neuen Risse? Nein? Schön für dich.*

Declan war am Vorabend ausnehmend gut gelaunt nach Hause gekommen. Es hatten keine OPs angestanden, und wundersamerweise war auch kurzfristig nichts Ungeplan-tes mehr hereingekommen. Er hatte Zeit gehabt, sich um Papierkram zu kümmern und Patientenakten zu schreiben. Er war voller Energie und Übermut. Sie wusste es, sobald er zur Haustür hereinkam. Er zwinkerte ihr zu, und wäh-rend sie versuchte, das Abendessen für ihn auf den Tisch zu bringen, konnte er die Hände nicht von ihr lassen. Lily hatte nichts dagegen, denn es war schon eine ganze Weile her. Er war oft gestresst und müde, und wenn er den Sex nicht ins Rollen brachte, hatten sie keinen. Dafür gab es zwei Gründe: 1. Wenn er nicht die Initiative ergriff, woll-te er nicht, und dann stießen ihre Avancen ihn ab. 2. Sie hatte schon seit vielen Jahren nicht mehr richtig Spaß am Sex. Lily vermutete, dass es mit dem Alter zusammenhing.

Sie und Declan waren schon so lange zusammen, dass der Sex zwischen ihnen langweilig und vorhersehbar geworden war. Und falls nicht, dann war er gekünstelt oder unbequem oder aufreibend für sie, im wahrsten Sinne des Wortes. Meistens dann, wenn Declan besonders heiß darauf war. Die letzte Nacht war beides gewesen: unbequem und aufreibend. Er hatte sie mit dämlichen Plüschhandschellen ans Bett gefesselt, ein scherzhaft gemeintes Weihnachtsgeschenk von einem Kollegen. Das Kopfteil des Bettes war sehr hoch, und da Lily klein und zierlich war, befanden sich die freiliegenden Streben viel zu weit oben, um daran gefesselt zu werden, ohne die meiste Zeit leicht in der Luft zu baumeln. Die ganze Position drückte viel zu sehr auf ihre Schultern und Handgelenke, und da Declan immer noch über das Durchhaltevermögen eines Achtzehnjährigen verfügte, musste sie es geraume Zeit ertragen, dass ihr Kopf gegen das Bettende schlug, während ihr Arme und Schultern schmerzhaft lang gezogen wurden. Außerdem war Declan aus irgendeinem Grund so in sie eingedrungen, dass sich jede Bewegung anfühlte, als würde er ihr Innerstes nach außen kehren. Doch Lily beschwerte sich nicht, denn hätte sie sich beschwert, hätte es zwei mögliche Reaktionen gegeben: Entweder, er hätte wutentbrannt gegen die Wand geboxt und sie in Handschellen hängen lassen, bis seine Wut verraucht war, und das konnte weiß Gott wie lange dauern. Oder er hätte sie ignoriert und weitergemacht, doch wenn das der Fall war, kam er wenigstens schneller. Letzte Nacht hatte Lily sämtliche Geräusche von sich gegeben, die er von ihr erwartete, und obwohl es nicht so schnell vorüber war, wie sie gehofft hatte, und in ihr alles wund und aufgescheuert war, wusste sie, dass sie jetzt eine Weile Ruhe haben würde, ehe sie diese ganz spezielle Form seiner Leidenschaft wieder erdulden musste.

Sie stand auf und bewegte sich vorsichtig durchs Zimmer. Sie reckte die Arme. Die linke Schulter tat ziemlich weh. *Mist. Ich habe mir was gezerrt.* Lily hatte keine Zeit für Verletzungen. Sie beschloss, den Schmerz nach Möglichkeit zu ignorieren, in der Hoffnung, dass er von selbst wieder nachlassen würde. Sie putzte sich die Zähne, ging unter die Dusche und träumte träge davon, im Wasserstrahl zu ertrinken. Lily war kein negativer Mensch – ganz im Gegenteil, sie war bei allen, die sie liebten, nur als Little Miss Sunshine bekannt. Die Vorstellung, in ihrer eigenen Dusche zu ertrinken, brachte sie zum Lachen. *So was würde nur Lily Donovan fertigbringen.* In ein Handtuch gewickelt, kam sie gerade rechtzeitig ins Schlafzimmer zurück, um Declan zu begrüßen, der vollständig bekleidet und nach ihrem Lieblingsrasierwasser duftend aus dem Ankleidezimmer kam. Wenn er sie nicht gerade in Stücke riss, war er wirklich attraktiv.

«Du, Lily, wieso gönnen wir uns diesen Monat nicht mal eine Auszeit? Wir könnten nach Paris oder nach Rom fliegen. Was meinst du?»

«Ich glaube, wir haben beide zu viel zu tun.»

«Du hast wahrscheinlich recht. Vielleicht, wenn es wieder etwas ruhiger wird.» Er zog sie in seine Arme und küsste sie. «Das war toll letzte Nacht.»

«Ja, das war es», sagte sie, und als sie sich von ihm löste und er ihren Arm packte, um sie wieder an sich zu ziehen, stöhnte sie leise auf.

«Alles okay?», fragte er aufrichtig besorgt.

«Mir geht's gut.» Sie umarmte ihn erneut und küsste ihn innig. «Alles in Ordnung.»

«Die letzte Nacht war echt unglaublich», wiederholte er und grinste von einem Ohr zum anderen. «Ich liebe es, wenn du ein schlimmes Mädchen bist.»

Ja klar. Tja, und ich wünschte beim Teufel und seiner Großmutter, du wärst zu irgendwas gut. Lily lächelte und hoffte, dass er endlich den Mund halten und gehen würde. Sie hatte zu viel zu tun und war viel zu müde und zu wund gerieben, um so zu tun, als wäre ihr Ehemann im Bett etwas anderes als bestenfalls Mittelmaß und schlimmstenfalls ekelhaft. *Aber was soll's? Eine Ehe ist mehr als nur Sex.*

In der Küche saßen Lilys neunzehnjähriger Sohn Scott und ihre zwölfjährige Tochter Daisy mit ihrem Vater am Küchentisch, tranken Saft und warteten geduldig darauf, bedient zu werden. Declan las die Zeitung. Scott starrte stumm Löcher in die Luft und träumte eindeutig davon, noch im Bett zu liegen, und Daisy übte auf der Tischplatte ihre Klavierläufe. Lily war sich nicht ganz sicher, was ihre Kinder an einem Ferienmorgen um halb acht am Küchentisch taten. Scott hatte gerade seinen Abschluss hinter sich gebracht, und Daisy war eigentlich Langschläferin.

«Was ist denn hier los?», fragte Lily.

«Ich will mir einen Job suchen», sagte Scott.

«Ich übe für mein Vorspiel. Kommst du auch, Dad?»

«Wann spielst du denn, Prinzessin?», fragte er.

«Morgen.» Sie deutete auf den großen Kringel auf dem Kalender.

«Mal sehen», sagte er, und alle am Tisch wussten, wie gering die Wahrscheinlichkeit war, und ließen das Thema fallen.

«Ich bin beeindruckt», sagte Lily zu Scott.

«Tja, früher Vogel und so», antwortete er. «Außerdem

sind aus meinem Jahrgang gerade alle auf der Suche, und die Konkurrenz ist hart.»

«Du findest schon was», sagte Lily.

«Bei dieser Wirtschaftslage musst du schon Glück haben», sagte Declan.

«Sei nicht so negativ», erwiderte sie lächelnd. «Wer könnte zu diesem hübschen Gesicht schon nein sagen?» Sie ging zum Herd und schaltete ihn ein.

Declan legte die Zeitung weg und rieb sich die Hände. «Na, Kinder, worauf habt ihr heute Lust? Rührei? Würstchen und Speck? Wie wär's mit Eiern Benedict? Ich glaube, die nehme ich heute.»

Scott wollte Würstchen und Speck, Daisy ein ganz normales Rührei, und Lily machte sich an die Arbeit. Für Declans pochierte Eier setzte sie Wasser auf, dann schlug sie für Daisy Eier in die Pfanne, und für ihren Sohn legte sie Speck und Würstchen unter den Grill. Sie rührte gerade die Hollandaise, als das Krankenhaus anrief. Es war ein Notfall, und Declan hatte keine Zeit mehr für Eier Benedict. Er lies die Zeitung ungelesen auf dem Tisch liegen und angelte sich einen Apfel aus der Obstschale.

«Verdammt, ich hatte mich echt darauf gefreut!», sagte er und küsste sie auf die Wange.

Er rannte zur Tür hinaus, und Lily goss die Hollandaise in den Ausguss, ehe sie die Würstchen mit dem Speck und das Rührei servierte. Sie setzte sich zu ihren Kindern an den Tisch. Sie trank Kaffee, während die beiden aßen. Das war ihr Morgenritual, solange sie denken konnte. Seitdem die Kinder auf der Welt waren, hatten sich Lilys Mahlzeiten irgendwann von drei auf zwei und manchmal sogar auf eine einzige am Tag reduziert, je nachdem, wie viel sie zu tun hatte.

«Ich habe mir überlegt, dass ich vielleicht bei Großvater in der Werkstatt arbeiten könnte», sagte Scott, als er zur Hälfte fertig war.

«Ach, ich weiß nicht recht», antwortete Lily.

«Wieso können wir ihn nicht wenigstens fragen?» Er kannte die Antwort auf diese Frage, und das war auch der Grund, weshalb er sie in Gegenwart seines Vaters nicht gestellt hatte.

«Du weißt doch, wie dein Dad zu seinem Vater steht.»

«Es ist ein Job, und du hast ja gehört, was er gesagt hat – es ist nicht leicht, in dieser Wirtschaftslage was zu finden. Ich will nicht ohne einen Cent in der Tasche aufs College gehen.»

«Das wird auch nicht passieren.»

«Als Dad so alt war wie ich, hat er auch dort gearbeitet, und ich weiß, dass Großvater mich wirklich gern bei sich hätte. Mit dem Auto ist es ein Katzensprung.»

«Ich habe mit deinem Vater über eine angemessene Unterstützung gesprochen», sagte Lily.

«Ich möchte aber nicht völlig von euch abhängig sein. Hör mal, ich weiß, dass er und Großvater nicht besonders gut miteinander klarkommen, aber ich schon.»

«Und das ist wunderbar.»

«Also?»

«Also, dann spreche ich mit deinem Vater.»

«Wirklich?»

«Ja. Wirklich.»

«Danke, Mum!»

Er stand auf, verschwand die Treppe hinauf und zog sich noch im Gehen das T-Shirt aus.

Lily trat auf den Flur hinaus und sah ihm nach, die Hände in die Hüften gestützt.

«Ich dachte, du wolltest los, um dir einen Job zu suchen!», rief sie.

«Warten wir doch erst mal ab, was Dad zu der Idee sagt», antwortete er grinsend.

«Du hast doch schon längst mit deinem Großvater gesprochen, habe ich recht?»

Er nickte. «Danke, Mum», sagte er und ging zurück ins Bett. Sie schmunzelte. Scott wusste genau, wie er mit seinen Eltern umgehen musste, und besonders, wie er seine Mutter um den Finger wickeln konnte. *Du wärst ein guter Politiker, mein Sohn. Raffiniert genug bist du jedenfalls.*

Daisy hatte sich beim Essen schon immer besonders viel Zeit gelassen – schon als sie noch ein Baby war, dauerte es Stunden, sie zu füttern. Sie spielte mit ihrem Essen, knabberte an winzigen Happen herum und würde doch niemals aufstehen, solange noch ein Essensrest auf ihrem Teller lag. Wenn alle anderen Familienmitglieder bereits beim Nachtisch saßen, war sie immer noch mit der Vorspeise beschäftigt. So war sie eben. Lily setzte sich wieder zu ihrer Tochter an den Tisch und schenkte sich die zweite Tasse Kaffee ein. Daisy übte ihre Fingerläufe trocken und summte leise dazu. Lily summte mit und imitierte die Handbewegungen ihrer Tochter, bis es so aussah, als spielten sie vierhändig Klavier. Sie beobachteten einander und waren in völligem Einklang.

«Perfekt!», sagte Lily.

Daisy grinste. In dem Anspruch an sich selbst, perfekt zu sein, besaß sie große Ähnlichkeit mit ihrer Mutter, und sie duldete keinerlei Versagen. Daisy war zwar nicht von Natur aus mit der Intelligenz und Begabung ihrer Mutter gesegnet, aber sie besaß Verstand, Talent und die Arbeitsmoral und den Elan ihres Vaters, und das machte es mehr als wett. Daisy pickte weiter in ihrem Rührei herum und erzählte Lily die Geschichte von einem Jungen in ihrer Klasse, der das ganze Jahr über gemein zu ihr und ihren Freundinnen gewesen und jetzt ins Heim gekommen war.

«Das ist doch schrecklich, Mom, oder?»

«Fürchterlich.»

«Er war so gemein zu Tess. Einmal hat er sogar gedroht, ihr die Jogginghose runterzuziehen.»

«Das hat er aber nicht gemacht, oder?»

«Nein, aber sie hatte solche Angst davor, dass sie die Hose den ganzen Tag krampfhaft festgehalten hat.»

«Klingt, als wäre er ziemlich fies.»

«Ist er auch, aber Tess hat erzählt, dass sein Vater ihn immer ziemlich übel verhauen hat.»

«Das ist keine Entschuldigung.»

«Einmal hat er ihm sogar den Arm gebrochen.»

«Und wenn er ihm das Rückgrat gebrochen hätte – das gibt ihm nicht das Recht, durch die Gegend zu laufen und Mädchen die Jogginghosen herunterzuziehen.»

«Okay, okay, komm wieder runter, Mom, nimm 'ne Chillerpille.»

Lily lachte ihre Tochter aus. «Chillerpille! Wofür hältst du dich? Für den Prinzen von Bel-Air?»

«Wer soll das denn bitte sein?», fragte Daisy, aß ihr Rührei auf und reichte ihrer Mutter den Teller, die das Geschirr kommentarlos entgegennahm.

Daisy stand auf und ging ins Esszimmer, um richtig Klavier zu spielen, und Lily machte sich daran, die Küche aufzuräumen. Sie wusste, dass sie ziemlich hart reagiert hatte, was den armen Jungen anbetraf, der ins Heim gekommen war. Schließlich hatte er Tess die Turnhose nicht heruntergezogen, und offensichtlich waren seine Lebensumstände sehr schwierig, aber Lily hatte die ständigen Entschuldigungen von Menschen für ihr schlechtes Benehmen gründlich satt. Es passierten Tag für Tag schlimme Dinge, doch das war keine Entschuldigung dafür, selbstsüchtig oder hinterhältig, gewalttätig oder bösartig zu werden. Lily hielt es für das Beste, Dinge klaglos durchzustehen, Schmerzen anzunehmen und ein Stirnrunzeln in ein Lächeln zu verwandeln, und sie würde beim besten Willen nie verstehen, weshalb andere Menschen es nicht einfach genauso machen konnten. Lily war schon immer so gewesen. Sie war mit einer Mutter aufgewachsen, die es ihr übel nahm, dass sie auf der Welt war.

Lilys Mutter May war nicht mal im Ansatz mütterlich gewesen. Sie hatte niemals Kinder gewollt. Lily war ein unglückliches Versehen gewesen. May war damals zweiundzwanzig und hatte einen guten Job bei einer Bank in Dublin. Sie liebte ihren Job, sie war gut in dem, was sie tat, und in den drei Jahren, seit sie dort angefangen hatte, schon zweimal befördert worden. Sie war bereits dreimal mit Freundinnen aus der Bank in die Sonne geflogen, ehe die meisten Menschen in Irland sich einen Sommerurlaub in fremden Ländern überhaupt leisten konnten. Sie würde etwas aus sich machen. Sie war ein ungebundenes, hart arbeitendes, lebenslustiges Mädchen, das eines Abends in einer Bar in Dublin einen griechischen Seemann kennenlernte. Er hatte gerade einen Monat frei, und sie verbrachten während seines Aufenthaltes jeden einzelnen Abend und jedes Wochenende zusammen. Dass sie schwanger war, merkte May erst, als er schon seit zwei Monaten wieder weg war. All seinen Beteuerungen zum Trotz schrieb er ihr nicht, und um ihn aufzuspüren, musste sie über die Reederei seines Schiffes gehen. Die Möglichkeit abzutreiben hatte sie nicht, und da sie aus einer aufrechten, stockkonservativen und erzkatholischen Familie stammte, wurde sie quasi verstoßen. Lilys Vater beschloss, seine Pflichten zu ignorieren, und obwohl May schließlich Verbindung zu seiner Mutter aufnahm, die im Austausch gegen Bilder und Briefe über Lilys Entwicklung ab und zu ein wenig Geld schickte, unternahm Lilys Vater bis auf wenige halbherzige Kontakte alle Jubeljahre nie wirklich eine Anstrengung, seine Tochter kennenzulernen. Als die Schwangerschaft herauskam, wurde Lilys Mutter aus ihrem Traumjob gefeuert. Ihre Familie verweigerte ihr die Rückkehr ins Elternhaus, und so war sie schließlich auf Sozialhilfe angewiesen und landete wieder in der Kleinstadt, aus der sie gekommen war. Das exotische Leben, von dem sie nur so kurz hatte kosten dürfen, war vorbei, und es gelang ihr nie, das hübsche Gesicht ihrer Tochter anzusehen, ohne an etwas anderes als an diese Tatsache zu denken.

Lily hatte, seit sie laufen konnte, versucht, ihrer Mutter zu gefallen, doch wirklich gelungen war ihr das nie. Sie konnte bis zum Sankt-Nimmerleins-Tag sagen: «Schau mal Mum, schau!», ohne dass ihre Mutter je auch nur versuchte, Interesse zu heucheln.

«Geh weg, ich bin beschäftigt!»

«Aber, Mum!»

«Lass dir das nicht zweimal sagen!»

Das erste Mal, als Lily ihre Mutter tatsächlich richtig glücklich oder beeindruckt erlebt hatte, war der Tag, an dem sie einen Irish-Dance-Wettbewerb gewonnen hatte. Ihre Mutter stand auf und klatschte, und hinterher hörte Lily, wie sie einer anderen Frau erzählte, dass Lily ihre Tochter sei. Bis dahin hatte sie alles nur Erdenkliche versucht, um ihre Mutter zu erfreuen, außer vielleicht, sich auf den Kopf zu stellen und mit den Ohren zu wackeln. Und nach fünf Jahren war es ihr schließlich gelungen, und als dieses Lächeln das Gesicht ihrer Mutter zum Strahlen brachte, war es um Lily geschehen. Von dem Zeitpunkt an tat sie alles, was in ihrer Macht stand, um ihre abweisende Mutter zufriedenzustellen. Was sie tat, war aufs sorgfältigste durchdacht und mit unerschütterlicher Ruhe ausgeführt. Scheitern war keine Option, und weil sie ein kluges kleines Ding war, flogen ihr die guten Noten wie von selbst zu. Das wiederum verschaffte ihr die Zeit, die sie benötigte, um auch auf anderen Gebieten zu glänzen, und all das in der Absicht, es einer Frau recht zu machen, die sich im Grunde für all das nicht interessierte. Lilys Erfolge wurden bald langweilig, und – schlimmer noch – sie erinnerten ihre Mutter an das erfolgreiche Leben, das sie selbst hätte führen können, anstatt die geächtete, unterbezahlte, Teilzeit arbeitende, alleinerziehende Mutter zu sein, die sie wider Willen geworden war. Dabei versuchte May sogar, eine gute Mutter zu sein. Lily war immer wunderhübsch anzusehen. Sie wurde gut ernährt, und ganz egal, wie wenig Geld auch in der Schuhschachtel sein mochte, die ihre Mutter in ihrem Schrank versteckte, Lily durfte immer an allem teilnehmen, nach dem ihr der Sinn stand. May wollte nur das Beste der Welt für sie – sie konnte nur einfach die Enttäuschung und den Schmerz darüber nicht verwinden, dass sie ihre eigene Welt an Lily verloren hatte. Sie hatte Lily nie erzählt, dass sie im vierten Monat versucht hatte, sich die Treppe hinunterzustürzen, oder dass sie im sechsten Monat in der heißen Badewanne eine Flasche Schnaps getrunken hatte. Ab und zu entfuhr ihr widerwillig die Bemerkung, Lily sei definitiv eine Kämpferin, und sie gab häufig dem Bedauern Ausdruck, dass sie Lily nicht zur Adoption freigegeben habe. Sie habe es nur deshalb nicht getan, weil sie sonst für die Dauer der Schwangerschaft ins Kloster hätte gehen müssen und weil sie schlimme Gerüchte über die Dinge gehört habe, die den bedauernswerten Mädchen dort angetan wurden.

«Dabei wären es nur ein paar Monate gewesen. Ich hätte es überstanden, und glaube mir, du wärst mit Sicherheit auch besser dran gewesen», sagte sie einmal, als sie betrunken und verzweifelt war, weil wieder mal irgendein Kerl sie einfach so hatte sitzenlassen. «Und eines Tages, wenn du etwas größer gewesen wärst, hättest du an meiner Tür geklingelt, um dich bei mir zu bedanken, und ich hätte dich willkommen geheißen, und wir hätten über unser wunderbares Leben gesprochen und wären wieder auseinandergegangen.»

Lily wienerte die Anrichte, bis sie glänzte. Sie neigte prüfend den Kopf, um im Glanz des Sonnenlichts, das durch das große Fenster zu dem gepflegten Garten fiel, mögliche Flecken auf dem Marmor aufzuspüren. Die Fläche war makellos, und sie konnte mit den Betten weitermachen. Ab dem nächsten Tag würde sie wieder eine Woche lang arbeiten – sie hatte wechselweise eine Woche Dienst und eine Woche frei –, und deshalb war dies ein arbeitsreicher Tag. Das Haus hatte blitzsauber zu sein, und sämtliche Gerichte für die kommende Woche mussten gekocht, portioniert und eingefroren werden. Declan bestand darauf, um spätestens 19.30 Uhr zu Abend zu essen, und sie kam erst um kurz nach 20 Uhr nach Hause. Der Fairness halber sollte erwähnt werden, dass Lily von Anfang an immer darauf bestanden hatte, selbst zu kochen, und je nachdem, worauf er an dem jeweiligen Abend Lust hatte, konnte es sein, dass er bis 22 Uhr auf sein Essen warten musste. Das konnte einfach nicht funktionieren.

Im Kopf erstellte Lily eine Liste der Dinge, die sie brauchen würde, um ihre Familie in der kommenden Woche zu verpflegen. Als Krankenschwester arbeitete sie jeden Tag von 7.30 bis 19.30 Uhr, was eine militärisch präzise Haushaltsführung notwendig machte, und im Laufe der Jahre hatte sie erreicht, dass es alles in allem rund lief. Natürlich war es hart, aber Lily hatte schon in sehr jungen Jahren gelernt, dass die wertvollen Dinge im Leben nicht einfach zu haben waren.

Früher, als die Kinder noch klein waren, war es zwischen ihr und Declan wegen ihres Jobs oft zum Streit gekommen. Als er schließlich sämtliche Examen bestanden hatte und am Regional Hospital in Cork als Assistenzarzt anfing, bedrängte er sie, ihre Stelle im Bons Secours Hospital um die Ecke aufzugeben. Bis zu dem Zeitpunkt hatte sie die Familie durchgefüttert, und es war wenig hilfreich gewesen, dass Declan Cork hasste und ihr Aufenthalt dort unfreiwillig verlängert werden musste, weil er für sein Studium zwei Jahre länger brauchte. Als er zum ersten Mal durchfiel, machte er das ständige Schreien seines kleinen Sohnes und Lilys Unfähigkeit, ihn zu beruhigen, dafür verantwortlich. Nachts lag er wach, tagsüber studierte er, und ihm wuchs alles über den Kopf. Sie versuchte zu helfen, wo sie konnte, doch das machte es nur noch schlimmer.

«Wie willst du denn helfen?», brüllte er eines Abends, als er für die Prüfungen büffeln musste. Scott war damals gerade sechs Wochen alt und litt unter Koliken. Lily tat, was sie konnte, um das Kind zu beruhigen, aber er schrie und schrie, und als Declan völlig erschöpft war und nicht mehr in der Lage, einen einzigen klaren Gedanken zu fassen, versuchte sie, ihn dazu zu überreden, für die Dauer der Prüfungen aus der winzigen Zweizimmerwohnung auszuziehen.

«Wo zum Teufel willst du mich denn hinschicken?», brüllte er.

«Irgendwohin», entgegnete sie ruhig.

«Versuchst du etwa, mich aus meinem eigenen Haus zu werfen?»

«Nein», antwortete sie. «Natürlich nicht. Ich möchte nur, dass du in der Lage bist zu lernen. Könntest du denn nicht bei einem deiner Studienkollegen unterkommen?»

Er war erschöpft, irrational und paranoid. «Ach so. Das Baby ist da, und ich bin draußen. Ist es das?», fragte er kopfschüttelnd und knirschte mit den Zähnen.

Sie versuchte es mit einer anderen Taktik. «Dann frage ich dich ab», bot sie an, um die Paranoia zu zügeln, ehe sie sich in ungebremster Wut entlud.

«Na toll!», sagte er. «Falls es eine Frage gibt, in der es darum geht, wie man Hintern wäscht, gebe ich Bescheid.»

«Ich habe letzten Sommer viele der Bücher gelesen, die du benutzt», sagte sie, obwohl sie wusste, dass ihn das wütend machte, aber nach dem abwertenden Kommentar über ihren Beruf war ihr das egal. Er war es gewesen, der ihr zum Wohle des Familienlebens das Medizinstudium aus- und eine Ausbildung zur Krankenschwester eingeredet hatte. *Arschloch.* In dem Augenblick, als er dazu ansetzte, etwas zweifellos Gemeines und Verletzendes zu sagen, fing das Baby an zu schreien. Er blieb wie erstarrt stehen und hielt sich die Ohren zu.

«Wieso konzentrierst du dich nicht einfach darauf, dieses schreiende Kind zu beruhigen? Vielleicht solltest du zur Abwechslung darüber mal ein paar Bücher lesen, denn seien wir mal ehrlich: Das Talent dafür, eine gute Mutter zu sein, ist dir mit Sicherheit nicht in die Wiege gelegt worden!», sagte er, zufrieden, weil es nichts gab, mit dem er sie mehr hätte treffen können.

«Wie nett! Du bist ein Arschloch, weißt du das?», sagte sie und verbot sich innerlich, zu weinen.

«Ich habe in einer Woche Examen, Lil! Mir fällt nicht mal mehr mein eigener Name ein, ganz zu schweigen davon, was zum Teufel noch mal die Pleura parietalis ist», schrie er und knallte das Buch an die Wand.

«Besteht irgendeine Chance, dass du für ein paar Tage einfach mal vergisst, wo wir wohnen?»

Damals war es das erste Mal gewesen, dass er sie an den Haaren gepackt und gegen die Wand gepresst hatte. Er hielt sie dort vielleicht ein oder zwei Minuten lang fest und atmete dabei langsam und regelmäßig ein und aus, in dem verzweifelten Versuch, sich zu beruhigen. Als er sie losließ, drehte sie sich langsam zu ihm um, voller Angst vor dem, was als Nächstes käme, aber er hatte sie nur seltsam traurig angesehen.

«Du machst mich kaputt», hatte er gesagt und war zur Tür hinausgegangen.

Declan Donovans Charakter hatte schon immer sehr dramatische Züge besessen. Aus ihm wäre mit Sicherheit ein guter Schauspieler geworden; den Bösewicht hätte er jedenfalls sehr überzeugend verkörpert. Lily ließ das Baby schreien, schenkte sich eine Tasse Kaffee ein, setzte sich an den Küchentisch und starrte die Tasse an. Sie hatte Angst, sie hochzunehmen, denn als Angst und Schock nachließen, fingen ihre Hände an zu zittern, ihr wurde das Herz eng in der Brust, und ihre Augen brannten. Nach ein paar Minuten stillen Kummers klatschte sie in die Hände und sagte zur Wand: «Die Pleura parietalis ist das Rippenfell, das die Brusthöhle von innen auskleidet, Arschgesicht.» Es dauerte eine Weile, bis ihr Herzschlag sich beruhigte und das Zittern aufhörte, aber sie weinte nicht. Stattdessen lächelte sie, und das aus zwei Gründen. Erstens: Sie wusste, was die Pleura parietalis war. Und zweitens: Ihre einzige echte Freundin Eve hatte Declan bereits an dem Tag, als sie ihn kennenlernten, «Arschgesicht Donovan» getauft, und an diesem Morgen stellte Lily fest, dass ihre ehemalige beste Freundin recht hatte. *Er ist wirklich ein Arschgesicht.*

Das zweite Jahr bestand er, im dritten fiel er wieder durch. Weil diesmal kein Kleinkind da war, dem er die Schuld geben konnte, machte er seine Pflichten als junger Vater und Ehemann dafür verantwortlich. Lily ließ sich diesmal nicht mehr so von ihm provozieren. Nach drei gemeinsamen Jahren hatte sie gelernt, sich aufs Wesentliche zu beschränken. Sie arbeitete im Schichtdienst, zog ein zweijähriges Kind groß und hatte keine Zeit für seinen Bockmist. Sie schaute zu, wie er brüllte und tobte und sich wie ein Idiot aufführte, und wenn er sich dann hinterher entschuldigte und ihr als Wiedergutmachung Blumen brachte und sie zum Dinner einlud, akzeptierte sie gut gelaunt und großmütig, denn was blieb ihr auch anderes übrig? Declan weigerte sich, ihre Hilfe anzunehmen. Er war kein guter Student, doch als er die Schinderei mit der Theorie erst mal hinter sich hatte, erwies er sich als ziemlich begabt, was die Praxis betraf. Als das dritte Jahr vorüber war, segelte er quasi durchs Studium. Sein Zorn und der Frust lösten sich auf, und das Leben wurde leichter, auch wenn er Lily bei jedem Erfolg, den er für sich verbuchen konnte, wieder ein Stückchen kleiner machte.

«Warum zum Teufel musst du unbedingt weiter als Schwester arbeiten?»

«Weil es mir gefällt und weil ich gut bin.»

«Himmel noch mal, Lily, das ist peinlich!»

«Peinlich?»

«Du weißt genau, was ich meine.»

«Nein, Declan, weiß ich nicht.»

«Ich bin Herzchirurg, Himmel noch mal!»

«Gratuliere!»

«Werd bloß nicht frech, Lily, du weißt, dass mich das abtörnt.»

«Sehr gut, dann bleib bitte abgetörnt, um unser beider willen!»

Als sie mit Daisy schwanger war, war Declan außer sich, weil sie nicht daran dachte, nach dem Mutterschutz ihren Job an den Nagel zu hängen.

«Du siehst doch, wie leicht es ist, dich um die Familie zu kümmern, wenn du zu Hause bleibst», sagte er.

«Hätte ich ein leichtes Leben gewollt, dann hätte ich dich nicht heiraten dürfen, mein Liebling», hatte sie gescherzt, damit er Ruhe gab.

«Du hast dich schon immer für witziger gehalten, als du bist.»

«Wieso bist du eigentlich so ein Arschloch, Declan?»

«Reiz mich ja nicht, Lily!»

«Sonst *was*?»

Declan hatte sie nach jenem Tag, als Scott sechs Wochen alt war, nie wieder gegen eine Wand gestoßen, doch ab und zu war er gröber, als er hätte sein dürfen. Er schubste sie beiseite, anstatt sie darum zu bitten, Platz zu machen. Er packte ihren zierlichen Arm und drückte so fest zu, dass sie Angst bekam, er könnte ihn brechen. Einmal zerrte er sie an den Haaren in ein Zimmer zurück, doch danach entschuldigte er sich umgehend. Lily war kein Opfer häuslicher Gewalt – sie lebte nur einfach mit einem Mann zusammen, der ständig am Abgrund schwankte, wenn es darum ging, sein Temperament im Zaum zu halten. Es geriet nur selten außer Kontrolle, aber wenn es passierte, war es klug, sich in Sicherheit zu bringen, und das tat sie auch. Nach über zwanzig gemeinsamen Jahren kannte sie die Knöpfe, die man drücken durfte, und diejenigen, von denen man besser die Finger ließ. Lily wusste, wo die Grenze war, und achtete sorgfältig darauf, sie nicht zu überschreiten.

Sie zog ihr Ehebett ab und warf die Laken in den Wäschekorb. Dann stieg sie auf einen Hocker und holte die frische Bettwäsche aus dem Fach über der Wäschemangel. Sie fing an, die Bettdecken zu beziehen, doch ihr tat die Schulter weh, und sie beschloss, sich eine Pause zu gönnen. Ein heißes Bad würde den Schmerz vielleicht lindern. Sie ließ die Wanne ein, verschwand fast unter dem Schaumberg und genoss den Strahl, der aus den Düsen kam. Noch immer musste sie jede Menge Betten beziehen, Einkäufe erledigen und Mahlzeiten für eine ganze Woche kochen, aber das war ihr im Augenblick egal. Sie genoss eine kurze halbe Stunde für sich, ehe sie sich wieder an die Arbeit machte und ihre Kinder sich mit neuen Bedürfnissen zu Wort meldeten. Lily freute sich auf die Arbeit, denn eine Woche zu Hause war zwar schön, aber lang. Sie verbrachte ihre Zeit lieber auf der Station, wo sie tatsächlich gebraucht wurde, wo die Menschen dankbar waren und die Zeit wie im Flug verging. Sie liebte es, Menschen zu helfen, ganz egal, mit wem sie es zu tun bekam oder woran genau derjenige litt. Lily war tüchtig und verständnisvoll und fröhlich, und es gelang ihr stets, dafür zu sorgen, dass ihr Gegenüber sich besser fühlte, fröhlicher war und wieder neuen Mut schöpfte, mochten die Patienten auch noch so traumatisiert oder ängstlich sein.

Lily Donovan war eine hervorragende Krankenschwester. Ihr Traum, Ärztin zu werden, löste sich in dem Augenblick in Luft auf, als sie einwilligte, Declan zu heiraten. Ganz unabhängig von der Tatsache, dass sie überdurchschnittlich intelligent war und ein Medizinstudium im Schlaf gemeistert hätte, wurde Lily schon sehr früh klar, dass sie zur Krankenschwester berufen war. Dieser Beruf passte perfekt zu ihrer fürsorglichen, kontaktfreudigen, perfektionistischen, kontrollierenden, herzlichen und großzügigen Persönlichkeit. Sie erkannte, dass sie sich nur deswegen für Medizin interessiert hatte, um bei Declan zu sein und weil Schüler mit ihren Noten nun mal dazu ermutigt wurden, sich in diese Richtung zu orientieren. Ehe sie mit vierzehn sämtliche Prüfungen mit Bestnoten absolvierte, wollte sie immer Kosmetikerin werden, und wenn sie ehrlich war, interessierte sie das immer noch. Sie war süchtig nach Frauenzeitschriften, sie liebte Frisuren und Make-up, und hätte sie noch mal von vorne anfangen können, hätte sie sich wohl für einen Beruf in diesem Bereich entschieden – Stylistin in der Modebranche. Trotz ihrer unerfüllten Ambitionen überließ sie das Aufschneiden von Menschen gerne einem Mann wie Declan, der zwar meisterhaft mit dem Skalpell umgehen konnte, sich am Krankenbett aber verhielt wie ein Holzklotz. Er rettete zwar Leben, doch Lily war diejenige, die die ersten Tage nach einer OP wieder lebenswert machte, und darauf war sie stolz. Außerdem hatte ihre Mutter ihr immer schon gesagt, dass sie auf sich allein gestellt sein würde, sobald sie achtzehn sei. Die Uni kostete Geld, und ein Medizinstudium dauerte lang. Sie waren beide finanziell von ihren Eltern abhängig. Eine Ausbildung zur Krankenschwester würde dafür sorgen, dass sie schneller verdiente. Außerdem war es schon immer ihr Wunsch gewesen, Kinder zu bekommen, und ein Medizinstudium hätte bedeutet, auch damit länger warten zu müssen, als sie wollte. Es war alles sehr vernünftig gewesen.

Lily hatte sich immer danach gesehnt, Teil einer Familie zu sein. Als sie fünf Jahre alt war, fragte sie ihre Mutter, ob sie nicht noch ein Brüderchen oder Schwesterchen haben könne.

«Lieber lasse ich mich von einem Bus überfahren», lautete die Antwort ihrer Mutter, und damit war die Diskussion beendet.

Lily war ihrem Vater im Laufe der Jahre ein paarmal begegnet. Er hatte sie zweimal in Irland besucht – beide Male nur für wenige Stunden, obwohl er jeweils für eine ganze Woche im Land war. Mit sechzehn hatte sie einen Sommermonat in Griechenland verbracht, bei ihrer Großmutter, die fast kein Englisch sprach, bei der Frau ihres Vaters und deren drei Kindern. Ihr Vater hatte die Seefahrt an den Nagel gehängt und war Fischer geworden. Er verschwand manchmal tagelang, und wenn er wiederkam, sprachen sie fast gar nicht miteinander. Es war ein langer Monat, und als er vorbei war, war Lily froh, endlich abreisen zu dürfen, und zwar für immer. Sie beneidete Eve um eine Mutter und einen Vater, die sich liebten und die, viel wichtiger, Eve liebten und sie wollten. Sie beneidete Eve um ihren netten, süßen, lustigen, coolen Bruder Clooney. Als Eves Mutter krank wurde, fühlte Lily sich schrecklich, weil sie eine Zeitlang glaubte, die Krankheit wäre das Resultat ihrer Eifersucht. *Wieso hat Eve eine tolle Mum und einen tollen Dad, die sie lieben, und dazu noch einen tollen Bruder und ich nicht?* Neid war eine Todsünde, und sie betete darum, dass Gott Mrs. Hayes rettete und sie selbst damit vor der Hölle bewahrte.

Lilys Mutter redete andauernd von der Hölle. Alles, was sie tat, ob es der Abwasch war oder ob sie sich versehentlich den Zeh anstieß, bot sie als Buße für ihre Sünden an. Lily wuchs in einem sehr frommen Haushalt auf. Ihre Mutter war in Ungnade gefallen, weil sie Lily zur Welt gebracht hatte, und sie verbrachte Lilys Kindheit damit, für ihre furchtbare Sünde zu büßen. Sie hatte Lily oft erzählt, dass sie zu drei Priestern gehen musste, ehe sie einen fand, der bereit war, sie zu taufen. Lily fand nie heraus, ob ihre Mutter gelogen hatte, um ihr ein schlechtes Gewissen zu machen, denn außer ihr schien niemand damit Schwierigkeiten zu haben, sein uneheliches Kind taufen zu lassen.

«Aber ich war beharrlich, um deine Seele zu retten, und was ist der Dank dafür?», pflegte sie zu fragen.

Lily war nie klar, welche Antwort ihre Mutter darauf erwartete.

Obwohl sie sich nicht sicher war, ob ihre Mutter das Paradebeispiel für einen guten Menschen war, so war sie doch ihre Mutter, und Lily liebte sie trotz all ihrer Fehler. Natürlich gab es auch gute Momente. May war kein schlechter Mensch. Sie wusste einfach nicht, wie das Muttersein funktionierte. Sie wollte für Lily nur das Beste, und sie wollte nicht, dass ihre Tochter die gleichen Fehler beging wie sie. Sie versuchte, eine gute Katholikin zu sein, doch gleichzeitig legte sie die Regeln so aus, wie es ihr in den Kram passte. Als Lily fünfzehn wurde, schob May Lilys äußerst schmerzhafte und langwierige Periode vor, um den Arzt dazu zu überreden, ihr die Pille zu verschreiben. Sie warnte Lily davor, Sex zu haben, und erzählte ihr, es sei eine Sünde, von der sich ihre Seele niemals erholen würde, doch gleichzeitig konnte sie beruhigt schlafen, weil Lily, wenn sie sich tatsächlich auf vorehelichen Sex einließ, es zwar auf Kosten ihres Seelenfriedens tun würde, aber nicht auf Kosten ihrer irdischen Zukunft. Sie war gleichermaßen stolz wie eifersüchtig, und ab und zu, wenn Lily etwas Kluges oder Witziges sagte, das sie zum Lachen brachte, nahm May ihre Tochter fest in den Arm.

«Danke, mein Sonnenschein», sagte sie dann. Mochte Lily auch keinen Vater haben, der sie liebte, keine Mutter, die dankbar für sie war, und auch keinen Bruder zum Streiten, sie hatte zumindest das: *Danke, mein Sonnenschein.*

Lily vergaß die Zeit, und als sie schließlich aus der Wanne stieg, war es beinahe halb elf. Sie band sich die Haare zusammen, zog eine alte Leggins und ein verschlissenes Ally-McBeal-T-Shirt an und schlüpfte in ihre Hausschuhe. Sie bezog das Ehebett und machte sich dann auf den Weg zu den Kinderzimmern, um nachzusehen, wessen Bett sie als Nächstes frisch beziehen konnte. Scott schlief wie ohnmächtig, und sie ging in Daisys Zimmer. Als sie fertig war, war Scott aufgewacht und lief wie ferngesteuert durchs Haus. Sie kümmerte sich eilig um sein Zimmer, ohne sich allzu gründlich umzusehen, aus Angst, etwas zu entdecken, das ihr nicht gefiel. Sobald die Kinderzimmer fertig waren, holte sie den Staubsauger und bearbeitete mit der Geschicklichkeit, Geschwindigkeit und Gewandtheit einer Spitzensportlerin die Böden. Im Anschluss wischte sie Staub und machte sich an die Toiletten. Als die Toiletten geputzt waren, war es bereits 13.00 Uhr und damit Zeit fürs Mittagessen ihrer Kinder. Irgendwann zwischen Staubwischen und Kloputzen war Scotts Freund Josh aufgetaucht. Sie entschied sich für ein einfaches Mittagessen, nur ein paar Käse-Schinken-Panini mit selbstgemachtem Krautsalat. Daisy übte immer noch und wollte am Klavier essen. Scott und Josh saßen im Wohnzimmer vor der Play-Station, was Lily gerade recht war.

«Danke, Lily», sagte Josh mit breitem Grinsen.

Lily tat es leid, dass sie nicht strenger darauf bestanden hatte, von den Freunden ihrer Kinder Mrs. Donovan genannt zu werden, als sie kleiner waren.

«Gern geschehen, Josh», antwortete sie und verließ eilig das Zimmer.

Sie überprüfte den Vorratsschrank auf Zutaten, die sie zum Kochen des Wochenvorrats brauchte, und schrieb einen Einkaufszettel. Joshs dämliches Grinsen erinnerte sie daran, dass sie frisches Basilikum brauchte, weil Scott neulich wegen einer Wette ihre gesamte Pflanze aufgegessen hatte. Die beiden waren völlig durchgedreht, weil sie Gras geraucht hatten, obwohl sie es natürlich vehement abstritten.

«Crack ist Dreck, Lily», hatte Josh gesagt.

«Wir sprechen aber nicht von Crack, Josh, oder? Wir sprechen von Gras.»

«Gras ist …» Er sah ihren grinsenden Sohn an, der immer noch auf der Anrichte saß und ihr Basilikum mümmelte.

«Has…», sagte Scott.

«…enfutter», beendete Josh den Satz, und sie brachen in wildes Gelächter aus.

Sie schickte die beiden in Scotts Zimmer und wandte sich an ihren Ehemann, der nur die Schultern zuckte. «Sie lassen doch nur etwas Dampf ab», sagte er. «Das haben wir alle gemacht.»

«Ja, Declan, aber wir hatten wenigstens genügend Anstand, es hinter dem Rücken unserer Eltern zu tun. Wir dürfen dieses Verhalten auf keinen Fall tolerieren, abgesehen davon, dass ich strikt dagegen bin, und das solltest du auch sein. Es gibt genügend Studien, die belegen, dass Cannabis und Hasch nicht so harmlos sind, wie wir das gerne glauben möchten.»

Declan lachte. «Ach, sieh sich einer unsere allwissende Krankenschwester an!» Und damit war die Diskussion beendet.

Später ging sie hinauf in Scotts Zimmer, um die Folgen von Cannabiskonsum in seinem Elternhaus zu diskutieren, doch ehe sie Gelegenheit hatte, zu ihrer gründlich formulierten Rede anzusetzen, verkündete Josh ihr, dass sie eine erstklassige SM wäre. Scott tat, als müsste er sich übergeben, und Josh umarmte sie und schnupperte an ihren Haaren. Sie verließ das Zimmer, verwirrt und mit dem leisen Gefühl, dass ihre Grenzen verletzt worden waren. Irgendwann später erfuhr sie, dass SM für Sexy Mom stand. Seitdem fiel es Lily schwer, dem kleinen Josh, dem sie mehr als einmal die Windeln gewechselt hatte, in die Augen zu sehen.

Die Einkaufsliste war geschrieben, und Lily ging nach oben, um etwas Vorzeigbares anzuziehen, als es an der Haustür klingelte. Sie öffnete, und vor ihr stand Rachel, ihre Nachbarin von gegenüber. Rachels Gesicht war wie versteinert, und sie hatte einen wilden Ausdruck in den Augen.

«Rachel?»

Rachel fand offenbar ihre Stimme wieder, aber anstatt ihr Problem in Worte zu fassen, schrie sie Lily einfach mitten ins Gesicht.

«Was ist denn passiert?»

Rachel schrie lauter.

«Rachel, sprich mit mir!»

Sie schrie noch lauter.

Lily schüttelte sie. *«Rachel!»*

Das Geschrei war inzwischen so schrill, dass Lily sich nicht gewundert hätte, wenn die streunenden Hunde aus dem ganzen Land die Ohren spitzen würden und im Jagdgalopp in ihre kleine Sackgasse gestürmt kämen.

Rachel drehte sich um, streckte die Hand aus und rannte, immer noch schreiend, über die Straße davon. Also folgte Lily ihr zu ihrem Haus, und dort stieß sie auf Nancy, Rachels fünf Jahre alte Tochter. Sie lag ausgestreckt auf der Terrasse hinter dem Haus, und aus ihrem Auge ragte ein Pfeil. Rachels Kreischen steigerte sich um ein weiteres volles Dezibel und drohte sämtliche Trommelfelle in Hörweite platzen zu lassen.

«Rachel. Sei still. Hörst du mich? Halt den Mund.» Lily machte mit der Hand eine Schnappgeste.

Rachel starrte die Hand vor ihrer Nase an. Sie hörte auf zu schreien. Stattdessen deutete sie auf den Boden und auf ihre Tochter, die anfing, sich zu bewegen.

«Gut gemacht. Und jetzt bleib so.» Lily legte sich den Finger an die Lippen, und Rachel nickte. Lily beugte sich zu Nancy hinunter. «Hallo, Nancy.»

«Hallo, Lily, ich glaube, ich hab was im Auge», sagte das Kind und hob die Hand, um sich den Pfeil herauszuziehen.

Lily erwischte Nancys Hände gerade noch rechtzeitig, um sie vor sich selbst zu retten, aber nicht schnell genug, um Rachel davor zu bewahren, in Ohnmacht zu fallen und sich an einem überdimensionalen Blumentopf den Kopf anzustoßen.

«Oh, Scheibenkleister!», rief Lily. «Okay, Nancy? Schau Lily an, ja?»

Sie hatte keine Ahnung, wie tief der Pfeil in den Kopf eingedrungen und ob womöglich das Gehirn betroffen war. Nancy sprach und wirkte agil, und das war ein gutes Zeichen. Sie wehrte sich gegen Lilys Griff, um ihre Hände zu befreien und den Pfeil herauszuziehen.

«Das darfst du nicht tun, Liebes. Schau Lily an. Du darfst den Pfeil nicht rausziehen, hörst du? Sonst wirst du blind, und das willst du doch nicht, oder? Okay?»

Nancy nickte.

«Verstehst du mich, Nancy?»

«Ja.»

«Hast du Schmerzen?»

«Nein.»

«Gutes Mädchen! Ich muss mich jetzt kurz um deine Mutter kümmern, und dann rufe ich den Krankenwagen, aber du musst unbedingt genauso liegen bleiben, wie du bist, okay?»

«Okay.»

«Du darfst auf keinen Fall den Pfeil anfassen. Okay?»

«Okay.»

«Gutes Mädchen! Du bist ein ganz tolles und tapferes Mädchen, Nancy. Lily ist bei dir und geht auch nicht weg, okay?»

«Okay.»

Lily stand auf und ging zu Rachel hinüber, die immer noch reglos dalag. Ohne den Blick von Nancy abzuwenden, legte sie Rachel die Hand auf die Stirn und rief ihren Namen. Die Atemwege waren frei, aber sie hatte eine stark blutende Platzwunde am Hinterkopf. Rachel kam zu sich. Lily ließ die Hand auf ihrer Stirn und hielt sie mit sanftem Druck am Boden.

«Nicht bewegen, Rachel. Du hast dir den Kopf gestoßen.

Deine Atmung und deine Gesichtsfarbe sind in Ordnung. Hast du irgendwo ein Taubheitsgefühl?»

«Nein.»

«Gut. Ich möchte, dass du bleibst, wo du bist, nur für alle Fälle, also beweg dich bitte nicht. Okay?»

«Okay.» Rachel griff nach Lilys Hand. «Nancy?»

«Es geht ihr gut. Bleib liegen.»

Lily rannte ins Haus, griff nach dem Telefon und riss ein sauberes Laken aus dem Trockner. Sie rannte zurück nach draußen. Ihre Patientinnen lagen bewegungslos da. Sie rief den Rettungswagen und wickelte das Laken fest um Rachels Kopf. Als die Ambulanz acht Minuten später eintraf, sah Rachel aus wie ein kollabierter Ölscheich, aber es war das Beste, was Lily unter den gegebenen Umständen hatte tun können. Die beiden Sanitäter luden Nancy und Rachel in den Wagen, doch als klarwurde, dass Lily offensichtlich nicht mitfahren würde, fing Nancy an zu schreien. Sie streckte den Arm nach Lily aus und fing an zu betteln.

«Bitte, Lily, bitte, Lily, bitte, bitte, bitte, lass mich nicht allein!»

Lily sah ihre spindeldürren Beine in der ausgeblichenen Leggins an, das grässliche Ally-McBeal-T-Shirt, die Hausschuhe.

«Scheibenkleister», sagte sie und schüttelte den Kopf. Wie sollte sie nein zu einem flehenden Kind sagen, dem ein Pfeil im Auge steckte? Also sprang sie mit an Bord, ohne Telefon, mit einer ellenlangen unerledigten Einkaufsliste, ganz zu schweigen von der ganzen Wochenration an Mahlzeiten, die gekocht werden mussten.

Scheibenkleister war etwas, das Lily statt *Scheiße* sagte, denn sie fand Kraftausdrücke aggressiv und überflüssig. Manchmal sagte sie auch *Scheibenhonig!* Und ab und zu empfahl sie ihrem Gegenüber, sich die Wand anzuschauen, wobei die Betonung der Wörter *Schau doch die Wand an* keinerlei Zweifel an der Bedeutung ließ.

Auch *Verdammte Hacke, belämmert* und *Funkenschlag* gehörten zu ihrem Repertoire, und manchmal, wenn es hart auf hart kam, fügte sie noch eine Portion Reis hinzu. Lily fluchte nicht gern, es war einfach nicht ihr Stil.

Rachel stand eindeutig unter Schock. Sie war verwirrt, faselte etwas von stecken gelassenen Autoschlüsseln und wollte von Lily wissen, ob sie die Einkäufe weggeräumt habe.

«Habe ich die Einkäufe aufgeräumt?»

«Ja, du hast alles weggeräumt.»

«Gut, das ist wichtig, weil Nero alles frisst, was ihm in die Quere kommt. Hast du die Einkäufe weggeräumt?»

«Ja, ja. Alles im grünen Bereich.»

«Gut. Es war nämlich viel Tiefkühlkost dabei. Haben Sie die Einkäufe weggeräumt?», wollte sie von dem Sanitäter wissen.

«Klar. Alles weg, meine Liebe.»

«Gut. Letztes Mal hat Nero zwei Tiefkühlpizzen, ein halbes Päckchen Schokoladenkekse und einen Entenbraten gefressen. Seine Fürze haben einen noch tagelang umgehauen. Jim musste kotzen davon. Habe ich die Einkäufe weggeräumt?»

«Alles weggeräumt.»

Als die Sanitäter Nancy versorgt hatten, nahm Lily ihre Hand und erzählte dem verängstigten, müden kleinen Mädchen eine Geschichte mit einer Prinzessin und einem Drachen, und als sie ungefähr zur Hälfte damit fertig war, wollte Nancy wissen, wo ihr achtjähriger Bruder Dylan war.

«Ich weiß es nicht, Süße. Er war nicht zu Hause.»

«Doch. Er versteckt sich im Garten.»

«Warum das denn?»

«Weil er mir doch mit Pfeil und Bogen ins Auge geschossen hat.»

«Verdammte Hacke und Scheibenhonig mit Reis!»

Rachel war zu sehr damit beschäftigt, sich zu übergeben, um zu reagieren. Sie erreichten das Krankenhaus, und während Nancy in die eine und Rachel in die andere Richtung geschoben wurde, fuhr Lily mit dem Lift hinauf in den dritten Stock und traf dort auf Marion, die gerade mit dem Medikamentenwagen unterwegs war.

«Was tust du denn hier? Ich dachte, deine Schicht fängt erst morgen wieder an», sagte sie und musterte interessiert Lilys seltsamen Aufzug.

«Stimmt auch. In der Nachbarschaft hat es einen Unfall gegeben. Ein kleines Mädchen und seine Mutter. Ich muss dringend telefonieren.»

«Hoffentlich geht es ihnen gut», sagte Marion und schob den Wagen weiter.

Lily rief bei sich zu Hause an. Niemand ging ans Telefon, und sie versuchte es auf Scotts Handy. Auch hier brauchte sie drei Versuche, ehe er abhob.

«Himmel, Mum! *Was denn?*»

«Wage es nicht, in diesem Ton mit mir zu sprechen! Und geh gefälligst an dein vermaledeites Telefon, wenn ich dich anrufe! Bei Rachel nebenan hat es einen Unfall gegeben. Du musst sofort rüberlaufen und über die Mauer in den Garten springen!»

«Was?»

«Ich bin mit Rachel und Nancy im Krankenhaus. Dylan versteckt sich irgendwo im Garten.»

«Und was soll ich da machen?»

«Such ihn, die Terrassentür ist angelehnt. Geh mit ihm durchs Haus oder mach das Gartentürchen auf und geh da raus. Sag ihm, dass es seiner Mutter und seiner Schwester gut geht, und nimm ihn mit zu uns.»

«Okay. Aber, Mum? Geht es ihnen denn gut?»

«Na ja, Rachel steht unter Schock, und Nancy hat einen Pfeil im Auge.»

«Wow!»

«Ja, wow! Ich muss Schluss machen.»

«Aber, Mum?»

«Was denn noch?»

«Was ist dann mit Abendessen?»

«Nerv mich bloß nicht, Scott!»

Während Nancy im OP war, blieb Lily bei Rachel. Die Wunde am Hinterkopf wurde mit drei Klammern versorgt. Sie stand wegen Verdacht auf Gehirnerschütterung unter Beobachtung, aber es ging ihr schon erheblich besser.

«Vielen Dank für alles, Lily. Es tut mir so leid, dass ich die Nerven verloren habe.»

«Das ist doch nicht schlimm, Rachel.»

Sie fing an zu weinen. «Glaubst du, sie wird ihr Auge verlieren?»

«Das weiß ich nicht», sagte Lily ehrlich. Rachel sah aus, als würde sie jeden Moment einen Heulkrampf bekommen, und in dem Versuch, sie aufzumuntern, fügte Lily hinzu: «Aber was ist schon ein Auge unter Freunden?»

Rachel sah sie seltsam an. Zu Lilys Art von Humor fehlte ihr offensichtlich der Zugang.

«Ach du meine Güte! Dylan!»

«Alles in Ordnung. Er ist mit Scott und Daisy bei uns zu Hause.»

«Er wollte das alles nicht.»

«Weiß ich.»

«Ich bringe Jim um! Ich habe ihm verboten, einem Acht-jährigen Pfeil und Bogen zu kaufen. Er hätte genauso gut gleich eine Pistole ins Haus holen können. Ich schwöre bei Gott, ich nehme Pfeil und Bogen und schieb ihm beides so weit in den ...»

Der behandelnde Arzt kam herein. Lily kannte zwar das Gesicht, konnte ihn aber nicht namentlich zuordnen. Er war irgendein junger Typ, frisch von der Uni. Er fragte Rachel, ob er sie kurz untersuchen dürfe, und Lily ent-schuldigte sich, um nach Nancy zu sehen. Ein Blick auf die Wanduhr sagte ihr, dass es schon nach vier war. Sie hatte gar nicht gemerkt, wie die Zeit vergangen war, dabei hatte sie noch so viel zu tun. Sie ging in das Büro ihres Mannes und wollte ihm gerade eine Nachricht wegen des Abend-essens hinterlassen, als er das Zimmer betrat.

«Was zum Teufel tust du denn hier, und noch dazu in diesem Aufzug?»

«Na, das ist ja mal eine nette Begrüßung!»

«Du trägst ein paar Plüschhasen an den Füßen, das T-Shirt ist die reinste Blamage, und wir wissen beide, dass du viel zu dürr bist, um außerhalb der eigenen vier Wände in Leggins rumzulaufen. Eigentlich wäre es mir lieber, du würdest es zu Hause ebenfalls lassen, aber ich fürchte, die-se Diskussion kann ich mir sparen.»

«Weißt du, Declan, manchmal glaube ich wirklich, du gehörst in die Klapsmühle. Hast du eigentlich auch nur eine einzige Sekunde lang überlegt, warum ich in diesem Auf-zug hier sein könnte?»

Ganz eindeutig nicht. Er wurde bleich. Er sagte keinen Ton. Er wartete darauf, dass Lily mit der Sprache rausrückte. Sie spielte mit dem Gedanken, ihn einfach ein bisschen schmoren zu lassen, doch das erschien ihr dann doch zu brutal. Sobald ihm klarwurde, dass Lily in diesem Aufzug lediglich eine Nachbarin und ihr Kind ins Krankenhaus begleitet hatte, verlor er jegliches Interesse. Sie versuchte, mit ihm über Nancys Auge zu sprechen, doch er erinnerte sie rüde daran, dass er für Herzen und nicht für Augen zuständig war.

«Nein, eigentlich bist du ein Arschspezialist, Liebling», sagte sie und schenkte ihm ein freundliches Lächeln.

«Ich bin nicht in der Stimmung für deine Späße.»

Dann warf er einen Blick auf die Uhr und sagte, er hoffe bei Gott, dass sie es geschafft habe, einkaufen zu gehen. Schließlich freue er sich schon den ganzen Tag auf Hähnchen Cacciatore.

«Du machst Witze.»

«Ich mache nie Witze, wenn es um mein Abendessen geht.»

«Declan?»

«Was?»

«Weißt du was? Schau doch die Wand an!»

«Mit Freuden, sobald du nach Hause gehst und mir mein Abendessen kochst», sagte er.

Sie stand kopfschüttelnd vor ihm.

«Punkt halb acht.»

Er rückte sich die Krawatte zurecht, warf ihr einen Blick zu und setzte sich an seinen Schreibtisch. Mit einem bedächtigen Kopfschütteln brachte er stumm sein Missfallen zum Ausdruck. Er schlug eine Patientenakte auf, und Lily war entlassen.

Sie verließ sein Büro. In ihr brodelte es, weil sie das Pech hatte, mit einem ignoranten Idioten verheiratet zu sein. Sie war so wütend und so sehr damit beschäftigt, rot zu sehen, dass sie Adam Wallace fast umrannte. Er war der orthopädische Chirurg ihrer Station. Er hielt sie auf Armeslänge von sich entfernt und strahlte sie an.

«Also Lily, du überwältigst mich wirklich immer wieder.»

«Hahaha.»

«Was ist los?»

Sie berichtete von Rachel und Nancy, und im Gegensatz zu ihrem Ehemann wirkte Adam aufrichtig besorgt.

«Ich wollte mir gerade einen Kaffee holen. Komm, begleite mich», sagte er.

In dem Augenblick merkte sie, dass ihr vor Hunger schon ganz schwindlig war, und sie willigte ein. Er trank eine Tasse Kaffee, und sie verdrückte ein Croissant. Sie sprachen darüber, wie viel Glück Nancy gehabt hatte, und er gratulierte ihr dazu, dass sie so schnell gehandelt hatte, was ihr etwas peinlich war, weil sie im Grunde nichts getan hatte. Sie unterhielten sich noch ein bisschen, und schließlich musste sie einsehen, dass ihr die Zeit davonrannte. Sie musste noch bei Rachel vorbeisehen, ehe sie zum Supermarkt fuhr. Dann fiel ihr ein, dass sie immer noch die dämlichen Häschenpuschen, das grässliche T-Shirt und die nicht eben vorteilhaften Leggins trug.

«Ich kann so unmöglich zum Einkaufen gehen.»

«Du siehst toll aus.»

«Das ist eine sehr nette Lüge.»

Er schüttelte lachend den Kopf. «Es gibt eine Million Frauen, die dafür töten würden, um auszusehen wie du.»

«Nur eine Million? Ich bin offensichtlich auf dem absteigenden Ast.»

Lächelnd ging Lily davon. Der nette, süße, bedauernswerte Adam schaffte es immer wieder, sie aufzumuntern.

Nancy war immer noch nicht aus dem OP raus, aber wenigstens war Jim inzwischen eingetroffen. Rachel hatte ihn offenbar zusammengefaltet, denn er wirkte zerknirscht und starr vor Schreck. Lily hatte Mitleid mit ihm. Sie umarmte ihn und ignorierte Rachels missbilligenden Blick.

Lily sagte, sie müsse nach Hause, um das Abendessen zu machen, Dylan könne selbstverständlich bleiben und sie sei herzlich gern bereit, ihn über Nacht bei sich zu behalten, falls die beiden das wollten. Sie bat Jim, sie anzurufen, sobald Nancy aus dem OP kam, und er versprach es. Sie jagte durch den Supermarkt wie ein Kaninchen auf der Flucht. Glücklicherweise traf sie keine Bekannten, und bis auf ein paar Leute, die sie etwas komisch ansahen, schien sich niemand wirklich für ihren seltsamen Aufzug zu interessieren.

Es war bereits nach 18.00 Uhr, als sie nach Hause kam, und für Hähnchen Cacciatore brauchte sie zwischen vierzig und fünfundvierzig Minuten, die Vorbereitungszeit nicht mitgerechnet. Sie konnte also nur hoffen, dass ihr rücksichtsloser, ignoranter Idiot von Ehemann sich heute verspätete. Dylan fing bei Lilys Anblick sofort an zu weinen, also umarmte sie ihn fest, nahm ihn mit in die Küche und erzählte ihm von den coolen Heftklammern im Kopf seiner Mutter.

«Oh», sagte er mit bebender Unterlippe, «das mag sie sicher gar nicht gerne.»

«Machst du Witze? Wie viele Menschen mit Heftklammern im Kopf kennst du denn?»

«Keine», antwortete er.

«Eben», sagte sie. «Deswegen ist es ja so cool.»

Er war acht, und die Achtjährigen von heute waren nicht mehr so leichtgläubig wie noch zu Lilys Zeiten. Er kaufte ihr die coolen Heftklammern nicht ab.

«Okay. Rate mal, wer echt in Schwierigkeiten steckt», sagte sie.

«Ich», antwortete er und wollte wieder anfangen zu weinen.

«Nö», sagte sie und schüttelte den Kopf.

«Wer dann?»

«Dein Dad.»

«Warum?»

«Weil er dir Pfeil und Bogen gekauft hat.»

«Oh. Steckt er in großen Schwierigkeiten?»

Sein Tonfall verriet, dass er auf eine positive Antwort hoffte.

«Oh ja.»

«Danke, Lily!», sagte er. Seinem Grinsen nach zu urteilen, hatte sich seine Laune schlagartig gebessert. Er rannte aus der Küche, um mit Daisy und ihrer Freundin Tess im Wohnzimmer fernzusehen.

Lily stellte einen neuen Geschwindigkeitsrekord für Hähnchen Cacciatore auf. Sobald es im Ofen war, ging sie duschen und danach ins Schlafzimmer. Declan bestand darauf, dass Lily sich zum Abendessen umzog – in der Hinsicht war er altmodisch. Die Kinder bekamen normalerweise bereits um sechs etwas und waren deswegen um Viertel vor sieben kurz vor dem Verhungern. Sie aßen immer eine halbe Stunde bis Stunde vor ihrem Vater zu Abend, und meistens etwas anderes, aber heute gab es aus Zeitgründen für alle dasselbe.

«Ach, ich hasse Hähnchen Cacciatore!», brummte Daisy in derselben Lautstärke wie ihr Magen. Sie ließ sich am Tisch auf ihren Stuhl plumpsen.

Tess setzte sich neben sie, Scott und Dylan gegenüber, die bereits aßen.

«Stimmt doch gar nicht», widersprach Lily. «Als kleines Kind hast du es geliebt.»

«Also wirklich, Mom. Ich bin zwölf und kein Baby mehr.»

«Tja, dann würgst du es entweder runter, oder du verhungerst.»

Scott verschlang seine Portion binnen zwei Minuten, rülpste, sagte danke und stand auf, um zu gehen.

«Wo gehst du hin?», fragte Lily.

«Das willst du gar nicht wissen.»

«Jetzt schon.»

«Hat was mit Nacktsein zu tun», erwiderte er grinsend.

«Verschwinde!», sagte sie, und als er draußen war, erlaubte sie sich ein leises Lächeln.

Dylan schmeckte Lilys Hähnchen. «Lecker!», sagte er ununterbrochen. «Ich wünschte, du würdest bei uns wohnen.» *Ich auch*, dachte Lily.

Tess war ebenfalls ein großer Fan von Lilys Kochkünsten. Sie kam oft zum Abendessen, denn ihre Mutter arbeitete lange, und ihr Vater war seit Jahren von der Bildfläche verschwunden. Lily kümmerte sich ganz besonders um sie und lud Tess grundsätzlich zu sämtlichen Familienunternehmungen ein, sodass es sogar Daisy auffiel.

«Wieso kommt Tess eigentlich mit nach Frankreich?», wollte sie wissen, als sie Tess zum ersten Mal mit in Urlaub nahmen.

«Willst du sie denn nicht dabeihaben?», fragte Lily zurück.

«Natürlich, aber ich will wissen, warum.»

«Weil sie deine Freundin ist.»

«Cool! Dürfen Josh, Cedric und Ethan auch mit?», fragte Scott.

«Nein.»

«Okay. Dann eben nur Josh.»

«Nein.»

«Warum denn nicht? Warum darf Tess dann mit?»

«Weil ich es sage.»

«Das ist total unfair!», hatte er gerufen und türenknallend den Raum verlassen. Es stimmte ja: Es war unfair, aber so war das Leben nun mal, und das wusste niemand besser als Lily.

Es war schön, zur Abwechslung mal dankbare Kinder im Haus zu haben.

«Vielen Dank, Lily, das war richtig lecker», sagte Tess.

«Gern geschehen, Süße. Und was ist mit dir, Daisy?»

«Ich würge es runter, oder nicht?»

«Ja, mein Engel, das tust du», sagte Lily, und Tess und Dylan mussten lachen. Declan kam um 19.30 Uhr nach Hause. Er war müde und schlechter Laune. Er setzte sich an den Esstisch, und sie trug das Abendessen für sie beide auf.

«Ich habe nur eine Stunde. Ich muss noch mal zurück ins Krankenhaus, um nach einem Patienten zu sehen.»

«In Ordnung.»

«Du siehst hübsch aus», sagte er.

«Danke sehr.» *Du kannst mich mal.*

«Ist das neu?»

«Nein.» *Ja.*

«Ich kann mich nicht erinnern, dieses Kleid schon mal an dir gesehen zu haben.»

«Tatsächlich? Vielleicht leidest du ja an verfrühter Altersdemenz.» *Ich drücke mir die Daumen.*

Er lächelte. «Oh, du hältst dich wohl mal wieder für besonders witzig.»

Er aß und ging.

Lily räumte ab und stellte die Teller in die Geschirrspülmaschine. *Idiot! Es ist ja schließlich nicht so, als käme das Geld für dieses Kleid von deinem Bankkonto, du Geizkragen!*

Lily und Declan hatten noch nie ein gemeinsames Konto besessen, außer natürlich damals, als sie die Alleinverdienerin war. Auf Lilys Konto wurden ihr Schwesterngehalt und das Kindergeld eingezahlt, und auf Declans Konto ging das Einkommen eines renommierten Herzchirurgen ein. Er bezahlte die Raten fürs Haus und die laufenden Kosten, und sie bezahlte die Einkäufe, die Dinge, die sie brauchte, und alles, was die Kinder betraf. Lilys Kinder besaßen einen teuren Geschmack, und sie versuchte immer, ihnen nur das Beste zu besorgen. Für sich selbst kaufte Lily in Secondhand-Designerläden ein oder besorgte sich Stoffe. Zur Designerin hätte es vielleicht nicht gereicht, aber sie konnte doch gut mit der Nähmaschine umgehen. Das schwarze Kleid hatte sie kürzlich in einer teuren Boutique gekauft. Es war ein einzelner Restposten und um siebzig Prozent reduziert gewesen. Sie hatte sich nach einem besonders harten Tag damit belohnt, und sie würde sich sicher nicht von ihrem Ehemann, der ausschließlich Maßanzüge trug, vorhalten lassen, dass sie Geld für sich selbst ausgab, das eigentlich für ihre Kinder bestimmt war.

«Dann komm aber nicht heulend zu mir gelaufen, wenn Scott neue Turnschuhe braucht», pflegte er zu solchen Gelegenheiten zu sagen.

«Gott bewahre, nein, natürlich nicht, du bist schließlich nur sein Vater.»

«Ich habe es dir schon mal gesagt, Lily, wenn du von meinem Geld leben willst, dann häng deinen Job an den Nagel.»

Diese Unterhaltung steigerte sich dann zu einem Streit und führte zu einer Diskussion über die zwei Male in zwanzig Jahren, als sein Abendessen zu spät auf den Tisch gekommen war, oder darüber, warum es ihr so wichtig war weiterzuarbeiten. Daraus wiederum erwuchs unweigerlich ein unangenehmes Gespräch über ihr Bedürfnis, es immer allen Leuten recht machen zu müssen, und wieso sie sich ständig durchs Leben flirten musste. Schließlich endete dieses Wortgefecht unweigerlich damit, dass er sie beleidigte: «Ich meine, eine Frau in deinem Alter! Das ist doch lächerlich! Die jungen Mädchen müssen dich doch auslachen» oder «Du bist nicht halb so niedlich, wie du tust, Lily».

Darauf folgten Geschrei und Türenknallen auf beiden Seiten. Er zog ab und beruhigte sich mit einer Runde Golf oder Bridge bei seinen Kumpels. Sie ging in die Wanne und verbot sich zu weinen. Lily versuchte tatsächlich, es immer allen Leuten recht zu machen. *Na und? Was ist denn daran so schlimm? Wieso kannst du mich nicht einfach lieben, wie ich bin, und mich in Frieden lassen?*

Als Lily heiratete, war sie gerade neunzehn Jahre alt und konnte zwar ein bisschen kochen, aber nicht so, wie es sich ihrer Meinung nach für eine Ehefrau gehörte. Natürlich absolvierte sie die Schwesternschule mit links, und obwohl sie im ersten Jahr Unterricht hatte, musste sie so gut wie nie die Nase in ein Lehrbuch stecken. Anstatt zu lernen, besuchte sie Kochkurse, und als ihre Lehrerin ihr sagte, sie habe ein echtes Händchen fürs Kochen, besuchte sie mehr und mehr Kurse, bis sie es mit jedem Meisterkoch hätte aufnehmen können. Sie führte ihre Küche wie ein kleines Hotel. Teils, weil ihr Ehemann sehr anspruchsvoll war, und teils, weil sie auch in ihrer Ehe von Anfang an hohe Erwartungen an sich selbst stellte. Und auch wenn es utopisch sein mochte, so verfolgte sie dennoch immer das Ziel, die perfekte Ehefrau und Mutter zu sein.

Natürlich versuchte sie auch, die perfekte Kranken-schwester und Nachbarin zu sein. Die Arbeit in der Pflege war einfach. Menschen waren krank und niedergeschla-gen, und es lag in Lilys Hand, ob sie sich besser oder schlechter fühlten. Die Ergebnisse waren offensichtlich. An den nachbarschaftlichen Qualitäten musste sie schon härter arbeiten. Man konnte sich jederzeit an Lily wenden, und auf sie war stets Verlass, wenn man Hilfe brauchte – sei es bei der Abflussreinigung, beim Umnähen eines Saums oder bei der Mund-zu-Mund-Beatmung. Doch Lilys Art ließ bei einigen Nachbarinnen die Galle hochsteigen. Der Spitzname Little Miss Sunshine war nicht ausschließlich als Kompliment gemeint. Lily besaß eine schnelle Auffas-sungsgabe, war immer zu Scherzen aufgelegt und verstand sich sehr gut mit Männern, die sie alle mochten, einige sogar ein bisschen zu sehr. Die zierliche, schöne, zart-gliedrige, puppengesichtige, ein Meter sechzig große Lily mit dem schimmernden dunkelbraunen Bob, den braunen Augen, den weichen Lippen und dem dank ihres abwesen-den griechischen Vaters seidigen cappuccinofarbenen Teint war stets die Schönste im Saal. Wenn sie sich entschuldi-gend ihren Weg durch ein volles Zimmer bahnte, folgten ihr alle Männer mit Blicken. Wenn sie lachte, lachten sie alle eifrig mit ihr, wenn sie sprach, hörten sie ihr aufmerk-sam zu, während sie sie gleichzeitig mit Blicken verschlan-gen und sich vorstellten, was sie alles mit ihr anstellen würden, wenn sie sie ranließe. Ihre Nachbarinnen merkten es, ihr Ehemann merkte es, ihre Kolleginnen merkten es, jede Frau nach Eve, zu der sie versucht hatte, eine echte

Freundschaft aufzubauen, hatte es gemerkt. Die Einzige, die es nicht zu merken schien, war Lily selbst. Wenn sie in den Spiegel blickte, sah sie eine dreißigjährige Frau, die immer noch oft in der Kinderabteilung einkaufte. Sie hatte spindeldürre Beine, winzige Brüste und riesige Augen, und obwohl sie seit zwanzig Jahren arbeitete und zwei Kinder in die Welt gesetzt hatte, hatte der Gasmann neulich an der Tür geklingelt und gefragt, ob ihre Mama zu Hause wäre. *Nicht wirklich sexy, oder?* Was Lily als freundschaftliches Geplänkel verstand, empfanden ihr Ehemann und der Rest der Welt als Flirterei. Ihn trieb es zur Raserei, und ihre Nachbarinnen befremdete es, dabei tat Lily es nie mit Absicht. Sie dachte sich nichts dabei. Es gehörte einfach zu ihr und zu ihrem Umgang mit Menschen. Manchmal, wenn ihr Ehemann ihr Verhalten besonders missbilligte, sah sie sich mit seinen Augen, und dann hasste sie sich für ihre Art. Binnen einer Sekunde wurde sie von seiner Ehefrau und der Mutter seiner Kinder zu einer flatterhaften, unbedeutenden, oberflächlichen, dummen Nervensäge, die nicht nur aussah wie ein Kind, sondern sich auch so benahm. Sie fühlte sich dann minderwertig als Frau, so wie sie sich früher nicht wirklich wie eine Tochter gefühlt hatte, verloren und dem Untergang geweiht. Wenn solche Gedanken kamen, riss Lily sich am Riemen, erinnerte sich daran, dass ihre Mutter eine blöde Kuh war und sie einen Scheißkerl geheiratet hatte und dass sie die Zähne zusammenbeißen und weitermachen musste. Lily liebte ihren Mann. Er war der einzige Mann, der sie wirklich brauchte und wollte. Zwischen ihnen gab es auch Augenblicke großer Zärtlichkeit, und wenn er sie witzig fand – was seinen bissigen Kommentaren zum Trotz oft der Fall war –, trug sein Lachen ihre Seele in ungeahnte Höhen empor.

Ja, Lily war die Erste, an die man sich wandte, wenn es Schwierigkeiten gab, aber sie stand ganz unten auf der Liste, wenn es um vormittägliche Kaffeerunden oder nachmittäglichen Klatsch ging. Lily war nicht gut im Tratschen. Man traute ihr nicht über den Weg, was die eigenen Männer betraf, und über wen sollte man auch lästern, wenn Lily dabei war? Bei ihren Arbeitskollegen war Lily zwar beliebt, aber sie besaß keine wirklichen Freunde. So hart sie auch daran arbeitete, anderen zu gefallen, und sosehr sie auch den Anschein erweckte, alles unter Kontrolle zu haben, tief innen war sie immer noch eine Außenseiterin in ihrem eigenen Leben, und die quälende Stimme, die ihr ununterbrochen ins Ohr flüsterte und ihr einzureden versuchte, dass sie eine wenig liebenswürdige Verliererin sei, wurde von Jahr zu Jahr ein wenig lauter.

Lily hatte ungefähr die Hälfte der Mahlzeiten für die kommende Woche gekocht, als das Telefon klingelte. Es war Jim. Nancy war aus dem OP zurück, die Chancen, dass ihr Auge gerettet werden konnte, standen gut, und das Gehirn hatte keine Verletzung davongetragen.

«Oh, Jim, das freut mich sehr!»

«Wenn du nicht gewesen wärst, Lily.»

«Mach dich nicht lächerlich. Das war doch selbstverständlich.»

«Ehrlich, Lily, ich bin dir sehr dankbar. Gibt es irgendetwas, das ich für dich tun kann?»

«Ich bin einfach nur froh, dass es ihr gut geht.»

Es klang, als hätte er geweint. Er war aufgewühlt und erschöpft.

«Vielleicht ein Drink irgendwann mal? Nur du und ich?»

Ist das jetzt eine Anmache? Nein. Sei nicht albern, Lily. Natürlich nicht.

«Ich glaube nicht, dass Declan allzu begeistert davon wäre.»

«Dann erzähl's ihm nicht.»

Oh nein! Jetzt wird's unangenehm.

«Und Rachel? Wie geht es ihr?»

«Hat mich zur Schnecke gemacht.»

«Sie wird drüber wegkommen.»

«Klar, aber erst, wenn ich tot und begraben bin und sie lange genug auf meinem Grab getanzt hat», sagte er, und Lily lachte. «Ich meine es ernst. Ich weiß, dass Declan auch nicht ganz einfach ist. Wenn du also je Lust haben solltest, was trinken zu gehen?», sagte er.

Oh Gott. Lily antwortete nicht. Sie wusste, dass ihr Mann auf die Nachbarn ziemlich überheblich wirken konnte, und wenn er getrunken hatte, wurde er ihr gegenüber manchmal ein wenig sarkastisch, vor allem wenn andere Männer ihr zu viele Komplimente machten. Er erinnerte andere gerne daran, dass er der Boss war und sie seine Frau. Sie nahm es leicht, und falls es nötig wurde, das Gesicht zu wahren, nutzte sie ihre Klugheit und ihren Humor, um ihm und den anderen zu zeigen, dass sie es durchaus mit ihm aufnehmen konnte, ohne die Stimmung zu verderben oder Theater zu machen. Jim war der Allererste ihrer Nachbarn, der eine Bemerkung dazu machte, und das tat weh.

«Dylan geht es gut», sagte sie mit einem Blick auf die Uhr. «Er ist total erledigt, und ich bringe ihn gern bei uns ins Bett, falls das in Ordnung ist.»

«Ja, gerne, vielen Dank. Wann soll ich ihn abholen?»

«Ich muss um sieben aus dem Haus, aber Declan ist bis acht Uhr hier, und Scott und Daisy sind auch da. Komm einfach, wann es dir passt.»

«Danke.»

«Gern geschehen.»

«Lily?»

«Ja?»

Am anderen Ende herrschte Schweigen, und sie meinte, ihn einatmen und leise schniefen zu hören.

«Danke noch mal.»

«Schon gut.»

Sie legte auf und machte sich wieder daran, eine Form Lasagne, einen Sheperd's Pie, einen Lammeintopf und einen großen Topf Tomatensuppe mit Basilikum zu kochen. Als sie fertig war, war es nach Mitternacht. Sie deckte die Schüsseln mit Frischhaltefolie ab und stellte sie auf die Küchenanrichte. Sie schlief auf dem Sofa ein, während sie darauf wartete, dass alles so weit abgekühlt war, um portioniert und eingefroren zu werden. Sie wachte um kurz nach zwei Uhr morgens mit einem steifen Nacken auf. Sie verteilte die einzelnen Mahlzeiten auf Tupperdosen, die mit Declan, Scott und Daisy beschriftet waren, und schichtete sie so in den Gefrierschrank, dass sie leicht zu lesen waren. Sie fiel ins Bett und war froh, dass ihr Mann tief und fest schlief. Ihr tat immer noch die Schulter weh, aber wenigstens war sie im Schritt nicht mehr wund. Sie hörte Scott nach Hause kommen und wusste anhand der Lautstärke und des Zeitraums, den er brauchte, um von der Haustür zum Kühlschrank zu kommen, dass er betrunken war. Zu erschöpft, um sich damit auseinanderzusetzen, machte sie die Augen zu und hoffte, dass ihr Sohn das Haus nicht abfackelte.

3 Es geschehen die
seltsamsten Dinge

Liebe Lily,

ich bin so sauer! Ich fange gar nicht erst davon an, was Declan für ein Arschgesicht ist! Ich fass es nicht, dass du ihm das durchgehen lässt. Weißt du, ich bin wirklich verletzt! Wenn wir eine bestimmte Uhrzeit verabreden würden, zu der du an deiner Telefonzelle bist, würde ich dich auch anrufen – natürlich nur, wenn es Declan nichts ausmacht und du fünf Minuten entbehren kannst. Und dabei bin ich im Augenblick echt angepisst von dir! Oh, und keine Angst, ich habe dem lieben Declan natürlich nichts über Colm oder die andere da erzählt. (Ihren Namen weiß ich nicht mehr, und ich bin viel zu sauer, um deinen Brief rauszukramen.) Aber ganz im Ernst: Ich finde es schon ziemlich traurig, wenn du deinem Freund nicht erzählen kannst, dass du neue Leute kennengelernt hast. Ich meine, was erwartet er denn? Wäre er froh darüber, wenn du den ganzen Tag nur arbeiten und ihm nachheulen würdest? Und bitte beantworte diese Frage nicht, denn wir wissen beide, wie die Antwort lautet, und außerdem habe ich keinen Bock auf Ausreden. Wie du in deinem Brief selbst gesagt hast, du liebst ihn, und damit hat sich die Sache. Ich wünschte nur, du würdest mich wenigstens halb so sehr lieben wie ihn. (Nein, das meine ich jetzt nicht lesbisch!) Wo war Declan denn damals, als du in

der Grundschule gehänselt worden bist? Ich war diejenige,
die Megan Murphy die Haare ausgerissen und sie so fest ge-
zwickt hat, dass man die Narben heute noch sieht! (Sie hat
sie mir Ostern in der Disco gezeigt. Sie waren winzig, quer
über den Knöcheln, wirklich, ganz schlimm! PEINLICH.)
Ich war diejenige, die dich nach Hause geschleift und ins
Bett verfrachtet hat, als du so besoffen warst, dass du nicht
mehr wusstest, wo du wohnst, und zwar ohne dass deine
Mutter was mitgekriegt hat, obwohl sie noch im Wohnzimmer beim Kreuzworträtsel saß. Sie hätte dich rausgewor-
fen, wenn sie dich in dem Zustand erwischt hätte, und nur
dank meiner Bemühungen bist du damals ungeschoren davongekommen. Ich bin diejenige, die bei jedem Minidrama
mit Declan zur Stelle ist. Ich bin diejenige, die die Scherben
aufsammelt, wenn ihr euch mal wieder streitet. Ich bin
diejenige, die immer an deiner Seite ist. Ich bin diejenige,
die dir nichts als Glück wünscht. Ich bin diejenige, die dich
wirklich liebt und noch mal: Das ist nicht lesbisch gemeint!
Obwohl ich niemals darauf bestehen würde, dass du dein
GANZES Geld mit mir vertelefonierst, wenn ich eine Lesbe
wäre und du meine Freundin. Ich bin vielleicht eine Zicke,
aber ganz bestimmt kein egoistisches Arschgesicht, und
mehr habe ich zu dem Thema nicht zu sagen.

Und jetzt zu meinen Neuigkeiten. Du wirst es nicht glauben! Gar, Arschgesicht, Paul und ich waren neulich abends
im Pub, und jetzt rate mal, wer auch da war, und zwar
mit völlig neuem Look? GLENN MEDEIROS!!! Dabei hat
er sich lediglich die dämliche Dauerwelle abgeschnitten,
und statt eine dieser albernen Hemdblusen zu tragen, hatte
er ein Bruce-Springsteen-T-Shirt und Jeans an. Er sieht
richtig, richtig gut aus! Wie ein ganz anderer Mensch. Als
wäre eine gute Fee vom Himmel geschwebt und hätte ihren

Zauberstab über seinem Kopf geschwungen. Ich habe mit
Gar und Paul was getrunken (und Arschgesicht kategorisch
ignoriert, aber keine Sorge, er war wie immer viel zu sehr
mit sich selbst beschäftigt, um was zu merken), und dann
habe ich mich zu Glenn rübergestellt. Er saß mit zwei
Jungs an der Bar, die ich nicht kannte. Ich weiß, es klingt
blöd, wenn man sich vorstellt, dass ich ihn bis vor ganz
kurzer Zeit noch für einen Freak gehalten habe, aber ich
war ziemlich aufgeregt, und jedes Mal wenn ich (ehe ich zu
ihm hin bin) ihn dabei erwischt habe, wie er zu mir rüber-
schaute (was echt oft war), tat ich so, als hätte ich nichts
gemerkt, aber mal im Ernst: Man hätte schon taub und
blind sein müssen, um das nicht mitzukriegen. Bei der CIA
hätte er jedenfalls keine Chance, so viel steht fest. Mir hat
sich jedes Mal, wenn ich ihn beim Rüberschauen erwischt
habe, sofort der Magen umgedreht, bis mir richtig schlecht
war. (ICH SCHWÖRE!) Also bin ich schließlich zu ihm
rübergegangen. Natürlich habe ich versucht, schön cool zu
bleiben. Ich habe es kurz gemacht, weil ich Angst hatte,
dass ich mich übergeben müsste, wenn ich zu viel rede. Ich
bin also genauso zu ihm rüber wie Tom Cruise in Top Gun
zu Kelly McGillis. (Versteh mich jetzt bitte nicht falsch, ich
finde den Film immer noch voll peinlich, aber zur Veran-
schaulichung ist er trotzdem gut geeignet.) Er drehte sich
also von seinen Freunden weg, um mich anzuschauen, und
sah dabei ein bisschen eingebildet aus, aber das ist schon
okay, er darf ein bisschen eingebildet aussehen. Ich muster-
te ihn langsam von Kopf bis Fuß, sagte: «Gern geschehen»,
drehte mich um und ging davon. Seine Freunde haben sich
nicht mehr eingekriegt. Ich hab mich nicht umgedreht, aber
als ich zu den Jungs zurückkam, sagte Paul, er hätte die
ganze Aktion beobachtet und Glenn hätte breit gegrinst. Je-

denfalls bin ich dann mit Gar nach draußen gegangen, um
eine zu rauchen. (Er weigert sich immer noch, im Pub zu
rauchen, aus Angst, dass Mr. Duffy ihn sieht und es seinem
Vater erzählt – dieser Hosenscheißer!) Und ehe ich über-
haupt die Chance bekam, ihm zu sagen, dass ich es besser
fände, wenn wir nichts mehr miteinander anfangen, weil
ich doch nach London gehe und er in Dublin bleibt (wie du
mir geraten hast), erzählte er mir, dass er sich total in ein
Mädchen aus Bray verknallt hat. KANNST DU DAS FAS-
SEN? Ich wusste nicht, ob ich froh oder beleidigt sein soll-
te. Am Ende entschied ich mich für Möglichkeit Nr. 1. Er-
leichterung. Ich habe ihm viel Glück gewünscht, und er war
wirklich sehr süß. Zu dem Zeitpunkt hatte ich schon drei
Flaschen Ritz intus und wollte ihm eigentlich noch den gu-
ten Rat geben, nicht so an ihr rumzuschlabbern, aber dann
ist mir gerade noch eingefallen, was du mir gesagt hast,
und ich habe den Mund gehalten. Als er wieder reinging,
sagte ich, ich bräuchte noch ein bisschen frische Luft, und
blieb draußen, um zu sehen, ob Glenn was merken würde.
Er war draußen wie der Blitz. BEGEISTERUNG! Natür-
lich war es ihm todpeinlich, weil ich nämlich auf der Mauer
saß und ihm dabei zusah, wie er rausgerannt kam und hek-
tisch die Straße rauf und runter schaute. Er setzte sich zu
mir auf die Mauer, und als ich ihn Glenn nannte, erinnerte
er mich daran, dass er Ben Logan hieß. Ich erklärte ihm,
dass er für mich immer Glenn Medeiros sein würde, egal,
wie süß ich ihn fände. Er lachte und ritt natürlich dar-
auf herum, dass ich ihn süß fände, aber ich wechselte das
Thema, indem ich ihn davor warnte, dass ich ihn furchtbar
unattraktiv finden würde, wenn er sich weiter an Straßen-
ecken herumtreiben und diese schlimmen Gedichte aufsagen
würde. (Ich weiß, flipp nicht gleich aus, aber für mich ist

*Ehrlichkeit einfach immer noch die beste Strategie.) Er hat
es nicht allzu schlimm aufgefasst. Er fragte, ob es okay
wäre, wenn er mit seiner Band weitermacht. Ich wusste gar
nicht, dass er in einer Band spielt. Jedenfalls meinte ich,
das wäre in Ordnung, solange die Band besser wäre als seine Gedichte. Er sagte, das wäre sie, und dann hat er mich,
völlig aus dem Nichts, einfach geküsst. ICH WÄRE FAST
GESTORBEN! Er ist ein unglaublicher Küsser. Ich kann
es überhaupt nicht beschreiben, und es war so romantisch.
Der Mond stand am Himmel, und obwohl wir auf einem
Parkplatz waren, konnte ich in der Ferne das Meer glitzern
sehen. Und wie er mich zwischen den Küssen angesehen
hat! Sagen wir's so: Glenn Medeiros ist echt heftig. Wir
blieben mindestens eine Stunde draußen. Paul kam irgendwann raus, um mich zu suchen, und als er uns zusammen
sah, habe ich ihn gerufen und ihn gebeten, Gar nichts zu
erzählen, und er hob den Daumen. Ich gehe jetzt mal davon
aus, dass er froh ist, Gar nichts sagen zu müssen, andererseits ist Paul ja selbst ein ziemlicher Stecher, und er hält
sich bestimmt nur an irgendeinen geheimen Stecher- und
Schlampenehrenkodex. Ist ja auch egal, ich bin ihm jedenfalls dankbar. Ich habe mich inzwischen zweimal mit Glenn
getroffen, und am Samstag gehe ich zu seinem Auftritt in
der Stadt. Ich berichte dir dann in meinem Sonntagsbrief
davon, es sei denn, du schickst mir eine Telefonnummer und
eine Uhrzeit, damit wir richtig miteinander sprechen können. Ich weiß, es ist verrückt! Letzte Woche um diese Zeit
habe ich ihn noch für einen Irren gehalten, und jetzt stehe
ich total auf ihn. Wenn er mich ansieht, habe ich Wackel-
pudding in den Beinen. Ich weiß auch, dass zwischen uns
ein beträchtlicher Größenunterschied besteht, aber das ist
mir echt egal. Ich habe immer gesagt, dass ich ein Mensch*

*bin, der sich nicht verliebt, aber ich glaube, in ihn könnte
ich mich verlieben, Lily! Ich habe echt das Gefühl, dass
er die Welt besser macht. SCHRECKLICH, ICH WEISS!
Heute Abend sehen wir uns wieder, und ich zähle schon die
Stunden. So jämmerlich es klingt, ich kann es kaum erwarten.*

*Was gibt's sonst noch Neues? Clooney hat sich von
der haarigen Tante getrennt. Ich glaube, er hat was mit
V Kill P, was ich ziemlich gefährlich finde, vor allem weil
ich davon überzeugt bin, dass sie eine Lesbe ist, und falls
es schiefgeht, bedeutet das vielleicht das Ende ihrer Radio-
sendung. Das wäre zwar kein unverwindbarer Verlust für
die Welt, aber andererseits könnte Clooney jedes Mädchen
kriegen, das er will, warum muss er also so dämlich sein?
Jedenfalls hängt sie in letzter Zeit ziemlich viel bei uns
rum, und obwohl er mit ihr nicht ganz so offensichtlich
rummacht wie mit dem explodierten Handfeger, finde ich,
dass sie viel mehr miteinander flirten als früher. Sie hat
noch nicht bei uns übernachtet, aber schließlich ist Dad
auch zu Hause. Noch habe ich sie nicht beim Küssen erwischt, aber andererseits ist V Kill P auch viel cooler als
die Haartante und würde sich wahrscheinlich nie erwischen
lassen. Ich halte dich auf alle Fälle auf dem Laufenden.*

*Neulich habe ich Paul getroffen. Er war auf dem Weg
in die Stadt, um sich mit einem Mädchen zu treffen. Sein
Rugbyteam hat Freitag ein Spiel, und ich habe versprochen zu kommen. Vielleicht lerne ich dann ja seine neueste
Freundin kennen. Er ist gut in Form, aber er ist ziemlich
nervös, was seine Noten betrifft, weil er nicht weiß, ob
sie für ein Jurastudium reichen. Ich habe ihm gesagt, er
soll sich keine Sorgen machen und dass er es sicher mit
links schafft, aber er meinte, er wäre schließlich nicht du.*

Er sagt, du kriegst deinen Studienplatz für Medizin, ohne einen Finger krumm zu machen. Er müsste sich den Hintern aufreißen und wäre sich trotzdem nicht sicher, ob er es geschafft hat. Ich sagte ihm, ich wäre überzeugt davon, dass ihr beide an der Uni landet, um eure Angeberfächer zu studieren, während ich in London an der Nähmaschine sitzen werde. Er meinte, er wäre sich auch nicht so sicher, ob Arschgesicht wirklich einen Platz für Medizin kriegt (nicht mal in Cork, von Trinity ganz zu schweigen). Ich verspreche dir, dass ich ihn in meinem nächsten Brief nicht mehr so nennen werde, aber dieses eine Mal musst du mir noch gönnen. Ich finde, das ist das Mindeste, was du mir unter diesen Umständen zugestehen musst. Ich habe nichts dazu gesagt, aber es wäre schon verrückt, wenn du einen Platz für Medizin bekommst und Arschgesicht nicht.

Wie auch immer. Nur noch ein paar Wochen, dann wissen wir alle, wie es mit uns weitergeht. Wo wir gerade dabei sind: Montag habe ich im Coffeeshop Gina Daly getroffen. Sie geht in Galway aufs College und ist gerade zu Besuch. Sie hat gefragt, ob ich mich zu ihr setzen will, und dann hat sie erzählt, wie es so ist, im Studentenwohnheim zu wohnen, von den Partys und so weiter. Es klang echt toll. Wenn man also nach deinen neuen Freunden geht, die es in Cork krachen lassen, nach Ginas Bericht aus Galway und nach Clooney, der inzwischen wie ein Rockstar lebt, hört sich das Collegeleben doch ziemlich gut an. Ich hoffe nur, dass es in London auch so gut wird. Ich werde langsam ein bisschen nervös, aber das kriege ich schon hin. Tue ich schließlich immer. Jedenfalls haben Gina und ich uns super verstanden, und mir ist wieder eingefallen, wie viel Spaß wir drei immer hatten, als wir noch kleiner waren, ehe sie auf einmal fand, sie wäre zu erwachsen, um sich noch mit

uns abzugeben. Sie arbeitet den Sommer über bei ihrem
Vater in der Kneipe, und wir treffen uns morgen wieder zum
Kaffeetrinken. Außerdem überlegt sie sich, ob sie Samstag
mit in die Stadt kommt, um sich Glenns Band anzusehen.
(Ich muss wirklich aufhören, ihn ständig Glenn zu nennen –
ich habe Gina darauf angesetzt.)

Erzähl mir von deinem Leben. Wie geht es Colm? Er
klingt interessant, als wäre er genau dein Typ, und ich will
damit nicht sagen, dass du was mit ihm anfangen sollst.
Dabei fällt mir ein, dass du schließlich nicht verheiratet
bist, und die Welt würde auch nicht davon untergehen –
aber hey, nur ein Gedanke.

Ich muss los und mich für Glenn hübsch machen. Wir
sprechen uns bald, HOFFENTLICH!

Deine beste Freundin
Eve

PS: Arschgesicht vermisst dich wirklich. Er redet die ganze
Zeit nur von dir – sogar Gar sieht inzwischen aus, als hätte
er Bauchweh, wenn er ihm zuhört.

PPS: ICH HAB DICH FURCHTBAR LIEB.

PPPS: Ich kann nicht fassen, dass dein Geschmack immer
das genaue Gegenteil von meinem ist. Christian Slater zuerst und Emilio an letzter Stelle geht definitiv überhaupt
nicht, aber wenigstens werden wir uns nie wegen einem
Jungen [sic!] streiten.

* * *

Eves unerwartetes Date mit Ben half ihr, die Kopfschmerzen loszuwerden, und verlieh ihr genug Schwung, um den Entschluss zu fassen, etwas zu kochen. Also flitzte sie in den Supermarkt und kaufte den halben Laden leer, um eine vernünftige Arbeitsgrundlage zu haben. Bereits vor langer Zeit hatte sie herausgefunden, dass sie viel zu ungeduldig, misstrauisch und möglicherweise auch zu arrogant war, um sich an irgendwelche Rezepte zu halten.

Vier Stunden? Das ist doch lächerlich! In vier Stunden kann ich in ein anderes Land reisen. Ich versuche es einfach mit zwei Stunden. Was zum Teufel ist Bockshornklee? Drauf gepfiffen, Basilikum tut es genauso gut.

Sie entschied sich für ein einfaches, bodenständiges Menü und schaffte es trotzdem, alles anbrennen zu lassen, und als sie ins Internet ging, um nach irgendeinem Rezept mit Kartoffeln zu suchen, blieb sie auf YouTube hängen und vergaß, dass sie eigentlich kochen wollte.

Allerdings kam Ben eine geschlagene Stunde zu spät, und noch ehe er auf der Türschwelle stand, war die Küche wieder geputzt, und sämtliche Rauchschwaden hatten sich verzogen. Es war sieben, als sie mit ein paar Lieferprospekten in der Hand die Tür aufmachte. Er betrat ihre Wohnung, zog sie, ohne stehen zu bleiben, in seine Arme, hob sie hoch, setzte sie sich auf die Hüfte, und ehe sie wusste, wie ihr geschah, lehnte sie mit um ihn geschlungenen Beinen an der Wand und ließ sich von ihm küssen. Er fing an, sie auszuziehen, und trug sie ins Schlafzimmer. Abgesehen davon, dass sie ein bisschen schwankten und er sie einmal versehentlich gegen den Türrahmen stieß, schafften sie es unbeschadet und ohne ein einziges Wort zu wechseln ins Bett. Bei Ben fühlte Eve sich sicher und frei und schön. In seine braunen Augen konnte sie sich einfach hineinfallen lassen. Als er sie berührte, kribbelte es, und als er sie festhielt und sich in ihr bewegte, gab sie sich ihm selbstvergessen hin.

Eve hatte oft Spaß am Sex, und im Laufe der Jahre waren viele Männer gekommen und gegangen – einige hatte sie einfach nur körperlich anziehend gefunden, einige hatte sie gemocht und einige sogar sehr –, aber es hatte in ihrem Leben nur einen Einzigen gegeben, den sie hätte lieben können, und das war Ben Logan. *Du lebst nur in der Vergangenheit, Eve, weil du einfach nicht loslassen willst,* sagte sie sich ständig, doch ihr Körper hörte nicht auf sie.

Sie lagen auf dem Bett und sahen sich an, schweigend, satt, ruhig, verloren in ihrem eigenen kleinen Universum. Er fuhr mit dem Zeigefinger ihr Schlüsselbein nach, und sie hielt seine Wange in ihrer Hand. Ihr war bewusst, dass seine Welt vor dem Zusammenbruch stand, seine Frau irgendwo saß und weinte und dass das, was sie hatten, nur ein Hirngespinst war. Es war nichts weiter als Bens Flucht aus dem Druckkessel, zu dem sein Leben geworden war, und ihre eigene Flucht vor sich selbst und ihrer Vernunft. Sie erwähnte seine Firma mit keinem Wort. Sie sagte nichts, das ihre Blase zum Platzen gebracht hätte. Stattdessen lagen sie einander entspannt in den Armen und sprachen über die Vergangenheit, um nicht an die Gegenwart denken zu müssen.

«Nenn mich Glenn», sagte er.

«Glenn», sagte sie.

«Ich erinnere mich noch an das erste Mal, als du mich bei meinem richtigen Namen genannt hast.»

«Wir haben in irgendeinem Park rumgealbert», erinnerte sie sich lächelnd.

«An dem Abend wusste ich, dass du mir gehörst.»

Sie lachte. «Dein Ego war schon immer zu groß für deinen Körper.»

Er zog sie an sich. «Ich habe dich geliebt, Blondie.»

Eve hätte am liebsten geweint, und um die Stimmung nicht zu ruinieren, wechselte sie das Thema.

«*Gulliver Stood On My Son*», sagte sie lachend. «Gulliver hat meinen Sohn zertrampelt?»

«Was denn?», antwortete Ben mit gespielter Entrüstung. «Das war ein toller Bandname!»

«Ja genau, wie gemacht für die Hall of Fame!», kicherte sie.

Ben liebte es, wenn Eve kicherte.

«Ich erinnere mich noch an den Auftritt, als ihr von ‹Long Way Back› zu einer Interpretation von ‹Nothing's Gonna Change My Love For You› gewechselt habt, als ich in den Club kam. Das war so kitschig!», sagte sie.

«Es war lustig», widersprach er.

«Es war schrecklich.»

«Du fandest es toll.»

«Ja, stimmt.»

Ben erinnerte sich daran, wie er die anderen damals einen ganzen Tag lang hatte bearbeiten müssen, um die Band dazu zu bewegen. Die Idee war ihm bei einer Bandprobe in der Garage von Billys Vater gekommen.

«Niemals!», sagte Mark und ließ die Stöcke sinken.

«Auf keinen Fall!», gab Finbarr hinter dem Keyboard seinen Senf dazu.

«Ehe ich was von Glenn Medeiros spiele, schneide ich mir lieber den Schwanz ab», meinte Billy, nahm den Bass ab und zündete sich eine Zigarette an.

«Jetzt kommt schon, es geht schließlich um meine Freundin», bettelte er. Es war das erste Mal gewesen, dass

Ben Eve seine Freundin nannte, und ihm gefiel der Klang des Wortes.

«Rostiges Messer», sagte Billy und deutete auf die Werkzeugkiste seines Vaters. «Schwanz.» Er zeigte auf seinen Schritt.

«Und was ist mit dir, Tom?»

«Wenn's sein muss.»

«Schön.»

«Nein, nein und nochmals nein», sagte Finbarr.

Billy zeigte nur weiter stumm auf seinen Schritt und machte mit der Hand eine Schnippbewegung. Nach einer langen Diskussion und Billys Drohung, ihn rauszuholen und auf der Stelle ans Werk zu gehen, einigten sie sich unter der Voraussetzung, dass Ben für den Rest des Sommers nach allen Gigs den Abbau übernahm. Er wollte unbedingt, dass es ganz spontan wirkte, und weil er wusste, dass Eves Bus frühestens fünf Minuten nach Konzertbeginn ankommen würde, bat er Terry «den Touristen» Noonan um ein Foto von Eve.

«Ich habe keins.»

«Lügner.»

«Ich schwör's.»

«Ich habe aber neulich gesehen, wie du sie fotografiert hast.»

«Da war sie zufällig im Weg.»

«Gib mir das Foto.»

«Nein.»

«Gib mir das Foto, oder ich zeige dich an, weil du ein Perversling bist.»

«Ich bin kein Perversling.»

«Tja, das wissen die aber nicht, und ehrlich gesagt bin ich mir da auch nicht so sicher.»

«Na schön», sagte Terry, ging rauf in sein Zimmer und kam mit einer ganzen Sammlung Fotos zurück.

Eve, die in der Schule an einer Mauer lehnte. Eve auf dem Fahrrad. Eve, in ihrem Garten liegend. Eve, wie sie am Hafen saß. Das Foto, auf dem sie am besten zu erkennen war, war das, wo sie an der Mauer lehnte.

Ben nahm ihm das Foto weg.

«Wenn ich dich noch einmal dabei erwische, wie du meine Freundin fotografierst, knalle ich dir eine Bowling-kugel an den Kopf und behaupte, dass es ein Unfall war», sagte er.

Terry «der Tourist» Noonan nickte nur. «Okay», sagte er.

Das Foto gab Ben dem Türsteher. Sobald Eve auftauchte und sich ihren Stempel abholte, funkte der Türsteher den Bühnentechniker an, der wiederum Mark am Schlagzeug ein Zeichen gab. Er wechselte das Tempo, und als Eve sich bis zur Mitte des Raums vorgearbeitet hatte, schmetterte Ben ihr den Glenn-Medeiros-Klassiker entgegen, als wäre sie das einzige Mädchen im Saal.

Er sah heute noch das Strahlen in ihren Augen vor sich, das Lächeln, das über ihr Gesicht ging, wie sie kurz die Hände vors Gesicht schlug und sie dann hoch in die Luft reckte. Sie hatte es toll gefunden, und dieser eine Augen-blick war es wert, für den Rest des Sommers allein abzu-bauen.

«Woran denkst du?», fragte Eve und holte ihn zu sich zurück.

«An dich», antwortete er.

«Sing mir den Song vor, den du für mich geschrieben hast», bat sie.

«Nein.»

«Ach, komm schon!»

«Ich bin kein Sänger mehr.»

Sie tat, als wäre sie beleidigt.

«Ich sage es dir vor.»

«Oh, wie die schlechten Gedichte.»

«Genau.»

«Okay.»

«She's the one to avoid, strong, beautiful, a living android. She talks, I flinch, she makes me think. She chews me up and spits me out; she makes me scream, bleed and shout. This battle's lost but I'll return, when she is mine my war is won.»

Eve sang den Refrain mit, laut und falsch, und schwang dabei ihre Arme hin und her. *«It's a long way back, you know I'll keep on coming, it's a long way back, without you I'm nothing.»* Wie aufs Stichwort fingen sie gleichzeitig an, «Nothing's Gonna Change My Love For You» von Glenn Medeiros zu grölen.

«Für mich wirst du immer Glenn Medeiros bleiben», sagte sie.

Er sah traurig aus. «Ich liebe meine Frau.»

«Ich weiß.»

«Aber du bist damals abgehauen.»

«Nein», widersprach sie.

«Doch.» Er nickte. «In unserer letzten Nacht habe ich dir gesagt, dass ich dich liebe. Du hast mir prustend ins Gesicht gelacht. Es hat sich angefühlt, als würdest du mich erdolchen.»

«Das wollte ich nicht. Ich war nervös und betrunken und hatte Angst.»

«Angst wovor?»

«Weiß ich nicht. Vor dir? Vor der Liebe? Davor, wegzugehen? Ich war einfach noch nicht so weit.»

«Billy hat es mir erzählt», sagte er.

«Dachte ich mir schon», antwortete sie.

«Wenn ich die Zeit zurückdrehen könnte, wäre ich schlauer.»

«Ich möchte nicht darüber sprechen», sagte sie mit Nachdruck, und er wusste, dass sie es ernst meinte.

Er nickte traurig. Sie hatten nie über das gesprochen, was in jener Nacht geschehen war, und sie würden es auch nie tun. Schweigend lagen sie da. Er hielt ihre Hand. Ihm standen Tränen in den Augen. Sie schürzte die Lippen, und er wischte eine einzelne Träne weg. Sie sahen sich an und begannen ein stummes Gespräch, ohne ein einziges Wort zu sagen.

Gegen zehn Uhr bekamen sie Hunger, doch sie hatten beide keine Lust drauf, sich irgendwas ins Haus kommen zu lassen. Eve rief in einem Bistro um die Ecke an, und ihr wurde unter der Voraussetzung ein Tisch zugesagt, dass sie es schafften, bis halb elf ihre Bestellung aufzugeben. Sie sprangen unter die Dusche, zogen sich an und beschlossen, zu Fuß zu gehen. Der Abend war mild, und außerdem konnten sie so zum Essen etwas Wein trinken. Sie gingen die schmale Straße entlang, die von Eves Haus an den Klippen zur Stadt führte. Es war still und dunkel. Sie waren allein und in ihrer eigenen Welt gefangen. Wann immer sich in der Steinmauer zwischen der Straße und den Feldern eine Nische auftat, blieben sie stehen. Er zog Eve in seine Arme, sie küssten sich, berührten sich, hielten einander fest und küssten sich wieder.

«Wir kommen zu spät», sagte sie.

«Ich wünschte, wir könnten einfach für immer hier und jetzt stehen bleiben», antwortete er und streichelte ihre Wange.

«Es wird Zeit», sagte sie, zog ihn von der Mauer weg, und Hand in Hand setzten sie ihren Weg fort. Er wirkte nachdenklich, und sie spürte, wie seine Gedanken sich von ihr zurückzogen, zurück zu seinem Leben und zu seiner Frau. «Verlass mich noch nicht», sagte sie, und er lächelte.

«Ich bin hier», antwortete er.

Der Wagen kam direkt auf sie zu. Eve sah die Scheinwerfer, ohne etwas zu hören. Plötzlich knickten ihr die Beine weg, und Bens Hand wurde von ihrer losgerissen. Sie blieb bei Bewusstsein, doch es wirkte alles völlig surreal, wie ein schöner Traum, der sich auf einen Schlag in einen Albtraum verwandelt. Eben war sie noch in Bens Anblick versunken, und eine Sekunde später saß sie auf dem Beifahrersitz eines fremden Autos, und ihre gebrochenen Beine ragten durch die zerborstene Windschutzscheibe ins Freie. Ihre Schulter fühlte sich seltsam an. Sie wagte einen Blick. Es sah aus, als wäre ihr gesamter Schulterknochen irgendwo verschwunden. Sie konnte den Arm nicht bewegen. Sie lenkte den Blick von ihrer Schulter weg zu den verdrehten Beinen, sah auf die Straße hinaus und nach links zu dem Betrunkenen hinüber, der hinter dem Lenkrad saß. Sie hatte seine Whiskeyfahne gerochen, ehe sie ihn sah. Sie musste sich sehr konzentrieren. Er schlingerte kreuz und quer über die Straße, und ihr zerschmetterter Körper schaukelte bei jedem Schlingern, bei jeder Unebenheit mit. Der Mann murmelte vor sich hin, ohne Eve zu beachten, als wäre sie überhaupt nicht da. *Wo ist Ben?* Sie versuchte, sich umzudrehen und einen Blick auf den Rücksitz zu werfen, um zu sehen, ob er vielleicht dort war, doch sie konnte sich offensichtlich nicht bewegen. *Wo ist Ben?* Sie versuchte zu sprechen, aber es gelang ihr nicht, Verstand und Mund in Einklang zu bringen. Verzweifelt versuchte sie, ihre Stimme wiederzufinden. Sie konzentrierte sich mit aller Macht darauf, sich verständlich zu machen.

Sie hörte sich selbst flüstern. «Wo ist Ben?»

Der Mann antwortete nicht und schaltete stattdessen das Radio ein. Eves Herz klopfte so laut, dass es ihr in den Ohren dröhnte. Sie spürte immer noch keine Schmerzen, doch der Anblick ihrer verdrehten Beine, die direkt vor ihr auf die Motorhaube des Wagens hinausragten, sagte ihr, dass der Schmerz kommen würde. Sie erinnerte sich an das, was ihre Yogalehrerin ihr über Atmung und Kontrolle beigebracht hatte. Also holte sie tief Luft, atmete langsam aus und wiederholte im Geiste ein einziges Wort, immer wieder. *Stopp. Stopp. Stopp. Stopp. Stopp.* Bis es endlich in einem Flüstern ihren Mund erreichte. «Stopp.»

Der Mann wandte den Blick von der Straße ab, die er in voller Breite einnahm, und sah sie an. Er war wütend.

«Ihr wolltet mitfahren, also habe ich euch mitgenommen», sagte er.

Sie war verwirrt. *Wollten wir mitfahren?* Sie sah wieder nach vorne, um sich zu vergewissern, dass ihre gebrochenen Beine tatsächlich aus seiner fehlenden Windschutzscheibe hinausragten.

«Ben?», sagte sie.

«Ihr wart mitten auf der Straße!», schrie er und wischte sich die Nase am Ärmel seines Wollpullovers ab. Es war zu dunkel, und sie konnte die Farbe nicht erkennen.

Vor ihnen blitzten Lichter auf. Der Wagen schlingerte von links nach rechts. Sie fragte sich, ob der Mann ihre gebrochenen Beine überhaupt schon bemerkt hatte. Sie registrierte das Nissan-Emblem auf dem Lenkrad. Als eine Laterne oder vielleicht auch ein vorbeifahrendes Auto die Nacht erhellte, sah sie, dass die Motorhaube rot war, dass der Mann einen roten Bart hatte und riesengroße Hände. An seiner Linken trug er einen großen goldenen Claddagh-Ring.

«Stopp, Stopp, Stopp, Stopp, STOPP!», wiederholte sie, bis aus ihrem Flüstern endlich ein Rufen wurde.

Der Mann ignorierte sie beharrlich, murmelte nur weiter vor sich hin und drehte das Radio lauter.

Sie merkte, dass ihr rechter Arm unverletzt war. Er ließ sich bewegen. Sie packte den Mann am Ärmel und zog und zerrte daran.

«Bitte!», schrie sie. «Stopp!» Mehr brachte sie nicht heraus.

«Du wolltest mit!», schrie er sie an. «Ich nehme dich mit! Was willst du denn noch?»

«Stoppen!», sagte sie. Ihre Stimme und der Tonfall klangen fremd.

«Schön!», schrie er. «Blöde Weiber! Wissen nie, was sie wollen!»

Er blieb mitten auf der Straße stehen. Er stieg aus und schimpfte wüst vor sich hin. Er ging an der kaputten Windschutzscheibe und ihren zertrümmerten Beinen vorbei und trat an die Beifahrertür. Er riss die Tür auf, und Eve spürte, wie sie fiel. *O Gott! Er zerrt mich raus!* Sie wappnete sich gegen den Schmerz. Er packte sie an dem Arm ohne Schulter. Er riss daran, und sie schrie und flehte, nur ein einziges Wort, wieder und wieder. «Bitte!»

Er ließ den Arm ohne Schulter los, packte sie am Genick und zerrte wieder an ihr. Sie spürte, wie sich Glasscherben tief in ihre brennenden, pochenden Beine bohrten.

«Bitte.»

Ihre Beine waren so lang, dass er sie verdrehen musste, um sie durch das Loch in seiner Windschutzscheibe zu bekommen. Sie sah, wie ihre Beine sich bogen, und spürte etwas knacken.

«Bitte.»

Er hatte sie inzwischen gut im Griff und zog sie unter den Armen nach draußen. Er drückte gegen die Stelle unter ihrem Schulterblatt, wo ihre Schulter gelandet war, und einen Augenblick lang dachte und hoffte sie, sie würde sterben.

«Bitte.»

Sie spürte, wie ihre Beine auf dem Boden aufschlugen. Er ließ ihren Oberkörper fallen, und sie blieb liegen, das Gesicht den Sternen zugewandt. Die Nacht war klar und schön, es war dieselbe Nacht, in der sie und Ben wie die Teenager an einer Mauer gelehnt und sich geküsst hatten.

«Ben?», sagte sie.

Er ignorierte sie. «Du wolltest mit.» Er deutete mit dem Finger auf sie.

Sie lag bewegungslos da.

«Ich habe dich mitgenommen», sagte er, zeigte auf sein Auto und wischte sich wieder mit dem Ärmel die Nase ab.

Sie blieb reglos liegen.

«Das war das letzte Mal, dass ich dich mitgenommen habe!», motzte er, stieg ins Auto, ließ Eve mitten auf der Straße liegen und verschwand.

Ihr wurde schnell klar, dass sie überfahren werden würde, wenn sie auf der Straße liegen blieb. Sie wusste auch, dass drei ihrer Gliedmaßen schwer verletzt waren, aber sie hatte immer noch einen gesunden Arm. *Du schaffst das, Eve! Du bist stark, ja? Entweder du schleppst dich an den Straßenrand, oder du wirst überfahren. So ist das. Punkt. Tu es einfach.* Eve fing ganz langsam an, sich in Richtung Straßengraben zu hieven. Jede Bewegung war pure Qual, jede Minute kam ihr vor wie eine Stunde, und sie weinte die ganze Zeit. Als sie die Straßenmitte verlassen hatte, ließ sie sich wieder niedersinken, schaute zu den Sternen hinauf und hoffte, dass die Autos, die vor Minuten noch ihren Tod bedeutet hätten, jetzt vorbeikommen und sie finden würden. *Wo ist Ben?*

Eve hörte ein Auto vorbeifahren, aber der Fahrer sah sie nicht, und dann noch eins und noch eins. Sie versuchte, mit dem unversehrten Arm zu winken, doch es ging nicht. Sie war so müde. *Hier werde ich sterben. Ich hoffe, es geht dir gut, Ben. Was damals geschah, tut mir leid. Es war der größte und dümmste Fehler, den ich je begangen habe. Ich glaube, ich liebe dich. Ich glaube, ich habe dich immer geliebt.* Sie machte die Augen zu und ließ los.

Ein grelles Licht strahlte Eve ins Gesicht, und sie hörte Stimmen. Als sie endlich die Augen öffnen konnte, sah sie die Menschen, die auf sie herunterblickten, nur verschwommen. Sie hörte Stimmen, die sich unterhielten, doch es klang gedämpft, wie eine schlechte Verbindung am Telefon. Sie versuchte, sich auf das Gesicht zu konzentrieren, das mit ihr sprach, und es wurde mit jedem Lidschlag deutlicher. Jemand piekste sie mit irgendetwas, und es fühlte sich gut an. Plötzlich schien die Verbindung wieder klarer zu sein.

«Sie sind in Sicherheit, Schätzchen. Wir kümmern uns um Sie. Können Sie mich hören?»

«Ja», sagte sie.

«Nicht schlecht», sagte er, lächelte sie an und drehte sich weg. «Sie ist wieder bei uns, Brendan.»

Brendan antwortete irgendetwas Unverständliches.

«Wie heißen Sie, Schätzchen?», fragte der andere.

«Eve», antwortete sie.

«Gut, Eve, wir werden Sie jetzt hochheben.» Bilder blitzten in ihrem Kopf auf, Bilder, wie sie aus dem Auto gezerrt wurde, wie sie über die Straße kroch. Jeder einzelne Nerv in ihrem Körper wappnete sich mit einem lauten Aufschrei gegen die unerträglichen Schmerzen.

«Nein», flehte sie.

«Keine Angst», sagte er beruhigend. «Sie sind in guten Händen. Wir lassen nicht zu, dass Ihnen etwas passiert. Stimmt's, Brendan?»

Ein zweites Gesicht tauchte auf. «Stimmt, Tony.»

Eve schlug die Augen auf und konzentrierte sich auf den weißen Himmel des Krankenwagens. Sie spürte, wie sie auf eine Trage geschnallt wurde. Obwohl sie weder Kabel noch Schläuche sehen konnte, wusste sie, dass sie da waren. Sie hatte eine Maske auf und spürte kühlen, frischen Sauerstoff, der sich einen Weg durch die Nase in ihr Inneres bahnte, und die warme Luft, die durch ihre Lippen entwich.

«Na also!», sagte Tony und nahm ihr für eine Sekunde die Maske ab. «Sie sind wieder bei uns.»

«Ja.»

«Glauben Sie an Gott?», fragte er.

«Nein.»

«Also, wir waren gerade auf dem Weg zu einem Unfall, als wir Sie entdeckt haben, und für mich ist das ein Wunder», sagte er.

«Glück», antwortete sie und kramte verzweifelt in ihrem Gedächtnis, weil sie wusste, dass sie etwas sehr Wichtiges vergessen hatte. *Aber was, aber was, aber was nur?*

Er lachte. «Vielleicht», sagte er und setzte ihr die Sauerstoffmaske wieder auf.

Ein anderer Unfall. Sie fiel ihm mit der gesunden Hand in den Arm.

«Mein Freund», sagte sie und war plötzlich wieder achtzehn, ein Mädchen, und Ben der Junge, den sie liebte.

«Wer ist denn Ihr Freund, Schätzchen?», hörte sie ihn fragen.

«Glenn Medeiros», sagte sie, auch wenn ihr Gehirn die Worte *Ben* und *Logan* formulierte.

Er lächelte sie an. «Wir holen nur noch jemanden ab, und dann fahren wir Glenn suchen.»

Und damit setzte er ihr die Maske auf, und sie driftete wieder weg.

Der Krankenwagen hielt, und als die Hecktüren aufgingen, hörte Eve Menschen durcheinandersprechen, laut und hektisch.

«Wir haben getan, was wir konnten.»

«Wir haben unser Bestes getan.»

«Lebt er noch?»

«Wir waren uns nicht sicher, was wir tun sollten.»

Eve wusste, dass es Ben war, und sie wartete eine gefühlte Ewigkeit. *Komm schon, Ben. Du schaffst das. Du bist doch auch stark. Du schaffst es. Du schaffst alles, und alles wird gut.* Sie luden ihn ein. Sie konnte ihn nicht sehen.

«Geht es ihm gut?», fragte sie.

«Machen Sie sich mal keine Sorgen, Schätzchen», antwortete Tony.

«Geht es ihm gut?», fragte sie noch einmal.

«Entspannen Sie sich», sagte Tony.

«Er gehört zu mir!», schrie sie. *«Er gehört zu mir, er ist mein Freund!»*

«Schon gut, in Ordnung, verstehe, es geht ihm gut, und jetzt entspannen Sie sich.»

Und Eve driftete wieder weg, zum letzten Mal auf dieser furchtbaren Fahrt.

In der Notaufnahme wurde Eve wieder wach, ganz plötzlich, unter gleißenden Scheinwerfern und von Menschen umzingelt. Sie waren alle beschäftigt, und sie versuchte zu ergründen, ob sie Schmerzen hatte oder womöglich vom Hals abwärts gelähmt war.

Jemand hob ihren kaputten Arm, und sie hörte sich schreien. *Also doch nicht vom Hals abwärts gelähmt. Das ist gut.* Sie war noch immer auf der Trage festgeschnallt und fühlte sich eingeengt. Stimmen kamen und gingen.

«Durchhalten, Eve.»

«Gut gemacht.»

«Wir geben Ihnen gleich noch mehr Schmerzmittel. Sie machen das toll.»

«Okay. Wir bringen Sie jetzt zum Röntgen.»

«Gutes Mädchen.»

«Ich bin ganz in der Nähe, gleich nebenan, okay? Halten Sie still. Sie schaffen das.»

«Gut gemacht. Ich bringe Sie jetzt zurück. Alles gut, Eve, hören Sie auf zu schreien, Sie bekommen gleich noch mehr Schmerzmittel.»

Laut der Aufzeichnungen sah sie den ersten Polizisten um drei Uhr morgens. Er wollte von ihr wissen, ob sie sich an irgendwelche Einzelheiten erinnern könne. Gleich darauf entschuldigte er sich und sagte, es sei völlig in Ordnung, wenn sie nichts mehr wisse, er könne gern noch einmal wiederkommen. Doch Eve wollte nicht, dass er ging, denn sie erinnerte sich an unglaublich viele Einzelheiten und wollte sie erzählen, ehe sie ein wichtiges Detail vergaß oder starb.

«Er fuhr einen roten Nissan. Ich weiß, dass es ein Nissan war, weil ich das Emblem auf dem Lenkrad erkannt habe. Er war größer als ich, und ich bin eins achtzig, er war also vielleicht eins fünfundachtzig oder eins neunzig. Er hatte rote Haare und einen Bart, und wenn ich rot sage, meine ich richtig rot. Er war Allergiker, ihm lief die ganze Zeit die Nase. Er hatte große, raue Arbeiterpranken. Er trug einen Claddagh-Ring und stank nach Whiskey.»

Sie war froh, dass sie wieder genug Kraft hatte, um in vernünftigen Sätzen zu sprechen.

Der Mann schrieb alles mit, was sie sagte. «Moment mal, ich dachte, Sie wären zu Fuß gegangen?»

«Bin ich auch.»

«Wie konnten Sie dann das Nissan-Emblem auf dem Lenkrad sehen?»

«Weil ich ins Auto geflogen und auf dem Beifahrersitz gelandet bin. Durch die Windschutzscheibe.»

Seine Augen weiteten sich ungläubig, doch er sagte nichts. Er schlug den Notizblock zu. «Vielleicht sollten wir besser morgen weitermachen.»

Sie wusste, dass da noch mehr war.

Ich habe irgendwas vergessen, aber was?

«Noch was», sagte sie. Sie dachte ein oder zwei Minuten lang angestrengt nach.

Der Polizist erhob sich zum Gehen.

«Er trug einen grobgestrickten dunkelblauen Wollpullover», sagte sie.

Der Polizist lächelte. «Wenn Sie in dem Auto waren, muss es stockdunkel gewesen sein. Wie hätten Sie da die Farbe seines Pullovers erkennen können?»

Sie streckte den gesunden Arm aus und zeigte ihm ihre Hand. «Weil die Wolle noch unter meinen Fingernägeln hängt», sagte sie, und er sah sie einigermaßen fasziniert von der Seite an, ehe er vorsichtig ihre Hand nahm und behutsam die Wollfasern unter ihren Nägeln herauszupfte.

Dann fragte sie nach Ben.

«Ich frage die Ärzte.»

«Wann?»

«Bald.»

«Nein. Jetzt», sagte sie, als befände sie sich in der geeigneten Position, um Forderungen zu stellen.

«Nur noch ein paar Fragen.»

«Ich weiß sonst nichts mehr. Ich habe Ihnen geholfen, helfen Sie mir.»

Er versprach, sich zu erkundigen, dann verschwand er. Er kam nicht wieder zurück.

Um 4.30 Uhr erlitt Eve offiziell einen Schock und verlor zum letzten Mal in dieser entsetzlichen Nacht das Bewusstsein.

Lily hatte einen seltsamen Traum. Sie saß, mit einem Tarnanzug bekleidet, in einem Militärtransportflugzeug und flog in den Krieg. Sie verbrachte ein paar Sekunden damit, sich all die Jungs anzuschauen, die mit ihr in dem Frachtraum saßen. Sie unterhielten sich miteinander. Lily fragte sich, was zum Teufel sie hier verloren hatte. *Das ist nicht der Blumenbindekurs.* Dann fragte sie sich, ob sie dabei war, weil sie Krankenschwester war. *So ein Blödsinn, warum habe ich mich hierfür gemeldet?* Neben ihr saß ein Junge in Scotts Alter, vielleicht ein bisschen älter. Er war aufgeregt.

«Ist es dein erstes Mal?», fragte er.

«Ja. Und für dich?»

«Oh ja! Ich will das schon seit Ewigkeiten machen.»

«Du bist noch ein Kind. Du weißt gar nicht, was ewig bedeutet», sagte sie.

«Ist doch egal.» Er lächelte sie an und schaukelte aufgeregt vor und zurück. Die Motoren wurden lauter, sodass sie schreien mussten, um sich zu unterhalten. *Ich hasse es zu schreien.*

«Ich werde heiraten», sagte er.

«Eine Ehe erfüllt selten die hohen Erwartungen.»

«Wir werden ein Haus haben und einen Hund und ein paar Kinder und ein Kaninchen», sagte er. «Aber zuerst werde ich ein paar böse Jungs töten.»

«Schaff dir ein Kaninchen oder einen Hund an, aber nicht beides.»

«Quatsch, die werden sich lieben», sagte er im Brustton der Überzeugung.

«Wenn die dir sagen würden, dass ich dein Feind bin, würdest du mich töten?», wollte sie wissen.

«Wer ist die?»

«Die Leute, die uns in dieses Flugzeug gesetzt haben», sagte sie.

«Nein.»

«Warum nicht?»

«Weil du eine von den Guten bist.»

«Woher willst du das wissen?»

«Du siehst nett aus», sagte er.

«Nicht ganz so nett», erwiderte sie, zog eine Pistole heraus und schoss ihm in den Kopf.

Sie sah zu, wie das Blut aus dem Loch in seinem Gesicht sprudelte, gefangen von seinem starren Blick. *Ich wollte doch nur einen Blumenbindekurs besuchen.*

Schweißgebadet wachte Lily auf.

«Lily, ist alles in Ordnung?», fragte Marion nach der Schichtwechselbesprechung. Es war klar, dass Lily kein einziges Wort über die Patienten mitbekommen hatte, für die sie die nächsten zwölf Stunden lang verantwortlich sein würde.

«Tut mir leid, ich habe ziemlich schlecht geschlafen.»

«Du siehst blass aus. Möchtest du dich vielleicht hinlegen?»

«Bist du irre?» Fast hätte sie gelacht. «Wir sind sowieso schon unterbesetzt und überarbeitet.»

«Wieso ziehst du ständig an deiner Schulter und legst die Hand auf die Brust?»

Das hatte Lily überhaupt nicht bemerkt. «Ach, nichts weiter. Meine Schulter macht mir ein bisschen zu schaffen», sagte sie. In diesem Augenblick betrat Adam das Zimmer.

«Lass mich mal sehen», sagte er besorgt.

Das war ihr peinlich. «Nein, alles in Ordnung, wirklich.»

«Sie zieht daran herum, seit sie hier ist, und sie ist blass und unfit», sagte Marion, als wäre Lily eine Patientin, über die sie Bericht erstattete.

«Ich bin nur müde», sagte Lily.

«Komm mit», sagte er.

«Scheibenhonig.»

«Was war das?», fragte er lächelnd.

«Nichts.»

Sie folgte ihm in sein Sprechzimmer.

«Zieh dein Oberteil aus», bat er.

«Träum weiter», antwortete sie in einem scherzhaften Tonfall, aber sie wussten trotzdem beide, dass sie das Oberteil anlassen würde.

«Ich bin Arzt», sagte er.

«Gratuliere. Deine Mutter ist sicher furchtbar stolz auf dich.»

Adam Wallace schüttelte lachend den Kopf. Wenn Lily jemanden als engen Freund bezeichnen würde, dann war es Adam, und solange sie angezogen war, fühlte sie sich in seiner Gegenwart auch sehr wohl. Er war ein vierzigjähriger Mann, der nie verheiratet gewesen war, im Laufe der Jahre jedoch zahlreiche schöne Frauen an seiner Seite gehabt hatte. Die letzte Frau, mit der er zusammen gewesen war, hieß Caroline. Sie war Brokerin und immer sehr nett gewesen, wenn Lily ihr auf diversen Krankenhausevents, Abendeinladungen und Wohltätigkeitsbällen begegnet war. Die Beziehung hatte vier Jahre gehalten. Caroline verließ Adam, als ihr klarwurde, dass er sie niemals heiraten würde. Er war wirklich am Boden nach der Trennung, und bei einem ausgesprochen langweiligen Wohltätigkeitsessen wurden er und Lily richtige Freunde. Declan war betrunken und machte jeden an, der am Tisch saß, und Adam war traurig und in sich gekehrt. Declan fand sich selbst unglaublich witzig, als er die Behauptung aufstellte, Adam habe soeben seine letzte Pro-forma-Freundin ausbezahlt, um sich dann laut zu fragen, ob es auf Dauer nicht günstiger sei, sich endlich zu outen, wo doch sowieso jeder wisse, dass er schwul sei. Der Witz war völlig geschmacklos, und als Lily versuchte, Declan zum Hinsetzen zu bewegen, schubste er sie, zwar nicht gewaltsam, aber doch heftig genug, um für allgemeine Betretenheit zu sorgen. Lily ging lachend darüber hinweg und riet ihm, sich jemand in seiner Größe zu suchen.

Kurz darauf trafen Adam und Lily auf der Hotelterrasse zusammen, und sie entschuldigte sich für das Benehmen ihres Mannes mit der Erklärung, er würde so selten trinken, dass schon nach dem kleinsten Schluck seine Würde den Bach runterging.

«Das ist keine Entschuldigung», sagte Adam. «Es gibt Typen, die werden fies, wenn sie getrunken haben, und andere, die lustig werden. Du hast einen von der fiesen Sorte geheiratet.»

Sie nickte. «Ich habe einen Schläfer geheiratet. Wenn die Band nachher anfängt zu spielen, ist er schon bewusstlos.»

«Darf ich dich was Persönliches fragen?»

«Kommt drauf an.»

«Empfindest du es als Glück, dass du ihn geheiratet hast?»

«Ich war neunzehn.»

«Das ist keine Antwort.»

«Glück ist ein Gefühl, kein Ergebnis.»

«Und wie fühlst du dich heute Abend?», fragte er sie ernst.

«Beschwipst», antwortete sie grinsend.

Er lachte und wurde dann ernst. «Wieso ist die Ehe für Frauen so ein großes Thema?»

«Ah! Caroline.»

Er nickte.

«Wieso ist es für dich so ein großes Thema, *nicht* zu heiraten?», fragte sie zurück.

Er lächelte. «Gute Frage.»

«Im Grunde geht es mich nichts an», sagte sie, leerte ihr Glas, stellte es auf dem Tisch ab und legte ihm die Hand auf die Schulter. «Du wirst vielleicht nie heiraten, aber ein Mann wie du endet trotzdem nicht allein», sagte sie und ging davon.

Er rief sie zurück. «Eine Frage noch», bat er.

«Okay?»

«Wenn du die Zeit zurückdrehen könntest, würdest du dann wieder mit neunzehn heiraten?»

«Im Leben nicht!», antwortete sie ehrlich und ging.

Das war der Abend, an dem sich Adam Wallace in Lily Donovan verliebte.

Adam legte den Arm auf ihre Schulter. Ihm blieb nichts anderes übrig, als mit der Hand tastend unter ihrem scheußlich rosaroten Schwesternkittel herumzufuhrwerken.

«Du machst einem echt das Leben schwer», sagte er.

«Komisch, das sagt Declan auch immer.»

«Declan hat überhaupt keine Ahnung. Spielst du Tennis, oder schwimmst du?»

«Falls ich die Zeit dazu finde, schwimme ich ganz gerne.»

«Und wann zum letzten Mal?»

«1991», sagte sie und lächelte.

«Im Ernst.»

«Ich mache weder Sport noch Gymnastik.»

Er legte den Kopf schief und sah sie zweifelnd an. «Und wie bleibst du dann so dünn?»

«Saufen und Kotzen.»

«Ich meine es ernst.»

«Also wirklich, Adam! Ich esse, wenn ich Zeit dazu habe, und die habe ich nicht immer.»

«Caroline hat sich von Blättern und Körnern ernährt, und sie wog mehr als du.»

«Können wir uns jetzt bitte wieder meiner Schulter zuwenden?», bat sie, weil ihr gerade eingefallen war, dass sie vor Schichtbeginn noch bei Rachel und Nancy vorbeischauen musste.

«Okay», sagte er und zog seine Hand heraus. «Versuch bitte, deinen Arm nach innen und vorne über deine Brust zu bewegen. Ich werde ein bisschen dagegenhalten.»

Es gelang ihr nicht.

«Okay, versuch, den Arm nach innen zu rotieren», sagte er und drückte gegen ihre Brust. «Tut das weh?»

«Nein.»

«Okay. Sieht aus, als hättest du dir den großen Brustmuskel verletzt. Die Sehne scheint entzündet zu sein. Hast du eine Idee, wie das passiert sein könnte?»

«Keine Ahnung», sagte sie unschuldig. *Verflixter Declan und seine SM-Phantasien!*

Adam verschrieb ihr Ibuprofen und empfahl, Schulter und Brustmuskeln warm zu halten. Falls es nicht von allein besser werden würde, sollte sie noch mal wiederkommen, damit er ihr einen Physiotherapeuten empfehlen konnte.

«Die kenne ich alle», sagte sie lachend.

«Komm einfach noch mal zu mir und iss heute bitte etwas», sagte er mit gespieltem Überdruss in der Stimme.

Sie versprach es, dankte ihm und ließ ihn stehen. Er starrte ihr nach, während sie schwungvoll wie ein Teenager den Gang hinunter verschwand.

Lily betrat Nancys Zimmer im selben Augenblick, als Jim mit Dylan an der Hand herauskam. Es hätte peinlich werden können, aber Lily ließ sich nichts anmerken und tat stattdessen so, als hätte er ihr gestern Abend am Telefon kein eindeutiges Angebot gemacht.

«Jim! Wie geht es dir?»

«Gut, danke, besser. Vielen Dank, dass Dylan bei euch übernachten durfte. Ich habe ihn vorhin abgeholt.»

«Gern geschehen», sagte sie und beugte sich zu Dylan hinunter. «Na, wie geht's, Soldat?» Der Traum fiel ihr wieder ein. *Ich wollte doch nur Blumen binden.*

«Nancy hat ein riesiges Pflaster auf dem Auge. Sie sieht aus wie ein Pirat!», sagte er.

Lily lächelte. «Cool!»

Er nickte bestätigend und grinste. Er war sichtlich stolz darauf, dass er seinen Beitrag zum neuen Look seiner Schwester geleistet hatte.

Rachel kam an die Tür. «Gehst du jetzt endlich die Papiere unterschreiben, oder hast du vor, den ganzen Tag lang da in der Tür rumzustehen und zu quatschen?», fuhr sie ihren Mann an.

Er seufzte und ging.

Lily tat, als hätte sie die gespannte Stimmung nicht bemerkt, und betrat das Zimmer.

«Hallo, Nancy! Na, Süße, wie geht's?»

«Super!», sagte sie und lächelte über das ganze Gesicht.

«Toll», sagte Lily. «Das sind aber gute Neuigkeiten.»

«Sie ist eine richtige Kämpferin», sagte Rachel. «Wir sind so stolz auf sie.»

«Also, ich finde es ganz toll, dass es dir besser geht, Nancy», sagte Lily. «Ich muss jetzt zurück an die Arbeit. Wir sehen uns bald.»

Nancy machte sich daran, eine von drei Wundertüten auszupacken.

Rachel nahm Lily beiseite.

«Wir sind dir so dankbar», wiederholte sie überflüssigerweise. «Sie glauben, dass Nancy ihr Augenlicht behalten wird, aber offensichtlich wird es Narben geben. Wie schlimm, lässt sich noch nicht sagen.»

«Mach dir deswegen bitte keine Gedanken – gut möglich, dass man später davon gar nichts sieht. Glaub mir, bei Kindern verheilen Wunden viel besser und schneller als bei Erwachsenen.»

«Du hast recht», sagte Rachel und nickte.

«Und Dylan geht es auch besser?»

«Dylan hat Glück, dass mein Vater schon unter der Erde liegt. Der hätte mit Sicherheit den großen Rohrstock ausgepackt.»

«Unfälle passieren», sagte Lily. Die Richtung, die das Gespräch nun einschlug, war ihr unangenehm, und sie fragte sich, was aus Rachels Mitgefühl geworden war, das sie noch am Vortag zur Schau gestellt hatte.

«Nicht, wenn Menschen verantwortungsvoll handeln», sagte sie.

«Himmel, Rachel, er ist acht Jahre alt!» Rachel bedachte sie mit einem mörderischen Blick, und Lily bereute sofort, dass sie etwas gesagt hatte. Für jeden Außenstehenden war sofort ersichtlich, dass Nancy Rachels kleines Spiegelbild und ihre Prinzessin in einem war. Dylan hatte keine Chance. Er war dazu verdammt, diese verschworene Einheit von außen zu betrachten. Er tat Lily leid. Wenigstens hatte er Jim, aber der arbeitete oft oder fabrizierte ständig «irgendwelchen Schwachsinn», wie Rachel es nannte.

Lily entschuldigte sich und überließ die beiden sich selbst. Die Schulter war versorgt, die nachbarschaftlichen Pflichten erledigt, und nun konnte sie sich voll und ganz auf ihre Schicht konzentrieren.

Ihre erste Aufgabe bestand darin, eine Patientin, die in einen Verkehrsunfall verwickelt gewesen war, in den OP zu bringen. Sie erreichte ihre Station in dem Moment, als Bob die Frau über den Gang schob.

«Station 5?», fragte sie.

«Station 5», bestätigte er.

Sie nahm die Patientenakte entgegen, schenkte der armen, zerschundenen Frau auf dem Transportbett ein warmes Lächeln und lief neben ihr her in Richtung OP.

Eve konnte sich nicht daran erinnern, aufgewacht zu sein, doch sie war wach. Zumindest hatte sie die Augen geöffnet und war halbwegs bei Bewusstsein. Sie lag in einem Bett mit Rollen, sah zu einer weißen Decke hoch und war in Bewegung. Sie hatte Schwierigkeiten, klar zu sehen. Als sie das rechte Auge schloss, stellte sie fest, dass sie mit dem linken gar nichts sah. Sie versuchte herauszufinden, ob ihr Lid zugeschwollen war oder ob sie das Auge verloren hatte. *Mein Gesicht! Was ist mit meinem Gesicht passiert?* Das rechte Auge tränte, und das Sprechen fiel ihr wieder schwer. Die Worte schienen ganz hinten in ihrem Kopf eingeschlossen zu sein. Eve bemühte sich ganz bewusst, sie nach vorne in den Mund zu zwingen, doch es gelang ihr nicht. Sie fragte sich, ob das an den Medikamenten oder an ihrer Kopfverletzung lag. Weil sie sich nicht nach ihrem Gesicht erkundigen konnte, versuchte sie, selbst zu beurteilen, wie es sich anfühlte. Es kam ihr fremd vor. Sie konzentrierte sich auf die Krankenschwester, doch die Frau ging links von ihr, und es war schwierig, sie anzusehen.

Vor dem Lift blieben sie stehen, und die Schwester wechselte die Seite und steckte die Bettdecke fest.

«Wir warten nur auf den Lift. Es geht gleich weiter», sagte sie.

Eves Lippen fühlten sich größer an als in ihrer Erinnerung, wund und geschwollen. Sie ließ die Zunge über die Zähne gleiten, und sie waren alle noch ganz. *Auch schon was wert.* Sie leckte sich über die Lippen, spürte Nähte und schmeckte Blut. *Scheiße!* Das Bett wurde in den Lift geschoben. Als sie auf die Wand aus Hitze und schlechter Luft im Inneren des Aufzugs stieß, hatte sie das Gefühl, jemand hielte ihr einen Bunsenbrenner ins Gesicht. Sie hörte, wie ein Knopf gedrückt wurde. Zwei Frauen unterhielten sich.

«Ich habe Mike gesagt, wenn ich Lust auf Verantwortung hätte, würde ich schwanger werden, aber das interessiert ihn gar nicht. Ganz zu schweigen von der Tatsache, dass meine Anspielungen in Richtung iPod wirklich eindeutig waren.»

«Und was willst du jetzt machen?»

«Soll er sich doch drum kümmern.»

«Und damit ist er einverstanden?»

«Oh ja, absolut.»

«Also hat er den Hund eigentlich für sich gekauft?»

«Genau.»

«Und du hasst Hunde?»

«Richtig.»

«Und du hast jetzt einen Hund im Haus, den du nicht ausstehen kannst.»

«Na ja, ich habe jetzt seit zwei Jahren einen Mann im Haus, den ich nicht ausstehen kann, da fällt ein Hund auch nicht mehr weiter ins Gewicht.»

«Tja, du bist ein besserer Mensch als ich.»

«Stimmt nicht. Ich habe seine EC-Karte geklaut und mir selbst einen iPod gekauft.»

Der Aufzug hielt an, und die Frauen stiegen aus. Die Schwester beugte sich über Eve und strich ihr eine blutverklebte Haarsträhne aus der Stirn.

«Fast geschafft», sagte sie, doch Eve war in Gedanken woanders. Sie dachte an Ben. *Wo ist er?*

Der Lift hielt wieder, und es ging durch einen Flur weiter. Aus irgendeinem Grund hatte die Schwester ihren Schritt beschleunigt, denn auf einmal flogen die Deckenleuchten nur so vorbei.

Plötzlich hielten sie abrupt an, und ein Mann sagte zu der Krankenschwester, er würde mal nachsehen gehen. Die Frau betätigte die Bremse am Bett, denn es ruckte leicht.

«Jetzt dauert es sicher nicht mehr lange. Ich weiß, dass es sich im Augenblick nicht so anfühlt, aber es wird alles wieder gut», sagte die Schwester.

Die Stimme der Frau war Eve irgendwie vertraut, wie ein Lied, das sie zwar kannte und mitsingen konnte, dessen Interpret ihr aber nicht mehr einfiel. Dann war alles wieder still, und ihre Gedanken drifteten erneut zu Ben. *Er war bei mir.* Dann fiel ihr wieder ein, dass Ben eine Frau hatte, die sich bestimmt Sorgen um ihn machte. Wenn sie sein Telefon gefunden und bei ihm zu Hause angerufen hatten, würde sie sich fragen, was er auf dieser Straße zu suchen hatte. Die Polizei war involviert. Es würde einigermaßen schwer sein, die Wahrheit zu verbergen. Während sie auf dem Transportbett lag und auf ihre OP wartete, erkannte Eve, dass ihre ach so geheime Affäre ohne Verpflichtungen, die nie jemanden verletzen sollte, womöglich Ben, seine Frau und seine Familie zerstören würde.

Der Mann kam zurück, und sie setzten sich wieder in Bewegung. Die Schwester fasste Eves gesunde Hand, und Eve sah zu ihr hoch. Sie konzentrierte sich auf das Gesicht, und auf einmal befiel sie ein ganz und gar seltsames Gefühl. Diese Frau sah aus wie ihre alte Freundin Lily. *Bist du das, Lily? Unmöglich. Oder doch? Du siehst ihr so ähnlich. Die Frisur ist anders, aber falls du es bist, steht dir ein Bob sehr gut, und du bist immer noch wunderschön. Das freut mich. Aber wenn sie es wäre, würde sie mich doch erkennen. Vielleicht aber auch nicht, vielleicht kann man mich gar nicht erkennen.* Sie kamen an eine Tür, und das Transportbett blieb stehen.

Lily beugte sich über ihre Patientin und lächelte. «Sie müssen keine Angst haben. Ich kenne den Arzt, der Sie operiert, und er ist der beste», sagte sie und zwinkerte der Patientin zu.

«Lily?», flüsterte die Frau.

Lily sah ihre Patientin an. «Ja?»

«Eve», sagte die Frau und deutete mit der gesunden Hand auf ihre Brust.

Oh mein Gott! Eve!

Lily schlug sich die Hand vor den Mund.

«So schlimm?», sagte Eve.

«Nein», sagte Lily eilig. «Nein, nicht so schlimm, Eve, überhaupt nicht schlimm.»

«Ich hab dich vermisst», sagte Eve.

«Ich hab dich auch vermisst», antwortete Lily und hätte am liebsten angefangen zu weinen.

«Ben?», sagte Eve.

«Ben?», wiederholte Lily fragend.

«Ben Logan.»

«Ben Glenn Medeiros Logan?», fragte Lily entgeistert. *Was zum Teufel?*

«Bitte finde ihn, Lily», sagte Eve, und Lily nickte.

«Mache ich», versprach sie.

Die Tür zum OP glitt zur Seite, und dahinter wartete Adam in sterilen Handschuhen und OP-Kittel. Er winkte Lily zu. Der Krankenpfleger schob das Bett durch die Tür, und Eve war verschwunden.

4 Einsame Herzen

Liebe Eve,

okay, ich bin eine miese Freundin. Ich fühle mich schrecklich, und ich habe letzte Woche nach meinem Brief zweimal versucht, dich anzurufen, aber es war nie einer da. Ich hätte da mal 'ne Frage: Ist bei Familie Hayes eigentlich jemals wer zu Hause? Und habt ihr schon mal was von einem Anrufbeantworter gehört? Freitag bin ich im strömenden Regen (so viel dazu, dass hier immer schönes Wetter ist) zur Telefonzelle gelaufen und habe fünfundzwanzig Minuten lang gewartet, während die Tratschtante der Stadt jeden einzelnen Idioten, den sie kennt, angerufen hat, um ihn über die Heldentaten einer gewissen Lucille Thomas in Kenntnis zu setzen, die ihren Freund Benito mit ihrem Bruder knutschend im Garten erwischt hat. Am Anfang hat sie noch geflüstert, aber als ich mein Gesicht an die Scheibe gedrückt habe, um sie dazu zu bewegen, sich zu beeilen (hat nicht funktioniert), hat sie aufgehört leise zu sprechen. Bei ihrem vierten Telefonat hat sie dann endgültig geschrien, weil die Person am anderen Ende der Leitung offensichtlich halb taub war. Wahrscheinlich hat sie meinen Teint gesehen und mich für eine Ausländerin gehalten, die kein Englisch spricht. Das passiert mir hier unten andauernd. Wenn ich in den Zeitungsladen gehe, um mir einen Schokoriegel

oder so was zu kaufen, spricht die Frau immer besonders
langsam mit mir und schreit mich an, das Mars würde
45 Pence kosten. Colm war gestern auch dabei. Er hat einen
Lachkrampf bekommen und dann den ganzen Tag lang be-
sonders langsam und extrem laut mit mir gesprochen. Bis
um sieben Uhr hatte er die gesamte Küchenmannschaft da-
zu gebracht, es ebenfalls zu tun. Was ich aber eigentlich sa-
gen wollte: Ich hätte nicht sagen dürfen, dass ich dich nicht
anrufen kann, und es tut mir leid, dass ich dich verpasst
habe, vor allem weil ich nass bis auf die Knochen war, als
ich endlich in der Telefonzelle stand. Ich versuche es nach-
her noch mal oder vielleicht morgen, kommt auf die Zeit an.

   Und jetzt zu den wichtigen Dingen – du und Glenn Me-
deiros! Ich glaub es nicht! Nicht, dass du ihn geküsst hast,
aber dass du meinst, er könnte dir tatsächlich was bedeu-
ten. Das sage ich jetzt nicht, weil er nicht süß wäre – er
ist nämlich sogar mit Dauerwelle und den bescheuerten
Blusen ziemlich niedlich –, sondern weil du du bist und du
gesagt hast, du würdest dich niemals verlieben. Und jetzt
das, nach einem einzigen Kuss … Das sieht dir überhaupt
nicht ähnlich. Aber ich freue mich für dich, und ich hoffe,
es läuft gut und vor allem, dass du es dir seit Sonntag nicht
doch noch anders überlegt hast. Und die Sache mit Gar und
dem Mädchen aus Bray muss man ja wohl rot im Kalender
einkringeln. Bin ich froh, dass du dich zusammengerissen
hast! Gar hat es echt verdient, glücklich zu sein, und er hat
dir wirklich lange genug nachgeweint. Also: gut für ihn und
gut gemacht! Ich weiß, es hört sich herablassend an, und
das soll es wirklich nicht, aber ich finde, du veränderst dich
echt zum Positiven. Ich habe den Satz gerade noch mal ge-
lesen, und es ist wirklich herablassend – tut mir leid, aber
du weißt, was ich meine, jedenfalls hoffe ich es.

Bei der Arbeit ist die Hölle los, und wir haben jede Menge Spaß. Wir verstehen uns alle total gut, und von zu Hause weg zu sein ist echt der Hammer. Du wirst es lieben, also mach dir wegen London bitte keine Sorgen, denn es wird toll werden. In einem möblierten Zimmer und nicht mehr bei den Eltern zu wohnen, bedeutet Freiheit. Ich dachte, ich würde einsam sein, aber ich bin einfach nur total glücklich. Andererseits ist Mom ja sonst auch nicht viel da, also ist es eigentlich gar nicht so anders, und die Tatsache, dass ich nicht mal kochen muss, ist natürlich ein Riesenbonus. Ich darf im Restaurant essen, und da ist es richtig gut. Ich habe beschlossen, einen Kochkurs zu machen, sobald ich in Cork wohne, abends oder am Wochenende oder so was. Also, morgens trinke ich eine Tasse Kaffee, mittags kaufe ich mir in einem Coffeeshop ein Sandwich, und wenn wir um sechs öffnen, bekomme ich ein wunderbares Abendessen. Perfekt!

Colm und Ellen sind super. Ellen hat im Pub um die Ecke einen Spanier kennengelernt. Er arbeitet als Koch in einem Hotel in der Nähe. Er spricht perfekt Englisch und ist total nett. Sie sind ein hübsches Paar, falls sie denn ein Paar sind – im Augenblick sehen sie sich nur ab und zu. Ellen hat gerade mit einem Typen vom College Schluss gemacht, und die Trennung war wohl ziemlich übel. Sie will nicht darüber sprechen, und ich kenne keine Einzelheiten. Colm ist echt nett. Wir sind in letzter Zeit ziemlich viel zusammen, weil Ellen sich mit ihrem spanischen Koch vergnügt. Colm hat mich zu einem Gaelic-Football-Spiel mitgenommen, und ich habe seine Freunde kennengelernt. Sie sind alle ziemlich nett, aber ein paar von denen haben natürlich angefangen, ihn wegen mir zu verarschen. Er hat ihnen gesagt, sie sollen den Mund halten, wir wären nur gute Freunde, und ich hätte einen festen Freund. Seitdem geht es mir besser, denn *ich hatte schon angefangen, mir Sorgen zu machen, dass wir zu viel Zeit miteinander verbringen und er sich vielleicht mehr erhoffen würde. Nicht, dass er irgendwas gesagt oder getan hätte, es ist nur so ein Gefühl. Wahrscheinlich spinne ich. Declan sagt, ich würde mir zu viel auf mich einbilden – wahrscheinlich hat er recht.*

Es wundert mich eigentlich nicht, dass Paul dir gegenüber erwähnt hat, Declan könnte die Zulassung zum Medizinstudium nicht schaffen. Wahrscheinlich hat Declan ihm irgendwas erzählt. Er ist im Moment echt durch den Wind, und ich weiß, dass du genervt von ihm bist, aber bitte sei das nicht. Es war meine Entscheidung, lieber ihn als dich anzurufen. Bitte sei nett zu ihm, er macht echt eine harte Zeit durch. Neulich hat er abends am Telefon angefangen zu weinen, weil es ihn umbringen würde, wenn er wiederholen müsste. Er macht sich deswegen wirklich Sorgen. Er grübelt, seit ich weg bin, über die Abschlussprüfung nach und zweifelt die Hälfte seiner Antworten an. Ich habe ihm gesagt, er soll sich entspannen und sich keine Sorgen machen. Die Probeklausuren sind gut gelaufen, also wird er es schaffen. Er hat mir so leidgetan, er ist echt am Ende. Gar ist ständig in Bray (jetzt weiß ich auch, warum), und Paul treibt sich die ganze Zeit mit irgendwelchen Weibern in der Stadt rum, daher ist er echt einsam. Er will mich vielleicht besuchen kommen, falls sein Vater ihm freigibt, aber bis dahin sei bitte, bitte, bitte einfach nett zu ihm. Ihm ist aufgefallen, dass du ihn ignorierst, und neulich im Café hat er gehört, wie du ihn Gina gegenüber Arschgesicht genannt hast. Er stand wohl hinter dem Garderobenständer und hat auf einen Tisch gewartet und ist wieder gegangen, ehe du ihn entdeckt hast. Er fragt sich, was er dir getan hat, und er tut nur deshalb so, als würde er nicht merken, wie

genervt du von ihm bist, weil er es sich nicht mit dir ver-
derben will. Als meine Freundin flehe ich dich an, dich mit
ihm zu versöhnen. Er könnte wirklich eine Schulter zum
Anlehnen brauchen.

Wie geht es Clooney denn so? Geht er noch mit V Kill P?
Ich war echt geschockt, als ich das gehört habe. Ich war
felsenfest der Meinung, dass sie lesbisch ist. Aber wenn es
einen Typen gibt, der ein Mädchen umdrehen kann, dann
Clooney. Ich weiß, wie sehr du es hasst, wenn ich so über
ihn rede, aber Clooney ist echt was ganz Besonderes.

Ich höre im Augenblick ziemlich viel The Beautiful
South – eine von Ellens Lieblingsbands. Ich liebe beide
Alben von ihnen. «Welcome to» und «Choke» sind super,
und ich glaube, dir würden sie auch gefallen. Wenn ich
«Song For Whoever» höre, muss ich immer an dich denken,
weil der Text so klug ist. Ich muss dann lächeln, denn du
sagst auch einfach geradeaus, was Sache ist, total scho-
nungslos. Ich liebe das an dir.

Ich bin froh, dass du wieder was mit Gina machst. Grüß
sie von mir. Und ich finde es wirklich toll, dass du mit
Glenn Medeiros gehst. Ich kann dir gar nicht sagen, wie
glücklich ich bin, weil du dich vielleicht verliebt hast. Jetzt
nervst du mich vielleicht endlich nicht mehr wegen Declan,
und wo ich gerade darüber nachdenke: Ich finde es echt
total widerlich, dass du auch nur entfernt glauben kannst,
ich würde was mit Colm anfangen. Declan und ich sind seit
zwei Jahren zusammen! Und auch wenn jetzt bald alles an-
ders wird, das hält ewig, genau wie du immer meine beste
Freundin sein wirst!

Ich muss Schluss machen. Colm und ich gehen mit El-
len und dem spanischen Koch wandern. Ich kann mir nie
seinen Namen merken. Er klingt so ähnlich wie Oreo, du

weißt schon, wie diese amerikanischen Kekse, über die
Mary Walsh die ganze Zeit geredet hat, als sie letztes Jahr
aus Florida zurückgekommen ist. Er nimmt Sachen für ein
Picknick mit.

Ich schwöre dir, alleine zu leben ist echt ein Klacks. Ha-
be ich dir schon erzählt, dass ich in meinem Zimmer eine
Stromuhr habe? Das ist großartig! Solange ich sie nur im-
mer mit 50-Pence-Stücken füttere, habe ich Strom, und am
Monatsende hat man keine Rechnung. Ich muss nur daran
denken, immer genug Münzen parat zu haben, aber das ist
einfach, weil ich mir die von meinem Trinkgeld aufheben
kann. Echt praktisch.

Ich hab dich lieb. Und ich versuche noch mal, dich anzu-
rufen, vielleicht Freitag gegen vier?

1000 Küsse,
Lily

PS: «Top Gun» gehört zu den besten Filmen aller Zeiten,
also hör auf zu lästern. Außerdem fand ich es toll, wie du
zu GM gegangen bist und einfach «gern geschehen» gesagt
hast – echt witzig!

PPS: Mit wem von U2 wärst du am liebsten zusammen?
Ich:
1. Larry Mullen
2. Bono
3. The Edge
4. Adam

BITTE VERSUCH, FREITAG UM VIER ZU HAUSE ZU
SEIN, UND GIB MIR MINDESTENS ZEIT BIS HALB

FÜNF, EHE DU GEHST, FALLS DIE TRATSCHTANTE
WIEDER VOR MIR DA IST.

PPPS: Eine letzte Sache noch – ich habe ganz vergessen,
dir zu erzählen, wie die Sache mit dem Mädchen ausgegan-
gen ist, das seinen italienischen Freund mit seinem Bruder
erwischt hat. Der Bruder wurde aus dem Haus geworfen,
weil die Mutter auch dabei war und sie beide die Knutsche-
rei gesehen haben. Außerdem war da wohl noch mehr im
Gange als nur Geknutsche. Die Tratschtante hat dem letz-
ten Anrufer nämlich erzählt, dass die Jungs sich gegenseitig
die Hände in die Hosen geschoben hätten. Jedenfalls hat er
zusammen mit dem Italiener die Stadt verlassen, und kei-
ner weiß, wohin. Ich kenne das Mädchen zwar nicht, aber
sie soll eine tolle Sängerin sein und den Kirchenchor leiten.
Ich bin schwer versucht, Sonntag zur Messe zu gehen, nur
um sie mir anzusehen. Das ist auch so toll daran, alleine zu
leben – meine Mutter kann mich nicht mehr zwingen, zur
Kirche zu gehen.

Ach, und noch eine allerletzte Sache. Neulich habe ich
einen Mann gesehen, der genauso aussah wie Danny, und
das hat mich daran erinnert, dass ich ihn vermisse. Bitte
grüß ihn von mir.

* * *

Als Lilys Schockstarre sich endlich löste, rannte sie den
Flur hinunter, stieg in den Lift und drückte den Knopf für
das Erdgeschoss. Die Tür brauchte eine Ewigkeit, um sich
zu schließen. *Mach schon, mach schon, mach schon, mach*
schon! Sie rannte zur Aufnahme und wartete ungeduldig,
während die Rezeptionistin einem Besucherpärchen den

Weg zur Station St. Claire im vierten Stock erklärte. *Mach schon, mach schon!* Sobald die beiden Platz machten, lehnte sie sich über den Schalter.

«Ich bin auf der Suche nach Ben Logan», sagte sie.

Die Rezeptionistin tippte den Namen ein und schüttelte den Kopf.

«Hier ist niemand, der so heißt», sagte sie.

«Sind Sie sicher?»

«Keine Grogans da.»

«Logan. L, O, G, A, N.»

«Okay, Logan. Ah ja, da ist er ja.»

«Wo?»

«Auf der Intensivstation.»

Lily nickte langsam und ging schweigend davon, doch sobald sie außer Sichtweite war, fing sie wieder an zu rennen. Sie hatte keine Zeit, auf den Lift zu warten, denn der würde sowieso voll sein, wenn sie die Menschentraube in der Eingangshalle betrachtete. *Scheibenhonig mit Reis!* Sie entschied sich für die Treppe. Sie rannte zwei Stufen auf einmal nehmend hinauf und schaffte es in zwei Minuten und ohne Herzinfarkt.

Olivia Castle war im Dienst. Sie hatte im vergangenen Jahr aus der Orthopädischen Chirurgie auf die Intensivstation gewechselt.

«Olivia!» Lily war erleichtert, ein bekanntes Gesicht zu sehen.

«Hey, Fremde, was treibt dich denn auf die Intensiv?»

«Ben Logan», sagte sie.

«Er liegt in der 3. Was brauchst du?»

«Nichts eigentlich. Ich kenne ihn von früher.»

«Oh.»

«Und?», fragte Lily.

«Er hat ein schweres Schädeltrauma.»

«Wie schwer?»

«Er liegt im Koma und wird künstlich beatmet.»

«Prognose?»

«Nicht gut.» Sie schüttelte den Kopf.

«Oh», sagte Lily, und ihr sank der Mut. «Ist es okay, wenn ich eine Sekunde zu ihm reingehe?»

«Nur zu. Und, Lily? Es tut mir leid.»

«Danke.»

Lily betrat den Raum. Sie erkannte Ben sofort wieder. Im Gegensatz zu Eve hatte er keine Gesichtsverletzungen. Er hatte die schwersten Verletzungen am Hinterkopf davongetragen. Als Eve ihm aus der Hand gerissen wurde, war er mit dem Kopf zuerst gegen die Steinmauer geschleudert worden. Ben war von einer Wand aus Apparaten umgeben. Unter der Bettdecke kamen Schläuche heraus, die in diverse Auffangbehälter mündeten. Lily fühlte sich unwohl. Sie stand da wie ein unheilverkündender Racheengel. In dem Zimmer war es stickig warm, so viel Sport wie beim Lauf die Treppe hinauf hatte Lily seit Jahren nicht betrieben, sie hatte schlecht geschlafen, Ibuprofen auf nüchternen Magen genommen, und als ihr plötzlich schwindlig wurde, konnte sie nur noch kurz *Scheibenkleister* denken. Dann kippte sie um.

Sie kam jedoch sofort wieder zu sich und stand auf, ehe irgendjemand was mitbekam. Sie setzte sich auf einen Stuhl und legte den Kopf auf die Knie. *Was geht hier vor? Eve Hayes und Ben Logan, nach all den Jahren?*

Olivia betrat mit einer Frau das Zimmer. Sie war stumm und wirkte verzweifelt. Der Blick der Frau fiel auf Lily. Lily hob den Kopf, sprang augenblicklich auf und wäre um ein Haar gleich wieder ohnmächtig geworden.

«Lily ist eine alte Freundin von Ben, Fiona», sagte Olivia zu der bleichen, zitternden Frau.

Als sein Name fiel, wanderte der Blick der Frau zum Bett. Ben war derjenige, der im Sterben lag, doch sie sah aus wie ein Geist. Lily merkte, dass sie hier absolut nichts verloren hatte.

«Aha?», sagte Fiona, ohne ihren Mann aus den Augen zu lassen. «Er hat nie was von Ihnen erzählt.»

«Das ist ewige Zeiten her», sagte Lily. «Ich war eher so was wie eine entfernte Bekannte.»

«Aha», sagte sie wieder. Olivia zog einen zweiten Stuhl heran und half Fiona, sich zu setzen. Sie zögerte, ehe sie seine Hand nahm. Die Knöchel waren zwar ein wenig aufgeschrammt, doch bis auf den eingedrückten Hinterkopf sah er eigentlich völlig normal aus.

«Wir hatten einen Streit», sagte sie.

«Menschen streiten sich», entgegnete Olivia.

Lily sagte nichts. Sie wartete den richtigen Zeitpunkt ab, um zu verschwinden.

«Es war ein furchtbarer Streit. Ich bin zu meiner Mutter gefahren.»

«Jetzt sind Sie ja hier», sagte Olivia.

«Er steht sehr unter Druck», erklärte sie. «Die Geschäfte laufen schlecht.» Sie berührte den Ehering an seinem Finger. «Ich habe ihm gesagt, ich lasse mich scheiden, wenn er das nicht wieder unter Kontrolle kriegt. Ich habe es nicht so gemeint. Ich war nur so wütend. Er hat die Dinge so weit kommen lassen, ohne mir ein Wort davon zu erzählen, aber damit hat er nur versucht, mich zu beschützen. Das weiß ich. Ich weiß, dass er sein Bestes versucht hat, um aus dem Schlamassel rauszukommen. Er wollte nicht, dass ich mir Sorgen mache. Er ist mein Mann. Ich liebe ihn.»

Voller überwältigender Trauer und Bedauern ließ sie ihren Tränen freien Lauf.

«Ich bin mir sicher, das weiß er», sagte Olivia und legte Fiona die Hand auf die Schulter.

«Ich weiß immer noch nicht, was eigentlich passiert ist», sagte Fiona. «Was hat er da gemacht? Das ergibt doch überhaupt keinen Sinn.»

Olivia reichte ihr ein Taschentuch, damit sie sich die Nase putzen konnte.

«Ich verstehe es nicht.»

Lily hielt es nicht mehr aus. Sie entschuldigte sich und ging hinaus. *Oh, Eve, was hast du nur getan?*

Lily kehrte zu ihren Pflichten zurück und sah dabei ständig auf die Uhr. Eine Stunde verging, dann zwei, dann drei, dann vier. Plötzlich tauchte wie aus dem Nichts Declan bei ihr auf und verursachte ihr fast einen Herzinfarkt.

«Ich habe Zeit, mit dir Mittag zu essen, falls du nachher Hunger hast», sagte er.

«Nein, ich kann nicht.»

«Warum nicht?»

«Ich musste mir vorhin etwas Zeit nehmen, um meine Schulter untersuchen zu lassen. Ich bin spät dran.»

«Was ist los?», fragte er besorgt.

«Adam hat es sich angesehen. Es ist alles in Ordnung – ich nehme Ibuprofen», sagte sie und ging in Richtung Lift, in der Hoffnung, dass er mitkam. Je weiter er von ihrem Flur weg war, desto besser – falls Eve aus dem OP zurückkam.

«Was ist passiert?», fragte er.

«Du», sagte sie, und er griff nach ihrer Hand, um sie aufzuhalten.

«Ich?»

«Du und deine Spielchen», erklärte sie und lächelte dabei, damit er wusste, dass sie ihm keinen Vorwurf machte.

«Ach», sagte er, «dann wird es wohl langsam Zeit, solche Kindereien aufzugeben.»

«Oder wir müssen ein neues Kopfteil kaufen», gab sie zurück.

Er lachte und küsste sie auf dem Flur. Dieser kleine Flirt würde dafür sorgen, dass seine gute Laune bis zum Abend anhielt. *Das ist doch auch schon was.*

Noch eine Stunde verging, und dann noch eine.

Als sie bei Mrs. Niven den Katheter wechselte, sah sie Adam am Zimmer vorbeigehen. Sie zog den Schlauch so schnell heraus, dass die arme Mrs. Niven aufschrie.

«Tut mir leid! Habe ich Ihnen weh getan?», fragte Lily und verrenkte sich fast den Kopf, um zu sehen, wohin Adam ging.

«Nein, das nicht, aber ich hatte schon Angst, mein ganzer Popo würde in Ihrer Hand landen, Herzchen», sagte Mrs. Niven.

Lily lächelte. «Das liegt nur am Sog», sagte sie und hielt ihre Hand hoch. «Sehen Sie? Kein Popo.»

Sobald Mrs. Niven versorgt war und mit dem Piepser in der Hand friedlich eine Folge von «Inspector Barnaby» ansah, machte Lily sich auf die Suche nach Adam. Er war in seinem Büro.

Besorgt stand er auf. «Alles in Ordnung mit dir?»

«Eigentlich nicht», gestand sie.

Er zog den Besucherstuhl heraus, und sie setzte sich. Er nahm ihr gegenüber Platz.

«Was ist los?», wollte er wissen.

«Die Frau, die du operiert hast, Eve Hayes. Wie geht es ihr?»

«Sie liegt im Aufwachraum. Es ist alles gut verlaufen.»

Lily nickte. «Wie schlimm sind ihre Verletzungen?»

«Darf ich fragen, weshalb du das wissen willst?»

«Wir standen uns mal sehr nahe», sagte sie.

«Oh.»

«Es ist schon lange her, aber ...»

«Verstehe. Also, sie hat einen Bruch des rechten Schienbeins erlitten, außerdem einen Bruch des linken Wadenbeins und Schienbeins, einen Bruch der linken Schulter. Die Schulterpfanne hat sich von der Schulterplatte gelöst, verbunden mit einem Bruch von Rabenbein und Acromion. Sie hat einen Bruch des linken Jochbeins erlitten sowie eine tiefe Fleischwunde auf der linken Gesichtshälfte, die sich bis hinunter in den linken Nasenflügel zieht.»

«Oh Gott!» Lily brach in Tränen aus.

Ihre Reaktion erschreckte sie selbst genauso wie Adam. Er stand auf, ging um seinen Schreibtisch herum, setzte sich darauf und tätschelte ihre Schulter.

«Sie kommt wieder in Ordnung», sagte er.

«Ich weiß. Es war einfach ein furchtbarer Schock, sie so zu sehen», sagte sie schluchzend.

Adam wusste nicht, wohin mit sich selbst oder was er tun sollte. Am liebsten hätte er sie in die Arme genommen und wie ein kleines Kind gewiegt, doch das wäre wahrscheinlich unangemessen gewesen, und so tätschelte er nur weiter ihren Arm und hoffte, dass sie sich dadurch getröstet und nicht unangenehm berührt fühlte.

«Es tut mir leid», sagte sie und gab sich innerlich einen Ruck.

«Das muss es nicht», antwortete er sanft.

«Es war ein langer Tag.»

«Ich verspreche dir, dass sie wieder auf die Beine kommt.

Ich habe im OP wirklich Großartiges geleistet», sagte er grinsend.

«Daran habe ich keinen Zweifel.» Sie lächelte und wischte sich die letzte Träne weg. «Wie lange bleibt sie noch im Aufwachraum?»

Er sah auf die Uhr. «Im Grunde kann sie jederzeit wieder nach unten. Sie hat die OP wirklich gut verkraftet.»

Lily sah auf die Uhr. Es war kurz nach sechs. Ihre Schicht endete um halb acht.

«Okay. Danke, Adam.»

«Gern geschehen», sagte er und erhob sich von seinem Schreibtisch.

Als sie aufstand, umarmte er sie. Sie duftete nach Orangenblüten, und als er für den winzigen Bruchteil einer Sekunde sein Kinn auf ihren Kopf legte, spürte er, wie weich ihre Haare waren. Sie klopfte ihm in einer freundschaftlich gemeinten Geste leicht auf den Rücken, und er schalt sich insgeheim dafür, dass er sich in eine verheiratete Frau verguckt hatte. *Vergiss es, Adam!* Sie lösten sich voneinander.

Lily blieb stehen und sah ihn an.

«Eines noch», bat sie.

«Alles, was du willst.»

«Bitte erwähne Declan gegenüber nicht, dass Eve hier ist.»

«Okay.»

«Danke.»

«Nichts zu danken.»

Sie wandte sich zum Gehen, doch dann drehte sie sich noch einmal um. «Und, Adam?»

«Ja?»

«Danke, dass du nicht fragst, weshalb.»

Er nickte, und sie verließ den Raum.

Eve wachte unter Schmerzen auf. Das linke Bein tat besonders weh. *Meine Schulter steht in Flammen. Träume ich? Falls ja, ist es jedenfalls ein unglaublich schmerzhafter Traum. Heilige Scheiße, was ist hier eigentlich los?* Ihre Kehle fühlte sich an, als hätte sie Sandpapier verschluckt, und ihre Lippen waren trocken und rissig. Als sie sich mit der Zunge über die Lippen fuhr, spürte sie wieder die Nähte. *Oh! Ich erinnere mich.* In ihrer gesunden Hand spürte sie einen Gegenstand, der sich wie eine Fernbedienung anfühlte. Sie tastete mit dem Finger nach dem Knopf, doch noch ehe sie ihn fand, stand eine Krankenschwester von ihrem Stuhl auf und nahm ihr das Ding aus der Hand.

«Hast du Schmerzen?», fragte sie.

«Ja, ziemlich.»

«Okay.»

Sie drückte irgendwo drauf, und im selben Moment breitete sich das Feuer in Eves Schulter auf den ganzen Körper aus, doch genauso schnell ließ der Schmerz nach, und sie fühlte sich erschöpft, obwohl sie eben erst zu sich gekommen war.

«Bitte schön!», sagte Lily und drückte Eve etwas in die Hand, was sich wie eine weitere Fernbedienung anfühlte. «Einfach hier drücken, wenn es wieder schlimmer wird.»

Eve erkannte Lilys Stimme, und die Erinnerung an die Begegnung auf der Schwelle zum OP kehrte zurück.

«Du!», sagte sie.

«Ich.»

«Krankenschwester?»

«Krankenschwester.»

«Gut.»

«Alles ist gut gelaufen, Eve. Du kommst wieder in Ordnung.»

Lily beugte sich vor und rückte das Kopfkissen zurecht.

«Wo ist Ben?», fragte Eve und kämpfte gegen die Müdigkeit an.

«Er liegt auf einer anderen Station.»

«Wie geht es ihm?», fragte Eve drängend. Sie wusste, dass ihr nur wenig Zeit blieb, ehe die Medikamente die Oberhand gewinnen und sie wieder abtauchen würde.

«Es geht ihm gut.»

Eve hatte Lily seit zwanzig Jahren nicht gesehen, sie war bis zu den Haarspitzen mit Drogen vollgepumpt, aber sie wusste genau, dass Lily log.

«Deine Stimme wird immer noch eine Oktave höher, wenn du lügst», sagte sie.

«Okay», sagte Lily und nahm Eves gesunde Hand. «Es geht ihm nicht so gut, Eve.»

«Wie schlimm ist es?», fragte sie und kämpfte gegen die Bewusstlosigkeit.

«Er liegt im Koma.»

«Aber es wird wieder», sagte Eve. Es war eine Feststellung, keine Frage.

«Das kann ich dir nicht sagen», sagte Lily, und diesmal war es nur halb gelogen. Es war möglich, dass er überlebte, und es bestand kein Grund, ihr zu sagen, dass es höchstwahrscheinlich beim Stadium des Wachkomas bleiben würde.

«Oh, gütiger Gott, Lily, er muss wieder gesund werden», lallte Eve. Dicke Tränen liefen ihr über das Gesicht. Ihr Kopf war so schwer wie eine Bowlingkugel, dann fielen ihr die brennenden Augen zu.

Als sie eingeschlafen war, tupfte Lily ihrer alten Freundin behutsam das tränennasse Gesicht ab.

Lautes Geschrei weckte Eve das nächste Mal. Lindsey Harrington im Bett gegenüber war eine senile Vierundachtzigjährige, die gerade eine Hüftoperation hinter sich gebracht hatte. Sie hatte einen Unfall in einem Park gehabt mit einem zufällig vorbeikommenden Berner Sennenhund namens Prince, den sie mit dem Pony gleichen Namens verwechselte, das sie als junges Mädchen besessen hatte. Lindsey hatte versucht, das verwirrte Tier zu besteigen. Der Hund buckelte, sodass sie mit gebrochener Hüfte auf der Erde landete und wüste Rufe nach dem Pferdemetzger ausstieß. Eve hörte die Stimmen der Schwestern, die versuchten, die laut schreiende Lindsey zu beruhigen.

«Lassen Sie mich sofort los! Ich muss meine Handtasche suchen!»

Eine Schwester erklärte der Frau ganz ruhig, dass sie ihre Handtasche nicht bei sich habe.

«Ja! Weil sie mir gestohlen wurde! Ich bin von verfluchten Halunken umgeben.»

«Niemand hat Sie bestohlen, Mrs. Harrington», erklang eine andere Stimme. «Sie müssen still liegen. Sie sind gerade erst aus dem OP-Saal gekommen.»

«Aus dem Saal?», sagte Lindsey Harrington und war augenblicklich wie ausgewechselt. «Oh, ich liebe es zu tanzen!»

Eine der Schwestern hatte offensichtlich aufs Knöpfchen gedrückt, denn Lindsey Harrington verstummte und tauchte ab, und Eve folgte ihr.

Als Lily nach Hause kam, war sie zu müde, um noch etwas zu Abend zu essen. Sie war bleich vor Erschöpfung, und ihr Mann hatte Mitleid mit ihr und ließ ihr ein Bad ein. Er half ihr in die Wanne, setzte sich auf den Toilettendeckel und sah ihr zu, während Lily sich ins heiße Wasser gleiten ließ.

«So müde habe ich dich seit Jahren nicht gesehen», sagte er, und sie nickte.

«Liegt es an deiner Schulter?»

«Das wird wieder.»

«Ich wollte dir nicht weh tun. Das weißt du.»

«Natürlich weiß ich das.»

«Wieso nimmst du dir nicht den Rest der Woche frei?»

«Nein», sagte sie. Der leise Schrecken in ihrer Stimme entging ihm nicht.

«Du tust verzweifelt alles dafür, nur um aus diesem Haus rauszukommen», sagte er traurig. «Es wird keiner sterben, nur weil du nicht im Krankenhaus bist.»

Lily hatte gelernt, die Geringschätzung ihres Ehemanns für ihren Beruf und ihre professionelle Arbeitsmoral zu ignorieren.

«Mir geht es gut», sagte sie. «Ich hatte lediglich einen langen Tag.»

«Okay.» Einen Moment später fügte er hinzu: «Ich habe etwas für dich.» Er ging ins Schlafzimmer und kam mit einer kleinen Schachtel zurück.

Lily trocknete sich die Hände ab und öffnete das Schächtelchen. Zum Vorschein kam ein wunderschönes goldenes Armband. Declan hielt zwar nichts von gemeinsamen Konten, doch wenn es darum ging, seiner Frau Geschenke zu machen, war er großzügig. Im Grunde war Lily sich bewusst, dass sie sich nur deshalb mit Sachen aus zweiter Hand und Selbstgenähtem durchmogeln konnte, weil sie erlesenen Schmuck dazu anlegte. Declan hatte die Angewohnheit, ihr Schmuck zu kaufen, wenn er ein schlechtes Gewissen hatte. Ihre Sammlung war beträchtlich.

«Es ist wunderschön», sagte sie.

«So wie du», antwortete er, «und das sollte ich dir öfter sagen.»

Sie seufzte, lächelte und nahm seine Hand, und dann nahm sie ihren ganzen Mut zusammen und nutzte den günstigen Augenblick.

«Ich möchte dich um einen Gefallen bitten», sagte sie.

«Was denn?», fragte er, legte ihr das Armband um und betrachtete es bewundernd.

«Scott möchte den Sommer über bei deinem Vater in der Werkstatt arbeiten.»

Declan löste den Blick von dem Schmuckstück und sah seine Frau mit gequälter Miene an. «Ich verstehe nicht ganz», sagte er.

«Sie haben sich wohl darüber unterhalten, als er vor ein paar Wochen zum Abendessen bei ihm war.»

«Und Scott will wirklich in dieser Werkstatt arbeiten?»

«Scott kennt den Mann nicht, den du gekannt hast, Declan.»

Declan fehlten die Worte. Er wusste nicht, was er denken sollte. Er hatte immer eine grauenhafte Beziehung zu seinem Vater gehabt. Declan hatte seinen Vater während seiner gesamten Kindheit und Jugend als bösartigen, gewalttätigen Säufer erlebt. Sein Vater hatte irgendwann beschlossen, Declan auf die gleiche Art Disziplin beizubringen, wie er selbst es als kleiner Junge in einer katholischen Klosterschule außerhalb von Kildare erfahren hatte. Verstieß Declan in den Augen seines Vaters gegen die Regeln, verprügelte der ihn auf schlimmste und brutalste Weise. Declan versuchte verzweifelt, brav zu sein, doch das Problem war, dass die Regeln sich ständig änderten, je nachdem, wie viel sein Vater getrunken hatte. Meistens verletzte er Declan gerade so sehr, um ihn in Angst und Schrecken zu versetzen, ohne jedoch Verdacht zu erregen. Die katholischen Klosterbrüder waren gute Lehrmeister gewesen. Declans Vater war ein gequälter, wütender und verbitterter Mann, und seine Mutter war eine stille, abweisende Frau, die in einem anderen Universum lebte. Dieses Universum wurde von verschreibungspflichtigen Tabletten und der ungesunden Fähigkeit aufrechterhalten, sich vollkommen aus der Realität auszuklinken. Sie hatte einen eiskalten Mann geheiratet, und als sie einmal ein paar Gläser Wein zu viel intus hatte, gestand sie ihrem peinlich berührten fünfzehnjährigen Sohn, es sei ein Wunder, dass er überhaupt existierte, weil sich die wenigen Male, die sie mit ihrem Mann geschlafen hatte, an einer Hand abzählen ließen. Sie war das Hausmädchen ihres Mannes und die Mutter seines Kindes, und obwohl niemand als der Mann selbst sagen konnte, ob er sie liebte oder nicht, erhob er in den achtzehn Jahren, die sie zusammenlebten, nicht ein einziges Mal die Hand gegen sie. Sie sah weg, wenn ihr Sohn diszipliniert wurde, und tat so, als wäre alles in bester Ordnung und nicht völlig krank, selbst wenn ihr Mann richtig ausrastete.

Als Declan dreizehn war, wurde er mit seinen Freunden Gar und Paul hinter dem Fahrradschuppen auf dem Schulhof von seinem Lehrer beim Rauchen erwischt. Pflichtschuldig erstattete dieser Bericht bei den Eltern. Gar bekam eine Woche Hausarrest. Paul bekam zwei Wochen Hausarrest und musste zur Beichte. Declan wurde in den Magen geboxt, ihm wurden die Kleider vom Leib gerissen, und er wurde in den Kohleschuppen am Ende des Gartens gesperrt. Dort blieb er vierundzwanzig Stunden, mit nichts als Stroh, um sich zu wärmen, ehe sein Vater ihn rausließ.

«Na, Smokey Joe, immer noch Lust auf eine Zigarette?», fragte er dann und lachte, als Declan blau vor Kälte und mit Stroh zwischen den Pobacken ins Haus zurückrannte.

Als er vierzehn war, trat sein Vater ihm so fest in die Hoden, dass er zwei Wochen lang ein Suspensorium tragen musste. Als er sechzehn war, kam er eines Tages nach Hause und sah seinen Vater am Küchentisch sitzen, vor sich einen großen Stock und Declans Zeugnis in der Hand. Declan konnte in sämtlichen Fächern mit einem B aufwarten, nur Irisch hatte er gerade so bestanden. Der Lehrer fand, dass Declan hinter seinen Möglichkeiten zurückgeblieben war, und das genügte, um eine Tracht Prügel zu rechtfertigen. Declan roch den Whiskeyatem seines Vaters, und als der schreiend und tobend und geifernd den Stock packte, da schlug Declan ihm heftig mitten ins Gesicht. Sein Vater war zwar geschockt, aber immer noch viel stärker als sein Sohn. Declan trug ein gebrochenes Schlüsselbein und zwei angeknackste Rippen davon. Er saß im Wartebereich der Notaufnahme und hörte zu, wie seine Mutter der Schwester in der Notaufnahme erzählte, er habe Rugby gespielt, und während der Arzt ihn wieder zusammenflickte, schwärmte der ihm von seinen eigenen glorreichen Tagen auf dem Spielfeld vor.

«Es ist ein harter Sport, aber das ist es wert», sagte er. «Im Augenblick fühlt es sich vielleicht nicht so an, aber du kannst im Handumdrehen wieder raus aufs Feld.»

Declan saß nur stumm da, während seine Mutter dem Arzt lächelnd dankte und ihm erzählte, wie viel Talent Declan habe und wie stolz sie und sein Vater auf ihn seien.

Hinterher ging er zu Lily. Sie war wie gewöhnlich allein, denn ihre Mutter arbeitete abends in einem Pub. Lily wusste sofort, was passiert war. Sie nahm ihn mit ins Haus, und dann lagen sie zusammen in ihrem Bett, und sie hielt ihn in den Armen, während er weinte wie ein kleines Kind. Er erzählte nie jemand anderem, was er zu Hause durchmachte, nur Lily wusste alles: jede Tracht Prügel, jede Erniedrigung, jedes Gefühl. Sie waren sich in vielem sehr ähnlich – beide als Einzelkinder aus kaputten Familien der elterlichen Liebe beraubt, die einem eigentlich von Natur aus zustand. Sie waren beide Kontrollfreaks und getrieben vom Ehrgeiz. In ihren Anfangsjahren pflegte Lily zu sagen, der einzige Unterschied zwischen ihnen bestehe darin, dass sie zwar emotional vernachlässigt, aber nie körperlicher Gewalt ausgesetzt gewesen war. In späteren Jahren wurde ihr klar, dass es zwischen ihnen noch einen weiteren Unterschied gab: Sie gab, und Declan nahm. Er fand in ihrer Akzeptanz, ihrer Liebe und ihrer Unterstützung Kraft, und sie fand in seiner Abhängigkeit Liebe. Sie brauchten einander verzweifelt. Sie passten zueinander wie der Schlüssel ins Schloss. Sie hatten sich ihre eigene kleine Welt geschaffen, in die niemand sonst eingeweiht war, nicht einmal Eve. Sie hätte es niemals verstanden, und Declan hätte sich umgebracht, wenn irgendwer von all dem erfahren hätte. Gott weiß, wie knapp er oft davor gewesen war, ehe sie einander gefunden hatten.

Declan wollte nicht nur deswegen so verzweifelt in Cork studieren, weil er unsicher war, ob sein Durchschnitt ausreichen würde, um Lily nach Trinity zu folgen, wie Eve vermutete. Er wollte nach Cork, um von dem Haus wegzukommen, das ihm auch zwanzig Jahre später noch Albträume bescherte, und Lily wäre ihm damals sogar auf den Mond gefolgt, um ihn zu retten. Als Declan in Cork einen Studienplatz bekam, brach er den Kontakt zu seinen Eltern ab und setzte nie mehr einen Fuß in das Haus. An dem Tag, nachdem er aufs College gegangen war, zog seine Mutter aus. Sie ging zu ihrer Schwester nach Sligo, die dort auf einem Bauernhof lebte. Sie und ihr Sohn schrieben sich zu Ostern und zu Weihnachten Karten, doch sie gestand sich ihre Mitschuld an Declans Misshandlungen nie ein. Sie entschuldigte sich nie und versuchte auch nie, es wiedergutzumachen. Vielleicht sah sie keine Notwendigkeit dafür, aber vielleicht war es ihr auch einfach nicht wichtig. Wie dem auch sei, die Beziehung zwischen Mutter und Sohn beschränkte sich auf besagte zwei Grußkarten im Jahr.

Declan und Lily waren seit neun Jahren verheiratet, und Scott war acht Jahre alt, als auf einmal Declans Vater vor der Tür stand. Es war an einem Sonntag. Er schüttelte seinem verblüfften Sohn die Hand und erklärte, er habe die Adresse im Telefonbuch ausfindig gemacht und es einfach mal bei ihnen versuchen wollen. Lily war zu Anfang starr vor Angst, und Declan war zwar fassungslos, aber jeden Moment bereit zuzuschlagen. Doch dann geschah etwas völlig Unerwartetes. Das Untier, das Declan das Leben derart zur Hölle gemacht hatte, saß im Hause seines Sohnes am Küchentisch und flehte ihn um Vergebung an. Zu dem Zeitpunkt war er seit vier Jahren trocken. Er war Mitglied bei den Anonymen Alkoholikern, und Declan war die letzte Person auf seiner Liste, mit der er reinen Tisch machen wollte.

«Ich habe dich schlimmer verletzt als irgendwen sonst», sagte er.

«Du warst ein Tier», antwortete Declan.

«Ja.» Er weinte und versuchte zu erklären, was ihm damals im Internat angetan worden war.

Doch Declan wollte nichts davon hören. «Ich will es nicht wissen. Es interessiert mich nicht. Es ist keine Entschuldigung», sagte er, und sein Vater ließ das Thema fallen.

Lily musste oft an jenen Tag denken und daran, dass Declan seinem Vater gesagt hatte, die Qualen, die er unter der harten Hand der Klosterbrüder erlebt habe, seien keine Entschuldigung. Darin gab sie ihm recht. Sie wünschte nur, Declan könnte erkennen, dass für sein Verhalten dasselbe galt. Natürlich war Declan nicht mit seinem Vater zu vergleichen. Er würde niemals Hand an seine Kinder legen, und obwohl er unglaublich viel Wut und Verbitterung mit sich herumschleppte, kämpfte er Tag für Tag gegen seine Dämonen an. Lily wusste, dass Declan tat, was er konnte – sie wünschte nur, er wäre zu mehr in der Lage.

Nach jenem Tag tauchte Declans Vater öfter bei ihnen auf. Er war fest entschlossen, Wiedergutmachung zu leisten, und als Declan merkte, dass er es ernst damit meinte, eine Beziehung zu ihm aufzubauen, und dass er sich grundlegend gewandelt hatte, erlaubte er ihm, einmal im Monat zu Besuch zu kommen. Sie trafen sich ausschließlich in Declans Haus, wo er selbst Herr der Lage war, denn das war die einzige Möglichkeit für ihn, diesen Mann wieder in sein Leben zu lassen. Declans Vater hatte sich in Therapie begeben und war Mitglied einer Vereinigung, die sich um die Aufklärung von Missbrauchsfällen durch die katholische Kirche bemühte. Ihm war klargeworden, dass seine Vergangenheit keine Entschuldigung für das war, was er seinem Sohn angetan hatte. Er hatte viele Menschen kennengelernt, die genauso gelitten hatten wie er, ohne sich in Untiere zu verwandeln. Es tat ihm leid, und zwar aufrichtig. Obwohl Declan das wusste, gelang es ihm nur mit Mühe, diesen Mann zu tolerieren, der alles daransetzte, im neuen Leben seines Sohnes eine Rolle zu spielen.

Scott hatte sich vom ersten Tag an in seinen Großvater verliebt. Er liebte Autos und Lastwagen und Rennräder und war fasziniert von der Tatsache, dass sein Großvater seine eigene Werkstatt besaß. Er liebte es, herumzubasteln und Dinge in ihre Einzelteile zu zerlegen, und ihm gefiel der Gedanke, selbst ein Auto wieder fahrtüchtig zu machen. Als er sechzehn wurde, schenkte sein Großvater ihm – mit der Erlaubnis seines Vaters – einen reparaturbedürftigen Wagen. Gemeinsam setzten sie in Declans Garten und unter dessen wachsamem Blick den Motor wieder instand. Als 2009 schließlich der Bericht über die Missbrauchsfälle unter dem Dach der katholischen Kirche veröffentlicht wurde, stockte dem ganzen Land der Atem angesichts der Qualen, die die Kinder unter der Obhut der Kirche erleiden mussten. Declan las den Bericht von der ersten bis zur letzten Seite, und erst da verstand er die Vergangenheit seines Vaters wirklich. Sie sprachen niemals darüber, doch so seltsam es auch war, die Lektüre des Berichts brachte ihn seinem Peiniger näher – als wären sie in gewisser Weise verwandte Seelen. Er begriff, dass sein Vater sexuell missbraucht worden war und niemals im Leben darüber sprechen würde, genau wie Declan ihn auch niemals danach fragen würde. Obwohl ihre Beziehung angespannt und schwierig blieb, war sie im vergangenen Jahr doch merklich besser geworden.

Ehe jener Bericht erschienen war, hätte Declan seinen Sohn niemals in der Werkstatt arbeiten lassen, die so oft Schauplatz heftiger Prügel gewesen war. Doch als er jetzt in seinem Badezimmer saß und die Hand seiner Frau hielt, dachte er tatsächlich ernstlich darüber nach.

«Er liebt Autos», sagte er.

«Und wenn irgendetwas passieren würde, und ich weiß,

dass dem nicht so sein wird, aber wenn doch, dann wäre es anders», sagte sie.

«Wieso das?», wollte Declan wissen.

«Weil er damit zu dir kommen kann», sagte sie, und Declan nickte. Seine Augen füllten sich mit Tränen, und er drückte ihre Hand.

«Ich liebe dich», sagte er.

«Ich liebe dich auch.»

Declan mochte es nicht, vor seiner Frau zu weinen, also hüstelte er und verließ das Badezimmer. Vielleicht lag es daran, dass Lily an die schmerzliche Vergangenheit ihres Mannes erinnert wurde, vielleicht auch daran, dass sie einen flüchtigen Blick auf den Jungen erhaschen durfte, in den sie sich einst verliebt hatte. Womöglich hatte auch das Wiedersehen mit ihrer alten Freundin, verletzt und zerschunden, damit zu tun, oder die unfassbare Trauer, die sie in sich trug. Wahrscheinlich war es all das zusammengenommen; jedenfalls brachen zum zweiten Mal an diesem Tag sämtliche Dämme, und die Flut, die sie sonst so eisern unter Kontrolle hielt, brach sich Bahn. Lily saß still in der Badewanne und schluchzte, bis sie innerlich völlig leer war und zu frieren begann.

In dieser Nacht erwachte Eve noch zweimal. Das erste Mal schreckte sie schreiend auf. Sie hatte geträumt, sie läge auf einer Streckbank und ihr würden Arme und Beine ausgerissen. Ihre Arme wurden aus dem Gelenk gezerrt, und sie musste zusehen, wie der Rote Unhold ihre Beine in einen alten Korb warf. Sie war völlig nass geschwitzt. Ihr Herz raste, und sie schrie auf. Sie flehte ihn an aufzuhören und bat immer wieder laut um Entschuldigung.

Eine Schwester kam ins Zimmer geeilt.

«Alles ist gut», sagte sie sanft und drückte auf den Knopf. Das Feuer schoss durch Eves Körper, und sie wurde ruhig, warm und schwer.

Die Decke verschwand und machte einem samtenen schwarzblauen Nachthimmel mit funkelnden Sternen und einem perlmuttfarbenen Halbmond Platz. Sie stand wieder an die Mauer an der schmalen Straße gelehnt. Ben war wieder achtzehn. Er trug sein Bruce-Springsteen-T-Shirt. Er saß auf der Steinmauer, sie stand zwischen seinen Beinen, küsste ihn und schmiegte sich eng an ihn.

«Ich wünschte, wir könnten einfach die Zeit stoppen und für immer in diesem Augenblick leben», sagte er und streichelte ihre Wange.

«Können wir doch», antwortete sie, umarmte ihn fester und flüsterte ihm ins Ohr, dass alles gut werden würde.

Als sie das zweite Mal in dieser Nacht erwachte, stand eine Schwester neben ihrem Bett und überprüfte einen der zahlreichen Schläuche. Eve fühlte sich bleischwer, und ihr war übel. Die messerscharfen Schmerzen lauerten dumpf betäubt unter der Oberfläche, und sie wusste sofort, wo sie war.

«Wie spät ist es?», fragte sie.

«Kurz nach drei Uhr morgens», sagte die Schwester.

«Wo ist Lily?»

«Sie ist zu Hause. Zur Frühschicht ist sie wieder da.»

«Okay.»

«Kann ich Ihnen irgendwas bringen?»

«Ben», sagte Eve und glitt zurück in den Schlaf.

Lily erschien etwas früher zur Arbeit und sah auf dem Weg ins Schwesternzimmer kurz bei Eve vorbei. Sie schlief und sah friedlich aus. *Möge es lange andauern.* Tag zwei nach der OP war oft der schlimmste. *Bleib, wo du bist, Eve.* Sie machte sich an die Arbeit und bat ihre Kolleginnen, sie zu holen, sobald Eve aufwachte. Wie sich herausstellte, ließ Eve sich Zeit, bis Lily am späten Vormittag wieder an ihrem Bett stand und sich die Krankenakte ansah, ehe sie die Augen aufschlug.

«Guten Morgen», sagte Lily, ohne den Blick von der Akte zu heben. «Du hattest eine gute Nacht.»

«Dann haben wir eindeutig unterschiedliche Ansichten darüber, was eine gute Nacht ausmacht.»

«Es freut mich, dass es dir wieder besser geht», sagte Lily und lächelte.

«Ben?»

Lily sank der Mut. Sie war auf dem Weg zur Station kurz auf der Intensivstation gewesen, und Bens Nacht war alles andere als gut gewesen.

«Unverändert», sagte sie.

«Kann ich ihn sehen?»

«Nein, Eve. Unmöglich.»

«Wegen seiner Frau», sagte Eve in einem Tonfall, der ihre Resignation verriet. *O Gott, seine Frau!*

«Weiß sie es?», fragte sie. Die Vorstellung, wie die Frau, die er geheiratet hatte und die sie nur lächelnd von irgendwelchen Urlaubsfotos kannte, panisch in der Gegend herumtelefonierte, um ihren Mann zu finden, war unerträglich.

«Sie ist bei ihm», sagte Lily.

Eve seufzte erleichtert. «Ich gehöre nicht dorthin.»

«Ganz zu schweigen davon, dass du zwei gebrochene Beine hast, eine zerschmetterte Schulter und genug Metall im Körper, um es mit dem Terminator aufzunehmen. Du gehst nirgendwo hin.»

«Aber in erster Linie gehöre ich nicht dorthin», sagte Eve. Es klang unerträglich traurig.

Lily sagte nichts.

«Wie lange?», fragte Eve mit einer Geste auf ihren kaputten Körper.

«Wochen.» Lily blieb vage.

«Wie viele Wochen?»

«Jeder heilt in seinem eigenen Tempo. Das kann ich nicht beantworten.»

«Eine ungefähre Hausnummer?»

«Immer noch so penetrant, wie ich sehe.»

«Bitte!»

«Die Verletzung deiner Schulter ist am gravierendsten. Adam hat sie praktisch neu aufgebaut. Vielleicht müssen sie noch mal operieren, und das würde dann ungefähr einen zusätzlichen Monat bedeuten. Dein rechtes Bein ist im Gips, das braucht etwa acht Wochen, dein linkes Bein braucht ebenfalls mindestens zwei Monate, zusätzlich zur Physiotherapie.»

«Was ist mit meinem Gesicht?», wollte Eve wissen.

«Na ja, im Augenblick siehst du schlimm aus, aber das verheilt wieder.»

«Danke sehr.»

«Gern geschehen.» Lily zog sich den Besucherstuhl ans Bett. «Ich habe dein Telefon gefunden. Es war in deiner Jackentasche. Ich könnte Danny anrufen.»

«Danny lebt nicht mehr.»

Lily machte ein betroffenes Gesicht. Ihr wurde das Herz schwer, und Tränen stiegen ihr in die Augen. Sie fühlte sich, als hätte ihr jemand in den Magen geboxt. Als vor all den Jahren ihre Freundschaft zerbrochen war, hatte Lily noch mehr verloren als ihre beste Freundin. Sie hatte den

Mann verloren, der für sie fast so was wie ein Vater gewesen war, und Clooney obendrein.

«Oh, Eve, das tut mir so leid!»

«Ja, danke.»

«Wenn ich das gewusst hätte …» Lily verstummte, denn sie hatte es nicht gewusst, und selbst wenn … Hätte sie tatsächlich den Mut aufgebracht, bei seiner Beerdigung zu erscheinen? *Vielleicht – schließlich war es Danny.*

Lily brauchte einen Moment, um sich zu sammeln. Eve sah den Schmerz in ihrem Gesicht, und sie verstand sie gut. Lily hatte Danny genauso geliebt wie sie selbst. Auf einmal sah sie Danny vor sich, wie er die winzige Lily durch die Luft wirbelte, während sie «Schneller, Danny, schneller!» schrie. Ein paar Minuten lang schwiegen sie beide.

«Was ist mit Clooney?», fragte Lily dann.

«Der ist in Afghanistan.»

«Was zum Teufel treibt er denn da?», fragte Lily erschrocken.

«Gegen den Hunger kämpfen», sagte Eve.

Lily nickte. *Natürlich. Was auch sonst?*

«Hast du einen Ehemann oder Kinder?», fragte Lily weiter.

«Nein.»

«Wen soll ich denn informieren?»

«Niemanden», sagte Eve und war schon wieder kurz davor wegzudämmern.

«Eve!»

«Was?»

«Das schaffst du nicht allein.»

«Natürlich schaffe ich das», sagte Eve.

Sie schloss die Augen, und als Lily sich sicher war, dass Eve schlief, öffnete sie ihren Schrank, nahm das Telefon an

170

sich und trat hinaus auf den Flur. Sie ging das Telefonbuch durch und stieß auf Clooneys Namen. Sie zögerte kurz, ehe sie den grünen Knopf drückte. Bei Clooney schaltete sich sofort die Mailbox ein. Lily holte tief Luft und wartete auf das Signal.

«Hallo, Clooney, hier spricht Lily Donovan, oder, äh, Brennan, früher Lily Brennan. Eves Freundin. Ich rufe an, weil sie einen schweren Autounfall hatte. Nicht lebensbedrohlich, sie wird wieder gesund, aber sie ist schwer verletzt. Sie wird Hilfe brauchen. Sie liegt hier im St. Martin's Hospital. Station fünf im dritten Stock. Ich hoffe, dich erreicht diese Nachricht, und ich hoffe, du kannst kommen. Okay. Tschüss.»

Sie schaltete das Telefon aus, ging ins Zimmer zurück und legte es wieder in Eves Schrank. Ihr Herz raste, denn sie war unsicher, ob sie das Richtige getan hatte. Sie hatte Angst, weil sie kein Recht besaß, sich einfach in Eves Leben einzumischen. Aber Eve brauchte jetzt jemanden an ihrer Seite, und obwohl sie nett miteinander umgingen und es schön war, Eve wiederzusehen, war ihre Freundschaft schon vor langer Zeit gestorben. Sie konnte diesen Part auf keinen Fall übernehmen. Lily war schlicht und ergreifend Eves Krankenschwester, und sie hatte weder den Platz in ihrem Leben noch die Energie, mehr zu sein als das. *Ich wünschte, ich könnte es, Eve, aber das ist unmöglich.*

Als Lily das nächste Mal ins Zimmer kam, lag Eve zusammengekrümmt da und erbrach ihren gesamten Mageninhalt. Lily löste ihre Kollegin ab. Sie hielt Eve fest, während sich deren Innerstes nach außen kehrte und sie vor Schmerzen weinte, weil dieser brutale Ausstoß ihrem empfindlichen, zerbrochenen Körper so sehr zusetzte. Völlig verausgabt und schwindlig vor Schwäche, ließ Eve sich schließlich zurücksinken und starrte zur Decke. Alles drehte sich, und ständig tauchte vor ihren Augen eine Acht auf und verschwand wieder. Als Eve blinzelte, sprang ein Kaninchen durch den oberen Kreis der Acht und hüpfte dann mit wackelndem Stummelschwanz durch den Ring darunter.

Als Lily mit Adam zurückkam, sang Eve leise eine Strophe aus «Bright Eyes» vor sich hin und winkte mit dem gesunden Arm zur Decke hinauf.

«Als wir Kinder waren, haben wir uns ‹Unten am Fluss› achtmal angesehen», sagte Lily.

Adam lächelte und trat ans Bett.

«Hallo, Eve, ich bin Adam. Ich habe Sie operiert.»

«Da ist ein Häschen an der Decke.»

«Halluzinationen. Positiv», sagte Adam zu Lily und machte einen imaginären Haken in die Luft.

«Lily sagt, Sie sind gut. Sind Sie gut, Adam?», wollte Eve wissen.

Adam lachte. «Ja, ich bin gut, Eve», antwortete er. «Ich möchte Sie nur kurz untersuchen, okay?» Er zog die Decke herunter und untersuchte ihre Extremitäten.

Lily half, das Papiernachthemd zu entfernen, damit er auch den Rumpf untersuchen konnte. Eve litt nicht unter Ausschlag. Lily nahm sich vor, ihr ein paar Nachthemden zu kaufen. *Bitte komm nach Hause, Clooney.*

«Haben Sie ein Engegefühl in der Brust, oder fällt es Ihnen schwer, Luft zu holen?», fragte Adam.

«Nein. Ich habe Kaninchen an der Decke», sagte sie und deutete nach oben.

«Keine ungewöhnlich dick geschwollenen Hände oder Füße?», wollte er wissen, nachdem er sie behutsam weiter untersucht hatte.

«So ist das also, wenn man Drogen nimmt», sagte Eve. «Ich bin mir nicht sicher, dass mir das gefällt.»

«Was ist mit Kopfschmerzen?»

«Ständig und immer. Mein ganzes Leben besteht aus Kopfschmerzen.»

Als er mit der Untersuchung fertig war und feststand, dass Eve nicht unter gefährlichen Nebenwirkungen litt, verordnete er ihr eine Spritze gegen die Übelkeit, und Lily setzte sie ihr, sobald er den Raum verlassen hatte.

«Wie spät ist es?», fragte Eve zum dritten Mal innerhalb von zwei Stunden.

«Es ist vier Uhr nachmittags.»

«Wie viele Schläuche und Beutel kommen eigentlich aus mir raus?»

«Also, du hast einen Stuhlbeutel und einen Urinbeutel, du hast einen Schlauch im Knie, an dem ein Beutel für das Wundsekret hängt, und dasselbe an der Schulter. In deinem rechten Arm steckt eine Infusion.» Sie hob Eves gesunde Hand hoch. «Und das ist ein Zentralzugang – dadurch verabreichen wir dir deine Medikamente.»

«Also liege ich nur hier rum, pinkle und kacke vor mich hin und halte nach Kaninchen Ausschau.»

«Heute. Morgen wird es besser sein. Versprochen.»

Ehe Lily ging, befeuchtete sie Eve die Lippen mit ein paar Eiswürfeln und versuchte dabei, den Schnitt nicht zu berühren.

«Irgendwelche Neuigkeiten über Ben?»

«Wenn es was Neues gibt, sage ich dir Bescheid», sagte Lily, um einen neutralen Tonfall bemüht.

«Okay.»

Um sieben Uhr abends, kurz vor dem Schichtwechsel, sah Lily zum letzten Mal bei Eve rein. Sie war unruhig und sprach im Schlaf. Lily wartete, bis sie sich wieder beruhigt hatte, und ging dann zur Übergabebesprechung ins Stationszimmer.

Im Laufschritt durchkämmte Lily das Einkaufszentrum. Der Besuch war spontan, und sosehr sie sich auch beeilte, sie würde trotzdem zu spät nach Hause kommen. Der Akku ihres Telefons war leer, und sie wusste, dass Declan sich Sorgen machen würde, und wenn Declan sich sorgte, dann wurde er wütend. Sie konnte nur hoffen, dass er noch im Krankenhaus war. Ihr Herz sank, als sie seinen Wagen in der Einfahrt sah. *Scheibenkleister!*

«Ich habe viermal versucht, dich anzurufen.» Er riss die Haustür auf, als hätte er hinter den Gardinen auf sie gelauert.

«Entschuldige, mein Akku war leer.» Lily war nicht in der Stimmung für eine Inquisition, nur weil sie es gewagt hatte, sich um zwei Stunden zu verspäten.

«Wo bist du gewesen?»

«Ich wurde aufgehalten.»

«Wo?»

«Bist du von der Polizei?» Die Grenzen, die er ihr setzte, gingen ihr auf die Nerven. *Herr im Himmel, lass mir doch bitte Luft zum Atmen!*

«Beantworte meine Frage, Lily!»

«Ach, Herrgott noch mal, Declan, ich war im Einkaufszentrum. Jetzt zufrieden?»

«Was hast du da gemacht?»

«Ich habe nach neuen Turnschuhen für Scott geschaut», sagte sie und stellte sich das Abendessen in die Mikrowelle.

«Und wo sind die Turnschuhe?»

«Ich habe nichts Vernünftiges gefunden», sagte sie seufzend und sank gegen die Wand.

«Du hättest tot sein können!»

Doch sie wussten beide, dass Declan in solchen Situationen nie an einen Unfall, sondern immer an einen Seitensprung dachte. Fragte man ihn, würde er natürlich behaupten, es sei allein ihre Schuld, dass er so geworden war, weil sie es nicht lassen konnte, mit jedem Mann zu flirten, der ihr über den Weg lief. Lily kränkte das ungemein, weil sie in all den Jahren, die sie verheiratet war, nicht einmal davon geträumt hatte fremdzugehen, selbst in den schlimmsten Zeiten nicht.

«Zählt es auch, dass ich *tod*müde bin?», fragte sie, um die Stimmung zu verbessern.

Sie öffnete die Mikrowelle, nahm ihr Abendessen heraus, füllte es auf einen Teller und setzte sich an den Tisch. Sie war sich nur allzu bewusst, dass ihr Mann bedrohlich still war.

«Irgendwas im Fernsehen?», fragte sie in der Hoffnung, die Wogen zu glätten.

«Nein.» Er setzte sich ihr gegenüber.

Sie fing an zu essen. Er saß da und schwieg.

«Wo sind die Kinder?», fragte sie.

«Scott ist unterwegs. Daisy ist im Wohnzimmer.»

«Wie war dein Tag?»

«Schön, bis ich dachte, meine Frau wäre tot.»

«Was möchtest du eigentlich hören, Declan?»

«Sag mir, dass du mir das nie wieder antust.»

«Herrgott im Himmel noch mal, Declan, ich habe mich um lächerliche zwei Stunden verspätet!»

Declan nickte. Er nahm ihr den Teller weg und schleuderte ihn gegen die Wand. Der Teller zerbrach, und das

Essen spritzte in alle Himmelsrichtungen. Lily starrte erst den Teller und dann ihren Mann an.

«Zwei Stunden sind eine Ewigkeit!», sagte er und ging hinaus.

Lily blieb eine Weile am Tisch sitzen, den Kopf auf die Hände gestützt. Nach ein paar Minuten stand sie auf und fing an zu putzen. Sie fragte sich, was Eve dazu sagen würde. *Ich habe es dir doch gesagt? Was hast du denn erwartet? Wie konntest du dieses Arschgesicht nur mir vorziehen? Wieso hast du mir nie die Chance gegeben, es zu erklären? Wieso hast du mir nicht vertraut? Es hätte alles ganz anders kommen können.* Womöglich hatte Eve recht gehabt, was Declan betraf, aber Eve kannte Declan nicht so, wie sie ihn kannte. *Andererseits …*

Sie wischte die Wand ab, als Daisy in die Küche kam.

«Was ist denn hier passiert?», fragte sie.

«Ich habe mein Essen fallen gelassen», antwortete Lily.

«Dad hat sich echt Sorgen um dich gemacht.»

«Ja, das hat er mir gesagt.»

«Du hast mich nicht gefragt, wie mein Vorspiel gelaufen ist!»

«Oh, Scheibenhonig mit Reis! Das war ja gestern! Es tut mir so leid, Daisy!»

«Schon gut.»

«Und, wie ist es gelaufen?»

«Ich hab sie an die Wand gespielt», antwortete Daisy lächelnd.

«Hast du es aufgenommen?»

«Natürlich.»

«Also, wie wär's? Wir kochen uns jetzt eine Kanne Tee, du holst ein paar Kekse aus dem Schrank, und dann sehen wir es uns gemeinsam an.»

«Super», sagte Daisy grinsend.

Lily setzte sich auf die Couch, legte ihrer Tochter den Arm um die Schultern, trank eine Tasse Tee, aß einen Keks zu Abend und sah ihrer Tochter zu, wie sie stolz und fehlerfrei ihr Klavierspiel präsentierte. Sie dachte an Eve, die ganz allein auf der Welt war. Sie dachte an die Nachthemden, die Unterwäsche, das Parfüm und die Kosmetikartikel, die sie für sie gekauft hatte und die gut versteckt in ihrem Kofferraum lagen. Sie dachte an die Eifersucht und das Temperament ihres Mannes. Sie fragte sich, wie lange sie Eves Anwesenheit im Krankenhaus vor ihm geheim halten konnte, aber vor allen Dingen fürchtete sie sich davor, was passieren würde, wenn er es erfuhr.

5 Was wir tun, aber nicht sagen

Liebe Lily,

es tut mir furchtbar, furchtbar, furchtbar leid, dass ich Freitag nicht zu Hause war, als du angerufen hast. Ich habe wirklich versucht, rechtzeitig zurück zu sein, aber ich war mit Ben in der Stadt (ich nenne ihn ab jetzt bei seinem richtigen Namen, weil er offiziell mein Freund ist — mehr dazu später), und seine Bandprobe hat sich total hingezogen. Aber Clooney hat mir erzählt, ihr hättet ungefähr eine halbe Stunde telefoniert. Was läuft da? Ich dachte, du hättest kein Geld zum Telefonieren??? Ich habe ihn gefragt, wie es dir geht, und er meinte, gut. Ich wollte wissen, was es Neues bei dir gibt, aber er sagte, nichts. Worüber habt ihr euch dann bitte so lange unterhalten? Wir haben, seit du weg bist, noch nicht mal fünf Minuten miteinander gesprochen! Egal. Ich werde mich nicht beschweren, schließlich hätte ich da sein müssen. Trotzdem, ich bekomme kein einziges Wort aus ihm raus, außer wenn er mich nervt. Egal. Wo fange ich an? Ahhh! Also gut. Ben ist ein UNGLAUBLICHER Sänger und Gitarrist. Seine Band ist so cool! Sie sind zu fünft. Ben singt und spielt Akustikgitarre, Billy ist am Bass, Mark am Schlagzeug, Finbarr am Keyboard und Tom an der Gitarre. Sie nennen sich Gulliver Stood On My Son und kommen mal mindestens so groß raus wie U2. Das

Konzert gestern Abend war der Hammer. Ben kam erst auf die Bühne, als die Band schon angefangen hatte zu spielen. Er nahm das Mikro und brüllte in den Saal, dass sie Gulliver Stood On My Son wären und er Ben fucking Logan. Er hat das «F-Wort» benutzt, weil das Rock 'n' Roll ist und ein Garant dafür, dass die Leute so richtig abgehen. Dir zuliebe und weil ich mich ein bisschen dafür geschämt habe, dass Declan mitbekommen hat, wie ich ihn Arschgesicht genannt habe, habe ich mich übrigens bei ihm entschuldigt und ihn eingeladen mitzukommen. In der Kneipe bin ich zu ihm gegangen und habe gesagt: Hör zu, ich vermisse Lily, und das lasse ich an dir aus, weil sie dich die ganze Zeit anruft und mich nie. Er hat echt nett reagiert. Er hat gesagt, er wäre froh, dass es daran läge, weil er sich echt Gedanken gemacht hätte, womit er mich beleidigt haben könnte, und das würde er niemals wollen. Dann hat er mir einen Drink spendiert. Ich habe mich natürlich revanchiert, aber die Geste zählt. Jedenfalls ist Declan dann auch zum Konzert gekommen, zusammen mit Gar, der das Mädchen aus Bray mitbrachte. Sie ist wirklich nett, aber sie macht erst im September ihren Abschluss, die Ärmste. Sie hat das ganze Theater noch vor sich. Egal, zurück zum Konzert. Die Band vor Gulliver Stood On My Son nannte sich Bricking It, was ein passender Name war, weil sie total grottig waren. Ich habe mich die ganze Zeit verrückt gemacht, weil ich dachte: Was, wenn sie so nervös sind, dass sie trotz der guten Proben auch so grottig spielen? Meine Meinung hätte man mir doch sofort angesehen, und ich hätte Ben auch keinen Gefallen getan, wenn ich gesagt hätte: Klar, ihr wart spitze, obwohl sie ganz und gar nicht spitze waren. Aber das ist jetzt auch völlig egal, denn sie waren spitze. Sie haben den Laden total gerockt. Ich schwöre dir, ich war so aufgeregt und

begeistert, dass ich am liebsten geweint hätte. Das war to-
tal seltsam, so gar nicht ich! Ich weiß nicht, was mit mir
los ist, Lily. Ich sehe in den Spiegel und erkenne mich selbst
nicht mehr. (Flipp jetzt bitte nicht aus, aber ich habe mir
die Haare geschnitten. Ich trage jetzt einen Bob.) Ich fühle
und denke ganz anders, das ist so eigenartig! Und sag jetzt
bitte nicht, dass ich groß oder erwachsen werde oder ir-
gendwas anderes Herablassendes. Ich habe das Gefühl, in
den letzten paar Wochen hat sich alles völlig verändert. Es
gibt einen Teil in mir, der sich wünschte, es würde ein biss-
chen langsamer gehen, weil mir schon ganz schwindelig ist.
Declan und Gar waren von der Band wirklich beeindruckt.
Danach haben wir alle zusammen in einer Bar um die Ecke
noch was getrunken. Bens Band würde dir gefallen! Billy ist
einundzwanzig und im normalen Leben Elektriker. Er hat
einen heftigen Dubliner Akzent und ist total witzig. Er
reißt ständig irgendwelche Witze. Ben nennt er Bonos Alb-
traum. SAUKOMISCH! Mark ist zwanzig, er ist der Stille
in der Band, aber er ist nett und wirklich schlau. Ständig
steckt er die Nase in irgendein Buch, von dem ich noch nie
was gehört habe. Er studiert Kunst. Er weiß noch nicht,
was er außer der Band mal machen will. Finbarr sieht ori-
ginal so aus wie der Vater von deinem Nachbarn, na ja, nur
jünger natürlich. Er studiert Geschichte und trägt eine
Hornbrille, aber mit seiner Haartolle sieht er trotzdem echt
süß aus. Tom ist neunzehn, genauso alt wie Ben. Sie sind
Cousins. Er hat lange in Frankreich gelebt. Seine Mutter ist
Französin, und er spricht fließend Französisch. Sie haben
sich, glaube ich, ganz gut mit Declan und Gar verstanden.
Ben und ich haben sie irgendwann allein im Pub gelassen
und sind ein bisschen durch die Gegend spaziert, die Graf-
ton Street am Park entlang, und dann hat er mir eine Lücke

in der Mauer gezeigt, und wir sind hineingeschlüpft. Es
war stockdunkel und, ehrlich gesagt, ein bisschen gruselig.
Ich meinte, wenn er das Loch in der Mauer kennt, dann
wissen sicher auch jede Menge andere Leute Bescheid, und
da könnten auch ein paar Perverse, Vergewaltiger, Mörder
und Junkies dabei sein. Er meinte, ich hätte echt Talent,
eine absolut romantische Geste zu ruinieren, und ich sagte,
ich steh nicht auf Romantik. Wir haben uns unter einen
Busch gesetzt und eine Ewigkeit geredet. Hast du gewusst,
dass die Bowlingbahn seinen Eltern gehört? Ich nicht. Und
dass der andere schräge Typ, der dort arbeitet, der Popelfresser, der Sohn eines Freunds der Familie ist und dass er
früher völlig normal war? Er hatte mit zwölf einen
Krampfanfall, und jetzt hat er einen Hirnschaden.
Schlimm, oder? Ich habe gesagt, Hirnschaden hin oder her,
wer seine Popel frisst, muss schon immer daran Geschmack
gefunden haben. Ben war nicht allzu glücklich über meinen
Kommentar, und wir haben das Thema gewechselt. Er hat
mir erzählt, dass es ihm auf dem College gefällt und Marketing auch ganz okay ist, aber am liebsten würde er einfach nur singen und Gitarre spielen. Ich habe ihm gesagt,
ich bin mir sicher, dass darin seine Bestimmung liegt, und
da war er wieder glücklich. Wir haben uns geküsst und geküsst und geküsst, bis mir das ganze Gesicht weh getan hat
und mein Kinn wund war. Er hat mir die Hand unter die
Bluse geschoben, und ich habe es überhaupt nicht gemerkt,
bis mir aufgefallen ist, dass ich es total schön finde. Ka-
pierst du, was ich meine? Ganz anders als der arme Gar,
der mir fast den Nippel abgerissen hat! Und dann hat sich
seine Hand nach unten bewegt, und ich habe sie festgehalten und AUF KEINEN FALL gesagt, nicht in einem Park,
was hältst du eigentlich von mir??? Und dann hat er

gesagt, es täte ihm echt leid, er hätte sich selbst vergessen,
weil er so auf mich steht! Ich bekam ein schlechtes Gewis-
sen und hab es ihm mit der Hand gemacht, weil es ihm an-
scheinend nichts ausmachte, dass wir im Freien unter einem
Busch saßen. Ach, und auf dem Rückweg habe ich keinen
Meter von unserem Versteck entfernt einen Stapel Pornos in
einer Plastiktüte gefunden, der Beweis für meine Theorie
über die Perversen, Vergewaltiger, Mörder und Junkies.
Auf dem Weg zur Bushaltestelle hat er mich gefragt, ob ich
noch Jungfrau bin! Kannst du das fassen? Der hat vielleicht
Nerven! Ich meinte, das ginge ihn überhaupt nichts an,
worauf er auf der Stelle stehen blieb, mich packte und gegen
das Geländer drückte. Nein. Wenn ich das jetzt noch mal
lese, klingt es, als wäre er brutal gewesen, aber so war es
überhaupt nicht, es war total sexy, und ich muss sagen, er
war entschieden und zärtlich zugleich. (MIR WIRD
SCHLECHT BEIM SCHREIBEN!) Er sah mir direkt in die
Augen, und ich konnte seinem Blick nicht ausweichen, ob-
wohl ich es versucht habe, weil ich total verlegen war. (ICH
UND VERLEGEN! UNGLAUBLICH!) Und dann sagte er,
es würde ihn sehr wohl was angehen, weil er mein Freund
wäre und dies einfach ein wichtiges Detail, auch wenn ihm
die Antwort selbst egal wäre! Ich bin fast gestorben! Ich
meine, es ist so intim, und ich hatte mir bis dahin noch gar
keine Gedanken gemacht, ob wir miteinander gehen, aber
wahrscheinlich ist es jetzt so, und ich will ja auch wirklich
seine Freundin sein. Ich wünschte, du wärst hier! Du bist in
Sachen Gefühle viel besser als ich. Ich würde am liebsten
davonlaufen, aber dann sehe ich ihn an und will bleiben,
und das macht mir Angst. Ich weiß, dass sich das echt
dämlich anhört, aber genau so ist es. Ich lasse eben nieman-
den an mich ran. Wer außer dir kennt mich denn schon?

Clooney ein bisschen, aber nur, weil er mit mir unter einem Dach lebt, und wenn ich genauer darüber nachdenke, kennt er mich eigentlich auch nicht. Schließlich erzähle ich ihm nicht so viel wie dir. Aaaahhh! Frust! Ich will mit dir reden! Ich meine, was ist, wenn Ben mich richtig kennenlernt und mich dann nicht mehr mag? Was ist, wenn ich ihn zu dem Zeitpunkt, wo er rausgefunden hat, dass er mich doch nicht mag, so sehr mag, dass ich sterben will, wenn er Schluss macht? Das war an Gar echt super! Er war nett und hat für Abwechslung gesorgt, aber wenn er Schluss gemacht hätte, wäre mir das egal gewesen. Das war ein echter Pluspunkt in unserer Beziehung.

Egal. Zurück zu dem Abend am Geländer. Ich habe die Frage zurückgegeben. Er ist natürlich keine Jungfrau mehr, er ist ein neunzehn Jahre alter College-Rocker! Also habe ich ihm die Wahrheit gesagt. Ich habe erzählt, dass Gar und ich es versucht haben und dass es nicht geklappt hat. Er hat gelacht, und weil mir das peinlich war, bin ich gegangen. Er ist mir nachgelaufen, hat sich entschuldigt und wollte wissen, was ich damit gemeint habe. Ich habe ihm erzählt, dass wir in meinem Zimmer waren und ich dachte, Danny und Clooney wären den ganzen Abend weg. Gar war nervös, und deswegen hat das mit dem Kondom eine Ewigkeit gedauert, und als er dann loslegte, ist er ständig an den falschen Stellen gelandet und war irgendwann völlig frustriert. Also fragte ich ihn, ob ich helfen kann, aber er verneinte, und dann haben wir jemanden an der Haustür gehört. Es war Clooney, und er rief erst nach Danny und dann nach mir, und in dem Moment, als Gar endlich in die richtige Richtung zielte, kam Clooney die Treppe rauf. Gar fuhr hoch und sprang aus dem Bett, und das war's dann auch schon mehr oder weniger. Ich habe Ben nicht erzählt, dass ich nach der Aktion echt überhaupt keine Lust mehr darauf hatte und ich deshalb mit Gar Schluss gemacht hätte. Ich fühle mich immer noch ein bisschen gemein, weil ich ihm keine zweite Chance gegeben habe, aber im Ernst: Ich hatte echt Angst, er würde beim nächsten Mal mit Höhlenforscherhelm und Wagenheber auftauchen! Ben bedankte sich dafür, dass ich es ihm erzählt habe. Ich sagte: Gern geschehen, und dann meinte er, ich müsste mir keine Sorgen machen, dass mir das mit ihm auch passieren würde. IST DAS DREIST? Ich habe ihm gesagt, er bräuchte sich keine großen Hoffnungen zu machen, weil ich nicht vorhätte, ihn in nächster Zukunft an mich ranzulassen. Er lächelte nur und meinte, die besten Dinge geschehen immer ungeplant. Daraufhin sagte ich, dass er für einen so kleinen Jungen echt eine große Klappe hätte. Er lachte nur. Jedenfalls denke ich seitdem darüber nach, und ich werde es mit ihm tun. Es läuft gut, und mal ehrlich, ich bin jetzt achtzehn, und ich habe keine Lust, als Jungfrau nach London zu gehen. Das wäre ein Albtraum! Ich warte jetzt noch eine Woche oder so und schaue, was passiert, aber mein Entschluss steht fest. Du findest jetzt bestimmt, dass ich es überstürze, weil ich ihn erst seit ein paar Wochen kenne usw. Aber nicht jeder trifft mit sechzehn seinen Seelengefährten, und du tust es schon seit über einem Jahr. Ich muss auf dem Gebiet echt aufholen und jetzt mal loslegen. Ach, und V Kill P ist tatsächlich lesbisch. Offensichtlich sind sie und Clooney wirklich nur gute Freunde und haben nur deshalb mehr Zeit miteinander verbracht, weil sie sich gerade von ihrer Freundin getrennt hat und er den Mädchen abgeschworen hat, seit die Haartante ihn verfolgt. Kein Witz. Neulich hat er Danny und mir beim Abendessen erzählt, dass sie überall auftaucht, egal wohin er geht. Sie ist ständig bei dem Sender, wo er gerade als Praktikant arbeitet. (Er ist jetzt Laufbursche und kein Moderator mehr. Ein ziemlicher Abstieg, aber es ist nur für den Sommer, und er findet es okay.) Sie sitzt häufig in dem Café, in dem er seine Mittagspause verbringt, und in der Bar, in der er abends was trinken geht. Danny meinte, beim Sender kann er nichts machen, aber er sollte vielleicht seine Stammkneipen wechseln. Clooney regt sich furchtbar darüber auf, aber Danny sagt, Veränderung ist immer besser als Stillstand und es würde Clooney guttun. Wenn sie dann in den neuen Kneipen auch wieder auftaucht, soll er sich an den Türsteher wenden. Kannst du das glauben? Darauf hat Clooney echt keinen Bock. Er meinte, dann würde der ganze Laden über ihn lachen, aber Danny meinte: Lass sie lachen, die Frau ist eindeutig gestört. Da stimme ich ihm zu, schließlich habe ich sie ja kennengelernt, und ihre Frisur ist der Beweis, dass sie eindeutig irre ist. Jedenfalls hofft Clooney, dass ein paar Veränderungen reichen, um sie von ihm abzubringen, und ich habe ihm gesagt, er soll sich keine Sorgen machen, weil er ja schließlich einen lesbischen Bodyguard hat. Danny und ich fanden das echt komisch, aber Clooney konnte beim besten Willen nicht darüber lachen. Er ist rausgestürmt und ward nicht mehr gesehen.

Ich war mit Gina an einem Abend was trinken. Ihr ist langweilig, weil viele von ihren Freunden über den Sommer nach Amerika gegangen sind, um in New Jersey zu arbeiten. Ich habe sie gefragt, warum sie nicht auch rübergegangen ist, und sie meinte, sie wollte bei ihrem Freund bleiben, aber der hätte mit ihr Schluss gemacht, als er die Möglichkeit bekam, mit ein paar Freunden nach Deutschland zu fahren. Ich jobbe jetzt in Murrays Coffeeshop, und sie schaut ab und zu vorbei, und wenn nichts los ist, reden

wir ein bisschen. Freitagabend gehen wir alle zusammen
was trinken: Gina, Declan, Gar, Paul und ich. Danach tref-
fe ich mich dann mit Ben, weil er bis spätabends auf der
Bowlingbahn arbeiten muss. Paul sieht man übrigens so gut
wie gar nicht mehr. Ich war mit den Jungs bei seinem Spiel,
aber seine neue Freundin war nicht da, und nach dem Spiel
hat er sich gerade mal fünf Minuten mit uns unterhalten
und gemeint, er würde nachkommen, aber dann ist er nicht
aufgetaucht. Ich bin ihm gestern über den Weg gelaufen,
und wir haben kurz einen Kaffee zusammen getrunken. Er
war schweigsam, und als ich wissen wollte, ob alles okay
ist, meinte er, ihm gingen gerade jede Menge Sachen durch
den Kopf. Ich dachte, er würde sich immer noch wegen sei-
ner Abschlussnoten Sorgen machen, aber er meinte, das
wäre es nicht, und er müsste es eben so hinnehmen, wie es
kommt. Er hat sich damit abgefunden, im Notfall zu wie-
derholen. Dann fragte er nach Ben, und ich erzählte ihm,
wie sehr ich ihn mag. Paul hat sich richtig für mich gefreut.
Ich habe ihn gebeten, Gar nichts davon zu erzählen, aber er
meinte, Gar hätte sicher nichts dagegen und ich sollte ein-
fach das tun, wonach mir ist. Er hat recht. Keine Ahnung,
warum ich in der Beziehung so eine Arschgeige bin. Ich
habe ihn eingeladen, zu Bens nächstem Konzert zu kommen,
und er meinte, er würde es versuchen. Ich hoffe, er kommt.
Ehe er ging, hat er einfach so aus heiterem Himmel gesagt,
dass ich schön bin und dass ich es verdient habe, mit dem
Jungen zusammen zu sein, den ich will! Das ist doch völlig
bescheuert. Keine Ahnung, was er geraucht oder genommen
hat, aber es hat trotzdem gutgetan, und ich war so ver-
legen, dass ich einfach nur «Danke, du auch» gesagt habe.

Ach, und habe ich dir schon erzählt, dass Clooney mit
ein paar Freunden zum Campen fährt? Ich glaube, er tut

es, um seine Verfolgerin abzuschütteln. Und jetzt rate mal, wohin sie fahren. Ja, genau, er kommt runter zu dir. Keine Ahnung, wie groß oder klein deine Stadt ist, aber es ist möglich, dass ihr euch über den Weg lauft.

Also gut, ich muss Schluss machen. Ich habe ein Leinenkleid in Größe 46 ergattert, mal sehen, was ich daraus mache. Ich hoffe, du hast immer noch so viel Spaß, und Colm hat noch nichts bei dir probiert. Aber ich wette drauf, dass er es auf alle Fälle noch tun wird.

Bitte versuch es doch am Freitag um vier noch mal bei mir. Ich verspreche dir, dass ich zu Hause sein werde. Ben muss arbeiten, und ich treffe mich erst um acht mit den anderen.

Ich vermisse dich und hab dich lieb,
Eve

PS: Meine Liste ist zur Abwechslung mal nicht das genaue Gegenteil von deiner.
1. Adam (Weil er der coolste ist.)
2. Bono (Weil er der Sänger ist.)
3. Larry (Weil The Edge aussieht, als ob er bereits Vater wäre.)
4. The Edge (Wer will schon mit einem Vater zusammen sein?)

PPS: Ich weiß, ich habe nur von mir geredet (öfter mal was Neues), aber das musste einfach alles mal raus, und ich freue mich schon auf deine Neuigkeiten.

Und eine letzte Sache noch: Ich glaube, ich habe mich echt in Ben verliebt! HILFE!!!

* * *

Am dritten Tag fühlte Eve sich zum ersten Mal einigermaßen wach. Die Morphiumdosis, die in ihrem Körper zirkulierte, wurde langsam reduziert, und obwohl ihr immer noch alles weh tat und sie sich rundum unwohl fühlte, war ihr leichter, weniger bleiern und schwer zumute. Der Morgen begann mit einer ausgiebigen Wäsche im Bett. Bewaffnet mit Handtüchern, frischer Bettwäsche, Zahnpasta, Cremes und Waschlappen, betrat Lily das Zimmer und legte alles auf den Beistellwagen. Sie verschwand wieder aus Eves Blickfeld, um eine Schüssel warmes Wasser zu holen, und Eve merkte zum ersten Mal, dass außer Lindsey Harrington inzwischen eine weitere Dame in den Siebzigern im Zimmer lag.

«Wer ist da?», fragte die Frau.

«Ich bin gleich bei Ihnen, Anne.»

«Abby, sind Sie das?»

«Nein, Anne, ich bin's, Lily. Abby hat heute frei. Ich bin gerade noch bei einer anderen Patientin – danach komme ich zu Ihnen.»

«Okay, Häschen. Immer mit der Ruhe. Geht es dem Mädchen heute besser, Häschen?»

«Ja, Anne, ihr geht es viel besser», sagte Lily und tauchte mit der Schüssel an Eves Bett auf.

«Das ist gut. Sie hat letzte Nacht nämlich ganz schön viel geweint. Sie ist eine ziemlich laute Person.»

Lily lächelte Eve an. «Ja, Anne, das ist sie.» Sie zog die Vorhänge zu.

«Sie ist nicht die einzige laute Person hier!», herrschte Lindsey Harrington Anne an. Anne schüttelte nur den Kopf und nahm eine Zeitschrift zur Hand.

Lily zog die Augenbrauen hoch, und Eve grinste. Sie wappnete sich innerlich, als Lily den Schalter nahm, um das Bett hochzufahren.

«Schon gut», sagte Lily und klappte das seitliche Geländer herunter. Sie zog sich Handschuhe an und legte Eve ein Handtuch auf die Brust.

Sie putzte ihr die Zähne, ganz behutsam, um die Nähte im Mund nicht zu berühren. Die Zahncreme brannte, und Eve griff dankbar nach dem Zahnputzbecher, den Lily ihr hinhielt, um nachzuspülen. Es war das reinste Martyrium, und nun stand ihr auch noch die Pflege ihres übrigen geschundenen Körpers bevor. *Oh, Hilfe!*

«Ich ziehe dir jetzt das Papierhemd aus und decke dich mit einem Badehandtuch zu, okay?»

«Okay.»

Vorsichtig zog Lily Eve das Krankenhausnachthemd über den malträtierten Körper. Sie war von Kopf bis Fuß übersät mit gelben, braunen, blauen und violetten Blutergüssen. Das linke Bein und die Schulter waren zur Sterilisation des OP-Feldes mit braunem Jod bepinselt worden, und an den Verbänden klebte verkrustetes Blut. Lily deckte Eve mit dem Handtuch zu.

«Wir haben alle Zeit der Welt», sagte sie, und sosehr es Eve auch graute, sie konnte sich ein Lächeln trotzdem nicht verkneifen.

«Wer ist denn bitte *wir*?»

«Entschuldige, die Macht der Gewohnheit», sagte Lily und drückte sorgfältig den Waschlappen aus, ehe sie damit sanft über Eves Gesicht fuhr. Behutsam entfernte sie das getrocknete Blut, ohne an den Nähten zu zerren.

Eve zuckte ein- oder zweimal zusammen, und obwohl ihr Auge und die Lippen immer noch sehr geschwollen waren, sah sie wieder ein bisschen mehr aus wie sie selbst, als sie gewaschen war.

«Willst du mal sehen?», fragte Lily.

«Ich weiß nicht. Will ich das?»

«Ich verspreche, dass es wieder besser wird», sagte Lily und reichte Eve einen Handspiegel.

Eve hob den Spiegel, wendete ihn hin und her und betrachtete ihr Gesicht.

«Heilige Scheiße!», sagte sie.

«So schlimm ist es gar nicht.»

«Du hast leicht reden.» Eve ließ den Spiegel sinken. «Du siehst immer noch aus wie das wunderschöne junge Mädchen, das ich früher mal kannte.»

Es war das erste Mal, dass eine von ihnen direkt auf die Tatsache anspielte, dass sie sehr lange Zeit nicht miteinander befreundet gewesen waren.

Lily nahm ihr den Spiegel aus der Hand. «Glaub mir, das gibt es schon lange nicht mehr», sagte sie.

«Ach komm», antwortete Eve. «Das steckt sicher noch irgendwo.»

«Und was ist mit dir, Eve? Bist du noch das Mädchen von damals?» Sie konnte eine gewisse Schärfe in ihrem Tonfall nicht verbergen.

«Nein, nicht wirklich, es wird dich freuen zu hören. Aber niemand verändert sich grundlegend – wir sind, was wir sind.»

Lily nickte zustimmend. «Du schläfst also mit einem verheirateten Mann?», fragte sie ihre alte Freundin, und Eve lachte leise.

«Darauf bin ich nicht gerade stolz …», sagte sie.

«Ich habe gelesen, dass du dir in Amerika was aufgebaut hast», sagte Lily.

Aha. Sie hat mich also doch gegoogelt. «Ja. Ein Leben voller Arbeit und sonst nichts. Ich war es leid.»

«Und Ben Logan?»

Eves Augen füllten sich mit Tränen, und Lily tat es augenblicklich leid, dass sie das Thema überhaupt angeschnitten hatte.

«Ich habe versucht, die Zeit zurückzudrehen. Es hat nicht funktioniert», sagte Eve, und damit war das Gespräch beendet.

Eves Schulter stellte das größte Problem dar. Sie weinte, als Lily sie wusch, denn so behutsam sie auch vorging, selbst die sanfteste Berührung fühlte sich an wie Messerstiche. Als Eve endlich frisch gewaschen war und nackt unter dem Badetuch lag, stellte Lily die Tüte mit den Sachen aus dem Einkaufszentrum auf den Stuhl. Sie holte drei Nachthemden heraus, zwei weiche Wollschals und Baumwollunterwäsche.

«Das ist doch nicht nötig!», sagte Eve.

«Ich lasse dich hier sicher nicht in Papierzeug rumliegen. Danny würde mich umbringen», sagte Lily, als täte sie all das für einen toten Mann und nicht für die Frau, die vor ihr lag.

«Danke», sagte Eve und bemühte sich, nicht gleich wieder loszuweinen.

Weil Eves rechter Arm so gut wie unbeweglich war, hatte Lily die Nachthemden drei Nummern zu groß gekauft. Sie suchte sich eins aus und trennte einen schmalen Träger ab, damit sie es Eve über den Kopf ziehen konnte, ohne Schulter oder Arm bewegen zu müssen. Sie zog den Stoff über Eves steifen Arm und verknotete die zerschnittenen Trägerenden.

«Sehr raffiniert», sagte Eve.

«Das ist aber noch nicht alles!» Lily nahm zwei große Sicherheitsnadeln aus der Tüte. «Es sieht noch viel besser aus, wenn es wirklich passt.»

Sie raffte den überschüssigen Stoff zusammen und steckte ihn an beiden Seiten fest. Sie trat zurück und betrachtete ihr Werk.

«Sehr hübsch», sagte sie. «Möchtest du eine Stola?» Sie hielt eine hübsche dunkelgraue Baumwollstola hoch.

Eve nickte, und Lily legte ihr das Tuch um die Schultern.

«Ich bin dir wirklich dankbar», sagte Eve, als Lily sie mit Parfüm besprühte.

«Gern geschehen.» In dem Augenblick, als Lily die Vorhänge wieder aufzog, betrat Clooney das Krankenzimmer.

«Clooney!», sagte Eve zutiefst erschrocken, und Clooneys Gesichtsausdruck verriet Lily, dass es ihm ganz genauso ging.

«Oh, Eve, was ist mit dir passiert?»

«Was tust du hier?», fragte sie und fing wieder an zu weinen, diesmal jedoch nicht, weil sie sich um Ben Sorgen machte, weil sie unter Schmerzen litt oder verzweifelt war, sondern weil sie so unglaublich froh war, ihren Bruder zu sehen.

Er beugte sich zu ihr und küsste sie auf die Stirn. Dann zog er sich einen Stuhl heran und setzte sich zu ihr ans Bett.

«Als ob ich nicht kommen würde!», sagte er.

«Dann liege ich wohl im Sterben», scherzte sie.

«Also wenn dem so ist, dann sieht es echt schmerzhaft aus.»

Eves Blick wanderte von Clooney zu Lily. «Das hättest du nicht tun sollen, aber danke!»

Clooney sah Lily an, und ein breites Strahlen ging über sein Gesicht. Sie lächelte zurück, nickte zum Abschied und ließ die beiden allein.

«Natürlich! Sie ist deine alte Freundin, und ich bin dein Bruder», sagte er. Eve sah ihm in die gehetzt wirkenden Augen und war froh, dass er nicht mehr in Afghanistan war. Auch wenn sie sich fast hatte umbringen lassen müssen, um ihn nach Hause zu locken.

Lilys Nachricht hatte Clooney erst am Vorabend erreicht. Er war den ganzen Tag über von einer Besprechung zur nächsten gehetzt, und das Telefon stand währenddessen auf lautlos. Sein Fahrer erzählte gerade von einem Bombenanschlag, der sich am selben Tag ereignet hatte. Eine Frau hatte sich einer Gruppe amerikanischer Soldaten genähert und sich selbst in die Luft gesprengt. Ganz eindeutig hatten die Soldaten getötet werden sollen, doch aus irgendeinem Grund war die Bombe nicht so losgegangen wie geplant, und während die Frau sich selbst in Stücke riss, waren die Soldaten nur zu Boden geworfen worden. Sie hatten Glück gehabt, im Gegensatz zu der Attentäterin, die nicht sofort starb, sondern langsam auf offener Straße verblutete. Aus Angst vor einer zweiten Detonation hielten sich Soldaten und Passanten von ihr fern, und einem Gerücht zufolge war ein streunender Hund, der zuerst ihr Blut aufgeleckt und dann das Bein gehoben hatte, ihre einzige Begleitung auf dem Weg zu Allah gewesen. Abgehärtet von Geschichten dieser Art, achtete Clooney nicht besonders auf das, was sein Fahrer ihm erzählte, denn er war einfach nur erschöpft von einem Tag voll endloser, sich ständig wiederholender, frustrierender Besprechungen.

Clooney spürte bereits seit geraumer Weile eine gewisse innere Unruhe. Auch bei ihm hatte der Aufenthalt in Irland das Bedürfnis nach Veränderung hervorgerufen, doch im Gegensatz zu seiner Schwester war Clooney mit diesem

Gefühl vertraut, denn er hielt es nie allzu lange an einem
Ort oder bei ein und demselben Job aus. Er war nun schon
seit zwei Jahren in Afghanistan, und das waren zwei Jahre
zu viel. Er hatte die Nase voll von Sicherheitskontrollen,
Wachpersonal, Restriktionen, Staub und Tod. Er träumte
von einem exotischen Klima, von üppigem Grün, weißen
Stränden, von wolkenlosem Himmel und blauem Meer.
Er träumte von Ruhe und Stille. Er war die Diskussionen
über Fördergelder, Finanzierungen und Vertriebskanäle
leid. Dabei zuzusehen, wie der Krieg Leben und Existenz-
grundlagen zerstörte und aufrechte Menschen zu Bettlern
und Dieben machte, war eine ungeheure seelische Belas-
tung für ihn. Vor dem Tod seines Vaters war er Zeuge der
Entführung zweier amerikanischer Unternehmer geworden. Durch eine Bombenexplosion wurde ihr Wagen am
Straßenrand aufs Dach geworfen, aus dem Nichts tauchten Angreifer auf, und die Sicherheitsmänner, die aus dem
verunglückten Fahrzeug kletterten, wurden auf offener
Straße erschossen. Clooneys Wagen befand sich drei Autos
hinter dem Angriffsziel. Während sein Fahrer wendete, um
sie in Sicherheit zu bringen, drehte Clooney sich um und
sah durch die Heckscheibe, wie die verletzten Amerikaner
in einen wartenden Minibus gezerrt wurden. Der Bus raste
davon, Staubwolken wirbelten auf, und schon waren die
Männer verschwunden. Clooney wusste, dass er nie wirklich in Gefahr gewesen war – der Angriff war gezielt ausgeführt worden –, doch der Vorfall hatte enorme Wirkung
auf ihn, vor allem weil später einer der Entführten geköpft
wurde. Clooney hatte sich zwar im Laufe der Jahre zu per-
manenter Vorsicht erzogen, aber er hatte noch nie zuvor
echte Angst verspürt, egal wie haarig die Situationen auch
gewesen waren. Der Vorfall wirkte auf ihn wie ein Gift,

das sich langsam in seinem System ausbreitete. Es raubte ihm den Schlaf und ließ ihn schneller altern. *Ich will hier nicht mehr bleiben.* Seit seinem kurzen Aufenthalt in Irland hatte er an einem Ausstiegsplan gefeilt, und dazu gehörte auch die Trennung von Stephanie, einer amerikanischen Journalistin, die in dem Zimmer am Ende des Flurs wohnte. Sie waren seit einem Jahr mehr oder weniger zusammen. Es war ein sehr lockeres Verhältnis. Oft verschwand sie auf der Jagd nach Geschichten tage- oder wochenlang mit ihrem allzeit bereiten Kameramann George. Als sie einmal über einen Monat lang wegblieb, dachte Clooney schon, sie wäre womöglich nach Hause zurückgekehrt, dabei hatte sie sich in eine Story verbissen, die sie bis nach Pakistan führte. Er mochte Stephanie sehr. Sie war draufgängerisch und amüsant. Sie hatte in Afghanistan eigentlich nichts verloren, erst recht nicht als Frau, doch im Grunde konnte man von ihm und jedem anderen Ausländer hier dasselbe sagen. Stephanie entstammte einer großen Familie mit militärischem Hintergrund und zahlreichen Söhnen. Generationen von Familienmitgliedern hatten in Kriegen auf der ganzen Welt gekämpft. Es lag ihr im Blut, ein Teil der Truppe zu sein, und sie schien sich in chaotischen Verhältnissen wohlzufühlen – sehr viel wohler jedenfalls als Clooney, der seine Karriere damit begonnen hatte, tagsüber Elendsquartiere durch feste Häuser zu ersetzen und nachts betrunken in irgendwelche Pools zu springen.

An jenem Abend ging er zurück in sein Hotel und aß alleine auf dem Zimmer. Stephanie klopfte an seine Tür, als er gerade mit dem Essen fertig war. Sie war über eine Woche verschwunden gewesen. Er ließ sie herein, und sie küsste ihn.

«Wie ist es gelaufen?», wollte er wissen.

«Eine einzige Pleite.»

«Tut mir leid.»

Sie zuckte die Schultern. «Kommt vor.»

Sie küsste ihn noch einmal, und er schob sie sanft von sich.

«Bist du müde?», fragte sie und sah ihm in die rot geränderten blauen Augen, die finster dreinblickten.

«Ich fühle mich, als hätte mich ein Auto überfahren», sagte er, und sie lächelte.

«Ich auch. Wie wär's, wenn ich uns eine Wanne einlaufen lasse und wir uns einfach eine Weile darin entspannen, ehe wir in die Federn kriechen?»

«Klingt gut.»

Stephanie ging ins Bad und drehte den Wasserhahn auf. Das Wasser fing mit ein paar Sekunden Verzögerung an zu laufen. Zuerst prustete und spritzte es aus dem Hahn, während die Leitungen hörbar ächzten, aber dann, als hätte jemand dem ganzen System einen herzhaften Tritt versetzt, kam das Wasser in Fahrt und lief heiß in die Wanne. Die Fliesen waren rissig und teilweise gesprungen, aber das Bad war immer noch ein schöner Raum, obwohl es seine besten Zeiten eindeutig hinter sich hatte. Die Wanne war verfärbt, gelb an manchen Stellen und schwarz an anderen. Der Spiegel über dem Waschbecken hatte einen Sprung von einer Ecke zur anderen und wurde nur von dem breiten Goldrahmen zusammengehalten. Das Hotel gehörte einst zu den schönsten Häusern Kabuls, doch die Jahre des Krieges hatten seine Pracht zerstört, wie so vieles andere auch. Als die Wanne vollgelaufen war, stieg Clooney hinein, und Stephanie ließ sich zwischen seine Beine gleiten und lehnte sich an ihn. Die Wanne war tief und lang genug für sie beide, und sie saßen oft zur Entspannung darin, normalerweise mit einem Gin Tonic. Doch an diesem Abend war keinem von beiden nach Alkohol zumute. Clooney schlang seine Arme um sie und hielt sie fest.

«Ist irgendwas passiert da draußen?», fragte er sie, wie er es immer tat.

«Nein. Alles gut», antwortete sie ebenfalls wie immer, und Clooney wusste nie, ob er ihr glauben sollte. Sie liebte das Risiko und die Gefahr und war arrogant, und wenn er es sich erlaubte, sie tatsächlich in sein Herz zu schließen, dann hätte er aus Sorge um die zahllosen grässlichen Dinge, die ihr zustoßen konnten, schon längst den Verstand verloren. *Bitte stirb nicht hier, Steph.*

«Das Leben hat mehr zu bieten als den Krieg», sagte er.

«Das Thema schon wieder?»

«Ich gehe bald.»

«Das sagst du schon seit einer ganzen Weile.»

«Ich beende nur noch dieses Projekt, dann bin ich weg», sagte er. «Du solltest auch darüber nachdenken, von hier zu verschwinden.»

«Quatsch. Hier ist mein Platz.»

«Willst du nicht manchmal auch was anderes für dich?»

«Was? Einen Ehemann und Kinder? Willst *du* das?»

«Hilfe, nein!», sagte er. «Ich dachte eher an eine Hängematte, ein kaltes Bier und einen Blowjob.»

Sie lachte. «Das ist Urlaub für Perverse und kein Leben.»

«Besser als das hier.»

Sie drehte sich um und betrachtete sein müdes Gesicht. «Ich weiß nicht», sagte sie. «Ich finde das hier ziemlich nett.» Sie küsste ihn, wandte sich wieder um und ließ sich tiefer ins warme Wasser gleiten.

Er streichelte ihren Arm. «Mir bleiben nur noch knapp zwei Wochen.»

«Und du bist dir sicher?»

«Ja.»

«Wo willst du hingehen?»

«Ich dachte an die Galapagosinseln, vielleicht für eine Weile in einer Strandhütte abhängen, von dort aus nach Südamerika, und dann sehe ich weiter.»

«Denkst du darüber nach, dir dort einen Job zu suchen?»

«Nein», sagte er. «Ich möchte nicht arbeiten.»

«Nur zum Vergnügen. Schön für dich.»

Wenn ein Vertrag auslief, hatte Clooney nie schon was Neues in Aussicht, aber wenn er wieder einsteigen wollte, gab es immer irgendwas – in der Regel im Zusammenhang mit einer großen Katastrophe. Denn am meisten Talent besaß er als Notfallkoordinator. Er hatte schon viele Teams an vielen Schauplätzen humanitärer Katastrophen angeführt, und manchmal waren sie als internationale Ersthelfer vor Ort. Deshalb war Clooney in seinem Leben bereits Zeuge der schlimmsten Verwüstungen und Zerstörungen geworden, zu denen die Natur in der Lage war. Außerdem hatte er hautnah die Kraft des menschlichen Geistes erfahren, sowohl im besten wie im schlimmsten Sinne, und unglaublich schöne sowie schlechte Zeiten durchgemacht. Er genoss das unbeschreibliche Hochgefühl, wenn sie einen Sieg errungen und unter außergewöhnlichen Umständen ein Leben gerettet hatten und dabei besondere Risiken eingegangen waren. Und er suhlte sich in den Tiefs, wenn zum Beispiel ein dreijähriges Mädchen vor seinen Augen verhungerte, weil nur ein paar Kilometer entfernt ein Lastwagen mit Nahrungsmitteln und Medikamenten liegen geblieben war. Er erinnerte sich an jeden einzelnen Namen und an jedes Gesicht derjenigen, zu deren Rettung er beigetragen hatte. Gleichzeitig vergaß er auch diejenigen nicht, für die jede Hilfe zu spät gekommen war. In den Anfangszeiten unterschrieb er Sechs- oder Zwölfmonatsverträge und nahm sich danach einen Monat – oder auch sechs – frei. Während der Auszeiten lebte er irgendwo am Strand und immer an einem Ort, an dem er mit einem äußerst schmalen Budget wie ein König leben konnte. Wobei Clooneys Vorstellung von einem königlichen Leben kaum der der meisten Leute entsprach. Solange er Sand zwischen den Zehen hatte, dazu die Sonne über sich, vor sich blaues Meer bis zum Horizont, ein kühles Bier und etwas zu essen, besaß er alles, was er brauchte. Doch kürzlich war ihm bewusst geworden, dass er trotz ständiger Ortswechsel seit 2004 ununterbrochen arbeitete. 2004 war er zwei Tage nach dem Tsunami in Indonesien gelandet. 2005 verließ er Indonesien, um nach dem Hurrikan Katrina ein Helferteam in New Orleans zu leiten. 2006 kehrte er nach einem heftigen Erdbeben nach Indonesien zurück und arbeitete in Java. Er blieb bis 2008, als man ihm die Durchführung eines Ernährungsprogramms in Afghanistan anbot.

Clooney war an Tod und Zerstörung gewöhnt, doch er hatte es immer mit den Folgen von Naturkatastrophen zu tun gehabt. Afghanistan war sein erstes Kriegsgebiet und auch sein letztes, das hatte er sich geschworen. So deprimierend und entsetzlich der Verlust Tausender Menschenleben an eine größere Macht auch war, Menschen, die willentlich andere Menschen abschlachteten, würde Clooney nie wirklich verstehen. Er lebte nach einem schlichten Ethos. Der Zorn der Natur ist unausweichlich, der Zorn des Menschen ist vermeidbar. Clooney glaubte an Frieden und Liebe und all die guten Dinge. Im tiefsten Herzen war er ein Naturfreund, und er gehörte einfach nicht nach Afghanistan. Das Land, der Ethos der Menschen, die ihn umgaben, und die Dinge, die er gesehen hatte, verwandelten ihn langsam in jemanden, der er nie hatte sein wollen. Mit jedem Tag, der verging, wurde er kälter und distanzierter. *Wieso soll ich mich um Menschen kümmern, die mich am liebsten tot sehen würden? Und wieso sollten sie auch anders empfinden? Wir haben zwar deinen Laden in die Luft gejagt, aber hier hast du ein Sandwich und schönen Tag noch.* Clooney war mehr als reif für eine Pause.

Die Monate in Irland mit seinem Vater waren hart gewesen. Clooney war an den Anblick des Schlimmsten gewöhnt, was diese Welt zu bieten hatte. Doch als es mit seinem Vater zu Ende ging, stellte sich heraus, dass seine schicke Business-Schwester mit ihrer luxuriösen New Yorker Designerwohnung aus viel härterem Holz geschnitzt war als er. Clooney hatte in diesem Haus seine Eltern sterben sehen, und als die Bestattung vorüber war, spielte er mit dem Gedanken, an irgendeinen exotischen Strand abzuhauen. Doch sein Pflichtgefühl verbot es ihm, sich seiner beruflichen Verantwortung zu entziehen.

Er war in Afghanistan beinahe fertig und zählte im wahrsten Sinne des Wortes die Tage. Er würde Stephanie vermissen, genau wie sie ihn vermissen würde, aber ihnen war beiden klar, dass sie im anderen eher eine Atempause sahen als die ewige Liebe. Dazu waren sie viel zu unterschiedlich. Er war der unbeschwerte Hippie und sie die zielstrebige Militärbraut, deren Waffe die Kamera war. Sie fanden Vergnügen aneinander, aber eine Trennung würde beiden nicht schwerfallen.

Als sie aus der Wanne stieg, entdeckte er auf der Rückseite ihres Oberschenkels eine Brandwunde.

«Was ist passiert?», fragte er.

«Nichts», antwortete sie, und ihr Blick sagte ihm, dass er keine andere Antwort bekommen würde.

Er folgte ihr ins Schlafzimmer. Sie zog ein leichtes Baumwollhemd an und schlüpfte unter die Decke.

«Ich will nicht, dass du hier stirbst», sagte er.

«Dieser Ort ist genauso gut wie jeder andere», antwortete sie, küsste ihn und war eingeschlafen, sobald ihr Kopf das Kissen berührte.

Er lag noch drei Stunden wach, ehe er es ihr gleichtat, schlief jedoch nur ein oder zwei Stunden. Als er wieder aufwachte, war Stephanie weg. Da erst hörte er seine Mailbox ab und erfuhr, dass seine Schwester einen schweren Autounfall gehabt hatte. Stephanie war nicht mehr im Haus. Er packte seine Sachen und hinterließ ihr an der Rezeption eine Abschiedsnachricht. Er übertrug die restliche Abwicklung einem Kollegen und verließ Afghanistan, ohne sich noch mal umzudrehen.

Clooney saß auf dem Besucherstuhl, betrachtete Eve und machte sich ein Bild von dem Schaden, den der Rote Unhold angerichtet hatte. Sie seufzte.

«Du siehst aus, als wärst du im Krieg gewesen», sagte er.

«Tja, der Verkehr war mörderisch», antwortete sie in dem Versuch, ihre Situation herunterzuspielen, doch es klang wenig überzeugend. Ben ging ihr keine Sekunde lang aus dem Kopf, sodass ein wirklich aufrichtiges Lächeln unmöglich war. «Es ist schön, dich zu sehen.»

«Ich hätte mich lieber an einem Strand mit dir getroffen.»

«Ich auch», sagte sie. «Weißt du noch, Bali?»

«Wie könnte ich das vergessen?»

«Das hätten wir öfter tun sollen.»

«Du hast immer gearbeitet.»

«Die Zeiten sind vorbei.»

«Dann tun wir es wieder.»

«Jetzt arbeitest *du* immer.»

«Ich bin fertig», sagte er. «Der Vertrag wäre in zwei Wochen sowieso ausgelaufen. Jerry macht die Abwicklung. Ich bin raus.»

«Ach, bin ich froh! Der Krieg steht dir nicht.»

«Du hast recht.»

«Und jetzt? Ab an den Strand?»

«Sobald du mitkommen kannst.»

«Du musst das nicht tun, Clooney.»

«Weiß ich.»

«Aber es ist wirklich schön, dich zu sehen.»

«Und jetzt zurück zu dir», sagte er. «Erzähl.»

Clooney war der einzige Mensch, der von ihren Treffen mit Ben wusste, und er hatte sie vor den Gefahren gewarnt, die es mit sich brachte, mit einem verheirateten Mann zu schlafen, vor allem wenn der behauptete, glücklich zu sein. Sie hatte weder Paul, Gar noch Gina in ihr schmutziges Geheimnis eingeweiht. Es gab keinen Grund, dass sie davon erfuhren, und hätte Clooney sie nicht dabei erwischt, wie sie in der Parallelstraße von zu Hause aus Bens Auto stieg, hätte sie auch ihm nichts davon erzählt. Ben war Eves beschämendes Geheimnis. Sie hatte zwar keine Angst vor der Hölle, aber dennoch moralische Gewissensbisse. Sie wusste, dass ihre Affäre falsch war, und das machte ihr zu schaffen.

«Wenn es sich falsch anfühlt, ist es falsch», hatte Danny immer gesagt, und es hatte sich tatsächlich falsch angefühlt, auch wenn es sich gut angefühlt hatte. Eve war schon immer ein sehr nüchterner Mensch gewesen. Sie sprach die Dinge aus, wie sie waren, ungeachtet der Konsequenzen. Sie tat, was zu tun war. Sie entschuldigte sich nicht dafür, wer sie war. Sie mochte keine Heimlichkeiten, das reizte sie einfach nicht. Sie verabscheute den Verrat, der mit ihren Treffen unweigerlich verbunden war. Doch zugleich war sie süchtig nach dem Blick, mit dem Ben sie jedes Mal ansah, und das war der einzige Grund, weshalb sie ihn doch immer wieder traf. Seit ihrer Rückkehr nach Irland hatte sie sich eingeredet, dass ihre Beziehung sich verändert hätte und sie nur versuchte, ihm bei seinen Geschäftsproblemen zu helfen. Dann hatten sie Sex und wurden von einem Auto überfahren. Eve glaubte vielleicht nicht an einen Gott oder die göttliche Vorsehung, aber sie akzeptierte die Möglichkeit, dass das Universum ihnen etwas sagen wollte. *Wenn es sich falsch anfühlt, ist es falsch.*

In der folgenden Stunde erzählte Eve Clooney vom Verkauf ihres Unternehmens, ihrer Rückkehr nach Hause, wie sie Ben helfen wollte und von dem Abend ihrer einmaligen Liaison, der schließlich in dem Unfall endete. Weinend erzählte sie ihm, dass Ben auf einem anderen Stockwerk im Koma lag, seine Frau an seiner Seite. Sie flehte ihn an, ihr Informationen über seinen Zustand zu besorgen, weil sie sicher war, dass Lily ihr das komplette Ausmaß verschwieg. Er versprach, sich zu erkundigen. Sie gab ihm die Schlüssel zu ihrer Wohnung, damit er dort wohnte. Weil sie seit vier Tagen nicht zu Hause gewesen war, riet sie ihm, die Finger von den Milchprodukten im Kühlschrank zu lassen, und warnte ihn, dass er in der Diele leider über ihr Höschen stolpern würde, das Ben ihr dort vom Leib gerissen hatte. Sie schalt sich insgeheim, weil sie ihren Haushalt nicht besser in Schuss hielt. Als sie an dem Abend des Unfalls aus der Dusche stieg und sich ein frisches Höschen anzog, dachte sie zwar einen Augenblick darüber nach, in die Diele zu gehen und das alte aufzuheben, doch dann küsste Ben ihren Nacken, und sie vergaß es. Auf dem Weg zur Wohnungstür fiel es ihr zwar noch einmal kurzfristig ein, doch ein Blick auf die Uhr sagte ihr, dass ihr die drei Sekunden fehlten, um das Höschen aufzuheben und in den Mülleimer oder in den Wäschesack zu werfen, je nachdem ob es noch zu retten war. *Das kommt davon, wenn man Stringtangas trägt.* Das führte sie zu einem anderen Gedanken: *Wenigstens hatte ich ein frisches Höschen an, als ich überfahren wurde. Das ist doch auch schon mal was.*

Clooney war die ganze Nacht geflogen und hatte nicht geschlafen. Eve bestand darauf, dass er nach Hause fuhr.

«Ich will dich nicht allein lassen», sagte er.

«Du stinkst.»

Er lachte. «Okay. Ich gehe.»

«Gut.»

Er küsste sie auf die Stirn und verließ das Zimmer.

Lindsey Harrington ergriff als Erste das Wort.

«Wer ist dieser gutaussehende Mann?», fragte sie.

«Mein Bruder.»

«Glauben Sie, er würde mit mir ausgehen?»

Hinter ihrem Buch meldete sich Anne zu Wort: «Wenn er taub, blind und dumm wäre, hätten Sie vielleicht eine Chance, Häschen.»

«Sagen Sie ihm bitte, ich muss Punkt zehn Uhr zu Hause sein, und er muss vorher mit meinem Vater sprechen.»

«Natürlich», sagte Eve.

Anne schüttelte laut seufzend den Kopf. Sie hatte für Demenzkranke kein Verständnis. «Sie sollte gar nicht hier sein, sie gehört ins Irrenhaus.»

Eine Schwester, die Eve nicht kannte, betrat das Zimmer und machte das leere Bett neben ihr zurecht.

«Bekommen wir noch eine Zimmergenossin, Häschen?», wollte Anne wissen.

«Ja, sie kommt bald.»

«Ich hoffe, sie ist jünger. Wir müssen unbedingt den Altersdurchschnitt senken.» Sie deutete auf Eve. «Sonst glaubt das arme Ding am Ende noch, sie wäre im Altersheim gelandet.»

Eve lächelte leicht.

«Ich fürchte, Sie haben Pech, Anne», erwiderte die Schwester. «Beth ist fünfundsiebzig.»

«Noch eine Hüfte?», fragte Anne.

«Noch eine Hüfte.»

«Ist sie auch gaga?», wollte Anne wissen und warf einen bedeutungsvollen Blick auf Lindsey, die zwar die Augen geöffnet hatte, aber nicht zuzuhören schien.

«Nein, Anne, ist sie nicht.»

«Na, das ist doch schon mal was, Häschen», sagte Anne zu Eve, und Eve lächelte bestätigend.

Anne Murray war zweiundsiebzig Jahre alt. Sie hatte sich die Hüfte gebrochen, als sie über die Spielzeugeisenbahn gestolpert war, die ihr Enkelsohn auf der Treppe liegen gelassen hatte. «Ich habe Glück, dass ich mir nicht das Genick gebrochen habe», hatte sie Eve erzählt, «denn beinahe wäre ich mit dem Kopf durch die Glasscheibe am Fuße der Treppe gefallen. Das süße Kerlchen!»

«Ich habe auch zwei süße Kerlchen, Labradorwelpen, Simple und Simon», mischte Lindsey sich wieder ein. «Simple jagt so lange seinem eigenen Schwanz hinterher, bis ihm ganz schwindlig wird und er umfällt. Dann dreht er sich auf den Rücken und wartet darauf, dass ich ihm das

Bäuchlein kraule. Mein Daddy sagt, wenn ich groß genug bin, darf ich mit ihm Gassi gehen. Simon geht nicht gerne Gassi. Er ist sehr faul. Daddy sagt, er ist schon als alter Mann zur Welt gekommen.»

«Jesus Christus, jetzt hat es sie wieder erwischt!», sagte Anne.

Lindsey stand kurz vor ihrem fünfundachtzigsten Geburtstag, und ihr Vater war vor dreißig Jahren gestorben. Es gab durchaus Augenblicke der Klarheit, in denen sie manchmal gemein und aggressiv war und manchmal traurig und weinerlich, doch wenn sie sich in alten Zeiten verlor, fand Eve sie eigentlich ganz liebenswert. Anne machte sehr deutlich, dass sie Eves Mitgefühl nicht teilte, indem sie Lindsey als alte Nervensäge bezeichnete.

Kurz darauf wurde Beth hereingeschoben. Sie stöhnte und weinte, als sie in ihr Bett umgelagert wurde. Sie litt unter schwerer Arthritis – selbst im Vorbeirollen konnte Eve sehen, dass die eine Hand zu einer regelrechten Klaue verformt war. Als die Schwester ging, weinte sie noch eine Weile, bis Anne ihr ein paar aufmunternde Wort zurief. Sie empfahl ihr, sich zu beruhigen und ein Nickerchen zu machen – das sei immer noch die beste Medizin. Kurz darauf war die Frau eingeschlafen.

Zum ersten Mal schaltete Eve ihren kleinen Fernseher ein und sah die Nachrichten. Die Pflegerin brachte das Abendessen, und ebenfalls zum ersten Mal hatte Eve tatsächlich Hunger. Die Pflegerin schnitt ihr das Essen klein, und mit einem Löffel aß Eve einen leichten Salat mit einer Scheibe dunklem Brot. Sie trank eine Tasse Tee und fühlte sich beinahe wieder wie ein Mensch.

Ehe er das Krankenhaus verließ, machte Clooney sich auf die Suche nach Lily. Obwohl sie zu tun hatte, setzte sie sich für fünf Minuten mit ihm in den Besucherraum.

«Ich wollte mich bei dir bedanken, dass du angerufen hast», sagte er.

Sie sagte, sie sei froh darüber.

«Es ist wirklich schön, dich zu sehen», sagte er, und sie umarmten einander noch einmal ungeschickt.

«Ich habe mich oft gefragt, was zwischen euch beiden vorgefallen ist», sagte er.

«Du hast noch nie lange um den heißen Brei herumgeredet.»

«Eve hat es mir nie erzählt.»

«Das ist schon so lange her.»

«Ihr wart euch so nahe.»

«Wir waren Kinder.»

«Und es hat nichts mit mir zu tun?»

«Nein.» Sie schüttelte den Kopf.

«Gut!», sagte er.

Sie sprachen über Eves Prognose, den Zeitraum, den die Genesung in Anspruch nehmen würde, und natürlich über Ben. Lily erklärte ihm, es sei extrem unwahrscheinlich, dass Ben überleben würde. Clooney wollte Eve die Wahrheit sagen, doch Lily war sich nicht sicher, ob das gut wäre.

«Sie ist noch nicht stabil genug», sagte sie.

«Sie ist stärker, als sie aussieht.»

«Glaube ich nicht», antwortete sie. «Nicht, wenn es darum geht.»

«Sie verzeiht mir nie, wenn ich sie anlüge.»

«Dann schieb es auf mich.»

«Ich wünschte nur, sie könnte sich von ihm verabschieden», sagte er. Clooney musste sich von beiden Elternteilen verabschieden und hatte Hunderte, wahrscheinlich sogar Tausende Menschen erlebt, die einen geliebten Menschen verloren hatten und betrauerten. Er wusste, wie wichtig es war, Abschied nehmen zu können.

«Er ist ein verheirateter Mann, Clooney», sagte sie.

«Ich weiß.» Er nickte.

«Außerdem ist sie immer noch ans Bett gefesselt.»

«Du meinst, an ein Bett mit Rädern.»

Sie sah ihn an und schüttelte den Kopf. «Er hat eine Frau», sagte sie.

Clooney nickte und ging.

Ehe sie nach Hause fuhr, schaute Lily noch einmal kurz bei Eve vorbei.

«Brauchst du noch irgendwas?», fragte sie.

«Nein danke», antwortete Eve. Ihr war bewusst, dass es nur eine Stippvisite war. *Sie zieht sich zurück – klar! Wie albern zu glauben, wir könnten nach all den Jahren wirklich wieder Freundinnen sein.*

«Also gut», sagte Lily. «Bis morgen.»

«Lily?»

«Ja?»

«Danke noch mal.»

«Gern geschehen», sagte Lily und verschwand.

Nachdem Abby ihr ein Beruhigungsmittel gegeben hatte, kam auch Adam noch mal rein, um nach ihr zu sehen.

«Wie geht es Ihnen, Eve?»

«Ganz okay.»

«Gut.»

«Darf ich Sie was fragen?»

«Natürlich.»

«Werde ich jemals wieder so sein, wie ich war?»

«Ja …»

«Aber …?»

«Aber das bedeutet jede Menge Arbeit.»

«Wann fange ich an?»

«Geben Sie sich noch ein paar Tage Zeit.»

«Es wird weh tun», sagte sie.

«Ja.»

«Das Leben ist kein Ponyhof», sagte sie.

«Und wenn doch, dann wirst du abgeworfen», sagte er, und sie grinste.

«Darf ich Sie noch was fragen?»

«Natürlich.»

«Kennen Sie Lilys Mann?»

«Ja?», sagte er vorsichtig.

«Ist er immer noch so ein Arschloch?»

Adam konnte sich ein Lächeln nicht verkneifen. «Kein Kommentar», sagte er.

«Verstehe.»

Adam sah noch nach Beth und verließ dann das Zimmer. *Ich mag Lilys Freundin.*

Das Taxi hielt vor Eves Wohnblock. Erst dort bemerkte Clooney, dass er vergessen hatte, sich Bargeld zu besorgen.

«Mist! Sie nehmen nicht zufällig Afghani?»

«Ist das so was wie Bargeld?»

«Nein.»

«Schade.»

Clooney lachte. «Schön, wieder zu Hause zu sein», sagte er und bat den Taxifahrer, ihn zu einem Geldautomaten zu bringen.

Er stieg im Ort aus, zog sich etwas Geld und wollte gerade wieder ins Taxi steigen, als jemand seinen Namen rief.

«Clooney?»

Es war Paul.

Er schüttelte Clooney die Hand. «Willkommen zu Hause! Eve hat gar nicht erzählt, dass du zurückkommst.»

Paul hatte offensichtlich keine Ahnung, was geschehen war, und als Clooney erklärte, dass er wegen des Autounfalls heimgekehrt war, stieg Paul zu ihm ins Taxi, um zu erfahren, was passiert war.

Clooney sperrte die Wohnungstür auf. Blitzschnell griff er sich das Höschen und warf es in den Müll, ehe Paul irgendetwas davon mitbekam. Doch der war ohnehin viel zu schockiert von den Neuigkeiten.

Nachdem Clooney sich die Hände gewaschen und sich gesammelt hatte, öffnete er den Kühlschrank und entdeckte ein paar Flaschen Bier. Er reichte Paul eines, und der nahm dankbar an.

Es war ein schöner, milder Abend, sie setzten sich auf die Dachterrasse und sahen aufs Meer hinaus, während Clooney Paul von Eves Verhältnis mit Ben erzählte.

«Und da wirft sie mir vor, ein Geheimniskrämer zu sein!», sagte Paul und war völlig fassungslos, dass die redselige, offene Eve das vor ihm geheim gehalten hatte. Auch dass ausgerechnet Lily ihre Krankenschwester war, kam für ihn überraschend. «Ich dachte, sie hätte Medizin studiert», sagte er kopfschüttelnd. «Himmel, sie hatte den besten Abschluss von uns allen!»

«Mit achtzehn weiß doch noch niemand, was er will», sagte Clooney. «Sie ist Krankenschwester, Ehefrau und Mutter. Sie wirkt glücklich.»

«Ich wusste von ihrer Heirat mit Declan, aber nachdem die beiden nach Cork gegangen sind, habe ich nie wieder was von ihnen gehört. Sie haben offensichtlich sämtliche

Brücken hinter sich abgebrochen», sagte er. «Hat Eve dir je erzählt, was zwischen ihr und Lily vorgefallen ist?»

«Nein. Dir?»

«Nein. Das ist ein riesengroßes Geheimnis.»

«Na ja, es ist alles lange vorbei. Lily kümmert sich wirklich wunderbar um sie.»

«Oh Gott! Lily Brennan ist wieder zurück auf der Bildfläche!»

«Inzwischen Lily Donovan, und übrigens, sie ist immer noch eine echte Schönheit.»

Paul lächelte. «Eve Hayes und Lily Donovan waren die schönsten Mädchen an unserer Schule, und ich hatte mit keiner von beiden was.» Er schüttelte betrübt den Kopf.

Clooney lachte. «Du hattest damals ausreichend Mädchen, wie ich gehört habe. Und die hatten alle keine Ahnung, dass du eigentlich auf Jungs stehst.»

Paul lächelte, ohne zu antworten. Stattdessen dachte er darüber nach, wie attraktiv Clooney war. Silberne Strähnen durchzogen seine blonden Haare, und bald würde er grau sein. Sein Gesicht war gebräunt und verwittert, doch die Falten verliehen ihm Charakter. Der Blick seiner stahlblauen Augen war immer noch genauso durchdringend wie früher, doch inzwischen lag eine gewisse Traurigkeit darin. Er war ein hübscher Junge gewesen, von dem Paul oft geträumt hatte, doch als Mann war er noch attraktiver als damals.

«Hast du Declan auch gesehen?», fragte Paul nach einigen Minuten.

«Nein. Und um ehrlich zu sein, glaube ich nicht, dass ich ihn noch erkennen würde.»

«Wir waren damals in der Schule richtig gut befreundet – dachte ich zumindest. Aber dann ist er nach Cork gegangen, und ich hatte mit mir selbst genug zu tun. Gar hat noch versucht, den Kontakt aufrechtzuerhalten, aber Declan hat sich nie mehr gemeldet. Jahre später sind mir Gerüchte über seinen Vater zu Ohren gekommen, aber ich weiß nicht … Auf mich wirkte sein Vater immer wie ein netter Kerl.»

«Ich weiß nur eines», sagte Clooney. «Eve hasst Declan, und Eve hasst niemanden ohne Grund.»

«Ich kann nicht fassen, dass sie mit Ben Logan zusammen war.»

«Der arme Kerl.»

«Seine arme Frau. Es ist schon schlimm genug, den Ehemann zu verlieren, aber dann auch noch erfahren zu müssen, dass er eine Affäre hatte.»

Das war Clooney noch gar nicht in den Sinn gekommen. «Oh nein!», sagte er. «Daran habe ich noch gar nicht gedacht! Vielleicht muss sie es ja nicht erfahren.»

«Eve ist die einzige Zeugin für den Unfall, der ihren Mann entweder umgebracht oder ihm einen schweren Hirnschaden zugefügt hat. Wieso war er dort? Weshalb waren sie zusammen?»

«Himmel, das hat ihr gerade noch gefehlt!»

Sie tranken noch ein Bier, ehe Paul Clooney seiner wohlverdienten Nachtruhe überließ, und zum ersten Mal seit Monaten war er binnen zwei Minuten eingeschlafen.

Sobald er nach Hause kam, rief Paul Gar an. Er erzählte ihm von Eves Unfall, ihrem Zustand, der Tatsache, dass sie mit Ben Logan zusammen gewesen war, als es passierte, und dass dieser jetzt im Koma lag, mit seiner Frau an seiner Seite, und dass ausgerechnet Lily Brennan Eve jetzt pflegte.

Gar schaltete den Lautsprecher an, damit auch Gina mithören konnte. Während des Telefonats reihte sich ein Schockmoment an den nächsten.

Eve hätte sterben können. Ben Logan lag im Sterben. Lily war nicht Ärztin, sondern Krankenschwester geworden. Sie beschlossen, Eve am nächsten Abend gemeinsam zu besuchen. Gina hoffte, dabei auch Lily wiederzusehen, aber Paul erzählte ihnen, dass sie nur tagsüber arbeitete.

«Ach, Mist!», sagte sie. «Ich wüsste zu gern, wie sie inzwischen aussieht.»

«Immer noch eine Schönheit», sagte Paul, weil er Clooneys Urteil vertraute.

«Und die arme Eve!», sagte Gina.

«Er hat gesagt, sie sei zwar momentan in einem schrecklichen Zustand, aber sie würde sich wieder vollständig erholen.»

«Warum hat sie uns nicht angerufen?», fragte Gina.

«Sie hat nicht mal Clooney angerufen. Das war Lily.»

«Lily Brennan», sagte sie. «Was ist damals zwischen den beiden eigentlich passiert?»

«Das weiß niemand.»

Gar versuchte stumm, das Gehörte zu verdauen.

Seine Frau wandte sich an ihn. «Was glaubst du?», fragte sie.

«Was ist mit uns allen passiert?», fragte er zurück.

Declan war Gars bester Freund gewesen, zumindest hatte er das damals geglaubt. Als Declan nach Cork ging und sämtlichen Kontakt von heute auf morgen einstellte, verletzte ihn das tief. Er hatte nie verstanden, weshalb. Als sie Kinder waren, zweifelte er Declans Geschichten über seine Verletzungen nie an, und Gar war nie bei ihm zu Hause gewesen. Nachdem Declans Mutter verschwand, hörte er zwar einige Gerüchte, schenkte ihnen aber keinen Glauben. Er kannte Declans Vater, seine Familie ließ bei ihm ihre Autos reparieren, und er war ein netter Mann. Er fragte sich, weshalb Declan und Lily beschlossen hatten, sämtliche Verbindungen zu ihrer Heimatstadt und den Leuten, die ihnen nahestanden, zu kappen. Er hatte keine Ahnung, was er verbrochen hatte, um auf so brutale Weise ausgeschlossen zu werden. Er wuchs in dem festen Glauben auf, irgendwann Declans Trauzeuge zu sein und andersherum. Sie luden ihn nicht mal ein, als die beiden ein Jahr nach ihrem Weggang heirateten. Im Gegenteil, er erfuhr von der Hochzeit erst acht Jahre später, als er bei Declans Vater seinen Wagen aus der Werkstatt holte. Er war zu wütend, um Fragen zu stellen. Er wollte nichts wissen. Es war ihm egal. Eve tat ihm leid, und er würde sie selbstverständlich besuchen, aber der Gedanke, dass er dabei Lily oder – Gott bewahre! – Declan über den Weg lief, war ihm nicht geheuer. *Scheiß auf alle beide!*

Nachdem Paul das Telefonat mit seinen Freunden beendet hatte, trank er bei sich zu Hause noch ein Bier. Er war erschüttert, weil Eve vier Tage lang allein im Krankenhaus gelegen hatte, ohne auf die Idee zu kommen, ihn anzurufen. Ihm war bewusst, dass sie ihre Freundschaft erst vor kurzem wieder neu belebt hatten, und er verstand auch ihr Bedürfnis nach Privatsphäre – wenn jemand Verständnis dafür hatte, dann er. Es machte ihm nichts aus, dass sie ihm nichts von Ben erzählt hatte, aber es machte ihm etwas aus, dass sie um ein Haar gestorben wäre und er nichts von dem Unfall erfahren hätte, wäre er nicht aus Versehen am Geldautomaten ihrem Bruder in die Arme gelaufen. *Ich dachte, wir wären Freunde.* Erst neulich, als sie nach ihrem letzten Tennismatch noch etwas zusammen trinken waren, hatte er tatsächlich erwogen, sie ins Vertrauen zu ziehen. Paul war außergewöhnlich verschlossen. Er gab so gut wie nichts von sich preis, doch an dem Abend ließ Eve nicht locker. *Und dabei hat sie's die ganze Zeit heimlich mit Ben Logan getrieben, das freche Biest!* Sie waren beide in Gedanken versunken. Das Match war anstrengend gewesen, sie hatten einander nichts geschenkt und den Kampf genossen. Am Ende hatte er gewonnen, aber denkbar knapp. Als sie später an der Bar einen süßen Typen entdeckte, erwähnte sie es, aber Paul war nicht ihrer Meinung.

«Er ist zu klein.»

«Daran ist doch nichts verkehrt», antwortete sie.

Jetzt wird mir einiges klar! Verfluchter Ben Logan!

«Bist du momentan eigentlich mit jemandem zusammen?», fragte sie zum hundertsten Mal, und in dem Moment wollte er sich ihr am liebsten anvertrauen, aber dann tat er es doch nicht. *Zu viele Fragen.*

In dem Umfeld, in dem Paul aufgewachsen war, zählten harte Arbeit, Heirat, Kinder und ein Eigenheim. Schon als er jung war, wusste er, dass er anders war, aber er wusste lange Zeit nicht, worin dieses Anderssein bestand. Er fand Mädchen toll, war groß, sah gut aus, hatte einen durchtrainierten Körper, spielte in einer erfolgreichen Rugbymannschaft und konnte sich seine Freundinnen quasi aussuchen. Er trieb sich häufig außerhalb seiner Heimatstadt herum, aber nicht, weil er dort nach Typen Ausschau hielt, wie alle vermuteten, nachdem er sich geoutet hatte, sondern weil Lily Brennan das einzige Mädchen war, für das er sich wirklich interessierte. Doch die war an einen seiner besten Freunde vergeben. Eve sah zwar gut aus, aber er hegte nie tiefere Gefühle für sie. Lily hingegen hätte er sogar geheiratet. An jenem Abend wollte er Eve eigentlich erzählen, dass er sich damals zu all den Mädchen tatsächlich sexuell hingezogen gefühlt hatte und er sich nur aus einem Grund geoutet hatte. Obwohl er damals mit all seinen Freundinnen und auch mit vielen Jungs großartigen Sex hatte, war ihm im Grunde niemand wirklich wichtig – bis er Paddy begegnete und sich Hals über Kopf in ihn verliebte.

Paddy war der Richtige. Sie lernten sich in einem Club kennen, und Paul wusste es auf den ersten Blick. *Ich liebe dich.* Paddy hatte Haare wie Samson. Er war breitschultrig und mit seinem dunklen Teint im Prinzip eine männliche Version von Lily. Er war genauso weich und offenherzig wie sie und genauso liebenswürdig. Er war witzig, lebensbejahend, freigeistig, inspirierend, und vor allen Dingen wusste er, wer er war. Etwas, das Paul nie wirklich gelungen war. Als er sich in Paddy verliebte, ruhte er plötzlich zum ersten Mal im Leben in sich selbst. Paddy war stolz darauf, ein schwuler Mann zu sein, und erwartete dasselbe auch von seinem Partner. Damit die Beziehung zu dem Mann, den er liebte, eine Chance hatte, offenbarte Paul sich seinen Eltern, und er störte sich weder an deren Engstirnigkeit noch an ihrer lächerlichen Reaktion. Denn er war verliebt, und das von seiner Seite aus für immer – folglich war er schwul. Aber er hörte nie auf, die Schönheit einer Frau zu registrieren, ihre Kurven, ihre Haut, ihren Duft, ihr Haar, die Art, wie sie sich bewegte. Er hatte zwar schon sehr lange keine Frau mehr begehrt, mochte sie auch noch so schön sein, doch sie fielen ihm immer noch auf. Nach vielen Jahren als Paar wurde ihr Sexualleben zwar etwas uninteressant, doch Paul und Paddy blieben weiterhin enge Freunde. Paul liebte Paddy noch immer, aber er legte keinen Wert mehr darauf, das Bett mit ihm zu teilen. Paddy ging es genauso, doch weil sie ein Heim und einen

Hund und ein Leben teilten, weigerten sie sich beide, es zuzugeben. Bis zu einem Freitagabend, als Paddy übers Wochenende zu einer Tagung in Brighton war und Paul in Dublin einen Pub besuchte und dort eine Frau namens Simone kennenlernte.

Cappuccinofarbener Teint, braune Augen und dunkelbraunes, seidiges Haar: genau sein Typ. Sie saß neben ihm, nippte an ihrem Bier und war in die Lektüre eines Artikels in der *Vanity Fair* versunken. Paul konnte die Augen nicht von ihr lassen. Er beobachtete ihre Reaktion auf das, was sie las. In einem Moment lächelnd, dann schockiert, dann traurig. Er konnte ihr jedes Gefühl vom Gesicht ablesen und war fasziniert von ihrer Schönheit und der emotionalen Offenheit. Als sie gehen wollte, bückte sie sich und merkte, dass ihre Handtasche weg war. Sie stand auf und sah sich ungläubig um. Paul hatte die Tasche im Laufe des Abends gesehen und nebenbei registriert, dass es sich um eine Mulberry handelte. Allerdings wusste er das nur, weil seine Kollegin Emma ein fanatischer Mulberry-Fan war und von ihren mindestens fünf Taschen sprach wie von Haustieren. Doch er war so von ihrem Mienenspiel fasziniert gewesen, dass auch er nicht gemerkt hatte, wie sich jemand an die Tasche herangeschlichen und sie gestohlen hatte. Als ihr klarwurde, dass die Tasche weg war, wirkte sie völlig verloren. Er stand auf und fragte, ob er helfen könne. Sie sagte, ihr sei die Handtasche gestohlen worden, und war furchtbar verlegen, weil sie ihr Bier nicht bezahlen konnte. Paul erbot sich augenblicklich, die Rechnung zu übernehmen, begleitete sie zur Polizei, wo sie Anzeige erstattete, und bestand darauf, dass sie sein Mobiltelefon benutzte, um ihre Karten sperren zu lassen. Als die Anzeige erstattet, alle Kreditkarten gesperrt und es Abend geworden war, fragte er sie, ob sie mit ihm essen gehen wolle. Sie wollte. Schließlich landeten sie in seinem Bett, und zwar das ganze Wochenende lang.

Als Paddy am Montag zurückkkam, bat Paul ihn, sich zu setzen, und gestand ihm ohne Umschweife, dass er jemanden kennengelernt habe. Paddy traute seinen Ohren nicht, vor allem als Paul zugab, dass es sich um eine Frau handelte. Er war am Boden zerstört, weil ein Seitensprung mit einer Frau in seinen Augen schlimmer war als einer mit einem Mann. Paul wollte ihm nicht weh tun und war selbst verzweifelt, weil er alles zerstörte. *Es war an der Zeit.* Sie stritten, sie schrien, und sie weinten. Paul machte Paddy darauf aufmerksam, dass sie seit Jahren nicht mehr so leidenschaftlich gewesen waren wie in diesen Stunden. Ehe er Paddy und ihren Hund Samba verließ, küsste er sie beide, dann zog er tieftraurig in ein Hotel. Eine Woche später mietete er in seiner Heimatstadt ein Haus, und ein Jahr darauf kaufte er es.

Seitdem war Simone der Mittelpunkt seines Lebens. Sie arbeitete als Model und verbrachte viel Zeit im Ausland. Sie lebte in London, und als die beiden sich kennenlernten, war sie gerade zu einem Shooting in Irland gewesen. Das gemeinsame Wochenende war für beide nur ein verlängerter One-Night-Stand gewesen. Sie kehrte nach London zurück. Doch in den beiden gemeinsam verbrachten Tagen war etwas geschehen, und sobald sie wieder zu Hause war, rief sie ihn an. Im ersten Jahr sahen sie sich nur selten. Er kam zweimal nach London, um sie zu besuchen, sie kam zweimal nach Irland, und einmal trafen sie sich in Paris. Im zweiten Jahr arbeitete sie möglichst oft in Irland, und sie verbrachten einen Monat zusammen in Kuba. Dann kam der Moment, als es ernst wurde. Paul erkannte in dem

Augenblick, als ein Abschied unmöglich erschien, dass er sich verliebt hatte. Er überlegte, nach London zu ziehen, aber Simone hatte die Nase voll von der Modelszene – mit neunundzwanzig galt sie bereits als uralt, und die Jobs wurden langsam weniger. Sie hatte in fünf Jahren fünf Kurse absolviert. Styling – gefiel ihr nicht. Make-up – nichts für sie. Frisuren – definitiv nicht. Fotografie – langweilig. Dann landete sie durch Zufall in einem Kurs für Hundefriseure und war Feuer und Flamme. Während eines Shootings war sie mit dem Fotografen ins Gespräch gekommen, der ihr von einem Auftrag in Cornwall erzählte. Das Shooting fand in einem Hundesalon mit zugehöriger Hundepension samt Fotostudio statt. Als große Hundefreundin, die in ihrem Leben nie genug Stabilität für ein Haustier gehabt hatte, war Simone fasziniert gewesen, und nach zwei schlaflosen Nächten voller Phantastereien über ihr eigenes Hundesalon-Hundepension-Hundefotostudio meldete sie sich zu dem ersten Ausbildungskurs an, den sie finden konnte, und sie war begeistert. Simone pendelte monatelang zwischen Irland und dem Rest der Welt hin und her. Dann fand sie den perfekten Standort, um ihre neue Existenz aufzubauen, und nun würde sie mit Paul zusammenziehen.

Es gab nur ein Problem. Er hatte weder seiner Familie noch seinen Freunden je etwas von Simone erzählt. Für sein Umfeld war Paul immer noch schwul. Er hatte Simone seine Bisexualität gestanden, und das gleich am ersten Abend, weil er geglaubt hatte, er würde sie sowieso nie wiedersehen. Für Simone war das kein Thema gewesen – im Gegenteil, sie hatte ihm erzählt, dass sie selbst schon ab und zu mit Frauen rumgemacht hatte, auch wenn es nie zum Äußersten gekommen war. «Das war einfach nicht ich», meinte sie. Sie verstand, weshalb er sie weder seiner

Familie noch seinen Freunden vorgestellt hatte, und solange sie im Ausland lebte, störte sie sich auch nicht daran, weil ihr die gemeinsame Zeit zu kostbar war. Doch jetzt lagen die Dinge anders. In knapp einem Monat zog sie mit ihm zusammen, und mehr noch: Sie würden bald zu dritt sein.

An dem Morgen, als sie ihm von ihrem Verdacht erzählte, schwanger zu sein, genossen sie in einem Londoner Hotel gerade ein Frühstück im Bett. Sie erwähnte es so beiläufig, als würde sie ihn um die Butter bitten.

«Die Croissants sind wirklich gut.»

«Ja, nicht wahr?»

«Ich glaube, ich bin schwanger.»

Ein breites Grinsen erstrahlte auf seinem Gesicht. «Das finde ich wirklich toll», sagte er und ließ sein Croissant fallen.

«Ich auch.»

Sie umarmten und küssten sich, und als sie sich voneinander lösten, bat er sie, seine Frau zu werden.

«Von Herzen gern», sagte sie, und damit war die Sache klar.

Sie besorgten sich in der nächsten Drogerie einen Schwangerschaftstest und kehrten ins Hotel zurück. Simone pinkelte aufs Stäbchen, während er nervös wartete, schon ganz der werdende Vater. Das Stäbchen färbte sich augenblicklich rosarot. Simone trug sein Kind in sich, und als sie den Test hochhielt und «Treffer!» rief, weinte er, als wäre er selber eines.

Sie einigten sich auf eine schlichte Hochzeit im September in ihrem Lieblingshotel in Westport. Dann wäre sie noch nicht hochschwanger. Simones Familie und ihre Freunde kannten Paul bereits. Er hatte in den letzten Jahren so viel Zeit in London verbracht, dass die allgemeine Bestürzung groß war, als bekannt wurde, dass Simone nach Irland gehen würde statt andersherum. Doch Paul hatte dort einen guten, hochdotierten Job und ein großes Haus in wunderschöner Lage, während sie so gut wie arbeitslos war, sich im Umbruch befand und etwas Neues anfangen wollte. Aber sie machte sich Gedanken, wie Pauls Familie und seine Freunde die Neuigkeiten aufnehmen würden, und er sorgte sich fast noch mehr. *Wie nimmt man eigentlich ein Outing zurück?*

Paul hatte sich erst mit Mitte zwanzig ernsthaft mit seiner Bisexualität auseinandergesetzt. Auf der Suche nach Informationen ging er in die Bibliothek, und als er nichts finden konnte, was ihm wirklich erklärte, wer er war und was er tatsächlich wollte, ging er zu einer Sexualberaterin. Die erzählte ihm, er sei eine Drei auf der Kinsey-Skala, was bedeutete, dass er sich zu Männern und Frauen gleichermaßen hingezogen fühlte. Aus der Schilderung seiner Vergangenheit zog sie den Schluss, dass er ein Bisexueller mit abwechselnden Neigungen war. Demnach konnte er sich nach dem Ende einer gleichgeschlechtlichen Beziehung durchaus in jemanden vom anderen Geschlecht verlieben und auch hier eine Partnerschaft eingehen, und genau das war geschehen. Er hätte sich ebenso gut in einen Mann verlieben können. Paul Doyle erkannte, dass das Geschlecht keine Rolle spielte, sondern nur die Person, zu der er sich hingezogen fühlte.

In Simone hatte er einen Menschen gefunden, der ihn genau so akzeptierte, wie er war. Sie war nicht eifersüchtig, sie war nicht besitzergreifend, seine Vergangenheit war ihr egal und auch die Tatsache, dass er bei Männern einen Ständer bekommen konnte. Er war mit ihr zusammen, und sie glaubte an ihre Beziehung. Simone neigte nicht dazu, sich unnötig Sorgen zu machen. Sie lebte im Augenblick. «Wenn du glücklich bist, sei dankbar, nicht gierig», pflegte sie zu sagen. Sie verstand seine Zurückhaltung, was seine Familie und Freunde betraf, vor allem weil sein Coming-out damals einen solchen Wirbel verursacht hatte.

Er war verunsichert und hatte Angst, seine Freunde würden ihn für einen Idioten halten. Was seine Eltern betraf, so hatte es zwischen ihm und seinem Vater in den letzten Jahren zwar so etwas wie eine Annäherung gegeben, doch das Verhältnis zu seiner Mutter war noch immer extrem angespannt. Sie tolerierten einander, doch sie war felsenfest davon überzeugt, dass alle Schwulen und Lesben in der Hölle landen würden, und das Einzige, was sie noch für ihren Sohn tun konnte, war, für ihn zu beten. Natürlich würde sie seine Heirat und die bevorstehende Vaterschaft als persönlichen Sieg betrachten. Sie würde behaupten, allein die Macht ihrer Gebete habe ihn vor sich selbst und der ewigen Verdammnis gerettet, und das machte ihn krank. Simone musste bei der Vorstellung lachen, aber sie kannte seine Mutter nicht.

«Wenn es dir damit besser geht, kannst du ihr ja erzählen, ich wäre früher mal ein Mann gewesen», sagte sie.

«Das würde ich wahrscheinlich auch tun, wenn du nicht schwanger wärst.»

«Viel Zeit hast du nicht mehr», sagte sie, als er zum letzten Mal ohne sie nach Hause flog.

«Ich weiß.»

Er kehrte zu seiner Arbeit zurück und schob es weiter und weiter auf die lange Bank, weil er keine Lust hatte, von Haustür zu Haustür zu gehen und sich zu erklären. Paul war so introvertiert, dass ihm schon bei dem Gedanken daran ganz schlecht wurde. Und jetzt? Eve befand sich in einem fürchterlichen Zustand. Sie hatte eine Affäre mit Ben Logan, und er würde sie am nächsten Abend zusammen mit Gar und Gina besuchen. Lily war aus der Versenkung aufgetaucht, und Gina Lynch platzte vor Neugier und Vorfreude auf den ganzen Tratsch. Er würde definitiv nicht im Brennpunkt stehen. Dies war der perfekte Ort und der perfekte Zeitpunkt, um ihnen von seiner Vaterschaft zu erzählen und sie zur Hochzeit einzuladen.

Ciao, Eve! Hallo, Lily!

6 *Wenn dies das Ende ist*

Liebe Eve,

ich liege gerade im Bett, während ich dir schreibe. Es war ziemlich heftig gestern Nacht. Wir sind alle noch im Club gelandet, und ich weiß nicht, wie ich nach Hause gekommen bin. Colm ist heute Morgen gegen zehn mit ein paar Scones vorbeigekommen. Er hat mir gesagt, er hätte mich nach Hause gebracht (nein, es ist nichts passiert) und ich hätte fast den ganzen Weg lang gesungen. Wir haben wohl noch eine Weile auf der Brücke gesessen und geredet. Ich habe ihm von Declan erzählt, von unserem Leben zu Hause und von dem Plan, nach Cork zu gehen. (Ich kann mich an kein einziges Wort erinnern!) Ehe er ging, umarmte er mich und sagte mir, ich hätte ja keine Ahnung, wie toll ich wäre, und er hofft, ich bin eines Tages in der Lage, es auch zu sehen. Das war mir so peinlich! Ich wusste gar nicht, was ich sagen sollte. Er meinte, Declan hätte riesiges Glück mit mir, und er hofft, Declan wüsste das zu schätzen. Ganz schön frech, finde ich, aber weil ich ja nicht mehr wusste, über was wir am Vorabend alles geredet hatten, konnte ich nichts darauf antworten. Er sah besorgt aus (aufgewühlt trifft es vielleicht besser), und es lag eine komische Stimmung in der Luft. Jetzt bin ich ein bisschen traurig und weiß gar nicht, warum. Ich hasse dieses Gefühl. Ich hätte mich niemals so betrinken dürfen. Es ist erbärmlich. Ich glaube, ich bleibe den ganzen Tag im Bett. Auf mich wartet ein Riesenstapel Bücher, die ich gern lesen würde. Nur ich, mein Bett, Musik und Bücher.

Okay, um mich selbst aufzumuntern, hier meine beiden Topgründe, weshalb es toll ist, allein zu leben:

1. Unabhängigkeit

2. Frieden

Ich kann aufstehen, wann ich will. Ich kann essen oder auch nicht essen, was ich will. Ich kann kommen und gehen, wie es mir gefällt. Ich bin frei! Das ist ein tolles Gefühl. Kein Geschrei, kein Streit. Seit ich hier bin, war ich noch in keiner Messe. Als ich ankam, wollte ich zur Beichte, um loszuwerden, dass ich mit Declan geschlafen habe, und um zu versprechen, es nicht wieder zu tun (wenigstens den Sommer über), aber als ich vor der Kirche stand, bin ich nicht reingegangen. Ja, ich weiß, unfassbar! Ich hatte die Stimme meiner Mutter im Ohr: Wenn du bei einem Unfall stirbst, musst du immer ein sauberes Höschen und eine reine Seele haben, aber ich habe sie ignoriert — bis auf das saubere Höschen. Es freut dich sicher zu hören, dass mein katholisches Schuldgefühl langsam nachlässt, wenn auch nur ein winziges bisschen. Ich bekreuzige mich immer noch, wenn ich einen Sarg sehe, und als Colm vorhin wieder gegangen ist, habe ich ein leises Stoßgebet zum Himmel geschickt. Ich habe dafür gebetet, dass ich mich gestern Abend nicht völlig blamiert habe, und falls doch, dass alle anderen zu betrunken waren, um sich daran erinnern. Bis auf Colm natürlich. Er hat nämlich heute ein Spiel und wollte deshalb nicht so viel trinken. Was habe ich ihm bloß erzählt? Das nervt mich total! Ich will ihn auf keinen Fall fragen. Ich hoffe, es fällt mir wieder ein.

Die zwei Hauptgründe, warum es schrecklich ist, allein zu leben:

1. Ich vermisse dich.

2. Ich vermisse dich.

Ach! Und offensichtlich hat Colm mich von der Brücke nach Hause GETRAGEN! Er hat gesagt, ich wäre auf seinem Arm eingeschlafen. Ich habe mich tausendmal entschuldigt, aber er meinte, ich sollte mir keine Sorgen machen, es wäre schon okay, weil ich so leicht und klein bin. Er hat auf dem Weg sogar noch auf einen Burger und ein paar Fritten mit seinen Kumpels an der Pommesbude haltgemacht, während ich schlafend über seiner Schulter hing. Das ist mir so peinlich! Gott sei Dank hatte ich Jeans an. Ich trinke nie wieder was. Und das Komische an der Sache ist, dass ich eigentlich gar keinen Kater habe, aber vielleicht liegt das daran, weil ich jetzt wieder im Bett bin. Keine Ahnung.

Du hättest meine Wohnung an dem Abend sehen sollen, als ich eingezogen bin. Ekelhaft! Die Küche war die reinste Fettfabrik, und vom Bad will ich gar nicht reden, weil ich schon bei der Erinnerung daran kotzen muss. Es ist zwar immer noch ein Loch, aber wenigstens ein sauberes. Als ich das Klo geputzt habe, hätte ich fast einen Finger verloren, aber lassen wir das. Ich habe mir überlegt, dass ich mir das Studium mit Putzen finanzieren könnte. Das wäre echt praktisch. Ich könnte mir die Arbeitszeit selbst einteilen und bekäme das Geld direkt auf die Hand. Das Medizinstudium dauert fünf Jahre, und man verdient erst ab dem sechsten Jahr. Declan und ich haben beide keine finanziellen Rücklagen, und ich mache mir langsam echt Sorgen, wovon wir leben sollen. Vielleicht habe ich letzte Nacht ja darüber geredet. Was weiß denn ich!

Ich denke in letzter Zeit ziemlich viel über unsere Zukunft nach. Declan macht sich wirklich Sorgen, dass er die Zulassung nicht schafft. Das Medizinstudium ist sein Traum, und dafür will er notfalls sogar wiederholen. Wenn ich allein in Cork lande, sterbe ich. Alle glauben, ich würde mit links einen Studienplatz ergattern, aber ich bin mir da ehrlich gesagt nicht so sicher, und die Vorstellung, vielleicht gar keinen zu bekommen, finde ich nicht ärgerlich, sondern erleichternd. Seltsam, oder? Natürlich würde ich das zu Declan nie sagen, weil er sonst die Wände hochgeht, aber fünf Jahre sind eine lange Zeit. Bis wir auch nur einen einzigen Penny verdienen, sind wir beide Mitte zwanzig, und dann müssen wir die ganze Förderung zurückzahlen. Man kriegt scheinbar erst ab dem zweiten Jahr überhaupt ein Darlehen, und Ellen meint, es hinge davon ab, wie man im ersten Jahr abschneidet. Das habe ich bis jetzt noch nie gehört. Du?

Ich war total am Boden, als du neulich nicht zu Hause warst, aber es war schön, mit Clooney zu quatschen. Er hat mir alles über die Irre erzählt – es ist echt schlimm für ihn. Er hat erzählt, dass er sich überlegen würde herzukommen, und ich hoffe, er macht es. Wenn die Sonne scheint, ist es total schön hier. Ich kann es kaum erwarten, ihm alles zu zeigen, und die ganzen Wassersportmöglichkeiten werden ihm gefallen. Ich habe ihm gesagt, wo er mich findet, dann kann ich ihn durchfüttern. Ach, ich habe ganz vergessen, dir zu erzählen, dass unser Koch mir das Kochen beibringt. Das bringt echt Spaß!

Vor zwei Tagen habe ich zum ersten Mal mit meiner Mutter telefoniert. Sie pilgert schon wieder mit der Legio Mariae nach Lourdes. Da habe ich sie endlich mal am Telefon, und sie will als Erstes von mir wissen, ob ich auch zur Messe gehe. Ich sagte: Danke der Nachfrage, mir geht es gut, und musste lachen. Das gefiel ihr gar nicht, weil man sich über die Messe nicht lustig macht. Sie meinte, sie würde für mich beten und auch die anderen Frauen in ihrer Gruppe dazu verdonnern, weil ich allen Beistand brauche, den ich kriegen kann. Sie hat gesagt, mein Plan, in Sünde zu leben, würde mir meinen Platz in der Hölle garantieren. Ich war echt genervt. Ich habe eine Ewigkeit nicht mit ihr gesprochen, und sie hat nichts Besseres zu tun, als mir mit der ewigen Verdammnis zu drohen. Sie ist der Meinung, ich soll am Trinity studieren, zu Hause wohnen und Declan allein nach Cork gehen lassen. Sie sagt, ich bin zu jung, um mich zu binden. Tatsächlich hat sie gesagt, ich bin zu jung, um auch nur einen blassen Schimmer vom Leben und der Liebe zu haben. Und das aus dem Munde einer Frau, die völlig allein im Leben ist. Wenn ich in die Hölle komme, weil ich Sex habe oder weil ich mit dem Jungen zusammenlebe, den ich liebe, dann kommt jeder, den ich kenne, in die Hölle. Und dann wohnen im Himmel nur Priester und Nonnen und schräge Spinner, die die ganze Zeit mit sich selbst reden und nach Katzenpisse riechen. Ich glaube, ich schmore lieber mit Freunden in der Hölle, als mit Irren auf einer Wolke zu sitzen.

Wo wir gerade beim Thema sind: Ich freue mich für dich und Ben. Er klingt sehr erwachsen und cool. Ich glaube, es ist eine gute Idee, mit ihm zu schlafen. Es hört sich an, als wüsste er, was er tut, und das ist ein riesiger Vorteil. Bei Declan und mir hat es Ewigkeiten gedauert, bis wir den Bogen raushatten. Außerdem glaube ich auch, dass es sehr vernünftig ist, es hinter dich zu bringen, bevor du nach London gehst. Und du musst dich noch nicht mal mit der Angst belasten, in die Hölle zu kommen. Was soll dich also abhalten?

So viel zu mir. Vielleicht schlafe ich jetzt noch ein biss-
chen, weil ich sonst zu nichts Lust habe. Ich vermisse dich
total und kann kaum erwarten, die neuesten Neuigkeiten
von dir und Ben zu hören.

1000 Küsse,
Lily

PS: Ich frage mich, wo wir in sechs Jahren sein werden. Es
kommt mir so weit weg vor – wie ein anderes Leben.

* * *

Eve sah den riesigen Roten Unhold mit seinem dunkelblauen
Pullover an. Er stand mit dem Rücken zu ihr und beugte
sich über eine Frau, die auf einer Streckbank lag. *Bitte nicht*
ich, bitte nicht ich! Sie versuchte, einen Blick über seine
Schulter zu werfen, ob sie es war, doch er bewegte sich hin
und her und verdeckte die Frau, die vor ihm festgeschnallt
war. Sie spürte einen brennenden Schmerz in den Armen
und Beinen, als würde man sie auseinanderreißen. *Oh nein!*
Das bin ich. Er hob den Arm in die Luft und bewegte sich
ein wenig nach links, und sie sah, dass Bens Frau Fiona
auf der Streckbank lag. Sie hatte das kurze blau-weiß ge-
streifte T-Shirt und die hübschen engen Shorts an, die sie
auf ihrem letzten Segeltrip getragen hatte. Eve kannte das
Outfit aus dem Facebook-Album. Es hatte ihr gefallen – es
war niedlich, aber nicht übertrieben, mit klaren Linien,
und teuer, aber nicht albern. Das perfekte Outfit. Sie hatte
fließende braune Haare und ein warmes, freundliches Gesicht. Sie hatte wohlgeformte Brüste und Hüften und einen
strahlenden Teint. Sie war entspannt, fröhlich und gesund.
Ich wette, sie leidet nicht permanent unter Kopfschmerzen.

Eve wusste noch, wie sie das Foto betrachtet hatte und eifersüchtig auf die fröhliche Frau gewesen war. Doch die Fiona in Eves Albtraum schrie so laut, dass Eve sich die Ohren zuhalten wollte, dafür aber nur ihre gesunde Hand benutzen konnte, weil etwas Unsichtbares immer noch an ihren anderen drei Gliedmaßen zerrte. Sie ertastete einen Knopf an ihrer Schläfe und drückte ihn, in der Hoffnung, dass das Feuer kam und den Schmerz tilgte, doch nichts geschah. Der Rote Unhold stieß die Faust in Fionas Brustkorb und riss ihr das Herz heraus. Es schlug in seiner Hand weiter, und Fiona betrachtete es kurz, ehe ihre Augen sich schlossen. Der Rote Unhold warf es in denselben Korb, in dem schon Eves abgerissene Gliedmaßen verwesten.

Sie wachte schweißgebadet auf. Es war bereits nach zehn. Sie bereute, dass sie darauf beharrt hatte, sich von Abby den Katheter entfernen zu lassen, denn sie musste dringend aufs Klo, und die Vorstellung, in eine Bettpfanne zu pinkeln, erschien ihr unerträglich. Ihr tat alles weh, und sie war verwirrt, und das Bild der gefolterten Fiona wollte nicht weichen. Für einen Moment erwog sie, einfach ins Bett zu machen. Sie hatte ja sowieso keinen Funken Würde mehr im Leib, nachdem sie sich bereits dazu erniedrigt hatte, nach einer Stunde Quälerei ihr großes Geschäft in eine Bettpfanne zu erledigen, pressend und zähneknirschend, während eine Schwester immer wieder den Kopf durch den hauchdünnen Vorhang gestreckt hatte, der sie von den drei älteren Damen trennte, die sich ungebeten zu ihren persönlichen Beraterinnen ernannt hatten.

«Na, wie geht's uns denn, Häschen? Ist schon was im Anmarsch?», fragte Anne.

«Gar nicht darüber nachdenken. Einfach loslassen», sagte Lindsey in einem Augenblick der Klarheit.

«Mein Gott, ich würde auch so gerne!», stöhnte Beth. «Mir steht's schon bis zum Hals.»

Eve drückte den Rufknopf und bat Abby um eine Bettpfanne.

«Natürlich», sagte sie. «Wie haben Sie geschlafen?»

«Schrecklich.»

«Sie hat wieder geschrien», sagte Anne zu Abby.

«Die Albträume gehen vorbei.»

«Vielleicht», sagte Eve.

Lily erschien mit dem Polizisten in der Tür, mit dem Eve in der Nacht des Unfalls gesprochen hatte, und trotz Trauma und Schock erkannte sie ihn gleich wieder.

«Detective Thomas», sagte sie.

«Beinahe», antwortete er. «Thomas Hickey.» Er schüttelte ihre gesunde Hand. Abby bat ihn, vor der Tür zu warten, während Eve ins Töpfchen machte. Lily ging mit ihm hinaus auf den Flur.

«Es dauert nicht lange», sagte Lily. Er nickte.

«Sie ist eine alte Freundin von mir», sagte sie. Er nickte.

«Gibt es was Neues über den, der das getan hat?», fragte sie, und er nickte.

Okay, ich glaube, das scheint seine Art zu sein.

«Gut», sagte sie. «Haben Sie mit Bens Frau gesprochen?» Er nickte.

Genug genickt, Sonnenschein! Beantworte einfach meine Fragen!

«Weiß sie von Eve, und könnten Sie bitte antworten, statt zu nicken?», bat sie. Er sah sie an und zögerte einen Augenblick. Er schien darüber nachzudenken, ob er ihr eine Antwort geben oder sie bitten sollte, sich um ihren eigenen Kram zu kümmern.

«Sie weiß, dass er am Abend des Unfalls mit einer Frau

eine dunkle Seitenstraße entlanggelaufen ist», sagte er schließlich.

«Hat sie sich nach Eve erkundigt?»

Er nickte.

Ach, komm schon!

«Und was haben Sie ihr gesagt?», bedrängte sie ihn.

«Was ich weiß», antwortete er.

«Und das wäre?», fragte Lily. Sein Lächeln verriet, dass er ihre Hartnäckigkeit bewunderte.

«Das wäre … lediglich, dass sie am Abend des 1. Juli gegen 22.16 Uhr vom Fahrzeug eines Betrunkenen angefahren wurden und dass der Unfallverursacher zwischenzeitlich ausfindig gemacht und angezeigt wurde.»

«Seine Frau muss doch Fragen haben.»

«Da bin ich mir sicher», entgegnete er.

Abby erschien auf dem Flur.

«Ist es notwendig, Eve über seinen Zustand zu informieren?», wollte Lily wissen.

«Gibt es einen Grund, ihr die Wahrheit zu verschweigen?»

Lily schüttelte den Kopf. «Sie hat einfach nur viel durchgemacht.»

«Sie können jetzt reingehen», sagte Abby, und er nickte und lächelte Lily an, ehe er sich zu Eve ans Bett setzte.

Das Kopfteil des Bettes wurde hochgefahren, damit Eve mit dem Polizisten auf Augenhöhe sprechen konnte. In ihren Gliedern pochte ein dumpfer Schmerz, der zwar heftig, aber nicht unerträglich genug war, um einen Druck auf den Knopf zu rechtfertigen. Außerdem war die Dosis inzwischen reduziert worden. Die Erleichterung nach der Verabreichung war nicht mehr so groß, dafür hatten jedoch auch die Begleiterscheinungen wie Übelkeit und Benommenheit abgenommen. Sie wollte möglichst klar im Kopf sein, wenn sie ihre Aussage machte. Sie musste sichergehen, dass sie das Richtige sagte. *Ich lasse dich nicht im Stich, Ben.* Eve war sich bewusst, dass die Wahrscheinlichkeit, dass Ben sich wieder erholte, mit jedem Tag geringer wurde. Und noch eines war ihr klar: Wenn er überlebte, saß eine Ehefrau an seinem Krankenbett, die bereit war, ihren Mann zu lieben und zu pflegen. Und wenn er starb, würde dieselbe Frau die Trauergemeinde anführen. Wenn seine Affäre ans Licht kam, würde das alles vergiften, was er und seine Frau gemeinsam besessen hatten. *Wir wollten nie jemanden verletzen.* Wenn er starb, würde Fiona jedes einzelne Wort, jede Geste und jede seiner Handlungen im Nachhinein drehen und wenden, ohne dass er sich erklären oder verteidigen konnte. *Könnte ich doch die Zeit zurückdrehen.* Fiona würde sich quälen und leiden. *Das werde ich nicht zulassen, Ben.* Eve bereitete sich darauf vor zu lügen, wie sie noch nie in ihrem Leben gelogen hatte. *Ich muss einfach so nah wie möglich an der Wahrheit bleiben. Dann wird alles gut.* Sie trank einen Schluck Wasser, weil Lippen und Kehle plötzlich ausgetrocknet waren, und aus irgendeinem Grund hatte sie Angst, dass ihr die Stimme versagte. *Ich darf das nicht vermasseln.*

Der Polizist erzählte ihr, man habe den Mann gefunden, der sie überfahren hatte. Er hieß Eamonn Colgan. Er war in der Auffahrt seines Nachbarn im Auto eingeschlafen. Der ganze Wagen war voll mit ihrem Blut, und ihre Beschreibung war erstaunlich genau gewesen, bis hin zu dem Claddagh-Ring und dem dunkelblauen Wollpullover. Er behauptete, sich an keinen Unfall erinnern zu können, aber sein Alkoholpegel, die Blutspuren und ihre Aussage würden genügen, um ihn zu überführen. Er bat sie um zusätzliche Angaben, und sie war bereit. Sie erzählte ihm, dass sie und Ben Logan alte Freunde seien. *Wahr.* Sie sagte, er sei ihre erste große Liebe gewesen. *Wahr.* Sie sagte, sie hätten sich vor einiger Zeit via Facebook wiedergefunden. *Wahr.* Sie sagte, sie hätten sich auf einen Kaffee getroffen, als sie in Irland war, um sich um ihren sterbenden Vater zu kümmern. *Wahr.* Sie sagte, dass seine Firma in Schwierigkeiten stecke. *Wahr.* Dass er seiner Frau das Ausmaß der Probleme verschwiegen habe. *Wahr.* Und dass sie versucht habe, ihm zu helfen. *Wahr.* Sie sagte, sie habe vor kurzem ihr eigenes, sehr profitables Unternehmen in den USA verkauft. *Wahr.* Dass sie Geld für Investitionen besäße, falls ihr die richtige Gelegenheit über den Weg liefe. *Wahr.* Dass sie an dem Unfallabend eingewilligt habe, in seine Firma zu investieren. *Gelogen.* Und dass sie auf dem Weg gewesen seien, um bei einem Abendessen ihre neue Geschäftsbeziehung zu feiern. *Gelogen.* Ja, dass er umgehend seine Frau habe anrufen wollen, damit sie seine neue Geschäftspartnerin kennenlernen und mit ihnen anstoßen könne. *Gelogen.* Ihre Beziehung sei rein geschäftlicher Natur. *Gelogen.* Aber er läge ihr am Herzen. *Wahr.*

Der Polizist interessierte sich viel mehr für eine Wiederholung ihrer Schilderung der Ereignisse und wollte wissen, was genau passiert war, als der Wagen sie anfuhr. Als er noch einmal ihre erstaunlich genaue Beschreibung des Vorfalls bestätigte, erinnerte er sie jedoch auch daran, dass sie sich in der fraglichen Nacht als Bens Freundin bezeichnet hatte. Eve konnte sich nicht daran erinnern, und obwohl er sie damit kurzzeitig aus dem Konzept brachte, hatte sie sich sofort wieder im Griff. Sie erklärte, dass es in jener Nacht eine Phase gegeben habe, in der sie dachte, sie sei wieder achtzehn Jahre alt. Es habe viele flüchtige

Momente der Verwirrung gegeben. *Wahr.* Er erwähnte, sie habe ihn anfangs als Glenn Medeiros identifiziert. Auch daran konnte Eve sich nicht erinnern, aber es brachte sie erst zum Lachen und dann zum Weinen.

«So habe ich ihn immer genannt, als wir noch Teenager waren», sagte sie.

«Nach dem Sänger?», fragte er.

Sie nickte.

«Wir hatten da bei uns auf dem Revier nämlich eine kleine Wette laufen», gestand er.

«Er trug damals Locken und hatte einen recht eigensinnigen Stil», sagte sie, und ihr liefen trotz aller Bemühungen, sich zusammenzureißen, die Tränen über das Gesicht.

«Verstehe», sagte er.

«Ich durchlebe immer wieder diese Nacht», sagte sie. *Wahr.* «Ich weiß wirklich nicht, weshalb ich jetzt weinen muss.» *Gelogen.*

Sie riss sich zusammen. Es war wichtig, die Fassade aufrechtzuerhalten. Sie stellte sich bildlich vor, wie sie in ihrem Kopf einen Hahn zudrehte, und der Tränenfluss versiegte.

Sie bat ihn, dafür zu sorgen, dass Bens Frau ihre Aussage so bald wie möglich lesen könne. Sie wolle auf keinen Fall, dass es zu Missverständnissen käme. Eve sagte, sie sei sich bewusst, dass ihr Leben schon schwer genug war, ohne dass sie sich auch noch Gedanken darüber machen musste, was ihr Mann in jener Nacht getrieben hatte.

«Ich weiß, was ich an ihrer Stelle denken würde», sagte sie.

Er nickte und bestätigte, dass eine Affäre eine mögliche Schlussfolgerung sei. Sie konnte nicht einschätzen, ob er ihr die Geschichte abnahm. Es tat nicht unbedingt etwas zur Sache, wenn es darum ging, Anklage wegen Trunkenheit am Steuer zu erheben, und so kümmerte es ihn vielleicht nicht sonderlich. Nachdem er zugesagt hatte, Fiona eine Kopie ihrer Aussage zukommen zu lassen, erkundigte sie sich so beiläufig wie möglich nach Bens Zustand.

«Ich fürchte, er wird es nicht schaffen», sagte er.

«Wie bitte?» Obwohl sie seinen Tod als Möglichkeit in Erwägung gezogen hatte, schlug der Schock der Bestätigung wie ein Blitz in ihren Körper ein.

«Er wurde gestern Nachmittag für hirntot erklärt. Morgen Vormittag wird die Beatmung abgeschaltet», sagte er.

Sie nickte benommen. «Oh», sagte sie und bekämpfte den Drang zu schreien.

«Es tut mir leid», sagte er.

«Ja», sagte sie. Sie atmete ein und wieder aus. «Mir auch. Seine arme Frau.» *Reiß dich zusammen. Reiß dich zusammen. Reiß dich zusammen.*

Er nickte und bedankte sich für ihre Zeit. Er sagte, falls nötig und falls weitere Fragen auftauchten, würde er sich wieder bei ihr melden. Er wolle sie auf dem Laufenden halten.

Dann ließ er sie allein. Sie saß aufrecht in ihrem Bett und starrte den dünnen Vorhang an. *Er ist fort.* Ihr kamen die Tränen. *Er ist fort.* Augen, Nase und Ohren brannten. *Er ist fort.* Sie blinzelte. *Er ist fort.* Die Tränen flossen. *Er ist fort.* Die Nase lief. *Er ist fort.* Das Herz tat ihr weh. *Er ist fort.* Ihr drehte sich der Magen um. *Er ist fort.* Sie zog sich mit dem gesunden Arm die Decke über den Kopf und begrub sich darunter, um alleine in stickiger Dunkelheit zu trauern. Sie drückte auf die Bettsteuerung, bis sie wieder flach lag. Schließlich ließ sie ihren Tränen freien Lauf, ungesehen und stumm. *Er ist fort.*

Lily sah dem Polizisten nach, als er den Flur hinunterging. Erst als er im Lift verschwand, verließ sie das Schwesternzimmer und betrat Eves Krankenzimmer. Sie trat an das Bett mit der Mumie, und als sie die tränennasse Decke über dem Gesicht sah und Eves erstickte Schluchzer hörte, schob sie die Hand unter die Bettdecke und hielt ihrer Freundin die Hand, genau so, wie sie es vor all den Jahren an einem sonnigen Nachmittag bei Eve im Garten getan hatte. Als Eve endlich aufhörte zu weinen, zog Lily die Hand zurück, stand auf und ging hinaus, damit Eve sich erholen konnte.

Lily hatte viel zu tun. Es war einer der Tage, an denen es keine Atempausen gab. Als sie endlich eine Mittagspause machen konnte, war es bereits vier Uhr am Nachmittag. Declan war gerade aus dem OP gekommen, und so aßen sie zusammen eine Kleinigkeit. Plötzlich entdeckte sie Bens Frau und seine Mutter, die mit zwei unberührten Tassen Kaffee vor sich an einem Tisch saßen und ins Leere starrten. Lilys Herz fing an zu rasen, und sie senkte den Kopf, aus Angst, dass eine der beiden Frauen ihre Umgebung wahrnahm und die Krankenschwester erkannte, die früher mit Ben befreundet gewesen war und mindestens zweimal am Tag bei ihm reinschaute. Sie hatten sich an ihren Anblick gewöhnt und sogar ein- oder zweimal miteinander gesprochen. Bens Mutter erinnerte sich noch an Lilys Mutter, weil sie früher bei einer ihrer Freundinnen geputzt hatte. Als sie sich nach ihr erkundigte, erzählte Lily, dass es ihr gut gehe und sie vor vielen Jahren nach England gezogen sei. Da brach Mrs. Logan in Tränen aus.

«Ich glaube, wir werden ihn verlieren», sagte sie, und sie hatte recht. Ben Logan war verloren. Kurz nach diesem Gespräch fiel die Entscheidung, die Beatmung abzuschalten.

Die arme Fiona tat Lily leid. Auch wenn Eve es nie gesagt hatte, so wusste Lily doch, dass sie mit Ben ins Bett gegangen war. Sie hätte vermutlich mehr Mitgefühl für Eves Kummer aufgebracht, wenn Ben ungebunden gewesen wäre. Ihr war klar, dass sie voreingenommen war, frömmlerisch und übertrieben sittenstreng, aber sie konnte es nicht ändern. Bens Frau verlor gerade ihren Mann, und wenn er unter der Erde lag, würde seine Affäre wahrscheinlich ans Licht kommen, und dann würde er ein zweites Mal für sie sterben. Lily wusste, wie es sich anfühlte, wenn man sich mit der Frage quälte, wie und warum und was sie hätte tun können oder müssen, um Dinge zu ändern, die nicht in ihrer Macht lagen. *Arme Fiona*. Sobald sie ihr gequältes Gesicht sah, stieg Mitleid in ihr auf. Eve hatte immer schon getan, was sie wollte, ohne sich darum zu scheren, was irgendjemand anders davon hielt, und diese Frau bezahlte den Preis dafür. Natürlich tat auch Eve ihr leid, aber eigentlich wollte sie jedes Gespräch über Ben vermeiden, weil es ihr kaum gelingen würde, Mitgefühl aufzubringen, ohne Fionas Gesicht vor sich zu sehen. Lily hielt den Kopf gesenkt, doch ihre Sorgen waren unbegründet, denn Fiona starrte weiter ins Leere.

Declan freute sich auf die Dinnerparty, zu der sie eingeladen waren und die Lily völlig vergessen hatte.

Sie hatte nichts anzuziehen, sie war müde, und Alice Gibson, die Gastgeberin, hatte von Anfang an nie mit ihrer Meinung über Lily hinter dem Berg gehalten. In den Augen von Professor Alice Gibson stand Lily weit unter ihr. Sie war ein hübsches kleines Ding, das in Rosarot gekleidet durchs Krankenhaus flatterte. Alice war eine seriöse Akademikerin. An sich keine hässliche Frau, hatte sie allerdings die bullige Figur ihres Vaters geerbt, trug auf den Hüften ein paar Pfund zu viel mit sich herum und kämpfte mit einem Damenbart. Sie hatte keine Zeit für Smalltalk oder Witzchen oder dafür, das Ego der Männer zu streicheln, indem sie über die dämlichen Witze lachte, die die meisten machten, wenn sie ein paar Gläser zu viel getrunken hatten. Alice Gibson war eine ernsthafte Frau und hochintelligent, aber so faszinierend sie auch war, wenn sie über Medizin dozierte, war sie auf gesellschaftlichem Parkett fürchterlich langweilig. Als Lily irgendwann zu erkennen gab, dass sie nicht weniger klug war, verwandelte sich Alices Gleichgültigkeit in Eifersucht. Sie war eine schlechte Gastgeberin, die keine Gelegenheit für Unhöflichkeiten ausließ.

«Ich möchte da wirklich nicht hin», gestand Lily und pickte in ihrem welken Salat herum.

«Wir können unmöglich am Tag der Einladung absagen – das wäre unhöflich.»

«Ganz klasse», sagte Lily.

Declan lachte. «Alice hat dich doch nicht mit Absicht mit Wein bekleckert.»

«Doch, das hat sie. Außerdem ist sie mir zweimal auf die Zehen gestiegen und hat mich, wann immer sie konnte, aus dem Gespräch ausgegrenzt.»

«Sie hat einfach im gesellschaftlichen Umgang nicht besonders viel Talent.»

«Sie ist ein Miststück.»

«Sie ist Rodneys Frau, und Rodney ist ein guter Freund, und deshalb gehen wir hin und werden uns sehr amüsieren», sagte er fröhlich.

Lily wusste, dass er soeben ein Machtwort gesprochen hatte, mochte es noch so freundlich verpackt sein.

«Scheibenhonig», sagte sie, und er lächelte.

«Du solltest das goldene Armband tragen, das ich dir geschenkt habe», sagte er.

«Ich hoffe, es macht dir nichts aus, wenn ich ansonsten nichts trage», sagte sie und seufzte.

Alice würde wieder etwas tragen, das altbacken aussah, aber unübersehbar teuer war. Lily ging im Geiste ihre mehr als übersichtliche Garderobe durch und versuchte, etwas zu finden, was Alice noch nicht an ihr gesehen hatte, doch die vorzeigbaren Stücke kannte sie alle schon. *Scheibenkleister*. Sie hatte weder das Geld noch die Zeit, sich etwas Neues zu kaufen, und so entschied sie sich für ein schlichtes rotes Kleid, das sie schon unzählige Male getragen hatte. Sie war sich sicher, dass sie Alice damit einen Gefallen tat. Sie hatte sich bereits bei früheren Gelegenheiten die Bemerkung nicht verkneifen können, dass Lily offensichtlich sehr an diesem Kleid hinge, aber Lily fühlte sich wohl darin, es stand ihr, und – noch wichtiger – es kam frisch aus der Reinigung.

Sie ließ Declan allein sitzen, weil er noch nicht fertig war, und kehrte auf die Station zurück. Unterwegs lief sie Adam in die Arme.

«Bist du auch zu diesem Dinner heute Abend gezwungen worden?», fragte er.

«Ja. Du?»

Er nickte. «Alice hat mir per Mail mitgeteilt, dass sie mich neben Tracey Barber platzieren wird.»

«Wer ist Tracey Barber?»

«Ich habe keine Ahnung, aber sie ist wohl eine politische Analystin, und ich werde sie lieben», sagte er, und Lily lachte.

«Also, wenn sie Alice nur im Entferntesten ähnelt, dann ist sie bestimmt eine bissige Bulldogge.» Er kicherte. Adam hatte in etwa genauso viel für Alices Wichtigtuerei übrig wie Lily.

«Ich frage mich, welche Gemeinheit oder Beleidigung sie diesmal für mich aus dem Ärmel schüttelt», sagte sie.

«Wir werden sehen.»

«Wenigstens haben wir einander», sagte sie und tat, als hätte sie nicht gemerkt, dass er errötete. *Was immer du denkst, Adam, bitte vergiss es. Bitte!*

Declan hatte am Wochenende frei und freute sich drauf, sich zu entspannen und ein paar Gläser zu trinken. Da er die Alkoholtoleranz eines weiblichen Teenagers besaß, konnte Lily nur hoffen, dass er einschlief, ehe er irgendetwas sagte oder tat, was ihr peinlich war.

Clooney verbrachte den Tag mit dem Versuch, seine Schwester aufzumuntern, doch das war ein recht schwieriges Unterfangen. Als er dann auch noch erzählte, er sei Paul in die Arme gelaufen und dass abends die ganze Meute zu Besuch kommen würde, war es vorbei. Eve fing an zu weinen.

«Ich dachte, du freust dich», sagte er verwirrt.

«Ich bin erschöpft, habe höllische Schmerzen, meine Scheißbeine sind gebrochen, und meine Schulter ist ein einziger Schrotthaufen. Ich habe Kopfschmerzen, meine Scheißaugen brennen. Ben ist … Nein, Clooney, ich freue mich nicht.»

«Zweimal Scheiß in einem Satz. Du meinst es ernst. Entschuldige.»

Sie schüttelte den Kopf. «Nein, ich entschuldige mich. Das ist nett von ihnen.»

«Was kann ich tun?»

«Ben wieder lebendig machen.»

«Ich wünschte, ich könnte es.»

«Und ich erst.»

Lily kam mit dem Medikamentenwagen herein. Eve war als Letzte an der Reihe.

«Zeit für deine Heparinspritze», sagte Lily.

Eve bekam jeden Tag einmal eine Spritze. Es war die einzige Injektion, die nicht über den Zugang verabreicht wurde, und sie schmerzte wie ein Bienenstich.

Clooney wandte den Blick ab. Er hatte Spritzen schon immer gehasst. Eve verzog wie jedes Mal das Gesicht, und Lily rieb die Einstichstelle mit einem Alkoholtupfer ab. «Fertig.»

Im selben Augeblick betrat Fiona Logan das Zimmer. Lily wäre um ein Haar das Herz stehen geblieben. *Oh, Scheibenhonig! Scheibenkleister mit Reis!* Ihr Blick ging von Fiona zu Eve. Sie wirkte völlig ruhig. *Scheibe, ob sie überhaupt weiß, wer das ist?*

Fiona trat ans Bett.

«Eve?»

«Fiona», sagte Eve und lächelte.

Lily wusste nicht, wohin mit sich. *Was zum Teufel …?*

«Lily», sagte Fiona.

Lily winkte. *Habe ich gerade gewunken?*

«Das ist mein Bruder Clooney», sagte Eve, und Clooney erhob sich.

Fiona gab ihm die Hand. «Hallo, ich bin Fiona Logan.»

«Bens Frau?», fragte er, und dann fiel auch bei ihm der Groschen.

«Ja», antwortete sie.

«Ach so», sagte er. Offensichtlich war ihm genauso unbehaglich zumute wie Lily. Nur Eve blieb ruhig und gelassen.

Oh Gott, oh Gott, oh Gott, dachte Lily. *Eve! Sei nett, bleib cool. Ich muss mich hinsetzen. Nein. Ich muss hier raus! Oh Gott, ich muss aufs Klo! Oh Gott, bitte tu ihr nicht weh.*

«Setzen Sie sich doch», sagte Eve und deutete auf den Stuhl, den ihr Bruder eben frei gemacht hatte.

Fiona nahm Platz. «Es tut mir leid, dass ich so lange gebraucht habe, um herzukommen», sagte sie.

«Das verstehe ich», antwortete Eve.

Ich glaub, ich bin im falschen Film!, dachte Lily. Clooney sah stumm zu. Lily wusste nicht, ob sie bleiben oder gehen sollte. Sie entsorgte die Nadel in einen Container und strich Eves Bettdecke glatt. Sie studierte die Blutdruckanzeige. *Vielleicht sollte ich rausgehen und nachher wiederkommen.*

«Ich habe Ihre Aussage gelesen», sagte Fiona.

«Gut», antwortete Eve. «Es war mir sehr wichtig, dass Sie erfahren, was genau passiert ist.»

«Ich bin Ihnen sehr dankbar dafür», sagte Fiona mit tränenerstickter Stimme. «Ich hatte mich gefragt, was er da zu suchen hatte. Ich habe alles Mögliche gedacht. Jetzt komme ich mir ein wenig dumm vor.»

«Aber nein», sagte Eve.

Oh, du miese kleine Lügnerin, was hast du denen erzählt? Lily versuchte sich zu bewegen, aber sie konnte nicht. Sie stand wie angewurzelt da, bewegungsunfähig vor Neugier.

«Wir stellen morgen die ...» Fiona brachte es nicht fertig, den Satz zu beenden.

Eve nickte. «Ich weiß», sagte sie. «Es tut mir so leid.»

Sie wirkte ruhig und gefasst, aber nicht zu gefasst, um kühl zu erscheinen. Sie zeigte exakt die richtige Menge Emotion, die für einen alten Freund angemessen war.

Wann bist du eine so gute Lügnerin geworden?, dachte Lily.

«Es ist ein Albtraum», sagte Fiona.

«Ich wünschte, ich könnte irgendetwas tun», entgegnete Eve.

«An dem Abend … wollte er mich da wirklich anrufen, um zu feiern?», fragte Fiona und fing an zu schluchzen.

Eve nickte. «Ja. Er hat hart an einem Plan gearbeitet, um die Firma zu retten. Ich habe Kopien sämtlicher Unterlagen, falls Sie die wiederhaben wollen.»

«Nein», sagte Fiona. «Danke sehr.»

Verflucht noch mal, mir reicht's!, dachte Lily.

Fiona stand auf. «Morgen um diese Zeit bin ich Witwe. Helfen Sie mir, Eamonn Colgan hinter Gitter zu bringen?»

Eve nickte. «Aber ja!», sagte sie.

Fiona verließ das Zimmer.

Clooney sah seine Schwester an und lächelte. «Du hast das Richtige getan.»

Eve warf Lily einen fragenden Blick zu, und Lily schüttelte seufzend den Kopf. «Klar. Das Richtige», murmelte sie, eher zu sich selbst, und ging hinaus. Clooney folgte ihr auf den Gang und rief ihr nach. Sie blieb stehen, drehte sich um und sah ihn an.

«Verurteilst du sie?», fragte er.

«Sie hatte eine Affäre mit einem verheirateten Mann, und jetzt lügt sie. Versteh mich nicht falsch, ich bin froh, dass sie das für Fiona Logan getan hat, aber Himmel, Clooney, es ist Welten davon entfernt, das Richtige zu sein.»

«Verstehe», sagte er. «Du bist also immer noch nicht von deinem hohen Ross runtergekommen.»

Seine Worte trafen sie wie ein Schlag ins Gesicht. Sie brannten wie Feuer, und ihre Antwort sah ihr gar nicht ähnlich. «Fick dich!», sagte sie, drehte sich um und ging davon.

Punkt 20.00 Uhr trafen Gina, Gar und Paul, beladen mit Genesungskarten, Obstkörben, Blumen und Süßigkeiten, in Eves Krankenzimmer ein. Clooney saß immer noch bei ihr. Lily war nach Hause gegangen. Anne, Lindsey und Beth waren hellwach und warteten nur darauf, sich einzumischen.

Bei Eves Anblick entfuhr Gina ein Keuchen. «Ach du Scheiße!»

Gar übertrieb gewaltig, um die Reaktion seiner Frau wiedergutzumachen. «Du siehst toll aus, viel besser, als wir erwartet haben», sagte er und warf Gina einen bösen Blick zu.

Paul zog ein paar Stühle heran und setzte sich.

«Na, Narbengesicht? Lust auf was Süßes?», fragte er und hielt Eve eine Schachtel Pralinen hin.

Eve schüttelte den Kopf, aber sie lächelte, dankbar, weil er so normal und unerschütterlich war.

Gar und Gina setzten sich auf die eine Bettseite, Clooney und Paul auf die andere.

«Schön zu sehen, dass es offensichtlich doch ein paar Menschen in ihrem Leben gibt», sagte Anne. «Eine Zeitlang sah es so aus, als hätte sie niemanden, bis auf den langen Kerl da.»

«Sind die für mich?», fragte Lindsey und zeigte auf die Pralinenschachtel.

«Nein!», sagte Paul, und Anne lachte.

«Frechheit!», murmelte Lindsey.

«Nein danke, für mich nicht», sagte Beth, obwohl ihr niemand etwas angeboten hatte. «Ich kann immer noch nicht!» Sie rieb sich den Bauch.

Die Bemerkungen der alten Damen brachten Gar zum Lachen. Gina war viel zu sehr auf Eve konzentriert und auf ihren Bericht über den Unfall, um davon überhaupt etwas mitzubekommen.

Ein paar Minuten später hatten auch die alten Damen Besuch bekommen, und mit fröhlichem Geplauder als Hintergrundkulisse erzählte Eve ihren Freunden, dass sie Ben aus geschäftlichen Gründen getroffen hatte.

Gina stand die Enttäuschung ins Gesicht geschrieben. Clooney schwieg. Auch Paul sagte nichts. Er hatte nicht vor, Eve auf die Nase zu binden, dass ihr Bruder ihre Affäre am Vorabend ausgeplaudert hatte. Er respektierte den Kurs, den sie einschlug, denn er konnte ihre Entscheidung zu lügen gut nachvollziehen. Es diente einem übergeordneten Wohl. Es war vernünftig. Eve war keine geübte Lügnerin, und sie zog grundsätzlich die Wahrheit vor, aber nicht um jeden Preis.

Die Geschichte des Unfalls war aufregend genug, um Gina von Ben abzulenken, jedenfalls bis Paul sich nach seinem Zustand erkundigte. Eve geriet ins Stocken. Während sie noch damit beschäftigt war, ihre Gedanken zu ordnen, sprang Clooney ein. Er erzählte, dass am nächsten Tag die Apparate abgeschaltet werden sollten. Alle sahen Eve an und warteten auf eine Reaktion von ihr. Sie reagierte gar nicht. Sie war völlig abwesend und damit beschäftigt, eine neue Mauer zu errichten, ein Stein, zwei Steine, drei Steine, vier.

«Ich habe Neuigkeiten», sagte Paul schnell, um die anderen von seiner rettungsbedürftigen Freundin abzulenken.

Und dann erzählte er seinen fassungslosen Freunden, dass er heiraten und Vater werden würde. Selbst Eve tauchte für einen Augenblick hinter ihrer unsichtbaren Mauer auf. So knapp wie möglich erzählte er ihnen, dass er sich in eine Schönheit namens Simone verliebt hatte.

«Aber du bist doch schwul!», sagte Gar.

«Ich bin bisexuell.»

«Aber du hast gesagt, du wärst schwul!», beharrte Gar.

«Ich habe mich getäuscht. Ich bin bi.»

«Dich getäuscht? Wie soll das denn gehen? Ich … Die ganze Zeit? Ich bin …» Gar sah zuerst seine Frau an, die nur die Achseln zuckte, und dann Clooney und Eve. «Ich kapier das nicht.»

«Ich weiß nicht, was ich sagen soll.» Paul war nicht gut darin, sich zu erklären. Er besaß weder das Talent, noch sah er die Notwendigkeit. *Es ist, wie es ist.*

«Und wieso erzählst du das erst jetzt?», wollte Gar wissen.

«Weil er nicht mehr ganz dicht ist», sagte Eve.

«Wahrscheinlich.» Paul lächelte Eve an. «Ich war acht Jahre mit Paddy zusammen.»

«Und er hat um sein Coming-out ein Riesentheater veranstaltet», versuchte Gina ihm zu helfen.

«Ich will nichts mehr hören!» Gar sah von seinem angetrauten Eheweib zu Eve, dann zu Clooney und schließlich zu Paul. «Du bist mein Freund. Wieso weiß ich nichts davon?»

Gar wusste wirklich nicht, was er davon halten sollte. Als sie jünger waren, hatte er zu Paul aufgeschaut. Er war der Typ, dem die Mädchen ständig hinterherliefen, und seine Freundinnen waren durchweg hübsch. Paul war verschwiegen und ließ nie ein einziges Wort über seine Eroberungen fallen, aber es war trotzdem klar, dass er jede haben konnte, wie ein Rockstar. Als er dann gestand, dass er schwul sei, verstand Gar die Welt nicht mehr, und es machte ihm lange Zeit gehörig zu schaffen. War Paul überhaupt mit diesen Mädchen zusammen gewesen? War er nur mit ihnen zusammen, um sein Gesicht zu wahren? Und falls er Mädchen nicht mochte, wie konnte es dann sein, dass er so gut mit ihnen umgehen konnte? Paul war so verschlossen und Gar dermaßen schockiert, dass sie im Grunde nie richtig darüber gesprochen hatten. Jeder zog es aus persönlichen Gründen vor, lieber nicht über Pauls Sexualleben zu sprechen.

Gina hatte jahrelang versucht, Paul näherzukommen, aber er blieb verschlossen wie eine Auster. Er mochte sie, sie war nett, aber sie war die Frau seines Freundes, nicht *seine* Freundin. Am Anfang hatte seine Zurückweisung Gina verletzt, aber nach ein paar Jahren hatte sie gelernt, Paul und seine Marotten zu akzeptieren. *Er ist, wie er ist.*

«Ich habe mir vor dir das Oberteil ausgezogen!», sagte Eve, und Paul nickte lächelnd.

«Ja, hast du», sagte er.

Clooney blieb stumm. Er kannte Paul nicht besonders gut, und es war ihm nicht wichtig, ob er nun schwul war oder bisexuell. Er freute sich einfach, dass die Neuigkeiten von seiner Schwester ablenkten.

«Gratuliere», sagte er schließlich, als alle verstummt waren.

Paul bedankte sich.

Die anderen schlossen sich den Glückwünschen an.

«Ich kann es kaum erwarten, sie kennenzulernen», sagte Gina.

«Ich fasse es nicht, dass du Vater wirst», sagte Gar.

«Ich auch nicht.» Pauls Augen füllten sich mit Tränen, und einen Moment lang sonnten sich seine Freunde in seinem Glück, bis er sich unwohl fühlte und das Thema wechselte. Er erkundigte sich nach Lily, und Gina war augenblicklich wieder Feuer und Flamme.

«Wie ist sie so?», wollte sie wissen.

«Genau wie früher», antwortete Eve.

«Und Declan?», fragte Gina.

«Weiß ich nicht. Ich habe ihn nicht gesehen», sagte Eve. *Und ich will ihn auch nicht sehen.*

«Aber er praktiziert doch hier», sagte Gina.

«Ja.»

«Seltsam.»

«Eigentlich nicht.»

«Und hat sie gesagt, warum sie den Kontakt zu uns allen abgebrochen haben?», wollte Gar wissen.

Eve hatte eine ziemlich genaue Ahnung, weshalb die beiden damals verschwunden waren – jedenfalls glaubte sie es –, aber ebenso gut hätten eine Million andere Gründe eine Rolle spielen können. Das war alles so lange her. *Vergangenheit ist Vergangenheit. Lasst es gut sein.* Sie gab keine Antwort.

«Ist sie da?», fragte Paul.

«Sie hatte vor zwei Stunden Feierabend», sagte Clooney mit einem Blick auf die Uhr. Mittlerweile waren sie schon mehr als eine Stunde da. «Also, ich glaube, wir gehen jetzt besser. Es war ein langer Tag für Eve.»

Eve bedankte sich für den Besuch, und Clooney ließ sich nach Hause fahren.

«Das sind aber nette Leute, Häschen», sagte Anne, nachdem sich sämtlicher Besuch verabschiedet hatte.

«Danke, Anne.»

«Bis auf den Sonderling natürlich. Wissen Sie, wie man solche Leute zu meiner Zeit nannte?»

«Nein.»

«Nimmersatts.»

«Ach was?»

Lindsey war eingeschlafen und Beth ins Fernsehprogramm versunken.

«Aber es muss ja alles geben.»

«Stimmt», sagte Eve.

«Möchten Sie vielleicht ein Bonbon?»

«Nein, danke.»

«Ich könnte nach der Schwester klingeln, damit sie Ihnen eins rüberbringt.»

«Nein, aber vielen Dank.»

«Das mit Ihrem Freund tut mir leid.»

«Wen meinen Sie?», fragte Eve und war sich nicht sicher, ob Anne von dem toten Mann oder dem Sonderling sprach.

«Den, nach dem Sie im Schlaf immer rufen», sagte Anne, und als Eve anfing zu weinen, tat sie freundlicherweise so, als würde sie es nicht bemerken.

Alice war genauso unhöflich, wie Lily es befürchtet hatte. Sie öffnete die Tür, trat einen Schritt zurück und musterte Lilys Aufmachung.

«Ah, du siehst toll aus», sagte sie und setzte ein Küsschen in die Luft, «in deinem alten Lieblingsstück.»

Lily hatte schlechte Laune und keine Lust, wie üblich nett zu bleiben, daher fragte sie mit eisiger Stimme: «Ist das neu?»

«Ja.»

«Na ja, wenn du es sofort wieder ausziehst, lässt es sich vielleicht noch umtauschen», sagte Lily im Vorbeigehen, ohne ihre Gastgeberin eines zweiten Blickes zu würdigen.

Adam reichte ihr ein Glas Champagner. «Nicht schlecht», sagte er.

«Ich bin heute Abend nicht in der Stimmung für so was.»

«Habe ich gemerkt.»

Declan hatte den Wortwechsel zwischen seiner Frau und der Gastgeberin gar nicht beachtet. Er war viel mehr daran interessiert, sich mit Rodney über die Operation zu unterhalten, die sie an diesem Tag gemeinsam durchgeführt hatten.

Die Gruppe versammelte sich im Wohnzimmer und wartete darauf, ins Esszimmer gebeten zu werden. Alice war in der Küche – offiziell, um dem Personal vom Partyservice auf die Finger zu sehen, doch in Wirklichkeit überprüfte sie kochend vor Wut den Sitz ihrer Garderobe.

Normalerweise beobachtete Declan Lily auf Partys oder Veranstaltungen aus der Ferne, vor allem in großen Räumen mit fremden Menschen, und sobald er sie im Gespräch mit einem ihm unbekannten Mann sah, rief er sie zu sich. Wenn sie dann kam, sagte er: «Lily, kannst du bitte bei mir stehen bleiben?»

«Warum? Was möchtest du?»

«Meine Frau, falls das erlaubt ist.»

Wenn sie bei solchen Gelegenheiten länger als fünf Minuten verschwand, machte er sich auf die Suche nach ihr.

«Lily! Wo zum Teufel bist du gewesen?»

«Auf der Toilette.»

«Man braucht keine halbe Stunde, um aufs Klo zu gehen. Was führst du im Schilde?»

«Doch, man braucht so lange, wenn man in einem Lokal voller Frauen ist und es nur zwei Toiletten gibt. Himmel noch mal, Declan!»

Und wenn Lily sich mit einem Mann unterhielt, der in Declans Augen allzu offensichtlich Gefallen an ihr fand, machte Declan sie klein, auch wenn er sich dabei manchmal ins eigene Fleisch schnitt.

«Lily, ich bin mir sicher, dass Greg lediglich versucht, höflich zu sein. Welcher Mann interessiert sich schon für Gartenarbeit!»

«Greg ist Gärtner, Declan.»

Bei Rodneys intimen Abendeinladungen ignorierte er Lily jedoch, weil er hier keine Konkurrenz witterte.

Lily und Adam standen gemeinsam am Klavier. Declan wäre eifersüchtig, wenn er nicht glauben würde, dass Adam schwul war. Bereits vor Jahren war Declan zu dieser Überzeugung gelangt – ungeachtet der vielen Frauen, mit denen Adam zusammen gewesen war –, weil Adam nie geheiratet hatte und in Declans Augen das gewisse Etwas besaß. Da er jedoch selbst nicht genau sagen konnte, was er eigentlich damit meinte, nannte er es einfach den X-Faktor. Declan genoss den Anblick schöner Frauen. Adam genoss es, sich mit ihnen zu unterhalten. Declan war gut gekleidet. Adam war elegant. Declan war ein ehemaliger Rugbyspieler, Adam hatte während der Oberstufe Standardtänze getanzt. Lily wusste, dass ihr Ehemann falschlag, bestärkte ihn aber trotzdem in seinem Irrglauben, indem sie ihm nie widersprach. Es war schön, einen männlichen Freund zu haben, dem Declan nicht misstraute. Adam hatte im Laufe der Jahre eingesehen, dass er sich nur dank der irrigen Einschätzung ihres Ehemanns in Lilys Nähe aufhalten konnte. Daher legte er selbst ebenfalls keinen Wert darauf, das Missverständnis aufzuklären, ganz gleich, wie unhöflich oder verletzend Declan wurde, wenn er getrunken hatte.

Auf der Hinfahrt hatte Declan sich über den Umstand lustig gemacht, dass Alice für Adam ein Date arrangiert hatte. «Die reinste Zeitverschwendung», behauptete er.

Lily antwortete nicht. Sie war in Gedanken mit ihrer Reaktion auf Eve beschäftigt, und vor allem mit dem, was

Clooney gesagt hatte. «Du bist also immer noch nicht von deinem hohen Ross runtergekommen.» *Was sollte das denn heißen? Er kennt mich doch gar nicht!* Es wurmte sie trotzdem, und sie fragte sich, weshalb sie so aufgebracht war, obwohl Eve alles getan hatte, um Fiona möglichst nicht weh zu tun. Sie hatte ein schlechtes Gewissen. *Wer bin ich denn schon, mich über eine Lüge aufzuregen? Ich habe mein ganzes Leben lang gelogen. Wem würde die Wahrheit denn nutzen? Niemandem. Eve hat wahrscheinlich den schlimmsten Tag ihres Lebens durchgemacht, und ich habe mich benommen wie eine dumme Kuh. Verdammt! Was ist eigentlich los mit mir?* Während sie daran dachte, wie traurig und verloren Eve sich fühlen musste, machte Declan sich weiter über Adam und die arme Pute lustig, die Alice für ihn auserkoren hatte.

«Sie hört einfach nicht auf mich», sagte er. «Sie ist fest entschlossen, ihn zu verkuppeln.»

«Sie sollte sich um ihren eigenen Kram kümmern», sagte Lily und erinnerte Declan damit daran, Lily erneut einzuschärfen, nett zu Alice zu sein.

«Lily! Ich bestehe darauf, dass du freundlich zu Alice bist!», sagte er streng.

«Das werde ich.»

«Du hast wieder eine deiner Launen», sagte er.

Dieser Satz ging ihr auf die Nerven. Declan unterstellte ihr ständig, dass ihre Launen untrennbar mit ihren Hormonen verbunden seien. Sie ignorierte ihn. Sie hatte Eves Gesicht vor Augen, von dem der Schmerz ihres gebrochenen Herzens deutlich abzulesen war.

«Ich weiß überhaupt nicht, weshalb sie ihn immer noch einladen», quasselte Declan unbeirrt weiter. «Er bleibt doch sowieso nie lange. Wahrscheinlich muss er weiter in den Phoenix Park, um sich nach einem Hintern umzusehen.» Er warf seiner Frau einen Seitenblick zu, weil er ihre Reaktion sehen wollte. Doch Lily reagierte nicht. Sie war in ihre eigenen Gedanken versunken.

Sie dachte zurück an die Zeit, als Eve ein verliebter Teenager war. *Ich glaube, ich verliebe mich, Lily. Ich habe Angst, Lily. Er macht die ganze Welt besser. Ich wünschte, es könnte immer so sein.*

«Woran denkst du?», fragte Declan.

«An gar nichts.»

«Das geht nicht. Sag mir, was du denkst.»

«Ich denke, ich wünschte, ich läge zu Hause in der Badewanne.» *Ich denke daran, dir das Licht auszublasen, sobald wir wieder zu Hause sind, heimlich ins Krankenhaus zu fahren und meiner alten Freundin dabei zu helfen, von ihrer Jugendliebe Abschied zu nehmen.*

«Du hast so einen Blick», sagte er.

«Nein, habe ich nicht.»

«Doch, hast du.»

«Fahr einfach, Declan.»

Adam und Lily standen am Klavier und unterhielten sich ein paar Minuten lang. Dann betrat Alice das Zimmer und machte Adam mit Tracey bekannt. Dabei war sie darauf bedacht, Lily den Rücken zuzukehren und sie so aus der Gesprächsrunde auszuschließen. Adam fasste Lilys Hand und sagte zu Alice, sie habe Lily versehentlich ausgeschlossen. Alice tat, als wäre es unbeabsichtigt geschehen, und Adam und Lily taten so, als würden sie ihr glauben. Tracey stand still dabei und wartete geduldig darauf, Lily vorgestellt zu werden. Als das erledigt war, ließ Alice Tracey bei Adam zurück, und Lily blieb, wo sie war. Alice drehte sich mit einem Blick zu ihr um, der verriet, dass sie sie am liebsten geschlagen hätte, und fragte Lily, ob sie nicht Lust habe, ihr in die Küche zu folgen.

«Danke, aber ich fühle mich hier sehr wohl», sagte Lily.

Adam lächelte, und Tracey, die keine Ahnung hatte, was vor sich ging, machte Lily in Alices Hörweite Komplimente zu ihrem roten Kleid.

Tracey war wirklich nett. Sie war groß und besaß ein leichtes Pferdegebiss, doch sie hatte hübsche Augen, blonde Haare und eine gute Figur. Sie war nicht Adams Typ, aber sie besaß Humor. Wenn er sie in einer Bar kennengelernt hätte und nicht ausgerechnet Lily neben ihr stünde und ihn daran erinnerte, welche Frau er in Wirklichkeit wollte, wäre er vielleicht sogar mit ihr ins Bett gegangen, falls sich die Gelegenheit ergeben hätte.

Der Abend zog sich hin. Nach zwei Gläsern Wein und dem Whiskey, den Rodney ihm aufgedrängt hatte, fing Declan bereits an zu lallen. Rodney merkte offensichtlich nichts davon, weil er zu sehr damit beschäftigt war, sich mit Tracey über Politik zu streiten.

«Sie können von Fianna Fáil halten, was Sie wollen, aber sind die anderen auch nur einen Deut besser?», fragte er. «Nein!» Er hieb mit der Hand auf den Tisch.

«Es ist der Wählerschaft aber wichtig, ihre Missachtung dafür zum Ausdruck zu bringen, wie die Sache bis jetzt gehandhabt wurde. Und das geht nur, indem man die amtierende Regierung abwählt», hielt Tracey dagegen.

«Wenn man einen Kopf abschlägt, wächst der nächste nach», sagte er.

«Eine einzige Bande korrupter Arschlöcher!», sagte Declan. «Die französischen Revolutionäre hatten die richtige Idee. Runter mit den Köpfen!» Er stieß mit der Hand sein Weinglas um.

Alice sprang auf und machte sich sofort daran, alles auf-
zuwischen.

Declan bat unzählige Male um Entschuldigung, während
Rodney sich über seinen Kopf hinweg Gehör verschaffte.
Der endlose Abend nahm weiter seinen Lauf.

Adam traf Lily in der Küche.

«Ist es spät genug, um gehen zu können?», fragte er.

«Ja, zieh Leine», sagte sie.

«Und du?»

«Ich stecke hier fest, bis Declan nicht mehr stehen
kann», sagte sie mit einem Blick auf die Uhr. Es war elf.

«Noch einen Whiskey, und du hast es geschafft», sagte
er, schenkte ein großzügiges Glas ein und ging zu den anderen ins Wohnzimmer hinüber. Er reichte Declan das Glas.

«Oh, oh, du willst mich doch wohl nicht betrunken machen und es dann bei mir probieren, oder?», fragte Declan.

Rodney lachte, doch Alice fand das gar nicht komisch.

«Mach dich nicht lächerlich, Declan», sagte sie mit einem
Blick auf Tracey. «Dazu besteht überhaupt kein Grund.»

«Ich bitte um Verzeihung, Adam», sagte Declan. «Ich
weiß ja, dass du heimlich auf Rodney stehst.»

Rodney lachte wieder. Adam nickte und schwor sich
insgeheim, nie wieder eine Abendeinladung bei einem seiner Arbeitskollegen anzunehmen.

«Ich glaube, es wird Zeit, mich zu verabschieden», sagte
er. «Gute Nacht zusammen. Tracey, es war nett, Sie kennenzulernen.»

«Es tut mir leid, Adam», sagte Alice an der Tür. «Wenn
du möchtest, könnte ich Tracey für dich um ihre Telefonnummer bitten.»

«Ich kann mir meine Telefonnummern selbst besorgen,
Alice», sagte er. «Trotzdem danke.» Er winkte Lily zu, die

in diesem Augenblick aus der Gästetoilette kam. «Gute Nacht, Lily.»

«Bis morgen, Adam», sagte sie.

Alice schloss die Tür sorgfältig und drehte sich zu Lily um. «Vielleicht hätte Tracey ja eine Chance bei ihm gehabt, wenn du Adam nicht die ganze Zeit mit Beschlag belegt hättest.»

«Entschuldige bitte?»

«Nein, ich entschuldige nichts. Du hältst dich wirklich für was Besseres.»

«Und das ausgerechnet aus deinem Munde, Alice.»

«Ich sehe doch, wie du mit Adam flirtest. Mag ja sein, dass dein Ehemann blind ist, aber ich bin es nicht.»

«Du bist ein überhebliches, boshaftes, arrogantes Mist-stück, Alice», sagte Lily, ging ins Wohnzimmer zurück und packte ihren betrunkenen Ehemann am Arm. *Wo zum Teufel kam das denn her? Oh Gott, Declan wird mich umbringen.* «Wir gehen.»

«Was?», fragte Declan verwirrt.

«Sofort», sagte sie.

«Mir ist ein bisschen schlecht», jammerte er, als sie ihn in den Wagen beförderte. Auf der Rückfahrt schlief er tief und fest.

Lily kochte. *Wie kann diese Alice Gibson es wagen! Wer zum Teufel glaubt sie zu sein? Soll sie sich doch um ihren eigenen Dreck kümmern!* Lily hatte schon immer gewusst, dass Adam nicht schwul war, und zwar aus einem einzigen Grund. Es war der Blick, mit dem Adam sie ansah. Sie hatte ihn nie wirklich ermutigt. Sie hatte nie so getan, als wäre sie zu haben. Sie benahm sich in seiner Gegenwart niemals aufreizend. Er war ihr Freund, und sie genoss seine Schul-ter zum Anlehnen, wenn es mit Declan wieder mal schwierig war. Doch in letzter Zeit wurde immer offensichtlicher, dass Adam Gefühle für sie hegte. Sie konnte im Gegensatz zu anderen zwar so tun, als würde sie es nicht merken, aber da Alice es nun laut ausgesprochen hatte, konnte sie das Versteckspiel mit sich selbst nicht länger fortführen. Verdammt. *Wieso musst du mich auch so ansehen, Adam? Ich brauche einfach einen Freund.*

Declan war so betrunken, dass Scott ihr helfen musste, ihn aus dem Auto ins Haus zu schaffen. Sie zog ihn binnen weniger Minuten aus, und er lag laut schnarchend im Bett, ehe noch das Licht ausgeschaltet war.

Scott saß vor dem Fernseher. Es war ein Uhr morgens. Lily war nüchtern und startklar. Aber sie konnte unmöglich das Haus verlassen, ohne dass Scott etwas merkte. Er würde den Wagen hören, und außerdem konnte sie seine Hilfe gebrauchen. Sie ging ins Wohnzimmer und erinnerte ihn daran, dass sie seinem Vater die Erlaubnis abgerungen hatte, ab Montag bei seinem Großvater zu arbeiten.

«Weiß ich. Danke.» Er zuckte die Achseln.

«Ich brauche deine Hilfe», sagte sie.

«Wobei?»

«Ich muss dich bitten, mir mit einer Patientin zu helfen.»

«Okay?», sagte er fragend.

«Ich bitte dich, mir einfach so zu helfen, aber ich bin bereit, mir dein Schweigen mit fünfzig Euro zu erkaufen», sagte sie und hielt den Geldschein hoch, den sie Declan eben aus der Hosentasche gestohlen hatte.

«Mein Schweigen kaufen? Warum?»

«Weil du deinem Vater nichts davon erzählen darfst.»

«Ist es legal?»

«Natürlich ist es legal!»

Scott sah den Geldschein an. «Okay.»

Fünfzehn Minuten später waren sie im Krankenhaus. Scott folgte Lily hinauf auf ihre Station. Er wartete auf dem Flur, während sie sich ein paar Minuten lang mit der Nachtschwester unterhielt. Die Frau nickte und ging davon. Er blieb an der Tür zu Eves Zimmer stehen, während sie Eve langsam und vorsichtig weckte.

«Eve!»

Eve schlug die Augen auf. «Lily.»

«Hallo», sagte sie lächelnd.

«Hallo.»

«Tut mir leid, dass ich vorhin so gemein war.»

«Schon vergessen.»

«Wie wär's mit einem kleinen Ausflug?»

«Wohin denn?»

«Zu Ben.»

Eve holte tief Luft. «Das wäre wirklich schön.»

Lily rief Scott herein. Er schob eine schmale Transporttrage ins Zimmer.

«Das ist mein Sohn Scott», sagte Lily, und Eve lächelte ihn an.

«Schön, dich kennenzulernen, Scott», sagte sie.

«Wow! Sie sehen ja übel aus!», antwortete Scott.

«Du solltest erst mal das Auto sehen!», erwiderte Eve.

Lily löste die Infusion. Sie gab Scott genaue Anweisungen, was er tun sollte. Sie zogen das Bettlaken heraus und benutzten es, um Eve vom Bett auf die Trage zu heben. «Bei drei», sagte Lily. Er tat wie geheißen, und kurz darauf waren sie auf dem Weg in den vierten Stock. Lily hatte von unterwegs angerufen und die diensthabende Intensivschwester um Erlaubnis gebeten. Sie wartete bereits auf dem Flur, als sie aus dem Lift kamen.

«Macht es kurz», sagte sie.

«Machen wir.»

Gemeinsam schoben Lily und Scott Eve zu Ben ins Zimmer. Eves Herz schlug schneller, als sie durch die Türe kam. Es war kaum Platz, und es gelang ihnen nur mit Mühe, die schmale Trage neben sein Bett zu rollen. Sie stellten die Bremsen fest, und als Lily Eves Hand drückte, spürte sie, wie ihre Freundin zitterte.

«Wir warten draußen», sagte sie, und dann ließen sie Eve mit Ben allein.

Sie konnte ihn nicht berühren, denn ihre Trage stand so, dass Ben links von ihr lag. Sie versuchte, ihn mit der rechten Hand zu erreichen, doch es ging nicht. Seine Wangen waren rosig. Die Haut bekam ausreichend Sauerstoff und wurde durch den dicken Schlauch versorgt, der aus seinem Mund zu einer Maschine führte, die ihm die Luft in die Lunge pumpte. Sein Brustkorb hob und senkte sich regelmäßig. Sie beobachtete seinen Atem, und als sie die Augen schloss, meinte sie zu spüren, wie ihr Kopf auf seiner Brust ruhte.

«Ich habe Fiona kennengelernt», sagte sie. «Sie ist sehr nett, und das macht dich zu einem Riesenarschloch, weil du sie betrogen hast. Aber du hast eigentlich immer gesagt, dass sie nett ist, und das macht mich zu einem Riesenarschloch, weil du sie mit mir betrogen hast», sagte sie und wartete auf eine Antwort von ihm, als könnte jeden Moment ein Wunder geschehen. «Sie weiß es nicht. Sie wird es nie erfahren. Sie gehört dir und du ihr, und ich bin nur eine …» Tränen rannen über ihr zerschundenes Gesicht. «Ich bin nur eine einsame Frau, die …» Sie verstummte und legte sich den Zeigefinger an die Lippen, als wollte sie sich ermahnen, nichts Falsches zu sagen. «Ich bin nur jemand, der dich vor langer Zeit geliebt hat.» Ein scharfer Schmerz fuhr ihr durchs Herz, als würde jemand ein unsichtbares Messer darin herumdrehen. Das Gefühl nahm ihr beinahe die Luft zum Atmen. «Wenn du nichts dagegen hast, vergesse ich das letzte Jahr. Ich erinnere mich an damals, als du mein warst. Es war nur so kurz, aber es hat mir viel bedeutet. Du warst meine erste Liebe, aber das weißt du ja. Aber du weißt nicht, dass du meine einzige Liebe geblieben bist, und hätte ich damals schon gewusst, was ich heute weiß, dann hätte ich in jener bescheuerten Nacht alles anders gemacht – in dieser bescheuerten, bescheuerten, bescheuerten Nacht. Und wenn ich von dir träume, dann träume ich, wir wären wieder auf Pauls Party. Du gehst mit mir nach hinten in den Garten, zu der Bank an dem Teich mit den toten Fischen von Pauls Mutter, und wir küssen uns und halten uns fest, und wenn du mir sagst, dass du mich liebst und mit nach London kommen willst, dann sage ich, dass ich dich auch liebe, und dann schmieden wir Pläne, und alles wird gut. In meinen Träumen werde ich deine Frau sein, und diese Nacht an der Mauer wird es niemals geben. Es wird kein Auto mit einem Betrunkenen am Steuer geben. Es wird dich und mich geben, und Kinder und Enkelkinder und den ganzen kitschigen Kram, den du damals wolltest, in jener Nacht, als du neunzehn warst.» Eve trocknete sich mit dem Verband die Tränen ab. «Es tut mir leid, dass ich so blöd war.»

Danach schwieg sie und ließ ihre Tränen fließen wie einen Fluss, der alles mit sich fortspülte, was in ihrem gebrochenen Herzen war. So wie in dieser Nacht hatte sie noch nie um jemanden oder um etwas geweint, und sie wusste nicht, ob es daran lag, dass sie um ein Haar selbst ums Leben gekommen wäre, ob es ihre Schuldgefühle waren oder Liebe oder das Morphium. Als Scott und Lily wieder hereinkamen, um sie zurück in ihr Zimmer zu bringen, war Eve so traurig, voller Angst und betäubt zugleich wie noch nie in ihrem ganzen Leben. Sie konnte ihn nicht berühren, sie konnte keinen letzten Blick auf ihn werfen. Alles, was ihr blieb, war, die Hand ihrer alten Freundin zu umklammern, zu seufzen und zu schluchzen und sie anzuflehen kehrtzumachen, damit sie ihn noch ein letztes Mal ansehen konnte. *Es hätte mich treffen sollen. Es hätte mich treffen sollen. Es hätte mich treffen sollen.*

«Oh, Lily, bitte, bitte, fahr mich noch mal zurück und lass mich seine Hand halten, nur eine Minute lang!»

Als Eve wieder in ihrem Bett lag, blieb Scott an der Tür stehen und beobachtete, wie seine Mutter diese verzweifelte Frau beruhigte. Sie streichelte ihr übers Haar und flüsterte ihr leise Worte ins Ohr, so wie sie es so oft bei ihm und seiner Schwester getan hatte. Er konnte nicht verstehen, was sie sagte, doch langsam wurde die Frau ruhiger. Als Lily gehen wollte, hielt Eve ihre Hand fest. Lily beugte sich hinunter, küsste sie auf die Stirn und sagte etwas, das der Frau offensichtlich Frieden schenkte. Lily deckte sie bis zum Hals zu und steckte das Laken fest. Sie schaltete das Nachtlicht aus und ließ die Frau allein. Sie starrte bewegungslos und stumm zur Decke.

Auf dem Rückweg fragte Scott seine Mutter, was sie zu ihr gesagt hatte.

«Ach, nichts», antwortete Lily.

«Komm schon, sag's mir.»

«Ich habe gesagt: Ich mach es wieder gut», sagte sie.

Scott lachte laut auf. «Du machst es wieder gut? Der Typ ist ein verficktes Ersatzteillager!»

«Verfickt sagt man nicht, das ist wirklich vulgär», wies sie ihn zurecht und dachte mit Reue an das, was sie zu Clooney gesagt hatte.

«Tut mir leid! Aber ich meine … Was soll das?»

«Erinnerst du dich noch daran, als du zehn warst und dein allerbester Freund der Welt nach Kerry gezogen ist und du geweint und geweint und geweint hast?»

«Wie hieß er noch mal?»

«Steven Maher.»

«Steven Maher, Gott, den muss ich gleich mal bei Facebook suchen.»

«Jedenfalls warst du ganz verzweifelt, und ganz egal, was dein Vater oder ich dir versprochen haben, nichts konnte dich trösten. Kein neuer Fußball, kein Ausflug in den Zoo, nichts, kein …»

«Okay, Mom, ich hab's verstanden.»

«Na ja, und erst als ich dich in den Arm genommen habe und gesagt habe, ich mache es wieder gut, hast du dich beruhigt.»

«Vielleicht war ich einfach erschöpft vom Weinen.»

«Vielleicht. Vielleicht wusstest du aber auch, dass ich wirklich alles in meiner Macht Stehende versuchen würde, um es wiedergutzumachen.»

«Du bist verrückt, Mum.»

«Danke, mein Sohn.»

Die übrige Rückfahrt verbrachten sie schweigend. Sie verlor sich in lange vergangenen Zeiten, und er grübelte darüber nach, warum die verzweifelte Frau vor seinem Vater geheim gehalten werden musste. Als Lily das Auto geparkt hatte und sie hintereinander zur Haustür gingen, drehte er sich zu seiner Mutter um.

«Deine Freundin tut mir leid», sagte er.

«Sie ist nur eine Frau, mit der ich Mitgefühl habe», versuchte Lily ihn anzulügen.

«Sie ist das Mädchen auf den Fotos, die du in der Schuhschachtel in deinem Schrank versteckst», sagte er und gab ihr die fünfzig Euro zurück. «Ich weiß nicht, warum du lügst oder dich so komisch benimmst, aber ich verspreche, dass ich kein Wort sagen werde.»

Lily hätte wütend sein sollen, weil ihr Sohn in ihren Sachen herumschnüffelte, doch dazu saß der Schrecken zu tief.

«Du hast diese Briefe aber nicht gelesen, oder, Scott?», fragte sie und versuchte, ihre Furcht zu verbergen.

«Nein. Ein Teenie aus dem vorigen Jahrhundert und sein schmalziger Blödsinn? Nach den ersten drei Zeilen wäre ich fast vor Langeweile gestorben.»

Falls er ihren Erleichterungsseufzer gehört hatte, ließ er sich nichts anmerken.

Sie schob ihm den Geldschein in die Hemdtasche. «Nimm es. Es gehört deinem Vater. Und solltest du noch ein einziges Mal in meinen Sachen rumstöbern, erzähle ich deiner nächsten Freundin, dass du im Supermarkt deinen Pipimax rausgeholt und die alten Damen gefragt hast, ob du schon ein großer Junge bist.»

«Das ist nie passiert!», sagte er entsetzt.

«Na, das kann sie ja nicht wissen, und wage es ja nicht, mich bei zukünftigen Verhandlungen hiermit zu erpressen.»

«Also, Mum! Ich muss nicht mehr verhandeln. Ich bin neunzehn.»

«Glaub mir, mein Sohn, da gehen die Verhandlungen erst richtig los.»

Scott lief die Treppe hinauf, und Lily sah ihm nach. Dann ging sie hinaus in den Garten. Am schwarzen Himmel stand ein weißer Halbmond. Sie schlenderte zu der Schaukel hinüber, die sie unbedingt für Daisy haben wollte, als sie fünf Jahre alt wurde. Es handelte sich um ein großes Metallgerüst mit zwei einzelnen Schaukeln, eine mit rotem Sitz und eine mit lilafarbenem. Die Schaukel war solide gebaut, fest im Boden verankert und konnte auch das Gewicht eines Erwachsenen tragen. Lily und Daisy hatten an unzähligen Sommertagen zusammen geschaukelt, doch Daisy und ihre Freundinnen benutzten die Schaukel nun schon seit Jahren nicht mehr. Lily setzte sich immer noch auf den lilafarbenen Sitz, wenn sie traurig war, fröhlich oder nachdenklich oder wenn sie einfach nur allein sein wollte. Man konnte sie oft auf der Schaukel ihrer Tochter antreffen, ob bei Tag oder Nacht. Wenn sie nicht schlafen konnte und es nicht zu kalt war, zog sie sich einen Mantel übers Nachthemd und ging in den Garten, um ein bisschen zu schaukeln und dabei über den Tag und ihre Träume nachzudenken.

Eines Morgens, nachdem es in der Nacht zuvor geschneit hatte, packte sie sich warm ein und zog ihre Gummistiefel an. Sie stapfte hinaus in den Garten, fegte den Schnee von der Schaukel und schwang sich so hoch hinauf, wie sie konnte. Währenddessen ließ sie vor ihrem inneren Auge die Szene Revue passieren, wie sie und Eve darum gewetteifert hatten, wer zuerst mit den Füßen an den Himmel stieß, immer schneller und höher, bis sie tatsächlich den Himmel berührten.

«Wer am höchsten schaukelt, hat einen Wunsch frei!», rief Eve dann.

Und Lily konnte sich nie entscheiden, was sie sich wünschen sollte, doch das war auch egal, weil Eve mit ihren langen Beinen sowieso immer die Siegerin war.

«Ich hab dich lieb, Eve Hayes!»

«Ich hab dich lieb, Lily Brennan!»

Sie dachte an die Abschiedsszene, deren Zeugin sie gerade geworden war. Sie dachte an Eve, an ihre Traurigkeit und ihre Verzweiflung. Sie dachte an Ben. Er würde nie wieder einen Sonnenuntergang erleben, er würde nie wieder die Füße in einen sprudelnden Bach halten oder die Berührung eines geliebten Menschen spüren. Er würde nie wieder lächeln, lachen oder einen Scherz machen. Er würde nie wieder schreien, ob vor Freude oder Schmerz. Er würde nie wieder weinen und klagen. Für Ben Logan gab es keine Schmerzen mehr und keinen Verlust, denn schon als Eve ihm ihr Herz ausgeschüttet hatte, war er lange fort.

Lily sah hinauf in den Nachthimmel, schaukelte höher und höher und versuchte, mit der Zehenspitze den Mond anzustupsen.

Wo bist du, Ben? Bist du auf dem Weg ins Licht, oder fliehst du vor der Dunkelheit? Hatte Danny recht? Ist man einfach weg, oder steht man vor unendlichen Möglichkeiten? Bist du in eine andere Dimension oder in ein Paralleluniversum gewechselt? Vielleicht hast du deine Haut abgestreift, bist zu deinem Raumschiff zurückgekehrt und erhältst nun eine Auszeichnung für die erfolgreich vollendete Mission. Wenn du wüsstest, dass du bald von dieser Welt scheiden musst, würdest du dann alles anders machen? Über diese letzte Frage dachte Lily lange nach. *Wenn ich wüsste, dass ich bald von dieser Welt scheiden muss, würde ich dann alles anders machen?* Nein, sagte die Lügnerin in ihr, nein, auf gar keinen Fall. Sie liebte ihre Kinder, ihren Ehemann und ihr Leben. Doch die jüngsten Ereignisse hatten das junge Mädchen in ihr wieder geweckt, das vor langer Zeit zum Schweigen gebracht worden war. Es war das Mädchen, dem die Welt zu Füßen gelegen hatte und das all das weggeworfen hatte – aus Schuldgefühl, aus Angst und dem überwältigenden Bedürfnis, es immer allen anderen recht zu machen. Und dieses Mädchen flüsterte Lily jetzt hartnäckig ins Ohr, stellte jede einzelne Entscheidung in Frage, die sie je getroffen hatte, und das ganze Leben, das sie führte. *Bist du eine Ehefrau oder eine bessere Sklavin? Bist du Gleichgestellte oder Untergebene? Wirst du als Frau geliebt oder als Besitz? Bist du frei? Bist du glücklich? Schöpfst du all deine Möglichkeiten aus? Liebst du deinen Ehemann, oder bemitleidest du ihn? Hast du Angst vor ihm? Wieso sagst du niemals nein? Ist das alles? In guten wie in schlechten Zeiten, bis dass der Tod uns scheidet? Bist du einsam? Vermisst du deine Freundin? Weißt du wirklich, was in jener Nacht passiert ist? Wenn du wüsstest, dass du bald von dieser Welt scheiden musst, würdest du dann alles anders machen?*

In der Nacht, ehe Ben Logans Familie endgültig seine Apparate abschaltete und er in den OP geschoben wurde, um gründlich ausgeweidet zu werden, damit andere weiterleben konnten, saß Lily Donovan auf einer Schaukel in ihrem Garten und gestand sich ein, dass sie abgesehen von ihren Kindern jede einzelne Entscheidung bereute, die sie je getroffen hatte. *Ich hasse mein Leben.*

7 *Und dem Tod soll kein Reich mehr bleiben*

Lily, Lily, Lily!

Wir wissen doch alle, was passiert, wenn man zu viel trinkt: Man wird sentimental. Und das ist alles, was mit dir nicht stimmt. Hör auf, dir wegen allem das Hirn zu zermartern – ja, ich weiß, und das ausgerechnet aus meinem Munde –, weil du dich völlig umsonst verrückt machst. Du bist der klügste Mensch, den ich kenne. Du wirst dein Medizinstudium mit links meistern. Sechs Jahre hören sich vielleicht lang an, aber die vergehen wie im Flug. Wenn ich die Augen zumache, sehe ich uns noch auf der Schaukel sitzen, und es kommt mir vor, als wäre es gestern gewesen. Und dass deine Mutter nicht ganz dicht ist, wissen wir doch beide. Das war sie noch nie und wird sie auch nie mehr werden, und deswegen darf man das, was sie sagt, nicht auf die Goldwaage legen. Allerdings glaube ich trotzdem, dass auch jemand, der nicht ganz dicht ist, hin und wieder mal recht haben kann. Zum Beispiel wenn sie sagt, du solltest dich in deinem Alter nicht schon fest an einen Jungen binden. TUT MIR LEID! BITTE SCHLAG MICH NICHT! Wenn du dir wirklich solche Sorgen ums Geld machst, warum studierst du dann nicht am Trinity und wohnst zu Hause? Declan könntest du am Wochenende und in den Semesterferien sehen. Wäre das wirklich das Ende der Welt?

Okay. Ich habe große Neuigkeiten: Ben und ich HABEN ES GETAN, und es war UNGLAUBLICH. Danny war mit seinen Freunden auf einem Golfturnier, und ich wusste, dass er erst spätabends wiederkommen würde, und Clooney war mit seinen Kumpels in der Stadt. Ich habe Ben mit zu mir genommen, und er hat sich erst mal stundenlang umgesehen. Er ist echt neugierig, hat sich sämtliche Fotos angeguckt und mir tausend Fragen gestellt. Die erste war natürlich, weshalb ich auf Fotos immer so miesepetrig bin und warum du auf so vielen Bildern mit drauf bist. Er wollte alles über meine Mutter wissen, zum Beispiel, wovon unser letztes Gespräch handelte und ob ich mich an ihr Lachen oder ihren Geruch erinnern kann. Es war seltsam, weil ich mich darüber noch nie mit jemandem unterhalten habe. Ich hatte keine Lust auf dieses Gespräch, weil ich es deprimierend fand, und ich wollte keine deprimierte Stimmung, sondern eine erotische, aber er ließ nicht locker. Er bohrte immer weiter, und schließlich habe ich ihm von unserem letzten gemeinsamen Tag als Familie erzählt. Kannst du dich noch daran erinnern? Du warst auch dabei. Wir waren sechs und Clooney acht, und wir sind in irgendeinen Park gefahren. Den Namen weiß ich nicht mehr. Du? Es gab einen See und Grillplätze, und wir haben im Wasser gespielt, Clooney und Dad haben geangelt, und Mum hat sich gesonnt. Der Kofferraum stand offen, und das Autoradio lief. Während Mum das Essen machte, sang sie mit, und ich weiß noch, wie schön sie aussah und dass ich ewig lange einfach nur dastand, sie anschaute und mir wünschte, ich wäre wie sie. Ich habe seit Jahren nicht mehr an diesen Tag gedacht, und plötzlich war alles ganz deutlich wieder da – du und ich, wie wir im flachen Wasser geplanscht und gespielt haben. Dein Badeanzug hatte eine Ente drauf und

meiner große rosarote Punkte. Ich habe dich dazu gebracht,
dich auf den Rücken zu legen und dich von einer Welle
überschwemmen zu lassen. Danach hast du dir fast die
Lunge aus dem Leib gehustet, und dann musste ich es auch
tun, aber mir ist die Welle nicht übers Gesicht geschwappt.
Du hast mich Quadratschädel genannt, was wir beide total
komisch fanden, und Mom hat uns ermahnt, vorsichtig zu
sein. Erinnerst du dich noch daran? Du und Clooney habt
euch rund um den Picknickplatz gejagt, und Danny ist hin-
ter euch hergerannt, ich auf seinen Schultern. Und dann ist
Mom neben dem Auto zusammengebrochen. Auf einmal
war sie weg, und irgendwer, der vorbeikam, hat sie gefun-
den und meinen Vater gerufen. Er war wie der Blitz bei ihr,
nahm sie in die Arme und wiegte sie wie ein Baby. Clooney
fing an zu weinen. Als du gesehen hast, dass er weint, hast
du auch angefangen. Ich glaube nicht, dass ich geweint
habe. Ich stand einfach nur da, musste aufs Klo und traute
mich nicht, mich zu bewegen. Das war der Anfang von
ihrem Ende – dieser Tag damals in diesem Park, an dessen
Namen ich mich nicht erinnern kann. Als ich Ben das er-
zählt habe, musste ich plötzlich weinen. ICH UND WEI-
NEN! Er meinte, weinen wäre ab und zu ganz gut, und
wenn ich mehr weinen würde, müsste ich auf Fotos viel-
leicht nicht mehr so traurig schauen. Er lachte über seinen
kleinen Witz, und dann zog er mich die Treppe rauf in mein
Zimmer. Auch hier hat er sich eine Ewigkeit lang umge-
schaut. Ich musste mich vor meine Unterwäscheschublade
stellen, falls er versuchen würde, sie aufzumachen. Hat er
aber nicht. Er hat sich an meinen Tisch gesetzt und natür-
lich sofort gesehen, dass ich B.G.M.L. reingeritzt habe. Er
meinte: Ich bin ja schon auf deinem Tisch verewigt. Ich
habe versucht, es mit einem Lachen abzutun, und gesagt:

Nein, das stimmt nicht. Er wollte wissen, für was
B.G.M.L. denn sonst stehen sollte, und weil mir so schnell
nichts einfiel, habe ich die Frage zurückgegeben, um etwas
Zeit zu schinden. Er grinste und sagte: Ben Glenn Medeiros
Logan. Er ist echt fix. Gar hätte stundenlang draufgestarrt,
ohne irgendwas zu kapieren. Ich sagte: Nein, es steht für
«Bitte gerne mehr Licht». SCHWACHSINN, ICH WEISS!
Er ist vor Lachen fast vom Stuhl gekippt und hat die ganze
Zeit «Bitte gerne mehr Licht» vor sich hingesagt, bis ich
knallrot angelaufen bin und es zugegeben habe. Okay,
schön, du hast recht, und jetzt pass lieber auf, dass du dich
nicht so doll aufplusterst, dass du gleich platzt. Dann legte
er sich auf mein Bett und starrte mich an. Ich wusste nicht,
wohin mit mir, also habe ich mich einfach neben ihn gelegt,
so à la: Du machst mir keine Angst, Ben Glenn Medeiros
Logan. Er legte seinen Arm um mich, und statt mich zu
küssen, bat er mich, ihm noch eine Geschichte zu erzählen.
Ich hatte keine Lust. Ich war von der ersten immer noch
ganz fertig. Da habe ich ihn gebeten, mir was zu erzählen,
und er meinte, er wäre mit vierzehn wegen Alkohol und
Zigaretten aus dem Internat geflogen! Sie waren zu viert,
schmuggelten den Schnaps in Shampooflaschen in die Schule
und bestachen den Hausmeister, damit er ihnen Zigaretten
besorgte. Sie hatten den Schlüssel zu einem Schuppen und
schlichen sich immer um ein Uhr aus den Betten, um dann
bis vier Uhr morgens in dem Schuppen zu saufen und zu
rauchen. Sie wurden erwischt, weil sie unter Beobachtung
standen. Sie sind im Unterricht nämlich ständig eingepennt.
Er meinte, seine Eltern wären total ausgeflippt, er wurde
nach Hause geschickt, und eine Zeitlang war es echt heftig.
Aber sie hatten auch gerade erst seine Schwester verloren,
und seine Mutter war sowieso schon schlimm drauf. Er

muss oft an die Zeit denken, weil seine Mutter den ganzen Tag geweint hat, sein Vater durch die Gegend lief wie ein Zombie und er so unglücklich war, dass ihm die ganze Zeit schlecht war. Er hat sich selbst das Versprechen gegeben, dass er sich nie wieder so schlecht fühlen würde. Ich meinte, das wäre albern, weil kein Mensch so etwas versprechen kann. Er lachte und sagte, ich hätte recht, aber es wäre nett gewesen, wenn ich ihm einfach zugestimmt hätte, damit er sich besser fühlt. Woraufhin ich konterte, ich hätte nicht gemerkt, dass es ihm gerade schlecht ginge. Und dann hat er mich ENDLICH geküsst. Ich habe dir ja schon geschrieben, dass er viel besser küsst als Gar, aber er küsst einfach tausendmal besser. Ich zog ihm sein Oberteil aus und er mir meins. Er hat einen tollen Körper! Dann zog er mir den BH aus, und wir lagen Haut an Haut. Seine Brust war total warm, und ich konnte seinen Herzschlag fühlen, und als ich seine Hose aufknöpfte, merkte ich, dass er sie fast gesprengt hätte. Und dann kommt diese BESCHEUERTE NERVEN-SÄGE Clooney nach Hause und ruft nach mir! Oh Gott! Ben ist nicht ausgeflippt, so wie Gar. Er wollte nur wissen, ob Clooney normalerweise einfach in mein Zimmer platzt. Ich sagte nein, und dann wartete er einfach lächelnd ab, legte mir den Finger auf die Lippen, und als ich nach dem dritten Mal Rufen immer noch nicht geantwortet hatte, gab Clooney es auf und verschwand. Und dann war Ben in mir. EINFACH SO! Eben liegt er noch neben mir, dann auf mir, und dann ist er DRIN!!! Ganz ohne Brecheisen. Es war unglaublich. Am Anfang hat es weh getan und ein bisschen geblutet, aber nur ganz wenig, und ich bin nicht ausgeflippt. Ehe wir loslegten, hat Ben gesagt, ich sollte ein Handtuch aufs Bett legen, was echt gut war, aber ich hatte es so eilig, dass ich aus Versehen Clooneys Football-Handtuch erwischt

habe. Es ist sein Lieblingshandtuch. Ich habe es sofort da-
nach gewaschen, aber ich habe immer noch ein schlechtes
Gewissen. Jedenfalls haben wir es noch zweimal getan und
seitdem ungefähr zehnmal, und es wird immer besser. Ich
werde schon rot, wenn ich nur daran denke! Ich bin total in
ihn verliebt. Was für ein Glück, dass ich auf jemanden wie
ihn gewartet habe. Nach dem ersten Mal lagen wir noch
eine Ewigkeit einfach so da, obwohl ich ganz klebrig war
und echt gern geduscht hätte. Aber wir haben geredet, und
er hat mich im Arm gehalten, und ich hab gedacht: Ja, ganz
genau so soll es sein. Als ich es nicht mehr länger ausgehal-
ten habe, hat er mich überredet, zusammen duschen zu ge-
hen. Du hättest uns sehen sollen! Wir sind wie zwei Mäus-
chen über den Flur gehuscht, damit Clooney uns nicht
entdeckt. Wir sind ins Bad geflitzt, haben abgesperrt, sind
unter die Dusche gegangen und haben uns gegenseitig
gewaschen. Das war so UNGLAUBLICH. Wir waren beide
von oben bis unten voll Seife, und es war so schön. Und
dann musste Clooney natürlich versuchen, die Tür aufzu-
machen. Er rief nach mir, Ben grinste nur, und ich kriegte
fast einen Herzinfarkt. Ich versuchte also, ihn abzuwim-
meln, und erklärte durch die Tür, dass es mir nicht gut gin-
ge. Er wollte wissen, warum ich auf seine Rufe nicht re-
agiert hätte, und ich sagte, ich hätte ihn nicht gehört und
dass er bitte endlich verschwinden sollte. Und dann wollte
er doch tatsächlich wissen, ob ich Durchfall hätte, weil Ter-
ry der Tourist wegen Durchfall und Dehydrierung ins Kran-
kenhaus musste. Ben konnte sich das Lachen kaum noch
verkneifen. Ich sagte, ich hätte Schmerzen und er sollte
mich endlich in Ruhe lassen. Das tat er danach auch. Nicht
zu fassen, dass ich damit davongekommen bin! Jetzt weiß
ich endlich, wie Clooney sich fühlt, wenn er nicht allein ist.

NICHT GUT!!! Jedenfalls kam Ben am nächsten Tag zu
Besuch. Ich habe ihn und Clooney miteinander bekannt ge-
macht, und Clooney bot uns Kaffee an. Ich wollte keinen,
aber Ben meinte: Ja, das wäre toll! NERV!!! Tja, und dann
verbrachten wir die nächste halbe Stunde damit, meinem
dämlichen Bruder zuzuhören, wie er sich über die Haar-
tante beklagte, die ihn immer noch verfolgte. Ben war voll
interessiert und stellte jede Menge Fragen, und ich wollte
die ganze Zeit nur nach oben! Dann schlug Clooney vor, zu-
sammen einen Film anzusehen, und Ben war auch noch ein-
verstanden, also landeten wir tatsächlich vor dem Fernse-
her und schauten gemeinsam mit meinem bescheuerten
Bruder «Terminator» an. Als ich Ben später zur Tür brach-
te, meinte er, wir hätten doch jede Menge Zeit, und dann
küssten wir uns. Aber ich musste die ganze Zeit denken:
Nein, wir haben überhaupt keine Zeit, wir haben nur einen
einzigen Sommer, weil ich nach London gehe und dann erst
Weihnachten wieder nach Hause kommen kann. Das bedeu-
tet, dass die Zeit, in der wir zusammen waren, kürzer ist
als die Zeit, in der wir getrennt sein werden. Deswegen war
in meinen Augen der dämliche «Terminator» die reinste
Zeitverschwendung. Wir müssen jeden Moment, den wir
zusammen sind, so gut wie möglich nutzen. Eigentlich woll-
te ich ihm das sagen, aber dann habe ich es doch nicht ge-
tan, weil ich nicht mit Küssen aufhören wollte. Außerdem
ist es bei Ben nicht möglich, einfach nur seinen Standpunkt
klarzumachen – er muss immer alles so lange ausdiskutie-
ren, bis es mir leidtut, dass ich mit dem Thema überhaupt
angefangen habe. Gestern ist Clooney dann abgereist. Ich
bin schon ganz aufgeregt, weil Ben und ich das ganze Haus
für uns haben werden, wenn Dad arbeitet, und er hat zur-
zeit ein riesiges Projekt und ist total viel weg. Göttlich! Ben

*wollte neulich, dass wir zu ihm gehen, aber seine Mutter
wäre zu Hause gewesen, und da habe ich gesagt, wir sollten
doch besser zu mir gehen. Er wollte wissen, ob ich denn seine Mutter nicht kennenlernen wollte, und ich meinte, eigentlich nicht. Damit habe ich ihn offensichtlich ziemlich verletzt, was ich nicht verstehe. Ich erklärte ihm, dass Mütter
mich nicht mögen und es für ihn bestimmt besser ist, wenn
er mich nicht zu Hause vorstellt. Er lachte nur, aber es ist
mein Ernst. Deine Mutter hasst mich. Gars Mutter findet
mich frech, und Declans Mutter ignoriert mich einfach.
Aber die ist auch so hochnäsig, dass sie jeden ignoriert.
Gestern Abend stand Clooneys Haartante vor unserer
Haustür. Ich wollte zu ihr rausgehen, aber dann sagte Ben,
dass er das übernehmen würde. Er ging also zu ihr raus,
setzte sich mit ihr auf die Mauer, und dort blieben sie dann
eine halbe Ewigkeit. Ich schaute aus dem Fenster und fragte mich, worüber zum Teufel sie so lange redeten. Doch
dann stand sie auf einmal auf und ging weg. Als er wieder
reinkam, meinte er, er hätte ihr klargemacht, dass sie Besseres verdient hätte, als unter einer Laterne zu stehen und
das Haus von irgendeinem Typen anzustarren, der sich
nichts aus ihr macht. Ich sagte zu ihm, er sollte von Marketing lieber auf Psychologie umsatteln. Er meinte, dass er
ständig Bücher darüber lesen würde. Nach dem Tod seiner
Schwester hat er ein Interesse dafür entwickelt, weil seine
Mutter so depressiv war, dass sie eine ganze Zeit lang akut
selbstmordgefährdet war. Das wusste ich noch gar nicht. Es
ist sehr traurig, und jetzt finde ich es gemein von mir, dass
ich sie nicht kennenlernen wollte. Vielleicht schlage ich bald
mal vor, zu ihm zu kommen. Außerdem bin ich mir nicht
sicher, ob seine kleine Rede gewirkt hat, weil ich die Haartante heute schon wieder im Ort gesehen habe und ich nicht*

glaube, dass sie wirklich einen Grund hatte, hier zu sein. Abwarten.

Wie geht es Colm? Kannst du dich inzwischen besser an den Abend erinnern?

Ich hab dich lieb,
Eve

PS: Gar hat sich von dem Mädchen aus Bray getrennt. Keine Ahnung, warum. Ich treffe mich Donnerstagabend mit den Jungs, und nächsten Sonntag schreibe ich dir mehr. Paul wurde mit einem Mädchen in der Stadt gesichtet, das aussieht wie ein Supermodel! Darüber weiß ich aber noch nicht mehr – Paul sagt ja mal wieder keinen Ton! NERV!

PPS: Declan geht es gut. Freu dich, ich bin jetzt viel netter zu ihm. Er vermisst dich total und macht in der Werkstatt seines Vaters jede Menge Überstunden, um Geld fürs College zu verdienen. Ich habe neulich abends bei ihm zu Hause vorbeigeschaut, weil ich ihn zu Bens nächstem Auftritt einladen wollte. Ich glaube, ich bin mitten in einen Streit mit seinem Vater hineingeplatzt, aber vielleicht täusche ich mich auch, denn sein Vater war total nett zu mir und hat mir sogar Kaffee angeboten. Ich lehnte ab, aber Declan bestand darauf. Er muss dich wirklich vermissen, wenn er sogar mich in seiner Nähe haben will!!! Also blieb ich, aber es war irgendwie seltsam. Du weißt doch, wie wir uns normalerweise die ganze Zeit gegenseitig aufziehen, oder? Aber diesmal haben wir uns richtig unterhalten. Wir sprachen über die zweiunddreißigjährige Frau, die sich Dienstag von der Klippe gestürzt hat, weil

ihr Freund sie verlassen hat. Das Gespräch hatte echt
Tiefgang. Langsam kapiere ich, was du an ihm findest.
(Ha ha! Endlich!)

* * *

Zu Ben Logans Beerdigung kamen unglaublich viele Leute:
Familie, neue Freunde, alte Freunde, entfernte Bekannte,
Nachbarn, Arbeitskollegen, Angestellte, Lieferanten und
sogar ein paar Gläubiger und Konkurrenten. Die Kirche war
bis auf den letzten Platz besetzt, und zahlreiche Trauergäste mussten draußen stehen. Es war ein heißer Julitag,
und zwischen Kirchenliedern, Reden und der Predigt war
lautes Vogelgezwitscher von den Bäumen auf dem Friedhof
zu hören. Niemand konnte etwas Schlechtes über Ben sagen. Jede zweite Geschichte, die erzählt wurde, rührte zu
Gelächter oder zu Tränen der Freude und tiefer Trauer. Ben
Logan war für alle, die ihn kannten, ein Segen gewesen.
Er war freundlich, besonnen, rücksichtsvoll, witzig und
aufmerksam gewesen. Er war ein guter und fairer Chef gewesen, ein netter Nachbar und ein Freund, der einem für
immer erhalten blieb, auch wenn man einander lange nicht
sah. Die Musikauswahl war ergreifend, und als ein junges
Mädchen namens Rosy Carey Eric Claptons «Tears in Hea-
ven» sang, blieb kein Auge trocken. Bens Vater hielt eine
Rede, sprach über den Sohn, den er geliebt und verloren
hatte, und betonte besonders, dass Ben nach einer kurzen
Rüpelphase nach dem Tod seiner Schwester zur wertvollen
Stütze seiner Mutter geworden war. Er trug das sichere
Wissen in seinem Herzen, dass sie auf der anderen Seite auf
ihn warten würde, um ihn willkommen zu heißen. In An-
lehnung an das Lied fuhr der Vater fort, dass er sich sicher

sei, sie wüsste seinen Namen, wenn sie ihm im Himmel begegnete. Er sprach über Bens Entschlossenheit, über seine Liebe zur Musik und zum Reisen. Er erwähnte Bens schöne Frau Fiona und das Glück, das sie in sein Leben gebracht hatte. Schließlich stellte er Bens Großzügigkeit heraus und schaffte es sogar, einen Witz über ihn als Organspender zu machen.

«Bens Organe gehen also an fünf glückliche Empfänger. Nein, wohl eher nur vier – seien wir ehrlich, seine Leber kann man sicher keinem mehr zumuten.»

Die Anwesenden lachten herzlich, dankbar für einen Augenblick der Leichtigkeit in ihrer bleischweren Trauer.

Auf dem Friedhof spielte und sang ein Freund von Ben «I Miss You» von Blink 182, während Bens sterbliche Überreste der Erde übergeben wurden.

Lily hatte sich ganz hinten in die Kirche hineingequetscht und hielt sich auf dem Friedhof ein wenig abseits. Sie hatte hier nicht wirklich etwas verloren. Sie hatte mit Ben Logan zeit seines Lebens kein einziges Wort gewechselt. Für sie war er lediglich der Junge von der Bowlingbahn, der seine Augen nicht von Eve wenden konnte. Die Beziehung zwischen ihm und Eve hatte in dem Sommer begonnen und geendet, als Lily im Süden gearbeitet hatte, und ihre Erinnerungen an ihn beruhten allein auf Eves Beschreibungen in ihren Briefen. Diese Briefe waren Lilys Langzeitrettungsleine zu ihrer alten Freundin. Sie hob jeden einzelnen in der geheimen Schuhschachtel auf, in die ihr Sohn seine Nase gesteckt hatte, zusammen mit einigen Bildern von ihnen beiden aus einer Zeit, in der sie jung und unzertrennlich gewesen waren.

Fiona entdeckte Lily, als sie vom Grab ihres Mannes weggeführt wurde, und bedankte sich dafür, dass sie gekommen war. Sie erkundigte sich nach Eve, und Lily sagte, dass sie zwar einen weiten Weg vor sich habe, es aber schaffen würde. Fiona schien sich darüber zu freuen. Sie hatte Eves Geschichte akzeptiert, und plötzlich sah Lily keinen Grund mehr, die Lüge zu torpedieren. Fiona lud sie zum Leichenschmaus ins Hotel ein, doch Lily entschuldigte sich und ließ die Menschen hinter sich, die Teil von Bens Welt waren. Sie würde Eve erzählen, was für ein beliebter, guter Mensch Ben gewesen war, dass er geliebt und geschätzt wurde und dass viele ihn für immer vermissen würden.

Eve war sich trotz ihrer tiefen Gefühle für Ben im Klaren darüber, dass es besser gewesen wäre, ihre Beziehung in der Vergangenheit ruhen zu lassen. Im Grunde war sie für ihn immer eine Phantasiefigur geblieben und er Teil eines anderen Lebens, an dem sie versucht hatte festzuhalten. So real ihre Gefühle für ihn waren, ihre Beziehung war es nicht. In den ersten Tagen, als sie wie ein Häuflein Elend im Bett lag, dämmerte ihr, dass sie Ben eigentlich überhaupt nicht gekannt hatte. Wäre sie zu dieser Beerdigung gegangen, wäre der Ben, der dort beschrieben wurde, ihr ebenso fremd gewesen, wie er es für Lily war.

«Auch die besten Menschen machen Fehler», sagte sie und meinte Ben damit, nicht sich selbst.

«Ja, das tun sie», stimmte Lily ihr zu.

«Ich war einfach nur so müde und einsam.»

«Einsam musst du nicht mehr sein», sagte Lily.

In diesem Augenblick wusste Eve, dass sie ihre Freundin wiederhatte. Sie wartete, bis Lily das Zimmer verließ, und zog sich die Decke über den Kopf, um in Frieden zu weinen.

«Weint sie schon wieder, Anne?»

«Ja, sie weint schon wieder, Beth.»

«Himmel, also so eine Heulsuse ist mir wirklich noch nicht untergekommen!»

«Lass sie einfach in Ruhe, Häschen. Das wird schon wieder, wenn Gott will.»

Bens alte Bandkollegen blieben auch nach der Trauerfeier noch da. Billy war eigens aus Amerika angereist, um von seinem alten Freund Abschied zu nehmen. Bens Cousin Tom war aus Frankreich gekommen, Finbarr und Mark lebten noch in der Gegend und waren über all die Jahre eng befreundet geblieben. Es war ein tragisches und lange überfälliges Wiedersehen.

Sie schlossen sich den übrigen Gästen an und gingen in ein Hotel in Süddublin zum Leichenschmaus. Sie tranken und sangen und erzählten sich alte Geschichten über einen Jungen und Mann, den sie gekannt und geliebt hatten und den sie vermissen würden.

Fiona stand unter Beruhigungsmitteln, genau wie Bens Mutter. Bens Tante Celia hatte sie ihnen verschrieben. Sie war Ärztin und fand Medikamente in stressigen Zeiten absolut sinnvoll. «Stress gilt nach Autounfällen als Todesursache Nummer eins», sagte sie. Bens Vater sah seine Schwester an, als hätte sie den Verstand verloren. Sie schien gar nicht zu bemerken, dass sie etwas Unangemessenes gesagt hatte, sondern verschränkte lediglich die Arme vor der stattlichen Brust und zog eine Schnute wie eine Ente. Viele Trauergäste benahmen sich eher unangemessen, wenn sie in ihrer Hilflosigkeit versuchten, die Trauernden zu trösten. Die Angehörigen verharrten stundenlang in der Kirche, um die endlosen Beileidsbekundungen entgegenzunehmen, wobei die meisten ihre sowieso schon geschwollenen Hände eher etwas zu fest drückten, weil sie betonen wollten, wie sehr sie meinten, was sie sagten.

«Wenigstens hat er nicht gelitten», sagte Lorna O'Loughlin. «Hätte er gelitten, wäre es *wirklich* schlimm gewesen.» Wäre Fiona nicht so benebelt, hätte sie wahrscheinlich gefragt, wie viel schlimmer es Lornas Meinung nach denn noch hätte kommen sollen. Ihr noch nicht einmal vierzigjähriger Ehemann war von einem Betrunkenen überfahren worden. Er war tot, seine Organe gespendet, und seine sterblichen Überreste würden gleich in einem dunklen Erdloch verschwinden. Doch sie sagte nichts dergleichen. Sie nickte nur, und Lorna ging davon, froh, mit ihren weisen Worten Beistand geleistet zu haben.

«Gott sei Dank hat er es nicht kommen sehen», sagte Michael Hannon auf die Kirchenbank gestützt zu Bens Mutter. *Was zum Teufel soll das denn heißen?* Sie nickte und hoffte, dass er schnell weitergehen würde.

«Krebs wäre schlimmer gewesen», sagte irgendwer. *Puh!*

«Wenigstens starb er, als er noch lebendig war», sagte eine Frau und drückte Bens Vater so fest die Hand, dass es weh tat. *Was in Gottes Namen …?*

Auf der anschließenden Feier wurde offensichtlich, dass Fiona seit einer Woche nicht mehr richtig gegessen oder geschlafen hatte, denn sie wurde immer bleicher. Bens Mutter hatte soeben ihr zweites Kind zu Grabe getragen, und alle wussten, dass es sehr lange dauern würde, bis sie sich von diesem Verlust wieder erholte – wenn überhaupt. Sie saß einfach nur da und hielt stumm Fionas Hand. Sie sprach nicht, trank keinen Tee, aß kein Stück Kuchen und auch kein Sandwich. Sie starrte nur geradeaus auf einen unsichtbaren Fleck an der Wand, bis sie endlich nach Hause gehen konnte oder Celia ihr die nächste kleine weiße

Pille gab. Ben war für seine Mutter der Fels in der Brandung gewesen, genau wie sein Vater es in der Kirche gesagt hatte. Er war ihr Freund und Vertrauter gewesen. Es war keine einzige Woche vergangen, ohne dass Ben seine Eltern besuchte, und obwohl er sich unglaublich gut mit seinem Vater verstanden hatte, war seine Mutter unbestreitbar eine der großen Lieben seines Lebens. Sie wusste das, seine Frau wusste das, seine Familie und seine Freunde wussten es. Es war ein regelrechter Running Gag gewesen.

«Fiona, willst du Ben und seine Mutter zu deinem dir angetrauten Ehemann nehmen?»

Dies gehörte zu den Dingen, die Ben so liebenswert machten. Für diejenigen, die ihre Verzweiflung unter Kontrolle hatten, war Bens Beerdigung die perfekte Feier seines Lebens. Der Alkohol floss, die Musiker spielten, und Gelächter und Tränen wechselten sich ab.

Billy saß ruhig da und beobachtete, wie die Menge den Verlust seines alten Freunds und Bandkollegen beklagte. Billy war nach Amerika ausgewandert, nachdem er in einer Art Lotterie eine Greencard gewonnen hatte. Seine Abreise schlug damals den letzten Nagel in den Sarg einer Band, die schon seit längerem ums Überleben kämpfte. Anfänglich waren sie alle sauer auf ihn gewesen, doch mit den Jahren kamen seine Bandkollegen darüber hinweg. Er zog in den USA seine eigene Elektroinstallationsfirma auf, und wenn er auch nicht Donald Trump war, so beschäftigte er doch dreißig Angestellte, hatte ein hübsches Haus und war in der Lage, seinen vier Kindern etwas zu bieten. Er war das letzte Bandmitglied, mit dem Ben wieder Kontakt aufgenommen hatte, auch diesmal über Facebook. Sie waren erst seit zwei Jahren wieder in Kontakt gewesen, und in diesen beiden Jahren erzählten sie einander Dinge, die sie niemand anderem anvertrauten. Vielleicht lag es daran, dass Ben und Billy schon immer einen ganz besonderen Draht zueinander besaßen, vielleicht aber auch daran, dass sie nicht so nah beieinander wohnten. Womöglich war es für Ben einfacher, jemandem, der eine Million Kilometer weit weg lebte, zu erzählen, dass es mit seiner Firma bergab ging und dass er furchtbare Angst davor hatte, sich noch einmal in das Mädchen zu verlieben, das ihm mit neunzehn das Herz gebrochen hatte. Billy hatte natürlich von dem unglaublichen Unfall gehört und auch, wer noch darin verwickelt gewesen war. Als es hieß, Bens Verbindung zu Eve sei rein geschäftlicher Natur gewesen, schwieg er und dachte sich seinen Teil. Ben hatte ihm neulich in einer E-Mail von Eves Rückkehr nach Irland erzählt und davon, dass sie beide beschlossen hatten, sich nicht wiederzusehen. Ben wollte seine Ehe nicht aufs Spiel setzen. Er machte sich wegen der Affäre im vergangenen Jahr heftige Vorwürfe und hatte alles in Frage gestellt – sich selbst, seine Ehe, sein Leben. *Wieso habe ich diese Büchse der Pandora nur geöffnet? Wie konnte ich glauben, wir könnten nur Freunde sein? Wie konnte ich Fiona das nur antun? Wie konnte ich mir selbst das antun?* Billy war damals dabei gewesen, als Eve Schluss gemacht hatte. Er war sein Freund und hatte ihm geholfen, die Scherben aufzusammeln und wieder auf die Beine zu kommen. Ben hatte um Eve getrauert, als wäre sie gestorben. Sie war grausam und achtlos mit seinem Herzen umgegangen, und sie hätte ihn beinahe zerstört. Wenn Bills Entscheidung, nach Amerika zu gehen, der letzte Nagel im Sarg der Band gewesen war, so war Bens gebrochenes Herz der erste. Trotz allem, was sie seinem Freund angetan hatte, schaffte Billy es nicht, Eve zu hassen, denn all die Jahre über hatte er ihr Geheimnis bewahrt, und erst als er sein Herz schließlich doch erleichterte und Ben bei einem Treffen in den USA von dem Tag erzählte, der auf ihre Trennung folgte, gab Ben seinem ehemaligen Bandkollegen zuerst eins auf die Nase und nahm dann wieder Kontakt zu Eve auf.

«Gut, das habe ich verdient», sagte Billy. «Aber denk dran, du bist glücklich. Mach keinen Blödsinn.»

Als Ben zum ersten Mal mit Eve im Bett gewesen war und später am selben Abend noch am PC über seiner Buchhaltung saß, sah er, dass Billy online war, und schrieb ihn an.

<< Habe Blödsinn gemacht. Mit Eve. >>

<< Warum wundert mich das nicht? >>

<< Ich liebe meine Frau. >>

<< Deinen Schwanz aber offensichtlich
noch mehr. >>

<< Wann bist du denn unter die Moralapostel
gegangen? >>

<< Als ich denselben Fehler gemacht habe
wie du und meine erste Frau, mein erstes
Haus und meinen Hund verloren habe. >>

Als Eve nach Irland zurückkehrte und erneut den Kontakt suchte, wäre Ben fast das Herz stehen geblieben. Obwohl sie einander versicherten, dass sie nicht an dem Punkt weitermachen wollten, wo sie vor einem Jahr aufgehört hatten, war Ben im Grunde klar, dass es unvermeidlich war. Er meldete sich online bei Billy.

<< Sie ist zurück. >>

<< Wenn du deine Ehe nicht riskieren willst,
dann halte Abstand. >>

Ben versicherte, dass er die Finger von ihr lassen würde, doch als sie sich das nächste Mal schrieben, gab er zu, dass sie sich gesehen hatten.

> << Ich schwöre, sie gibt mir nur ein paar
>   geschäftliche Tipps. >>
> << Kauf ich dir nicht ab. >>
> << Ich sage ja nicht, dass ich sie nicht will.
>   Wir haben uns noch nicht wieder
>   getroffen, weil ich nicht in Versuchung
>   kommen will. Wir schreiben uns nur
>   E-Mails. >>
> << Belass es dabei. >>

Das war der letzte Chat zwischen den beiden Männern gewesen. Obwohl Billy sich mit einer Warnung verabschiedet hatte, war ihm klar, dass Ben sich nicht von Eve fernhalten konnte und es nur eine Frage der Zeit war, bis sie sich wiedersahen. Er hatte in Gedanken eine ganze Reihe von Szenarien durchgespielt, die entweder auf das Ende von Bens Affäre oder das Ende seiner Ehe hinauslaufen würden, aber keines seiner Gedankenspiele hatte auch nur im Ansatz seinen Tod beinhaltet.

In der Hotelbar drängten sich die Trauergäste. Fiona, Bens Mutter, sein Vater und dessen Bruder saßen in einer Ecke. Die beiden Frauen standen völlig neben sich, und die beiden Männer unterhielten sich mit der unerschöpflichen Menge von Leuten, die ihr Beileid bekunden wollten. In einer anderen Ecke saßen die alten Bandmitglieder beisammen und schwelgten in Erinnerungen an die glorreichen alten Zeiten, als sie noch davon träumten, Rockstars zu werden. Der Abend war bereits weit fortgeschritten, als einer von ihnen die Tatsache aufbrachte, dass Ben am Abend des Unfalls in Eves Begleitung gewesen war.

«Ausgerechnet Eve», sagte Finbarr.

Billy war sich ziemlich sicher, dass er der Einzige im Raum war, den Ben in seine Affäre eingeweiht hatte, und so hielt er den Mund.

«Eve Hayes», sagte Tom und schüttelte den Kopf. «Sie war damals eine echte Schönheit.»

«Jetzt sieht sie jedenfalls ziemlich übel aus», sagte Mark. «Fiona hat erzählt, dass es sie schlimm erwischt habe.»

«Ich kann mir trotzdem nicht vorstellen, dass sie in die Bresche springen wollte, um Bens Firma zu retten», sagte Tom. «Andererseits hat Fiona den Businessplan gelesen, den Eve via E-Mail geschickt hat, und der war offensichtlich ziemlich beeindruckend.»

«Tja, die konnte ein Geschäft schon immer auf einen Kilometer gegen den Wind riechen. Sie hat mit ihrem eigenen Unternehmen ein Vermögen gemacht», sagte Finbarr.

Billy fand es interessant, dass sich offensichtlich niemand die Frage stellte, weshalb Eve Ben half. Stattdessen redeten sie alle nur über Bens wunderbare Ehe, seinen tollen Charakter und dass er an dem Tag, an dem er Fiona heiratete, endlich in seinem Leben angekommen war.

Als Billy sich für eine Weile zu Fiona setzte, um ihr Gesellschaft zu leisten, war sie freundlich, leicht abwesend, aber dankbar für jeden Zuspruch und besorgt darüber, dass das alles zu viel sein könnte für Bens Mutter, die die meiste Zeit mit ihren Gedanken ganz woanders war.

«Kanntest du die Frau, die bei ihm war?», fragte sie Billy.

«Nur flüchtig», antwortete er. «Die beiden waren als Teenager mal ganz kurz zusammen.»

«Sie wollte in die Firma investieren. Ich weiß überhaupt nichts über Supermärkte. Am liebsten würde ich die Gläubiger auszahlen und den ganzen Laden dichtmachen. Wir sind gut versichert. Es wäre ein glatter Schnitt. Findest du das gefühllos?»

Billy kannte Fiona nicht besonders gut. Er hatte sie nur ein einziges Mal getroffen, als Ben ihn gemeinsam mit ihr während einer Geschäftsreise in die USA in Chicago besucht hatte. Während dieser Reise hatte Ben ihm auch seine Gefühle für Eve anvertraut.

«Das fände ich überhaupt nicht gefühllos», erwiderte er.

«Meinst du, Eve wäre enttäuscht?»

Billy fühlte sich unbehaglich. *Wieso fragt sie mich das? Hat sie einen Verdacht? Glaubt sie, ich weiß etwas? Warum sollte sie sich darüber Gedanken machen?*

«Ich glaube, Eve ist eine Geschäftsfrau, der im Laufe ihres Lebens schon Deals aus weniger schlimmen Gründen geplatzt sind als wegen dem Tod eines alten Freundes», sagte er.

Fionas Augen wurden feucht, und sie nickte. «Ich muss hier verschwinden. Ich weiß zwar nicht, wohin, aber ich halte es nicht mehr länger aus.»

Billy nickte. Was sollte er auch sagen? Bens Mutter hatte, während er bei ihnen saß, kein einziges Wort gesprochen. Er wandte sich ihr zu, aber sie sah direkt durch ihn hindurch, als wäre er unsichtbar. Für sie gab es kein Entkommen. Billy musste so schnell wie möglich von den beiden Frauen weg. Ehe er sich von Fiona verabschiedete, versicherte er ihr, dass er seinen alten Freund schmerzlich vermissen würde.

«Wenn mir jemand gesagt hätte, ich hätte nur zehn Jahre mit ihm, hätte ich ihn trotzdem geheiratet.»

«Er würde genau dasselbe sagen», versicherte Billy ihr, und er wusste, dass es nicht gelogen war. Abgesehen von Bens Vernarrtheit in Eve erinnerte Billy sich vor allem an den vor Stolz fast platzenden Typen, der bei seinem Besuch in Chicago aus dem Wohnmobil gesprungen kam, um ihm seine wunderschöne Frau vorzustellen. Mit einem breiten Grinsen zog er sie immer wieder an sich, und wenn sie irgendwo hinging, folgte er ihr mit Blicken, und er lächelte, wenn sie sprach. Er konnte seine Finger nicht von ihr lassen, sehr zum Missfallen von Billys zweiter Frau. «Sie ist ein Mensch und kein Hündchen!»

Billy ließ den Blick durch die Bar voller Menschen schweifen, deren Leben Ben berührt hatte, und er akzeptierte wehmütig, dass dieser Tag unwiderruflich das letzte Kapitel im Leben seines Freundes Ben Logan war. Und trotz Bens Gefühlen für eine Frau, die ihm als Teenager das Herz gebrochen hatte, war Eve hier in diesem Raum nichts weiter als eine vergessene Fußnote. Das würde sie auch bleiben, dank ihrer eigenen Lüge und der Bereitschaft von allen Beteiligten, diese Lüge zu schlucken. Stumm gestand Billy sich seine Mitschuld ein. Hätte er Ben Eves Geheimnis und die Geschichte jenes Tages, den sie zusammen in einer Notaufnahme verbracht hatten, nicht verraten, hätte Ben nie Kontakt zu ihr aufgenommen, er wäre nie auf dieser Straße gewesen und nie überfahren worden. Doch Ben hatte es verdient, die Wahrheit zu erfahren, und Eve hatte es verdient, dass die Wahrheit ans Licht kam. Billy war damals einundzwanzig gewesen und noch viel zu dumm, um zu wissen, was das Richtige gewesen wäre. Eve rang ihm das Versprechen ab, niemals jemandem von dem Tag im Krankenhaus zu erzählen. Damals klang es sehr vernünftig, als sie sagte, ihre Beziehung zu Ben würde London sowieso nicht überleben und es wäre besser, die Dinge so zu lassen, wie sie waren. Sie versuchte, tapfer zu sein und das Richtige zu tun. Doch wenn Billy die Zeit zurückdrehen könnte, dann hätte er Ben sofort alles erzählt, und vielleicht hätten die Dinge sich dann ganz anders entwickelt. *Es tut mir leid, alter Freund. Ruhe in Frieden.*

Während Eves zweiter Genesungswoche hatte Lily dienstfrei. Sie dachte sich alles Mögliche aus, um zwischendurch trotzdem ins Krankenhaus fahren zu können. Ihr Ehemann freute sich über die unverhoffte Fürsorge, denn Lily brachte ihm köstliche Mahlzeiten vorbei oder steckte den Kopf bei ihm zur Tür rein, um zu fragen, ob sie vielleicht etwas für ihn aus der Reinigung holen könnte.

«Du hättest doch auch anrufen können.»

«Ich war gerade in der Gegend.»

Sie verbrachte zwanzig Minuten bei ihrem Mann, um keinen Verdacht zu erregen, ehe sie sich auf ihre eigene Station schlich und eine Stunde bei Eve verbrachte. Als Besucherin zu kommen, besaß eine völlig andere Dynamik. Sie unterhielten sich über alles und jeden und erzählten einander von den Jahren, die die andere verpasst hatte. Meistens kam auch Clooney dazu, und die drei redeten über ihre glückliche gemeinsame Kindheit. Es war, als wäre Lily, die verlorene Tochter der Hayes, wieder nach Hause zurückgekehrt. *Danny hätte sich so gefreut, sie wiederzusehen. Ach, wäre ich doch nur letztes Jahr überfahren worden,* dachte Eve. Eine unausgesprochene Übereinkunft zwischen den beiden Frauen sorgte dafür, dass sie nicht über den Abend sprachen, der das Ende ihrer Freundschaft bedeutet hatte, ansonsten aber über alles, was ihnen gerade in den Sinn kam.

Lily erzählte Eve von der Geburt ihrer Kinder.

«Grauenhaft! Deshalb haben wir auch nur zwei Kinder, und Daisy war ein Unfall. Ich habe den ganzen ersten Monat durchgeheult.»

Lily erzählte Eve von ihrem Haus und ihrem Bedürfnis, dass alles immer an seinem Platz war.

«Scott glaubt, ich hätte eine Zwangsneurose.»

«Er hat recht. Du hast schon als Kind die Handtücher immer so am Handtuchhalter ausgerichtet wie der Psychopath in ‹Der Feind in meinem Bett›.»

Lily erzählte Eve von ihrem Beruf. «Mir ist klargeworden, dass Mrs. Moriarty viel mehr daran gelegen war, dass ich Medizin studiere, als mir selbst.»

«Wer war Mrs. Moriarty?»

«Unsere Berufsberaterin.»

«An die kann ich mich gar nicht erinnern.»

«Das liegt daran, dass du immer schon wusstest, was du werden wolltest. Abgesehen davon, dass du dir sowieso nie von irgendwem irgendwelche Ratschläge geben lassen wolltest.»

«Ach, stimmt. Also, du bist eine großartige Krankenschwester, wahrscheinlich die beste der Welt.» Sie lächelte, als Lily die Arme in die Luft reckte und sich verbeugte. «Und du scheinst deinen Beruf zu lieben. Stimmt das?»

«Ja», sagte Lily. «Mein Job als Krankenschwester ist eine Zuflucht für mich.» Sie merkte augenblicklich, dass sie einen Fehler gemacht hatte. *Verdammt.*

«Eine Zuflucht?»

«Vor dem Haushalt, den Kindern, den Nachbarinnen, die mich zwar ständig anrufen, wenn sie was brauchen, aber trotzdem immer vergessen, mich zu ihren Kaffeekränzchen einzuladen … das Übliche eben», sagte sie, sorgsam darauf bedacht, ihren Mann in der Aufzählung nicht zu erwähnen.

«Ach», sagte Eve. «Das liegt nur daran, dass diese Zicken neidisch sind.»

Lily lachte, weil sie froh war, dass sie ihren Ausrutscher so gut überspielt hatte, aber auch weil der Spruch sich ganz nach der Eve von früher anhörte. «Das glaube ich kaum», antwortete sie.

«Doch, genau so ist es», sagte Eve. «Du mit deiner zierlichen Figur, deinem Milchkaffeeteint, deinen riesengroßen braunen Augen und deinem seidigen Haar bist doch sicher oft genug die mit Abstand schönste Frau im Raum. Du gehst auf die Vierzig zu und siehst aus wie sechzehn. Du bist witzig, niedlich, freundlich, warmherzig, intelligent und mit Sicherheit der Albtraum jeder gegen Falten und Speckröllchen kämpfenden Ehefrau mittleren Alters, die ihren Ehemann an der kurzen Leine hält.»

«Wenn das der Fall ist, warum gehe ich dir als Frau mittleren Alters dann nicht auch auf die Nerven?»

«Weil ich sogar mit einem Gesicht voller Narben noch besser aussehe als du. Ich besitze das Naturell eines Elitesoldaten, von daher hast du recht, aber andererseits habe ich keinen Mann, den du mir ausspannen könntest, und außerdem weiß ich etwas, das die nicht wissen.»

«Und zwar?»

«Dass du loyal bist bis zur Selbstaufgabe.»

Lily wurde traurig. Eine Minute lang sagte keine von ihnen ein Wort, ehe Eve ihre Frage nach Lilys Beruf wieder aufgriff.

«Also, mal abgesehen von der Zuflucht und deiner unglaublichen Klugheit, bist du als Krankenschwester da, wo du sein wolltest?»

«Ich habe mich ja schon immer für Schönheit interessiert. Frisuren und Make-up, vielleicht Modeschauen und Fotoshootings … Das war eigentlich mein Traum, wenn ich nicht so bescheuert gewesen wäre, ihn nicht zu verfolgen.»

«Ach ja! Ich erinnere mich noch an ‹Girl's World›», sagte Eve. «Und du wolltest mir ständig die Haare machen!»

«Du hattest so tolles Haar.»

«Und jetzt nicht mehr?» Eve lachte.

«Zu kurz.»

«So wie deins.»

Lily lachte ebenfalls. «Ich habe immer Daisys Haare gemacht, aber inzwischen lässt sie mich nicht mehr an sich ran.»

«Gott! Wenn ich jetzt darüber nachdenke, gab es für dich überhaupt kein anderes Thema, als wir jünger waren. Als meine Mutter krank wurde, hast du darauf bestanden, einmal die Woche zu ihr zu kommen, um ihr die Haare zu bürsten. Und wenn ich von einer neuen Designidee geschwärmt habe, hast du über Frisuren und Make-up gesprochen! Doch dann kam alles anders. Weshalb eigentlich?»

«Ich hatte das beste Abschlusszeugnis aller Zeiten an dieser Schule, und Mrs. Moriarty meinte, ein Mädchen mit meinem Intellekt müsste mehr aus seinem Leben machen, zum Beispiel Medizin studieren.»

«Du warst schon immer leicht zu beeinflussen.»

«Wovon du ja wohl garantiert profitiert hast», sagte Lily und musste daran denken, wie oft Eve sie zu den verrücktesten Dingen überredet hatte, um ein bisschen Spaß zu haben.

«Du wolltest nie Ärztin werden, das war immer Declans Traum. Du wolltest Ehefrau und Mutter sein, und da war

Krankenschwester genau das Richtige. Du konntest in seiner Nähe bleiben, hast die Ausbildung sicher mit links absolviert und so schneller Geld verdient.»

«Genau.»

«Das war damals sicher alles ganz sinnvoll, aber inzwischen sind deine Kinder fast erwachsen.»

«Daisy ist erst zwölf.»

«Ich meine ja auch nur … Wenn du immer noch vom Beauty-Sektor träumst, wieso unternimmst du dann nicht einfach etwas in der Richtung?»

«Weil das Leben nun mal nicht so einfach ist, Eve.»

«Das behauptet auch keiner. Normalerweise sind die richtigen Entscheidungen immer die schwersten. Ich schlage dir ja auch nur einen Kosmetikkurs vor und nicht, auf eine einsame Insel auszuwandern.»

Lily dachte stumm über das nach, was Eve gesagt hatte. *Ich könnte es tun. Ich weiß, dass ich es könnte. Wenn ich wüsste, dass ich bald von dieser Welt scheiden muss, würde ich dann alles anders machen?*

An einem anderen Tag erzählte Eve Lily von ihrer Zeit in London, Paris und New York.

«Aufregend?», wollte Lily wissen.

«Manchmal.»

«Du hast sicher die unglaublichsten Menschen kennengelernt.»

«Ach, Menschen sind Menschen.»

«Komm schon, erzähl mir wenigstens einen aufregenden Schwank aus deinem Leben!»

Eve dachte darüber nach und seufzte. «Ich war mit ein paar Filmstars, einem Rockstar und einem Politiker im Bett. Einer von der perversen Sorte.»

«Du nimmst mich auf den Arm!»

«Seine Frau hat mitgefilmt.»

«Das ist nicht dein Ernst!»

«Hinterher haben wir uns den Film bei Pizza und Wein angesehen. Ein ganz reizendes Pärchen, wirklich, und es war eine tolle Nacht, aber als die beiden richtig betrunken waren, habe ich die Videokassette mit einer Talkshow überspielt, weil mein Hintern so fett aussah. Wer will das schon?»

«Nimmst du mich auf den Arm?», fragte Lily mit Grabesstimme.

«Nein. Ich schwör's!»

«Wer war es?» Lily beugte sich so weit vor, dass sie fast vom Stuhl gekippt wäre.

«Kann ich nicht verraten.»

«Jetzt komm schon!»

«Komm her!»

Lily beugte sich noch weiter vor.

Eve flüsterte ihr einen Namen ins Ohr.

Lily lehnte sich zurück. Ihr blieb der Mund offen stehen. «Scheibe mit Reis! Das glaube ich nicht!»

Eve nickte.

«Ich habe genug gehört», sagte Lily.

Eve lachte. *Ach, das war doch noch gar nichts, Lily.*

Wenn Clooney da war, erzählte er ihnen Geschichten über seine Zeit in exotischen und gefährlichen Gegenden.

«Hattest du es nie satt?», wollte Lily wissen.

«Ständig», gab er zu.

«Erzähl ihr von dem Flugzeugabsturz», sagte Eve.

«Ach was!», entgegnete Lily und richtete sich in ihrem Stuhl auf.

«Wir saßen in einem Sechs-Sitzer-Turbopropflugzeug und wollten außerhalb von New Orleans landen. Die Maschine kam von der Landebahn ab, wir streiften eine Böschung und verloren den rechten Flügel samt Propeller, aber glücklicherweise haben alle überlebt. Die schlimmste Verletzung war ein gebrochenes Bein.»

«Clooney kam ohne einen einzigen Kratzer davon, obwohl er drei Leute aus der Maschine gerettet hat, ehe das Ding in Flammen aufging», erzählte Eve.

«Du warst natürlich mal wieder der Held der Stunde!», sagte Lily und lächelte.

Clooney zuckte nur die Achseln. «Wie gesagt, ich war unverletzt, und wenn ich nur dumm rumgestanden hätte, hätte ich mich doch als ziemlich großer Arsch geoutet, oder?»

«Was hat er über einen großen Arsch gesagt?», rief Beth zu Anne hinüber.

«Gar nichts. Geht Sie nichts an. Unterbrechen Sie ihn nicht», sagte Anne und winkte fröhlich zu Lily, Eve und Clooney hinüber, die ihr Winken nickend erwiderten.

«Gibt's was Neues wegen meines Einzelzimmers?», fragte Eve flüsternd.

«Ich arbeite dran», antwortete Lily.

Während der ersten drei Tage von Eves zweiter Woche im Krankenhaus sprachen die drei über die Vergangenheit, die Gegenwart und ihre Hoffnungen für die Zukunft. Clooney und Eve standen offensichtlich ernsthafte, lebensverändernde Entscheidungen bevor, und während Clooney seine Gedanken darüber mitteilte, was er tun und wohin er gehen könnte, blieb Eve seltsam vage. Das sah ihr gar nicht ähnlich. Lily hörte zu und verlor sich stumm in ihren Phantasien, die sich darum drehten, ihrem Leben ebenfalls eine drastische Wendung zu geben. Aber wenn Eve so richtig traurig war, gelang es Lily immer, sie aufzumuntern.

«Nimm deinen Kopf aus dem Hintern! Sagt man das bei euch Amerikanern nicht so?»

«Wir wissen beide, dass ich keine Amerikanerin bin.»

«Ach so? Ich dachte nur, weil du diesen Kaugummislang draufhast!»

«Ich spreche keinen Slang!», erwiderte Eve empört.

«Doch, tust du.» Clooney fiel ihr in den Rücken.

Dann rieb er seiner Schwester unter die Nase, dass sie während ihrer Zeit in London plötzlich versucht hatte, Cockney zu sprechen, und dass sie sich in Paris einen französischen Zungenschlag angewöhnt hatte. Lily erinnerte sich an einen Sommer, den sie gemeinsam auf einer kleinen Insel vor Cork verbracht hatten, um Irisch zu lernen, und dass Eve dort auf einmal sprach, als hätte sie einen ganzen Eimer voll Spucke im Mund.

Mochte Eve auch noch so traurig oder niedergeschlagen sein, gemeinsam brachten Clooney und Lily sie wieder zum Lachen, und zwar oft genug auch über sich selbst.

In der Mitte dieser zweiten Woche wurde Lindsey ins Pflegeheim verlegt.

«Auf Wiedersehen ihr alle, und sagen Sie der Blonden, dass ich sie zu meinem Geburtstagsfest einlade. Die anderen können zu Hause bleiben», sagte sie zu der Schwester, die ihr in den Rollstuhl half.

«Ach! Du kannst mich mal!», sagte Anne, als Lindsey huldvoll zum Abschied winkte, als wäre sie die Queen persönlich, und das gewöhnliche Volk stünde Fähnchen schwenkend hinter den Absperrungen und hoffte auf ein Lächeln oder einen Blick.

Einen Tag später wurde Anne entlassen. Sie bestand darauf, zu Eve ans Bett gerollt zu werden. Sie ergriff ihre Hand. «Sie werden wieder gesund, Häschen», sagte sie.

«Sie haben jetzt Ihren Bruder und Ihre Freundin. Sie sind nicht mehr allein.»

«Danke, Anne.»

«Und, Häschen? Machen Sie es sich nicht zur Gewohnheit, mit verheirateten Männern zu schlafen. Das führt nur zu Liebeskummer, selbst wenn sie einem nicht wegsterben.»

«Okay.»

«Und, Häschen?»

«Ja, Anne?»

«Sagen Sie diesem Bisexuellen, ich wäre froh, dass er sich für die richtige Seite entschieden hat.»

«Auf gar keinen Fall, Anne», entgegnete Eve.

Anne lachte und winkte, und dann war sie verschwunden und ließ Eve mit Beth, die die meiste Zeit mit Medikamenten vollgepumpt war, und zwei Neuzugängen allein. Die lernte Eve aber gar nicht erst näher kennen, denn endlich wurde ein Einzelzimmer frei, und sie wurde verlegt.

«Auf Wiedersehen, Beth!», sagte Eve, als eine Schwester sie aus dem Zimmer schob.

«Werden Sie entlassen, Liebes?», wollte Beth wissen.

«Nein. Ich bekomme ein Einzelzimmer.»

«Ach, gut, es wäre auch eine Zumutung gewesen, Sie in diesem Zustand zu entlassen, Sie sehen immer noch verheerend aus!»

An ihrem sechsten Tag im Krankenhaus begann Eves Physiotherapie für die Schulter, und sie würde über den gesamten Zeitraum ihres neunwöchigen Aufenthalts fortgeführt werden. Es war die reinste Qual. Jeden Tag wurde sie mit einfachsten Übungen zur Dehnung und Stärkung der Muskulatur vierzig Minuten lang gefoltert. Eve fing an, die Stunden und Minuten zu zählen, bis ihre Therapeutin Mica das Zimmer betrat. Sie atmete jedes Mal tief durch, bevor sie begannen. Die Schmerzen waren unbeschreiblich, aber Eve stand die Behandlungen mit viel Geduld und gutem Zureden durch, oft weinend. Mica war ebenso nett wie streng und duldete keine Widerrede.

«Ich weiß, dass es weh tut, aber wenn Sie wollen, dass Ihre Schulter wieder komplett einsatzfähig wird, müssen Sie da durch.»

«Will ich nicht, es ist okay, ein gesunder Arm reicht mir völlig.»

«Seien Sie nicht albern – und jetzt dagegendrücken!»

Nach der Physiotherapie bekam Eve zwei Schmerztabletten, der Schrecken ließ nach, und ihr Tag konnte beginnen. Sie las Bücher, sah am helllichten Tag fern, schlief, wenn sie konnte, las noch mehr Bücher und sah noch mehr fern.

Diese Monotonie wurde nur durch Besuch unterbrochen. Gina kam fast jeden Tag vorbei, wenn die Kinder in der Schule waren. Sie brachte kleine Leckereien mit: Käsekuchen, Bananenbrot und bunte Cupcakes. Eve aß Käsekuchen, Bananenbrot und bunte Cupcakes auch dann nicht, wenn sie nicht ans Bett gefesselt war und sich wie ein gestrandeter Pottwal fühlte. Die Krankenschwestern liebten die Mitbringsel und konnten Ginas Besuche kaum erwarten. Sie erzählte von den Kindern, berichtete allgemeine Neuigkeiten, und ab und zu lenkte sie das Gespräch auf Paul und die bevorstehende Hochzeit. Gar hatte die Nachricht von Pauls Bisexualität tief getroffen. Er begriff nicht, weshalb sein Freund ihn so hintergangen und sich selbst und andere so lange belogen hatte. Gar fühlte sich im Stich gelassen. Er schaute Paul an und sah einen Fremden. *All die Jahre!* Er dachte an die Dinge, die er Paul von sich und

Gina erzählt hatte, Dinge, die hinter der Schlafzimmertür passiert waren. Er hätte Paul niemals davon erzählt, wenn er nicht davon überzeugt gewesen wäre, dass Paul vom anderen Ufer war. *Oh Gott, vielleicht hat er dabei das Bild von ihr und mir und sich vor sich gesehen. Ach, verdammte Scheiße …* Gina machte sich Sorgen, weil Gar Paul aus dem Weg ging und bis auf ein paar Arbeitskollegen, mit denen er im Sommer einmal in der Woche Rugby spielte, im Grunde keine anderen Freunde hatte.

«Er kommt darüber weg», hatte Eve an einem besonders schönen Tag gesagt, als die Sonne durchs Fenster schien und sie schwitzte wie ein Schwein.

Eves Kopfschmerzen wurden immer schlimmer. *Wenn es darum geht, einem Mädchen Kopfschmerzen zu bereiten, gibt es auf der Welt keine bessere Methode, als es in ein überhitztes Krankenzimmer zu sperren.*

Nachdem sie mit ihrem Mann zu Mittag gegessen hatte, kam Lily ins Zimmer gestürmt, und Gina wäre beinahe hingefallen, so schnell sprang sie auf, um die alte Freundin zu umarmen. Lily freute sich, Gina zu sehen, doch gleichzeitig fühlte sie sich ein bisschen unwohl, weil etwas Unausgesprochenes zwischen ihnen im Zimmer hing und Gina nicht so geschickt darin war, es zu umgehen, wie Eve und Lily.

«Wohin zum Teufel seid ihr damals eigentlich verschwunden?», fragte Gina.

«Ach, du weißt schon.»

«Nein, weiß ich nicht.»

«Nach Cork, und dann hierher.»

«Wieso seid ihr nie wieder nach Hause zurückgekehrt?»

«Ach, wir sind eben nach Dalkey gezogen.»

«Ja, sehr schick, aber trotzdem gleich um die Ecke. Wieso haben wir euch nie mehr zu Gesicht bekommen?»

«Gleich um die Ecke ist dasselbe wie Amerika, wenn man zwei kleine Kinder hat», sprang Eve ihrer Freundin zur Seite.

Gina nickte lachend. «Klar. Ich habe selbst zwei, und die sind jünger als eure. Du musst Scott ja direkt nach der Schule bekommen haben.»

Eve hatte Gina alles über Lilys Kinder erzählt, denn Lily sprach viel von ihnen. Normalerweise mochte Eve keine Geschichten über die Kinder anderer Leute – sie waren selten so interessant, wie die Eltern glaubten –, aber Lily hatte immer eine gute Geschichte auf Lager, und ihre Kinder schienen wirklich amüsant zu sein, wenn auch ein klein wenig verwöhnt, aber das gab Lily selbst zu. Lily erzählte, dass sie sehr früh schwanger geworden sei, schon während der Flitterwochen, doch das sei auch immer ihr Plan gewesen und sie habe sich sehr darüber gefreut.

Doch Gina gab keine Ruhe. «Ich verstehe trotzdem nicht, warum ihr nie heimgekehrt seid.»

«Meine Mutter kam lieber zu uns zu Besuch.»

«Aber ihr seid doch in dieser Stadt zu Hause.»

«Hör mal, Miss Marple, manche Menschen ziehen eben um, und das sogar mehr als einmal», sagte Lily, und Eve lachte.

«Okay, okay.» Gina hob die Hände. «Wir haben euch einfach vermisst. Das ist alles.»

Lily hatte ihre Freunde auch immer vermisst. Eines Abends, als Declan auf einer Konferenz in London war, stahl sie sich ins Krankenhaus. Paul und Clooney, Gina und Gar waren ebenfalls da. Gar war wortkarg, weil seine Frau ihn zu dem Besuch gezwungen hatte. Er wollte Paul nicht sehen und interessierte sich nicht die Bohne für die alte Freundin, die ihm bei erster Gelegenheit für immer den

Rücken gekehrt hatte. Paul machte nicht viel Aufhebens darum. Er tat so, als würde er Gars Laune nicht bemerken, und ging davon aus, dass sein Freund bald darüber hinwegkommen würde. Was Lilys und Declans Bruch mit der Clique betraf, so hatte ihm das nie viel ausgemacht. *Die Menschen sind, wie sie eben sind.* Er holte Lily einfach einen Stuhl und sagte ihr, es sei schön, sie wiederzusehen.

«Wie geht es Declan?», wollte er wissen.

«Danke, gut», antwortete sie, und damit war das Thema erledigt.

Als sie aufstand, um zu gehen, erhob Clooney sich ebenfalls. Allerdings wartete er noch einen Augenblick, nachdem sie gegangen war, ehe er sich auch verabschiedete. Paul und Eve stritten sich gerade um die Fernbedienung, und Gina und Gar warfen einander finstere Blicke zu. Kurz vor dem Aufzug holte er Lily ein.

«Abwärts», sagte er und drückte den Rufknopf.

«Wie du willst!», antwortete sie, und er lächelte.

Sie gingen gemeinsam zum Parkplatz, und kurz bevor ihre Wege sich trennten, blieb er stehen und bat sie, mit ihm eine Kleinigkeit essen zu gehen. Clooney wusste, dass Declan verreist war, dass Daisy und ihre Freundin versorgt waren, dass Scott noch bis spätabends in der Werkstatt seines Großvaters zu tun hatte und Lily zu Hause nichts anderes erwartete als aufgewärmte Reste und die Bügelwäsche.

«Ich habe es satt, allein zu essen», sagte er.

«Ich weiß nicht», antwortete sie.

«Zwei alte Freunde, die gemeinsam einen Happen essen … bitte!», sagte er und zog eine Schnute. «Ich bin so einsam!»

Lily hatte schon immer eine Schwäche für traurige Geschichten. «Okay. Ich gebe dir eine Stunde.»

«Eine Stunde ab sofort oder ab dem Zeitpunkt der Bestellung?»

Sie dachte einen Augenblick nach und entschied, dass sie die Uhr im Blick behalten und es davon abhängig machen würde, ob er langweilig wäre oder nicht.

«Ich bin nie langweilig!», protestierte er.

«Das beurteile ich», entgegnete sie, und er folgte ihr zum Parkplatz wie ein verspieltes Hündchen. Clooney langweilte sich, und das konnte er nicht ausstehen. Paul hatte alle Hände voll mit Hochzeitsvorbereitungen und dem bevorstehenden Umzug seiner Verlobten nach Irland zu tun. Gar war für niemanden ansprechbar, und von den früheren Freunden, die Clooney in Irland gehabt hatte, war niemand mehr übrig. Val Kilpatrick war nach London gezogen, seine Schulfreunde lebten alle im Ausland, und seine Studienkollegen waren über das ganze Land verteilt. Da Clooney vor der Krebsdiagnose seines Vaters nie länger als ein oder zwei Wochen in Irland geblieben war, hatte er sich auch nie darum bemüht, mit ihnen in Kontakt zu bleiben. Als er das letzte Mal da gewesen war, hatte er sich mit seinem Vater beschäftigt, und jetzt mit Eve. Aber mit Eve kamen Gar, Gina und Paul. Im Moment tat er jedoch die meiste Zeit gar nichts, außer auf der Dachterrasse seiner Schwester zu sitzen und nachzudenken. Clooney neigte eher zum Handeln als zu tiefgründigen Gedanken, und er mochte es nicht, zu lange allein zu sein. Bücher las er auch keine, denn die Geschichten anderer Männer oder Frauen fand er uninteressant. Das Projekt in Afghanistan war beendet, die Verbindung zu Stephanie gekappt. Er würde nicht zurückkehren und wusste nicht, wohin er als Nächstes gehen wollte. Kam Zeit, kam Rat, und bis dahin würde er mutterseelenallein in einer leeren, modernen, kalten, unpersönlichen Wohnung sitzen und darauf warten, dass der richtige Moment kam, um seine gelangweilte, launische, frustrierte Schwester zu besuchen. *Ticktack, ticktack, ticktack, ticktack.*

Lily hielt vor einem Restaurant, das sie nicht kannte, doch es lag an einer Hauptstraße und schien gut besucht zu sein. Sie stiegen aus und betraten ein urgemütliches, altmodisch eingerichtetes italienisches Lokal mit karierten Tischdecken, Kerzen in Weinflaschen und Holzmobiliar. Ihnen schlug der Duft von frischer Tomatensoße und Holzofenpizza entgegen, und seit zwei Tagen spürte Lily zum ersten Mal wieder, dass sie hungrig war. Seit der Nacht auf der Schaukel konnte Lily nicht mehr schlafen und kaum noch essen. Ihre Gedanken rasten ohne Unterlass. Sie stellte alles in Frage, was sie selbst und ihr Leben betraf, und plötzlich blähten sich Dinge, an die sie viele Jahre keinen Gedanken verschwendet hatte, zu riesigen Problemen auf – wie diese Sache irgendwann Anfang der Woche am Frühstückstisch.

«Mum, ich glaube, ich nehme ein Spinatomelett. Dad, ich darf heute an einem alten BMW arbeiten», sagte Scott.

«Baujahr?», fragte Declan.

«Es ist ein früher V8.»

«Mum, ich habe Lust auf Pfannkuchen, aber nur, wenn wir auch den richtigen Sirup haben», sagte Daisy.

«Ein 501?», fragte Declan Scott und warf dann seiner Frau einen Blick zu. «Ich möchte Spiegeleier mit Speck, aber nicht ganz so viel Speck. Ich habe heute Vormittag eine Besprechung und möchte nicht nach Schweinefleisch stinken.»

«Ein 502», antwortete Scott.

«Schön», sagte Declan. «Ich wette, der gehört einem von den Brownes. Die haben in den Fünfzigern bis Siebzigern mit dem Export von Butter ein Vermögen gemacht. Der

Alte war ein riesiger Oldtimer-Fan, und ich bin mir sicher, dass seine Söhne in seine Fußstapfen getreten sind. Ich habe früher selbst an einigen von den alten Schönheiten rumgeschraubt. Ach, und Lily, bitte achte diesmal darauf, dass das Eigelb ganz bleibt. Gestern ist es ausgelaufen.»

Kein *bitte*. Kein *danke*. *Wann zum Teufel bin ich hier eigentlich zum beschissenen Dienstmädchen degradiert worden?*

«Ich mache Spiegeleier mit Speck», sagte sie. «Entweder esst ihr das, oder ihr lasst es bleiben.»

Da verstummten alle am Tisch und starrten sie entgeistert an.

«Das war ein Witz, oder?», sagte Scott.

«Sehr unlustig», sagte Daisy.

«Was soll das denn?», sagte Declan.

«Ich bin nicht euer Koch, und wir sind hier nicht im Restaurant. Wollt ihr Spiegeleier oder nicht?»

Die beiden Kinder sahen erst einander und dann ihren Vater an. Declan machte sie mit einem gemurmelten Spruch über ihre Hormone runter, so wie immer, und sie lachten zusammen.

Eine Ewigkeit lang hatte Lily solche Situationen entweder einfach auf sich beruhen lassen oder mit einem eigenen Witz entschärft, doch an diesem Morgen schleuderte sie die Pfanne, die sie in der Hand hielt, einfach quer durch die Küche. Sie schlug gegen die Wand, und ein Stückchen Putz sprang ab. Declan und die Kinder waren fassungslos.

«Die Küche ist geschlossen», sagte Lily und verließ den Raum.

Als ihre Schicht im Krankenhaus vorbei war und die freie Woche begann, sah Lily sich mit einem Dilemma konfrontiert. Sie wollte Eve besuchen und die anderen wiedersehen: Clooney und Gar, Gina und sogar Paul, mit dem sie sich früher nie so gut verstanden hatte. Er war ihr immer zu still gewesen, unnahbar, manchmal sogar kalt. Doch es war schön, wieder mit den Leuten zusammen zu sein, mit denen sie aufgewachsen war und zu denen sie so viele Jahre keinen Kontakt gehabt hatte. Sie konnte Declan unmöglich davon erzählen, nicht nur wegen seines Hasses auf Eve, sondern auch, weil Declan nicht wollte, dass Lily eigene Freunde besaß. Es gefiel ihm nicht, wenn sie von ihrer Alltagsroutine abwich. Er musste zu jeder Minute wissen, wo sie war. Jeder Tag war im Grunde gleich, wenn auch mit leichten Abweichungen, und am Kühlschrank hing ein Tagesplaner, der penibel einzuhalten war und Lily so gut wie keinen Freiraum ließ. Lily hatte nie gemerkt, dass ihr Leben inzwischen völlig fremdbestimmt war, und obwohl es sie nervte, dass ihr Ehemann ihr Mobiltelefon als Ortungsgerät missbrauchte, hatte sie sich bis jetzt eigentlich nie gefangen gefühlt. Sobald sie es mehr als fünfmal klingeln ließ, bombardierte er sie mit Fragen.

«Wo bist du?»

«Im Supermarkt.»

«Warum hat es so lange gedauert, bis du rangegangen bist?»

«Himmel noch mal, Declan, ich musste das Telefon erst aus der Tasche kramen!»

«Wer ist bei dir?»

«Buffy die Dämonenjägerin. Willst du sie sprechen?»

«Kein Grund, frech zu werden. Ich mache mir nur Sorgen um dich.»

Jedes Mal wenn Declan sie ausquetschte oder mit Fragen schikanierte, wo sie war oder wohin sie fuhr, was sie tat oder mit wem sie zusammen war, behauptete er, es läge daran, dass er sich Sorgen machte, und Lily hatte seine

Schikanen sehr lange als Zeichen seiner Liebe zu ihr interpretiert, wenn auch als ziemlich lästige. Doch etwas in Lily geriet in Bewegung, und zum ersten Mal seit langer Zeit machte sie die Augen auf und betrachtete ihr Leben durch eine Brille ohne rosarote Gläser. *Wenn ich wüsste, dass ich bald von dieser Welt scheiden muss, würde ich dann alles anders machen?* Sie hatte Declan eigenhändig dabei geholfen, über die Jahre ein Gefängnis um sie herum zu errichten. Sie wurde im selben Jahr Ehefrau und Mutter. Während ihre Altersgenossinnen ausgingen, um zu trinken und zu feiern, und mit Hilfe von Drogen oder Büchern ihren Horizont erweiterten, saß Lily zu Hause und stillte, litt unter Schlafentzug und stärkte einem künftigen Herzchirurgen den Rücken. Da sie immer bei allem, was sie tat, herausragend war und Declans Traum von der hingebungsvollen Ehefrau erfüllen wollte, wurde sie die beste Hausfrau, die sie werden konnte, und das nahm Zeit in Anspruch. Von Anfang an kochte Lily für ihren Ehemann und die Kinder unterschiedliche Gerichte. Scott war in Bezug auf die Mahlzeiten schon immer sehr heikel gewesen, und Declan arbeitete während seiner Assistenzarztzeit rund um die Uhr. Dann kam Daisy, eine weitere schwierige Esserin, und zudem unterschied sich ihr Geschmack grundlegend von dem ihres Bruders. Zu jener Zeit war es für Lily einfacher, den Kindern unterschiedliche Mahlzeiten zuzubereiten, aber zur gleichen Zeit. Und so aßen Lilys Kinder nachmittags um fünf zu Abend, dann wurden die Teller gespült und der Tisch neu gedeckt, sodass Declan nach Dienstschluss nur noch anzurufen brauchte, woraufhin sie für ihn noch einmal frisch kochte. Während der Woche wünschte Declan zwei Gänge, und am Wochenende bestand er auf drei. Als die Kinder noch klein waren und naturgemäß mehr

Arbeit machten, konnten Declan und Lily sich noch keine Putzfrau leisten. Schließlich waren sie finanziell aus dem Gröbsten raus, und Declan erklärte sich sogar bereit, eine Putzfrau zu bezahlen, aber da hatte Lily ihren Haushalt längst perfekt im Griff. Alles war an seinem Platz, sie war die Herrin im Haus, und die Vorstellung, dass jemand hinter ihr, ihrem Mann oder ihren Kindern herräumte, behagte ihr überhaupt nicht. Von den Nachbarinnen hatte sie schreckliche Geschichten über Putzfrauen gehört, die klauten oder – schlimmer noch – Kommentare über schmutzige Kinderunterhosen fallen ließen, die versehentlich noch auf dem Boden lagen. Lily missfiel der Gedanke, dass irgendwer die Unterwäsche ihrer Kinder kommentierte, und während sie Frühstückseier briet, Schulbrote schmierte, bei deren Anblick fremden Kindern regelmäßig das Wasser im Mund zusammenlief, und in zwei Schichten warme Abendmahlzeiten kochte, putzte sie auch noch das Haus vom Keller bis zum Dach und kümmerte sich rund ums Jahr um die notwendigen Gartenarbeiten. Sie kutschierte die Kinder zur Schule, zum Rugby, Ballett, Fußball, Klavierunterricht, zu Freunden, Parties, in die Disco, in Bars, Nachtclubs und zum Reitunterricht. Ehe sie es bemerkte, war jede einzelne Minute eines jeden Tages fest verplant, und es blieb keinerlei Raum, um von diesem Plan abzuweichen. In den ersten Ehejahren übernahm Lily ausschließlich die Nachtschichten und hatte immer eine Woche Dienst und eine Woche frei. In den Wochen, wo sie arbeitete, kam sie um acht Uhr morgens nach Hause und gab sich mit Declan, der ins Krankenhaus fuhr, die Klinke in die Hand. Sie machte ihren Kindern das Frühstück, richtete ihnen die Schulbrote her, und wenn sie aus dem Haus waren, legte sie sich für fünf Stunden schlafen. Danach putzte sie das Haus, ging einkaufen, kümmerte sich um den Garten, holte dann die Kinder ab und kutschierte sie durch die Gegend, ehe sie ihnen um fünf Uhr ihr Abendessen servierte und danach für Declan kochte, je nachdem, wann sie ihn zu Hause erwartete. Lilys Nachtschichten beeinträchtigten lediglich Declans Frühstücksgewohnheiten, und das auch nur zwei Wochen im Monat. Als sie auf Zwölf-Stunden-Tagesdienste wechselte, war er entsetzt, und weil sie ihren Ehemann glücklich sehen wollte, machte Lily bei sich selbst Abstriche, damit sein Leben nicht zu sehr tangiert wurde. Lily hatte die Messlatte eigenhändig so hoch gelegt, dass Declan nicht verstand, weshalb sie freiwillig die kleine, heile und von ihr persönlich erschaffene perfekte Welt vernachlässigte, um sich im Krankenhaus um undankbare Fremde zu kümmern. Declan hatte gelernt, den Tagesplaner am Kühlschrank zu entziffern, und konnte zu jeder einzelnen Minute an jedem x-beliebigen Tag genau sagen, wo seine Frau war und was sie gerade tat. Im Laufe der Jahre war er Schritt für Schritt immer besitzergreifender geworden und bestimmte immer mehr über ihre Zeit. Jede noch so kleine Abweichung vom Tagesplan versetzte Declan in Angstzustände, sodass rationale Reaktionen kaum noch möglich waren.

Lily hatte sich ihre Tage mit dermaßen viel Arbeit und Verantwortung vollgepackt und so viele Jahre damit verbracht, immer wieder Entschuldigungen für die Kontrollwut und Paranoia ihres Mannes zu finden, dass sie sich nie gestattet hatte, unvoreingenommen auf ihr Leben zu blicken. Es war ein vermaledeites Gefängnis! Sie konnte es endgültig nicht länger ignorieren, als sie gezwungen war, jeden Tag penibel ihre Flucht von zu Hause und ihren täglichen Pflichten zu planen, nur um zu einer Beerdigung gehen zu können oder ihre alte Freundin im Krankenhaus zu besuchen. Declan war verwirrt, weil Lily sich offensichtlich in einer Krise befand, völlig sprunghaft geworden war und in dem einen Moment mit Bratpfannen warf, um kurz darauf mit einem Gourmet-Lunchpaket in seinem Büro aufzukreuzen. Er ahnte nicht, dass sie ihn lediglich als Vorwand für ihre Anwesenheit im Krankenhaus benutzte, aber er spürte, dass etwas in der Luft lag. Kurz zog er die Möglichkeit einer verfrühten Menopause in Betracht und beschloss, seine Frau im Auge zu behalten, falls es tatsächlich ein ernsthaftes medizinisches Problem gab. Er erhöhte die Frequenz seiner Anrufe, was bedeutete, dass Lily Eves Zimmer jedes Mal verließ, um ans Telefon zu gehen, und dass sie sich plausible Lügen ausdenken musste, was von Tag zu Tag schwieriger wurde. *Wieso kannst du mich nicht wenigstens fünf Minuten lang in Frieden lassen?* Als Declan übers Wochenende zu einer Konferenz nach London reisen musste, war Lily überglücklich, denn sie brauchte dringend eine Atempause. Am Vorabend versuchte er noch, sie zu überreden, ihn zu begleiten, doch sie weigerte sich beharrlich. Er benahm sich daraufhin wie ein beleidigtes Kind, und sie ignorierte ihn. Als er merkte, dass er seinen Kopf nicht durchsetzen konnte, befahl er sie nach oben und verlangte die Erfüllung ihrer ehelichen Pflichten. Declan benutzte Sex manchmal als Waffe, aber nur wenn er wirklich sauer war oder Angst hatte. Wenn Lily zu rechthaberisch oder aufsässig war, öffnete er seinen Reißverschluss und forderte, dass sie ihn mit dem Mund befriedigte. *Es geht doch nichts über eine Frau auf Knien mit Schwanz im Mund, um ihr zu zeigen, wo ihr Platz ist.*

Lily ging nach oben und tat ihm den Gefallen. Er packte sie am Hinterkopf und presste sie gegen sich.

«Tiefer!»

Wie wär's, wenn ich ihn abbeiße?

«Fester!»

Lieber an der Eichel oder ganz unten?

«Und jetzt schluck's runter!»

Was hat es für einen Sinn, nur die Spitze abzubeißen, wenn ich das ganze Ding runterschlucken könnte? Ich schluck's runter! Und wenn ich's wieder hergeben soll, dann müssen sie mich aufschneiden!

Kurz bevor er kam, zog er sie an den Haaren von sich weg, warf sie aufs Bett und drang in sie ein, als wollte er die Erdoberfläche durchstoßen. Nachdem er fertig war, rollte er sich zur Seite und schaltete den Fernseher an. Sie stand auf und duschte, und als sie das Schlafzimmer verließ, sagte er zu ihr, manchmal sei sie im Bett derart enttäuschend, dass er davon buchstäblich einen schlechten Geschmack im Mund bekäme. *Dein Geschmack ist auch nicht gerade berauschend, Arschgesicht.*

Lily machte sich nichts daraus, denn vor ihr lagen ganze drei Tage Freiheit. Declans Konferenz am Freitag und Samstag würde anstrengend werden, die Abende waren mit geselligem Beisammensein verplant, und am Sonntag stand Golf auf dem Programm. Während der Sitzungen konnte Declan sie nicht anrufen, und die vergangenen Jahre hatten ihn gelehrt, dass er ständig von vielen Leuten umringt war und dass immer jemand darunter war, der sich darüber lustig machte, wenn er sich abends oder vom Golfplatz aus bei seiner Frau meldete. Möglich, dass Lily von ihrem eigenen Ehemann wie eine unbezahlte Prostituierte behandelt worden war, doch jetzt fuhr er für drei Tage weg. Sie ließ ihn im Schlafzimmer schmollen, und als sie beschwingt den Flur entlangging, tat sie es mit einem Lied im Herzen. *Free Nelson Mandela, Mandela will be free. Oh, Nelson Mandela!*

Lily legte das Telefon neben sich auf den Tisch. *Nur zur Sicherheit.* Sie sah sich in dem Raum nach einer ruhigen Ecke um, wo sie notfalls binnen fünfmal Klingeln rangehen konnte, und entdeckte einen etwas abgelegenen Bereich. *Das wird im Notfall reichen.*

«Spionierst du etwa den Laden aus?», fragte Clooney amüsiert.

«So was in der Art.»

Sie warfen einen Blick in die Speisekarte. Clooney wählte eine Pizza. «Es riecht so gut.»

Lily hatte Appetit auf Nudeln, irgendwas Würziges mit viel Hühnchen. Ihr Körper brauchte dringend Eiweiß.

«Wann hast du eigentlich das letzte Mal was gegessen?», fragte Clooney, als er sah, wie sie die Nudeln verschlang.

«Vor ein paar Tagen, vor einer Woche, vielleicht?», antwortete sie nüchtern.

«Du hast abgenommen», sagte er. «Du bist nur noch Haut und Knochen.»

Er nahm ihre Hand und umfasste mit Daumen und Zeigefinger das Handgelenk, und es blieb noch viel Platz zwischen seinen Fingern.

«Hast du mich etwa zum Abendessen eingeladen, um mich aufzupäppeln?»

«Nein», sagte er, «das war rein egoistisch.» Sanft legte er ihre Hand zurück auf den Tisch. «Geht es dir gut?»

Ihr war klar, dass er nicht fragte, um höflich zu sein oder weil ihm nichts anderes einfiel. Er sorgte sich um sie, und es interessierte ihn wirklich, wie es ihr ging. Diese unglaublichen Augen durchdrangen mühelos die Fassade der fröhlichen Little Miss Sunshine und sahen ihr direkt in die Seele. Ihr blieben nur zwei Möglichkeiten: Entweder wandte sie sich ab und senkte den Blick lang genug, um sich eine Lüge auszudenken, oder sie hielt ihm stand und gab zu, dass es ihr nicht gut ging.

«Ja, toll!», sagte sie und sah über seine Schulter hinweg zum Fenster hinaus.

«Lügnerin», sagte er. Dann wechselte er das Thema, und sie unterhielten sich über Politik.

Ihr fiel auf, dass er tatsächlich zuhörte, wenn sie sprach, und auch wenn sie nicht einer Meinung waren – was bei ziemlich vielen Punkten der Fall war –, machte er sie nicht runter oder bevormundete sie. Sie diskutierten über die amerikanische Außenpolitik, wobei sie der Meinung war, die USA sollten sich aus dem Irak und Afghanistan zurückziehen. Und sosehr es ihn auch schmerzte, er argumentierte dagegen, dort einfach alles stehen und liegen zu lassen.

«Wenn du sehen könntest, welche Schäden dort angerichtet wurden.»

Er diskutierte sehr leidenschaftlich, aber ohne aufgeblähtes Ego oder jegliche Selbstgefälligkeit. Wenn er eine andere Meinung vertrat, wurde er trotzdem nie herablassend. Lily empfand seine Art als angenehm, denn er blieb nett und ruhig und hatte einfach nur Spaß daran, sich mit ihr auszutauschen.

Lily brachte ihn zum Lachen, lauthals und aus voller Kehle.

Er mochte ihre Spezialausdrücke.

«So ein belämmerter Scheibenhonig – seien wir doch ehrlich.»

Er mochte ihr sonniges Gemüt.

«Es gibt immer etwas, für das man dankbar sein kann. Schuhe zum Beispiel, und die Stereophonics.»

Besonders bezaubert war er von ihrer Vorliebe für Anzüglichkeiten oder schmutzige Witze.

«Kennst du den mit dem geilen Piloten?»

«Nein.»

«Als das Flugzeug sich im Landeanflug befindet, ertönt eine Durchsage des Piloten: ‹Meine Damen und Herren, hier spricht Ihr Kapitän. Wir befinden uns im Landeanflug auf den Flughafen Dublin. Im Namen der gesamten Besatzung bedanke ich mich dafür, dass Sie heute mit Air Lingus geflogen sind. Wir hoffen, Sie hatten einen angenehmen Aufenthalt an Bord.› Der Pilot vergisst, das Mikrophon auszuschalten. Er wendet sich an seinen Copiloten und sagt: ‹Oh Gott, Bernard, ich hätte vor dem Start lieber kein Curry essen sollen. Nach der Landung fahre ich direkt ins Hotel, gehe richtig schön scheißen, und dann lasse ich mir von Jenny, der neuen Stewardess, einen blasen.› Die beiden Männer lachen. Jenny, die mit dem Blick zu den Passagieren auf ihrem Stuhl sitzt, springt auf, hetzt ins Cockpit, stolpert über den Gehstock einer alten Dame und landet auf dem Rücken. Die alte Dame sieht auf sie hinunter und sagt: ‹Kein Grund zur Eile, meine Liebe … er hat gesagt, er geht erst scheißen.›»

Clooney lachte, und Lily biss sich auf die Lippe, wie sie es immer tat, wenn sie zufrieden mit sich war. Redend und lachend verdrückte Lily eine ganze Portion Nudeln. Es war seit Tagen die erste Mahlzeit, in der sie nicht nur lustlos rumgestochert hatte. Sie bestaunte den leeren Teller.

«Möchtest du ein Dessert?», fragte er, und sie wollte gerade schon ja sagen, als ihr Telefon klingelte. Er registrierte die Furcht in ihren Augen und die Panik, die sich in ihrem Gesicht breitmachte, als sie die Nummer ihres Mannes im Display sah und bemerkte, dass in der vorhin noch so ruhigen Ecke inzwischen zahlreiche Gäste saßen. Einmal Klingeln – Lily identifizierte den Anrufer. Zweimal Klingeln – Lily realisierte, dass es im Restaurant zu laut war, um abzuheben. Dreimal Klingeln – sie stand mitten im Raum und sah sich um wie ein gehetztes Tier. Viermal Klingeln – Lily rannte zur Eingangstür. Fünfmal Klingeln – sie stand draußen auf dem Parkplatz und nahm ab.

«Hallo?» In dem Augenblick fuhr auf der Hauptstraße ein großer Lastwagen vorbei. *O Gott! Warum habe ich ein Lokal an einer Hauptstraße ausgesucht? Wie blöd bin ich eigentlich?*

«Wo zum Teufel steckst du?»

Ich stehe im Garten, und es ist gerade ein Laster vorbeigefahren? Nein! Nein! Dann ruft er zu Hause an, um das zu überprüfen, falls er es nicht sowieso schon getan hatte.

«Hörst du mich?»

Oh, Scheibenkleister mit Reis! Verdammte Hacke und verflixt und zugenäht! Denk nach, denk nach, denk nach ... Okay, okay, okay! Mach's auf die altmodische Art, Lily!

«Hallo?», sagte Lily überdeutlich.

«Ja! Hallo! Hörst du mich?», antwortete er.

«Declan?», fragte sie, als hätte sie Schwierigkeiten, ihn zu verstehen.

«Ich höre dich laut und deutlich. Wo bist du?» Er war eindeutig genervt. Im Hintergrund redete irgendjemand auf ihn ein. «Nur eine Sekunde, ja?», herrschte er denjenigen an, der es gewagt hatte, seine Spionagemission zu stören.

«Declan? Declan?», rief Lily. «Ach Gott, dann eben nicht!» Sie seufzte und legte auf. Dann schaltete sie das Telefon ab und atmete hörbar aus. Ihr zitterten die Hände. *Mach dich nicht lächerlich, Lily, jetzt beruhige dich wieder. Du tust schließlich nichts Verbotenes. Du sitzt lediglich mit einem alten Freund beim Abendessen. Entspann dich!*

Sie ging zurück ins Lokal und setzte sich. Sie war rot im Gesicht, und trotz ihrer kleinen Aufmunterungsrede zitterte sie immer noch leicht.

«Hat Declan immer diese Wirkung auf dich, oder liegt es daran, dass du mit mir hier bist?», fragte Clooney.

Lily schüttelte den Kopf. «Es war ein so netter Abend, Clooney.»

Er wusste, dass er nicht weiter in sie dringen sollte, also nickte er und tat, als ließe er das Thema fallen. *Was zum Teufel geht da vor sich?*

Nach einem Blick in die Speisekarte kamen sie beide zu dem Schluss, dass Kaffee die gesündere Alternative zum Dessert wäre. Lily war ein wenig schlecht, weil sie so viel gegessen hatte wie seit Tagen nicht und wohl auch wegen des völlig verunglückten Telefonats. *Er wird durchdrehen.* Clooney wusste, dass sie es kaum erwarten konnte zu gehen. Die unbekümmerte, entspannte Atmosphäre zwischen ihnen hatte sich in dem Moment aufgelöst, als Declans Name im Display erschienen war. Es war ihm auch nicht entgangen, dass sie ständig auf die Uhr sah, wenn sie Eve besuchte, und wie von der Tarantel gestochen in die Höhe fuhr, sobald jemand vom Krankenhaus das Zimmer betrat und eine Bemerkung über ihre Anwesenheit machte, vor allen Dingen dann, wenn im selben Atemzug der Name ihres Mannes fiel. Wie neulich, als Marion kam, um den Blutdruck zu messen.

«Hey, Lily, du schon wieder! Da wird sich Declan sicher freuen!»

«Wir haben beide viel zu viel zu tun, um hier rumzuturteln … außerdem bin ich schon wieder auf dem Sprung. Ich muss weiter.»

«Aber du bist doch gerade erst gekommen.»

«Die Arbeit, die Arbeit. Bis bald.»

Ein anderes Mal kam Abby ins Zimmer, um Eve ihre Heparinspritze zu geben, und entdeckte Lily am Bett.

«Lily, das ist ja super! Ich wollte mit Declan über den Ball von der Herzstiftung sprechen, aber ich weiß ja, dass du bei euch zu Hause den Terminplan führst. Sollen wir euch zwei Karten reservieren?»

«Sehr gerne.»

«Okay, toll! Ich sage es ihm, wenn ich ihn nachher sehe.»

«Oh, nein, nein, sehr nett, danke. Ich werfe noch mal einen Blick in unseren Terminkalender und melde mich dann bei dir.»

«Ach so. Okay.»

«Okay. Ich muss weiter.» Und weg war sie.

Clooney war nicht der Einzige, der es gemerkt hatte. Auch Eve fiel es auf.

«Lass es gut sein, Clooney, das geht uns nichts an», ermahnte sie ihn.

Er stimmte ihr zu, doch Lilys Reaktionen ließen ihm keine Ruhe. *Was stimmt da nicht? Hat sie Angst?*

Die Antwort auf seine Frage erhielt er im Restaurant.

Während sie den Kaffee tranken, hatte Clooney ein Taxi bestellt, und als es da war, bezahlten sie die Rechnung. Clooney wollte sie einladen, doch Lily bestand darauf, getrennt zu zahlen. Gemeinsam verließen sie das Lokal. Er beugte sich vor, um sie auf die Wange zu küssen, doch sie zuckte leicht zurück.

«Bitte entschuldige, ich wollte mich nur verabschieden», sagte er verlegen, weil sie offensichtlich geglaubt hatte, er wollte sie auf den Mund küssen.

«Ich weiß. Es tut mir leid. Ich glaube, ich bin einfach ein bisschen müde.» Sie umarmte ihn, und sosehr sie sich danach sehnte, einfach in seinen Armen zu versinken, mach-te sie sich doch schnell wieder los. «Ich schaffe es weder morgen noch Sonntag, ins Krankenhaus zu kommen. Bitte sag Eve, ich schaue nach ihr, wenn ich Montag wieder mit der Schicht anfange.»

«Okay», antwortete er. «Sag ich ihr.»

Lily sah dem Taxi einen Moment nach, ehe sie in ihren eigenen Wagen stieg. Sie holte das Telefon aus der Tasche und legte es auf den Beifahrersitz, ohne es einzuschalten. Sie atmete lange aus, umklammerte das Lenkrad und fing an zu weinen.

8 *Ein Tag, ein Monat, ein Jahr,*
ein Leben

MITTWOCH, 25. JULI 1990

9.00 UHR

Liebe Eve,

als du mitbekommen hast, wie Declan und sein Dad sich
gestritten haben, was war da genau? Haben sie rumge-
schrien? Hat Declan sich seltsam benommen? Was hat er
gesagt? Ich kriege ihn seit ein paar Tagen nicht ans Telefon.
Sein Vater hat gesagt, er wäre nicht da, aber ich weiß,
dass er lügt, weil Declan immer auf meine Anrufe wartet.
Sag ihm bitte, ich versuche es weiter und dass er mir bitte
schreiben soll, wenn etwas nicht in Ordnung ist. Okay?
Danke, dass du so nett zu ihm bist. Ich wusste doch, dass
du ihn mögen würdest, wenn du ihm nur eine Chance gibst.
(Hat ja auch nur zwei Jahre gedauert.) Er ist wirklich
tiefgründig und sehr emotional. Bitte sag ihm, dass ich ihn
liebe und vermisse. Ich hoffe, es geht ihm gut, und ich kann
es kaum erwarten, ihn wiederzusehen.

Unglaublich, dass ich schon fast einen ganzen Monat hier
bin. Nur noch ein Monat, und dann komme ich nach Hause,
und wir bereiten uns alle darauf vor, aufs College zu gehen.
Ich weiß, dass es bei dir schon Anfang September so weit
ist, aber wenigstens bleiben uns noch ein paar Tage, ehe
du nach London gehst. Ich würde bei schönem Wetter gern
mit dir zu den Klippen spazieren. Wir nehmen ein Pick-

*nick und eine Decke mit, und dann gehen wir zu der Lücke
im Zaun und den rutschigen Grasweg runter zu unserem
geheimen Platz. Wir legen uns auf die Decke, schauen rüber nach Wales und träumen von deinem Leben in London
und meinem in Cork, und dabei lassen wir alle guten und
schlechten Tage unserer Kindheit noch einmal Revue passieren.*

*Als ich mir beim Basketball die Nase gebrochen habe –
schlecht.*

*Als ich wegen der gebrochenen Nase Declan kennenge-
lernt habe – gut.*

*Als du mit Pfeiffer'schem Drüsenfieber zwei Monate das
Bett hüten musstest – schlecht.*

*Als du deine erste Nähmaschine bekommen hast und
deine Liebe zum Design entdeckt hast – gut.*

*Wir haben in den vergangenen achtzehn Jahren so viel
erlebt und besitzen unzählige gemeinsame Erinnerungen!
Echt krass, wenn man genauer darüber nachdenkt. Ich
kann mich noch an alles erinnern. Und du? Wie viel Zeit
wir auf diesen zwei Schaukeln bei euch im Garten verbracht
und uns gegenseitig dazu angestachelt haben, die Sonne
zu berühren! Weißt du noch, wie du die Hundekacke von
Sarah Potters Hund Franko eingesammelt hast? Du hast
den Haufen in das Einwickelpapier von einem Schokoriegel
gepackt und ihn Terry dem Touristen aufs Gartentürchen
gelegt. Er hat es ausgewickelt, und als er gemerkt hat,
was es ist, hat er sich die Hand an der Jacke abgewischt
und geschrien wie ein Mädchen! Ich habe mir vor Lachen
in die Hose gemacht. Oder als wir uns heimlich nachts
rausgeschlichen haben, um uns mit Gar und Declan im
Golfclub zu treffen, und fast die ganze Nacht weggeblieben
sind. Oder das erste Mal, als wir uns zusammen betrunken*

haben und du vor Lachen fast abgebrochen bist. Diese Er-
innerungen sind unsere Verbindung, wenn wir weit entfernt
voneinander sind, und dank dieser Erinnerungen bist du
auch jetzt ganz nah bei mir.

Also gut, ich geb's zu. Du hattest recht mit Colm. Er hat
Montagabend versucht, mich zu küssen. Applaus, Applaus!
Ich bin echt sauer. Ich habe ihm immer wieder gesagt,
dass er für mich nur ein guter Freund ist, und nach dem
Gespräch letzte Woche dachte ich echt, er hätte es kapiert.
Hat er aber nicht. Im Wald gab es um Mitternacht ein La-
gerfeuer, und wir sind von der Arbeit aus zusammen hinge-
laufen. Als wir durch den Wald gingen, hat er sich auf ein-
mal so komisch benommen. Eben unterhielten wir uns noch
ganz normal über irgendwas Lustiges aus dem Restaurant,
und dann erzählte er mir auf einmal, dass das mit Declan
ein Fehler und ich zu jung wäre, um mich fest zu binden.
Unfassbar! Erstens habe ich nie etwas darüber gesagt,
mich fest zu binden (so viel weiß ich noch, und ich finde es
extrem uncool, etwas anzusprechen, das einem ein völlig
betrunkener Mensch erzählt hat, der wiederholt zugegeben
hat, unter Gedächtnislücken zu leiden), und zweitens: Seit
wann erzählt ein Sechzehnjähriger einer Achtzehnjährigen,
wo's langgeht? Und bitte: Ergreif jetzt ja nicht für ihn Par-
tei. Ich kenne deine Ansichten über das Leben und die Liebe,
aber bitte sei du erst mal zwei Jahre mit Ben zusammen,
und dann reden wir weiter. Jedenfalls habe ich ihm gesagt,
dass ihn das nichts anginge, woraufhin er meinte, dass er
sich nur deshalb einmischt, weil er echt auf mich steht, und
dann hat er mich geküsst. Ich konnte es nicht fassen! Eben
redeten wir noch, und dann steckte plötzlich seine Zunge in
meinem Hals. Ich habe ihn weggeschubst und war fuchs-
teufelswild. Er entschuldigte sich, weil er merkte, dass ich

stocksauer war, aber ich hatte echt keine Lust, mir sein Ge-
sabber anzuhören. Er versprach, es nie wieder zu tun, und
meinte, er hätte mich nur geküsst, um mir zu zeigen, dass
wir gut zusammenpassen würden. Seit ich hier bin, habe
ich ihm immer wieder gesagt, dass ich einen festen Freund
habe und in ihm nur einen guten Freund sehe. Wie dämlich
ist der eigentlich? Ja, ich weiß, du hast es kommen sehen,
und du sagst jetzt sicher: Jungs sind eben so. Aber mal ehr-
lich! Ich bin nett zu ihm, er ist ein guter Freund, ich mag
ihn, aber heißt das gleich, dass ich ihm Hoffnungen mache?
Denn genau das behauptete er, als wir fast beim Lagerfeuer
angekommen waren. Glaubst du das? Er dampfte wütend
ab, und ich hatte keine Lust mehr auf die Party, also ging
ich alleine nach Hause. Von dem Streit brummte mir der
Schädel, ich konnte an nichts anderes denken: was ich hätte
sagen sollen und wann die Sache aus dem Ruder gelaufen
war. Seitdem spricht er im Grunde nicht mehr mit mir. Im
Restaurant ist das ziemlich blöd. Er ist höflich, aber er
sieht mich nicht an, und es gibt kein Gelächter und keine
Witzeleien mehr. Ellen hat zwar was gemerkt, aber sie hält
sich raus, und außerdem dreht sich bei ihr sowieso alles nur
noch um Orfeo. Wenn wir frei haben, sind sie meistens in
seinem Personalzimmer, und ansonsten herrscht im Restau-
rant inzwischen so viel Betrieb, dass sie sich als Oberkell-
nerin die Hacken wund läuft. Tja, wie es scheint, hat sich
unsere kleine Clique innerhalb einer Woche in Luft aufge-
löst. Es ist schade, und ich bin echt traurig. Ich wünschte,
ich wäre zu Hause bei dir und Declan, aber es ist ja nur
noch ein Monat. Den schaffe ich auch noch.

Es gibt aber auch gute Nachrichten: Clooney ist ange-
kommen. Gestern hat er mich im Restaurant besucht. Er
ist in Topform und sieht super aus. Er liegt bestimmt den

ganzen Tag lang faul vor seinem Zelt, denn er hat inzwischen die Farbe von Dannys altem Mahagonischreibtisch. Seine Freunde Marty und Vince scheinen ganz nett zu sein, nur die Freundin von Vince, Pauline, ist ein bisschen zickig. Wir haben uns gestern Abend nach der Arbeit auf ein paar Drinks getroffen, und sie hat mich den ganzen Abend mit Blicken erdolcht, weil ich mit den Jungs rumgealbert habe. Sie sieht mich an, als wäre ich Hundekacke an ihrem Schuh. Außerdem haben wir definitiv nicht den gleichen Sinn für Humor. Es ist echt ein super Timing, dass Clooney ausgerechnet jetzt gekommen ist, wo Colm nicht mehr mit mir spricht und Ellen so sehr mit Vögeln beschäftigt ist, dass sie für nichts anderes mehr Zeit hat. Kaum wird ihre Beziehung ernster, lässt sie einfach ihre Freunde fallen.

Morgen habe ich frei, und Clooney hat gefragt, ob ich mit ihnen auf eine Bootstour komme. Ich wollte zuerst nicht, wegen Pauline, aber Clooney meinte, ich bräuchte mir keine Sorgen zu machen, sie hätte keine Lust, weil sie kein Wasser mag. Dann verkündete er den Jungs, dass ich mit dabei wäre, und plötzlich hatte Pauline überhaupt keine Angst mehr vor dem Wasser. Jedenfalls kommt sie jetzt doch mit, und das finde ich wirklich blöd. Es ist schon schlimm genug, mit ihr gemeinsam in einer großen Bar zu sein, ganz zu schweigen von einem kleinen Boot. Clooney findet die ganze Sache natürlich höchst amüsant. Er hat wieder dieses Miauen imitiert, das ich so hasse und das mich in den Wahnsinn treibt. Wir sind uns erst gestern zum ersten Mal begegnet, und sie entscheidet nach einem einzigen Tag, dass sie mich nicht ausstehen kann. Was für eine Zicke!

Am Sonntag habe ich mit meiner Mutter telefoniert. Sie trifft sich mit jemandem!!! Kannst du das glauben? Ich nicht. Ich glaube, sie halluziniert. Sie sagt, er käme aus

England und wäre für ein halbes Jahr in Irland, um an seiner Dissertation über (richtig geraten!) religiöse Hingabe zu arbeiten. Aber – und jetzt kommt der Hammer – er ist kein Katholik, und die Arbeit befasst sich mit sämtlichen Weltreligionen. Es klingt, als wäre er ziemlich schlau, und sie hat erzählt, aus einem Disput auf dem Kirchenvorplatz wäre schließlich ein Mittagessen und dann ein Abendessen geworden, und sie wird ihn wiedersehen. Sie klang richtig aufgedreht, und es war echt schön, sie zur Abwechslung mal so zu erleben. Er heißt Albert. Ich hoffe, er bleibt ihr ein bisschen erhalten. Es ist schön, sie glücklich zu erleben.

Okay, das war's. Ich bin mit dem großen Meister verabredet.

Ich hab dich lieb, ich vermisse dich, und ich wünschte, jeder Mensch wäre so leicht zu verstehen wie du, und jeder wäre so geradeheraus wie du.

1000 Küsse,
Lily

PS: Ich habe Colm ein Foto von dir gezeigt (vor dem Streit), und er meinte, du wärst der Bringer, was hier auf dem Land bedeutet, dass er dich schön findet.

PPS: Ich habe gelernt, eine Quiche zu backen, und ich mache uns eine für das Picknick auf der Klippe. Weißt du noch, wie wir da oben mit Gar und Paul was geraucht haben und du durch die Gegend gerannt bist und laut «The Hills Are Alive With the Sound of Music» gesungen hast? Ich muss immer noch lachen, wenn ich daran denke.

Eine letzte Sache noch. Erstelle eine persönliche Favoritenliste aus diesen Horrorfilmen: «Freitag der Dreizehnte»,

«Fright Night», «The Lost Boys», «Nightmare on Elm Street».

Meine Liste sieht so aus:

1. *«The Lost Boys» (Weil Corey Haim so süß ist, wenn er im Bad singt. Außerdem liebe ich den Opa. «Es gefällt mir ganz gut in Santa Carla, aber an eins hab ich mich nie gewöhnt … an diese dämlichen Vampire.»)*

2. *«Freitag der Dreizehnte» (Weil es mein erster Horrorfilm war. Ich habe bei dir übernachtet, dein Vater hat uns Hot Dogs gemacht, und wir durften bis nach Mitternacht aufbleiben, um den Film zu sehen.)*

3. *«Fright Night» (Ich liebe Vampire.)*

4. *«Nightmare on Elm Street» (War zwar ein toller Film, aber ich hatte hinterher einen ganzen Monat lang Albträume.)*

1000 Küsse

* * *

Morgens um fünf fing der Tag an, und oft wurden Eves Träume vom Geräusch der Poliermaschine durchdrungen. Das stete Brummen der Polierscheibe, die auf dem Flur vor ihrer Tür über den Boden glitt, vermischte sich mit der geträumten Wirklichkeit in ihrem Kopf. Das erste Mal geschah es während eines besonders seltsamen und lebhaften Traums. Die Auftritte des Roten Unholds waren mittlerweile weniger eindrucksvoll. Manchmal war er nun bloß noch ein ganz normaler Säufer. Als er an diesem Morgen erschien, begnügte er sich damit, auf ihrem Grab zu tanzen. Er vollführte einen wilden Volkstanz und war gekleidet wie Michael Flatley von «Lord of the Dance», was Eve zum Lächeln brachte. Beunruhigender als den tanzenden Säufer fand Eve die Inschrift auf ihrem Grabstein:

Hier ruht Eve Hayes
Alte Jungfer, Geschäftsfrau und Oberzicke
Die Welt ist ohne sie besser dran.

Alte Jungfer? Wirklich? Also bitte! Gut möglich, dass Eve
selbst im Tiefschlaf nichts gegen die Attribute «Geschäftsfrau» und «Zicke» einzuwenden hatte, und sie stimmte
auch der Behauptung zu, dass die Welt ohne sie und ein
paar Millionen anderer tatsächlich besser dran sei – schon
allein wegen der Überbevölkerung –, aber der Ausdruck
«Alte Jungfer» ging ihr gegen den Strich. *Ich will nicht als
Single sterben!* Sie grübelte noch über die Inschrift nach, da
fing der Rote Unhold mit seinem Tanz wieder von vorne an,
als hätte er einen Sprung in der Schallplatte. Den Blick starr
geradeaus und mit steif angelegten Armen hopste er wild
auf und ab. *Ist ja gut, ich kenne deine Show.* In dem Augenblick erklang von ferne das monotone Brummen. Sie drehte
sich um und sah einen Bienenschwarm auf sich zukommen. Die Insekten flogen durch den blauen Himmel und
schienen ihn dabei in sich aufzusaugen, sodass aus Licht
Dunkelheit wurde. Im Traum sah Eve absonderlich riesige
Köpfe auf winzigen Bienenkörpern mit weit aufgesperrten
Mäulern, die nichts in sich trugen als zwei scharfe Zähne,
Dunkelheit und Tod. *Hä?*, dachte sie, *na gut, ich bin ja
schon tot, also …* Sie drehte sich zu dem Roten Unhold um.
Doch der war viel zu sehr damit beschäftigt, allein einen
Paartanz aufzuführen, um zu merken, dass der Himmel inzwischen im Schlund Tausender Killerbienen verschwunden war, die direkt auf ihn zuhielten. Das Brummen wurde
lauter und lauter. Endlich sah er auf. Er fing so laut an zu
schreien, dass Eve sich die Ohren zuhalten musste. Sie wartete darauf, dass er verschluckt wurde, doch stattdessen

erwachte sie und sah in das Gesicht der Frau, die den Boden poliert hatte.

«Sie haben geschrien, Herzchen», sagte die Frau.

«Entschuldigung.»

«Soll ich eine Schwester rufen?»

«Nein danke.»

Die Frau nickte und ließ sie allein. Seitdem war die Poliermaschine für Eve zum Wecker geworden, wenn sie in ihre Träume eindrang. Manchmal erkannte ihr Gehirn das Geräusch und signalisierte ihr, dass es Zeit war, aufzuwachen und sich neu zu orientieren. *Ach so, ich bin ja gar nicht in der Schokoladenfabrik und lecke auch nicht an der Kirschtapete. Ich liege in einem Krankenhausbett, und das Geräusch ist nicht Willi Wonkas Wunderboot, sondern diese bescheuerte Poliermaschine. Oh nein, es ist fünf Uhr morgens!* Eve öffnete erst das eine und dann das zweite Auge, und es offenbarte sich das kleine, rechteckige Krankenzimmer, die weiße Wand, die sie Tag für Tag anstarrte, und das zerfledderte Poster, das sie inzwischen auswendig kannte.

Die Botschaft ist in allen Sprachen gleich!
Operite ruke
Lavarsi le mani
Lávese las manos
Xin jay rura tay
Hände waschen

Zu ihrer Linken war ein großes Fenster mit einer Fensterbank, die breit genug war, um sich bequem daraufzusetzen. Der Blick ging auf den Personalparkplatz hinaus. Schon in den allerersten Tagen hatte Eve eine Angewohnheit entwickelt: Sie öffnete zuerst das eine, dann das andere Auge, warf einen Blick auf das Poster, las den Text und wandte dann den Blick zum Fenster, um zu sehen, wer von den Ärzten oder Schwestern kam oder ging. Gab es nichts zu sehen, machte sie die Augen wieder zu, und erst dann spürte sie in sich hinein, ob ihr Körper sich besser oder schlimmer anfühlte als am Tag zuvor. Ab und zu ließ ihr Körper sich noch ein oder zwei Minuten mehr Zeit mit dem Aufwachen als ihr Verstand. Als sie zum ersten Mal aufgewacht war und vom Hals abwärts gar nichts gespürt hatte, war sie in Panik geraten, doch sie hatte sich schnell an die Taubheit gewöhnt und war dankbar, anstatt der unerträglichen Schmerzen der ersten Tage nichts zu spüren. Es gab auch Tage, da schien ihr Körper regelrecht darauf zu warten, dass die Poliermaschine sie weckte, denn sobald sie das erste Auge öffnete, fing die Haut unter ihrem rechten Gipsbein an zu kribbeln, und bis sie dann das zweite Auge aufgeschlagen hatte, juckte es bereits so unerträglich, dass Eve den Gips kratzte, in der Hoffnung, ihre Finger würden es auf wundersame Weise schaffen, durch die betonharte Oberfläche zu dringen. Manchmal schmerzte ihre Schulter so sehr, dass sie ernsthaft ein Leben ohne linken Arm in Erwägung zog. Kann man eine Schulter amputieren? Der dumpfe Schmerz im linken Bein war zwar lästig, doch solange das Bein in Decken gewickelt war und niemand sich zu schwer aufs Bett lehnte oder etwas in der Nähe des Beins ablegte, war es einigermaßen erträglich. Einer ihrer wiederkehrenden Träume handelte von Männern, die Schlange standen, um eine Betonplatte nach der anderen auf ihr Schienbein zu stapeln. Die Männer kletterten sogar auf eine Leiter, um die obersten Platten zu platzieren, und wenn Eve das Gewicht im Traum endgültig unerträglich erschien, kletterte der Rote Unhold oben drauf, rollte sich mit dem Daumen im Mund zusammen und lag da wie die schlafenden Babys auf den Fotos von Anne Geddes. Nach solchen Nächten war sie der Dame mit der Poliermaschine extrem dankbar. Wenn Eve um fünf Uhr aufwachte, versuchte sie, möglichst schnell wieder einzuschlafen. Ihre Bewegungsfreiheit war sehr eingeschränkt, und nachdem sie das Poster gelesen, zum Fenster hinausgesehen und sich vergewissert hatte, dass sie lang genug wach gewesen war, um nicht noch einmal in den Albtraum zurückzugleiten, dem sie eben entronnen war, rutschte sie nur ein wenig hin und her, schloss die Augen, atmete tief ein und wieder aus und schlief wieder ein bis um halb sieben. Dann wurde sie von einer Schwester geweckt, die ihre Temperatur und den Blutdruck maß und fragte, wie es ihr ging und ob sie Medikamente brauchte. Sehr selten geschah es auch, dass die Poliermaschine sie aus einem schönen Traum riss. Dann saß sie gerade auf den Klippen im Gras und unterhielt sich mit Lily, während die ihr die Haare stylte, oder sie sah Ben dabei zu, wie er in Dublin einen kleinen Club rockte. *Ich bin Ben Fucking Logan, und wir sind Gulliver Stood On My Son!* Und während das Publikum völlig ausflippte, hörte sie es im Hintergrund brummen. *Nicht jetzt, nicht jetzt, nicht jetzt!* Manchmal funktionierte es. Sie verschloss einfach die Ohren vor dem Geräusch der Poliermaschine, und der Traum ging weiter und nahm sie mit aus dem Club in den Park und zu der Mauer. *Gut, jetzt möchte ich bitte aufwachen.*

In Lilys Arbeitswochen sah sie beim Aufwachen ihre Freundin mit einem Folienthermometer vor sich stehen.

«Guten Morgen, Sonnenschein», sagte Lily und hielt ihr die Messfolie an die Stirn.

«Morgen, Lil.»

«Wie geht es dir?»

«Ich bin gelangweilt, frustriert und klapprig, alles tut weh und juckt fürchterlich!»

«Hat Clooney dir den Gipskratzarm besorgt?»

«Er hat im Netz einen gefunden. Angeblich lässt er sich aufgrund einer einzigartigen Kombination aus Nylon und Plastik nach Belieben verbiegen, ohne zu zerbrechen.»

«Aber er hat ihn zerbrochen?»

«Ich konnte mich nicht ein einziges Mal kratzen.»

Während Lily ihrer Arbeit nachging, unterhielten sie sich, und nur allzu schnell musste Lily weiter zum nächsten Patienten.

«So, alles in Ordnung. Ich komme später wieder, um dich zu waschen.»

Dann war sie wieder weg und Eve richtig wach. Sie las das dämliche Poster, sah zum Fenster hinaus, schaltete den Fernseher ein, schaute irgendeine Morgenshow, in der sich Menschen übertrieben über billige, schlecht genähte Klamotten freuten, und grübelte über den langen Tag nach, der vor ihr lag.

Entspannen konnte Eve erst, wenn die Krankengymnastik vorbei war. Sobald ihr das Frühstück gebracht wurde, setzte das Grauen ein, weil sie wusste, dass es danach nicht mal mehr eine Stunde dauern würde, bis Mica oder Norman, der andere Physiotherapeut, zur Tür hereinkommen und mit der vierzigminütigen Folter beginnen würde. Mica kannte zwar keine Gnade, aber wenigstens besaß sie Humor.

«Jetzt kommen Sie schon, nur noch viermal, und dann können Sie mich in den Arm boxen», sagte sie zum Beispiel.

«Noch fünf, und ich kann Sie ins Gesicht schlagen!»

«Tut mir leid, dazu ist mein Gesicht zu hübsch.»

«Das beurteile ich.»

Norman war ernsthaft und weniger streng, dafür aber gänzlich unlustig. Außerdem bestand er darauf, jedes Mal vorher auf Irisch zu zählen, bevor er sie bewegte: *a h-aon, a dó, a trí.*

«Sind Sie bereit? *A h-aon, a dó, a trí!*»

Ach, mach doch einfach!

«Okay, und los geht's. *A h-aon, a dó, a trí!*»

«Das nervt!», sagte sie eines Tages. «Ist Ihnen das eigentlich klar?»

«Weiß ich», antwortete er, doch das hinderte ihn nicht daran, es wieder zu tun, als er sie später ins Bett hob. «Alles klar? *A h-aon, a dó, a trí!*»

«Nerviger Mistkerl!», murmelte sie.

Er reagierte nicht darauf.

Um halb zwölf jeden Tag hatte sie die Physiotherapie hinter sich. Danach kam um zwölf Uhr das Mittagessen, und sobald das Mittagessen vorbei war, schaute Eve entweder fern, an die Wand oder zum Fenster hinaus, bis gegen zwei Uhr Clooney zu Besuch kam. Er blieb meistens bis vier. Falls Gina keine Zeit oder Lily zu viel zu tun oder frei hatte, starrte sie dann wieder in den Fernseher, an die Wand oder zum Fenster hinaus. Sie las sämtliche Modemagazine, doch auch das wurde irgendwann langweilig. Außerdem waren gar nicht genug Titel auf dem Markt, um sich länger als eine Woche damit zu beschäftigen.

Meistens erkundigte sich Adam einmal täglich nach ihren Fortschritten.

«Können Sie Ihren Arm für mich bewegen?»

«Nein.»

«Wie bitte?»

«Wenn Sie sehen wollen, wie mein Arm sich bewegt,

hätten Sie hier sein müssen, als *A h-aon, a dó, a trí* da war, denn dann ist Folterstunde. Sie sind zwei Stunden zu spät dran.»

«*A h-aon, a dó, a trí?*», fragte er lachend.

«Sie wissen, wen ich meine.»

«Ja. Und jetzt kommen Sie schon, ich will nur eine winzig kleine Bewegung sehen», bat er sie freundlich.

«Allmächtiger!», sagte sie, doch sie bewegte ihren Arm, und er war zufrieden.

«Ich glaube nicht, dass wir noch mal operieren müssen. Es stand wirklich auf der Kippe, aber da ich ein Genie bin, *A h-aon, a dó, a trí* so hartnäckig ist und Sie eine Kämpferin sind, sieht die Sache gar nicht so schlecht aus.»

Eve fand Gefallen an seinen kleinen Besuchen. Manchmal war Lily auch gerade da, und die drei stichelten einander, als wären sie seit Ewigkeiten befreundet.

«Will sie immer noch zum Klo gebracht werden?», fragte er Lily eines Tages.

«Sie lässt einfach nicht locker, aber es ist immer noch zu früh.»

«Ich bin übrigens auch noch da!», sagte Eve.

«Wie ist ihr Stuhlgang?», fragte er mit einem breiten Grinsen.

«Himmel noch mal! Gut, jetzt reicht's. Raus hier, und zwar alle beide!», sagte Eve, und Lily und Adam lachten sich kaputt, höchst zufrieden mit ihren kindischen Klowitzen.

Ha, ha, ha! Gar nicht komisch, wenn man auf einer Bettpfanne hockt und sein ganzes Gewicht auf einen Arm stützen muss! Idioten!

«Wie lange muss ich noch hier drin bleiben?», fragte Eve die beiden eines Tages.

«Mindestens noch einen Monat», antwortete Adam.

«Nein!», sagte Eve.

«Doch», sagte Adam.

«Also gut, ich biete euch folgenden Deal an: Ich hab noch genau drei Wochen, um mich wieder mobil zu machen. Dann haue ich ab.»

«Das ist kein Deal, das ist ein Ultimatum», widersprach Lily.

«Ach?»

«Das Wort Deal suggeriert, dass wir im Tausch auch was kriegen», sagte Adam, und Lily nickte bestätigend.

«Okay. Ihr bringt mich in drei Wochen wieder auf die Beine, und dann schenke ich dir ein neues Auto, Lily, und dir, Adam, helfe ich, eines zu finden, das ein bisschen besser zu dir passt.»

«Was ist denn an meinem Auto falsch?», wollte Adam wissen.

«Gar nichts ist falsch, es passt nur einfach nicht zu dir.»

«Ach, so gut kennst du mich also?»

«Ich weiß, dass du groß und etwas ungelenk bist. Du kannst den Sitz noch so weit zurückschieben, du siehst trotzdem aus wie Krusty der Clown in einem kleinen roten Auto.»

«O Gott, tut das gut, dich wiederzuhaben!», sagte Lily lachend.

Adam dachte darüber nach, was sie gesagt hatte. «Zu dem Auto hat Caroline mich überredet», sagte er. *Ich hasse dieses Auto!*

«Die Ex, die du nicht heiraten wolltest?», fragte Eve.

Lily quittierte Adams fragenden Blick mit einem Schulterzucken.

«Sie hat gefragt», sagte sie.

«Ja, die Ex, die ich nicht heiraten wollte.»

«Willst du das Auto vielleicht behalten, weil du hoffst, dass sie zu dir zurückkommt?»

«Nein.»

«Dann werd es los und kauf dir eins, in das du auch hineinpasst», sagte sie. «Und was viel wichtiger ist: Schaff mich hier raus.»

«Jetzt warten wir erst mal, wie du dich auf der Toilette machst, und dann sehen wir weiter», antwortete er.

Die Zeit verging, die Wunden in ihrem Gesicht verheilten, und Eve wurde sich immer mehr bewusst, wie sie aussah und roch. Clooney bekam Anweisung, ihre Cremes und Parfüms vorbeizubringen, aber sie konnte noch immer keine wenigstens halbwegs normalen Sachen anziehen. Clooney vergrößerte ihre Schalsammlung, und er kaufte auf strenge Anweisung hin ausschließlich solche aus leichter Seide. Eve behauptete, was der Rote Unhold nicht geschafft hätte, nämlich sie umzubringen, würde mit Sicherheit die Hitze im Krankenhaus erledigen. Ihre Haare befanden sich in einem fürchterlichen Zustand und benötigten dringend einen Schnitt. Sie bat Clooney, ihren Friseur ins Krankenhaus zu holen, um ihr die Haare zu waschen und zu schneiden. Es war die reinste Folter, doch Nick war ein absoluter Profi. Lily half, sie in einen Rollstuhl zu setzen, und schob sie ins Bad. Eve beugte sich so weit wie möglich über die Badewanne, während sie den verletzten Arm schützte und betete, dass sie nicht aus Versehen irgendwo gegenstieß. Mit Hilfe des Duschkopfes wusch Nick ihr vorsichtig die Haare, und weil Eve sich wirklich nicht sehr weit über die Wanne beugen konnte, wusch er sie und sich selbst gleich mit. Sie blieb im Rollstuhl sitzen, während er ihr anschließend zurück im Zimmer einen recht strengen Schnitt verpasste und die Haare stylte. Sie hatte an Gewicht verloren, und ihre Gesichtszüge traten deutlicher hervor denn je.

«Du hättest wirklich Model werden können», sagte Nick zu ihr.

«Meinst du, ehe ich alt oder ehe mein Gesicht verwüstet wurde?», fragte sie und lächelte dabei, um ihm zu zeigen, dass die Antwort keine Rolle spielte.

«Schön. Du hast eine Narbe im Gesicht. Harrison Ford hat auch eine Narbe und *hallo*?»

Die Fäden waren gezogen, ihr Mund hatte seine normale Form zurück, und die Narbe lag innen und war nicht zu sehen. Auch die Augenpartie sah bis auf eine leicht gelbliche Färbung wieder völlig normal aus. Von dem Unfall blieb lediglich eine hässliche rosarote Linie zurück, die sich etwas mehr als drei Zentimeter lang über ihre linke Wange bis zum Nasenflügel zog.

«Muss ich ab jetzt Make-up tragen?», fragte sie, genervt von der Vorstellung, sich für den Rest ihres Lebens jeden Tag schminken zu müssen. *Und das, wo ich mich gerade zur Ruhe gesetzt habe. Was für ein Mist!*

«Noch nicht, das heilt noch», sagte er.

«Ich weiß, aber trotzdem.»

«Was, trotzdem?», wollte er wissen.

«Gar nichts», antwortete sie.

«Hast du etwa ein Auge auf jemanden hier drin geworfen?»

«Nick! Mach dich doch nicht lächerlich!»

«Oh mein Gott! Hast du!»

«Habe ich nicht.»

«Du wirst ja rot.»

«Ja. Vor Ärger, vor Frust und wegen der verdammten Hitze hier drin!»

Nick und Eve kannten sich schon seit einer Ewigkeit aus Londoner Tagen. Er hatte bei vielen ihrer Shootings Frisuren und Make-up gemacht. Sie besaßen beide denselben Ehrgeiz, waren beide Iren und Arbeitstiere. Sie hatten sich von Anfang an gut verstanden, und Nick gehörte zu den wenigen Menschen, die Eve vermisste, als sie nach Paris ging. Als sie im letzten Jahr nach Dublin zurückkehrte, begab sie sich auf die Suche nach ihm. Nick war zwischenzeitlich in England sehr erfolgreich, ging dann aber nach Hause zurück, um in Dublin einen Edelsalon zu eröffnen. Falls er sich nicht gerade auf einem Fotoshooting oder einer Modenschau befand oder für eine Anzeigenkampagne arbeitete, stand er in seinem Laden. Er war ein alter und guter Freund, doch seine Zeit war ebenso begrenzt, wie es früher bei Eve auch der Fall gewesen war. Sie sahen sich selten, doch Nick kannte sie gut genug, um zu wissen, dass sie etwas verbarg.

«Okay, wie du meinst», sagte er.

«Ich will einfach nicht aussehen wie beschädigte Ware.»

«Du bist keine beschädigte Ware.»

«Ich verkörpere die Definition von beschädigter Ware.»

Während der zweiten Woche fand Eve es schon ein bisschen interessanter, durchs Fenster zu schauen. Sie fing an, einzelne Gesichter und Fahrzeuge, Arbeitszeiten und Rituale des Klinikpersonals zu identifizieren. Es gab eine Krankenschwester, die Eve Patty taufte und die es nie schaffte, einfach aus dem Auto zu steigen, es abzuschließen und ins Gebäude zu gehen. Sie stieg aus, tätschelte ihre Handtasche, schloss ab, ging etwa zwei Meter weit, tätschelte wieder ihre Handtasche, machte kehrt und schloss entweder den Wagen noch mal auf, um etwas herauszuholen oder um zu überprüfen, ob sie auch tatsächlich abgeschlossen hatte.

An den Tagen, wo Patty im Dienst war, bot sie reichlich Ablenkung. Eve konnte die einzelnen Schritte der Frau inzwischen fast kommentieren, und es war eindeutig besser, als eine Fliege dabei zu beobachten, wie sie an der weißen Wand im Kreis krabbelte.

Auch Adam sah sie kommen und gehen. Er stellte sein albernes Auto immer auf dem gleichen Parkplatz ab. Die Ärzte hatten feste Parkplätze. Die Krankenschwestern erforderten viel mehr Aufmerksamkeit, weil sie parkten, wo gerade eine Lücke frei war, und es einige Parkplätze gab, die außerhalb ihres Blickfelds lagen. Adam stieg aus und schloss ab. Er überprüfte nie sein Aussehen, richtete sich nie die Haare und sah auch nie nach, ob sein Auto abgesperrt war. Er kam und ging einfach nur, es sei denn, er traf auf dem Weg jemanden, was meistens der Fall war. Adam schien mehr Leute im Krankenhaus zu kennen als jeder andere – entweder das, oder er war einfach nur netter, oder er saß in mehreren Ausschüssen. Wenn er stehen blieb und sich unterhielt, fragte Eve sich, wer sein Gegenüber sein mochte und worüber sie wohl sprachen. Manchmal waren die Gespräche ganz kurz, manchmal etwas länger. Ein paarmal sah Eve ihn zusammen mit Lily. Lily war immer gehetzt und in Eile. Sie sprang förmlich aus ihrem Auto, und es gab Tage, da sah es so aus, als würde sie sich nicht mal die Zeit nehmen abzuschließen. Lily rannte immer – vom Auto ins Krankenhaus und wieder zurück, und sie blieb nur stehen, wenn sie auf Adam den Bummler traf. Er hielt sie auf, und dann sprachen sie eine Minute lang miteinander, ehe die gehetzte Lily entweder in die eine oder in die andere Richtung davonrannte.

Es gab einen Arzt, der grundsätzlich fünf Minuten lang in seinem Wagen saß, ehe er ausstieg oder davonfuhr. Sein

Parkplatz war ganz in der Nähe ihres Fensters, und Eve konnte erkennen, dass er nicht telefonierte. Er saß einfach nur da. *Betend? Meditierend? Schlafend?* Ehe er aus dem Auto stieg, zog er sich das Sakko aus und den Arztkittel an. Er trug das Sakko dann über dem Arm, und Eve sah ihn nie mit jemandem sprechen.

Am ersten Tag der dritten Woche sah Eve zufällig zum Fenster hinaus, als sie zum ersten Mal nach zwanzig Jahren Declan Donovan wiedersah. Er fiel ihr auf, als er seinen Wagen parkte. Das Verdeck war geöffnet, und sie erkannte ihn zwar sofort, doch trotzdem traute sie ihren Augen nicht. Er fuhr irgendeinen Mercedes – sie hatte keine Ahnung, was für ein Modell, denn Eve hatte sich nie sonderlich für Autos interessiert. Adam fuhr ein rotes Sportteil, das in ihren Augen aus irgendeinem Grund nicht zu seiner Persönlichkeit passte. Lily fuhr einen fünf Jahre alten VW Polo mit einer Beule in der hinteren Stoßstange – das Ergebnis von Scotts erster und gleichzeitig letzter Fahrstunde bei seiner Mutter, während der er Bekanntschaft mit einem Laternenpfahl gemacht hatte. Der Benz war neu und ein absoluter Blickfang. Selbst aus der Entfernung konnte Eve die cremefarbene Ausstattung erkennen, ehe Declan das Verdeck schloss und ausstieg. *Bist du das?* Er zog sich das Jackett an und schloss die Wagentür. Er bürstete mit den Händen über den Stoff und sah prüfend an sich herab, um sicherzugehen, dass nichts zerknittert war. *Du bist es, oder?* Er kam mit selbstsicheren Schritten auf sie zu. Je näher er dem Eingang drei Stockwerke unter ihr kam, desto sicherer war sie sich. *O Gott! Ja! Du bist es!* Ihr Herz schlug schneller, ihr Puls raste. Ihr drehte sich vor Aufregung der Magen um, aber es war keine freudige Erregung. *Mir ist schlecht. Mir ist schlecht. Oh, Eve, im Ernst? Sich jetzt zu übergeben, ist ein wenig melodramatisch, findest du nicht?* Offensichtlich nicht, denn Eve übergab sich tatsächlich, und es war Lily, die sich danach um sie kümmerte.

«Was war das denn? Hat Clooney dich heimlich gefüttert? Du weißt, dass du dich immer noch an unsere Diätkost halten musst!»

«Nein», sagte Eve, ohne nachzudenken, aber als sie sich auf Lilys Frage konzentrierte, überlegte sie es sich anders. «Doch, doch, hat er. Es kann wirklich keiner von mir erwarten, dass ich mich ständig von diesem Fraß hier ernähre. Aber jetzt ist mir nicht mehr schlecht, alles in Ordnung.»

«Dein Puls ist überhöht. Hast du Schmerzen?»

«Nein. Mir geht's gut.»

«Kopfweh?»

«Ich habe immer Kopfweh.»

«Das ist nicht gut. Ich hole Adam.»

«Nein, nein, bitte hol ihn nicht.»

«Doch. Und zwar gleich.»

«Mist.»

Lily hatte Eve gestanden, dass Adam der einzige echte Freund war, den sie seit langen Jahren hatte, und sie befürchtete, dass er ernsthafte Gefühle für sie hegte. Sie wollte ihn nicht verlieren, aber sie fühlte sich sexuell nicht zu ihm hingezogen, und das hatte nichts damit zu tun, dass sie verheiratet war. Eve wusste von Anfang an, dass Adam nicht Lilys Typ war. Sie war sich deshalb so sicher, weil sie ihn trotz ihres angeschlagenen Zustandes selbst ganz eindeutig anziehend fand. Er war groß und schlank, nicht ausgesprochen breit, aber muskulös. Er besaß den Körperbau eines Langstreckenläufers, und sein wilder brauner Haarschopf führte entschieden ein Eigenleben. Manchmal waren seine Augen braun, und an manchen Tagen wirkten sie fast grün. Sie fragte sich, ob es mit dem Licht, mit dem Wetter oder mit seiner Stimmung zu tun hatte. Er hatte ein offenes Lächeln und ebenmäßige Zähne. Seine Anzüge bewiesen modischen Geschmack und hoben sich von der sonst üblichen eintönigen Nadelstreifenbrigade in Grau, Dunkelblau und Schwarz ab. Er mochte Leinen, und es stand ihm. Seine Hemden waren stets farbig oder gemustert, niemals weiß und niemals langweilig. Er besaß einen Sinn für Mode, der von Leuten, denen es daran mangelte, als seltsam oder überkandidelt empfunden werden mochte oder wie in Declans Fall als tuntig. Doch Eve mochte seinen Stil. *Verdammt! Und ich sehe aus wie ausgekotzt!*

Etwa eine Stunde später war Adam da. Eves Pulsschlag hatte sich wieder beruhigt, und ihr war auch nicht mehr schlecht. Er sah sich ihre Krankenakte an und nahm Platz. Seit sie das Einzelzimmer bezogen hatte, setzte er sich stets hin, wenn er sie besuchte, und weil seine Besuche im Laufe der Zeit immer häufiger wurden, verbrachte er auch immer mehr Zeit an ihrer Seite. Zu Beginn schenkte er Eve nur deshalb mehr Aufmerksamkeit, weil es sich um Lilys geheimnisvolle Freundin handelte. Er war Lily treu ergeben, und es gefiel ihm, dass Lily mit seiner Hilfe ein Geheimnis vor Declan bewahrte. Adam konnte Declan nicht ausstehen – nicht nur weil er ungehobelt war und sein Sinn für Humor grundsätzlich unter die Gürtellinie traf, sondern vor allem weil ihm nicht gefiel, wie er mit Lily umging. *Wenn ich eine Frau wie Lily hätte, würde ich sie wie eine Göttin behandeln.* Nach jenen ersten fünf oder sechs Tagen, in denen Eve im Grunde mehr ein Häuflein heilender Knochen als ein echter Mensch war, fing Adam an, sie zu mögen. Sie war schlagfertig. Sie hatte was gegen Dummköpfe und ließ sich nicht kleinreden. *Kein Wunder, dass sie und Declan sich nicht ausstehen können.*

«Diese Kopfschmerzen gefallen mir nicht», sagte er.

«Dann stell endlich die Heizung runter», antwortete Eve.

«So warm ist es gar nicht.»

«Hier drin könnte man problemlos Marihuana anbauen.»

Er lachte. «Erzähl mir von deinen Kopfschmerzen.»

«Na ja», sagte sie. «Es handelt sich hauptsächlich um Schmerzen in meinem Kopf.»

Adam lachte wieder. «Ich verstehe, weshalb Lily und du so gut befreundet seid. Ist der Schmerz eher ein- oder beidseitig?»

«Beidseitig.»

«Eher pulsierend oder stechend, eher Druck oder Spannungsschmerz?»

«Druck.»

«Würdest du ihn als moderat oder heftig beschreiben?»

«Moderat.»

«Auf einer Skala von eins bis zehn beschreibe mir bitte moderat und heftig.»

«Also wirklich!»

«Tu's einfach.»

«Moderat ist etwa vier oder fünf, und heftig ist neun oder zehn. Mein Arm ist normalerweise etwa eine neun, mein rechtes Bein ist null, mein linkes Bein vier bis sechs, und mein Kopf eine drei bis sieben, je nach Augenblick, Minute oder Stunde.»

«Leidest du unter Übelkeit?»

«Manchmal.» *Vor allen Dingen, wenn ich dieses Arschloch Declan sehe.*

«Bist du empfindlich auf Licht und Geräusche?»

«Manchmal.» *Jetzt zum Beispiel.*

«Irgendwelche Beschwerden wie Steifheit im Nacken, Verwirrung, Doppelsicht, Schwäche oder Taubheitsgefühle?»

«Nein.»

Er stellte ihr noch hundert weitere Fragen, und Eve gab ihm nicht auf jede eine Antwort.

«Irgendwelche Persönlichkeitsveränderungen in jüngster Zeit?»

«Ich fluche mehr.»

«Du fluchst mehr», wiederholte er nickend und lächelte.

«Ja, und ich bin mir nicht sicher, ob es daran liegt, dass ich wieder in Irland lebe oder dass ich ein Krüppel bin. Jedenfalls klingt das Wort *fuck* für mich heute tausendmal besser als damals, als ich noch in den Staaten lebte.»

«Wenn wir das Wort *fuck* mal beiseitelassen», sagte Adam, «dann vermute ich, dass du an chronischem Spannungskopfschmerz oder an täglich neu auftretendem Dauerkopfschmerz leidest. Wir könnten es neurologisch untersuchen, um Gewissheit zu bekommen.»

«Nicht nötig. Ich habe vor kurzem erst bei einem Check-up Entwarnung bekommen, und die Kopfschmerzen haben sich seitdem nicht verändert.»

«Ich werde dir etwas dagegen verschreiben, und dann öffne ich mal das Fenster.»

«Nein.»

«Wieso nicht?»

«Da draußen riecht es komisch.»

Er machte das Fenster auf, streckte den Kopf hinaus und zog ihn wieder zurück.

«Ich rieche nichts», sagte er.

«Es kommt in Schüben.»

Er beugte sich wieder hinaus. «Direkt links unterhalb von dir ist ein Lüftungsschlitz. Vielleicht kommt es daher. Ich sage dem Hausmeister, er soll sich das mal ansehen.»

«Okay.»

«Außerdem», sagte er, «habe ich mich nach einem neuen Auto umgesehen.»

«Das ist gut.»

«Ich denke über einen BMW nach.»

«Wenn du reinpasst, dann kauf ihn», sagte sie.

Er lächelte. «Okay», sagte er und ließ sie allein.

Sie starrte auf den Parkplatz hinaus und musste sich eingestehen, dass sie sich zu Adam hingezogen fühlte. Adam war mittlerweile mehr als lediglich ihr Arzt. *Eve, das wandelnde Klischee!* Er war mit Lily befreundet und stand eindeutig auf sie. Ganz zu schweigen von der Tatsache, dass Ben Logan gerade erst ein paar Tage unter der Erde war. *Weißt du, Ben, ich bin ja nicht in ihn verliebt oder so. Ich mag ihn einfach. Er ist nett, und du bist tot, und das Leben ist kurz. Ich will nicht alleine sterben, und außerdem hast du nie zu mir gehört. Aber ich vermisse dich. Solltest du irgendwo in diesem Universum oder irgendwo dahinter bewusst existieren, dann hoffe ich, dass du an einem schönen Ort bist, voller Liebe, Licht und Glück, und nicht in einem beschissenen Treibhaus, wo du dich Tag für Tag auf eine Bettpfanne quälen musst und die Zeit damit totschlägst, Frühstücksfernsehen zu schauen und weiße Wände und Parkplätze anzustarren.*

Es war kurz nach sechs, als sie sah, wie Declan zu seinem Wagen ging. Sie beobachtete etwa zwanzig Minuten lang den Parkplatz, ehe sie genug hatte und sich der Wand zuwandte.

Die Botschaft ist in allen Sprachen gleich!
Operite ruke
Lavarsi le mani
Lávese las manos
Xin jay rura tay
Hände waschen

Sie schaltete den Fernseher ein. Es liefen die Nachrichten. Um halb acht würde Clooney wiederkommen und ihr ein neues Parfüm mitbringen. Ihr gesamtes Erwachsenenleben lang hatte sie ausschließlich Chanel No. 5 getragen, doch auf einmal konnte sie den Duft nicht mehr ertragen. Sie hatte Clooney losgeschickt, um etwas Neues für sie zu finden, damit sie es auflegen konnte, wenn Paul sie mit seiner Verlobten Simone besuchte. Es wäre Eves erste Begegnung mit ihr, und sie war nicht gerade begeistert. Sie hatte keine Lust, neue Leute kennenzulernen, der Kopf tat ihr weh, und sie war angefressen, weil sie Adam mochte und Lilys freie Woche eben erst begonnen hatte. Lily hatte ihr mitgeteilt, dass sie nicht oft zu Besuch würde kommen können. Eve fragte nicht, weshalb, doch ihr war klar, dass Declan der Grund dafür war. Mittlerweile spukte er ihr ständig im Kopf herum, was so weit ging, dass er in ihren Albträumen manchmal sogar den Roten Unhold ersetzte.

Die Tage plätscherten dahin. Eves Parkplatzschau drehte sich inzwischen hauptsächlich um Declan. Einmal wurde sie Zeugin einer Begegnung zwischen Declan und Lily. Der Zeitpunkt war ungewöhnlich. Lily hatte offenbar etwas im Auto vergessen und eilte zu ihrem Parkplatz zurück. Declan war gerade gekommen. Es war früher Nachmittag. Dienstags oder mittwochs erschien Declan manchmal erst nach Mittag im Krankenhaus. Eve nahm an, dass er irgend-wo außerhalb weitere Praxisräume hatte. Es kam so gut wie nie vor, dass Lily mitten am Tag noch einmal auf dem Parkplatz erschien, und es sah ihr auch nicht ähnlich, et-was zu vergessen. Eve beobachtete das Zusammentreffen der beiden. Sie unterhielten sich. Sie wirkten distanziert, aber höflich – bis Declan Lily auf einmal ziemlich aggressiv am Arm packte. Lily löste sich mühelos von ihm, er konn-te ihr also nicht wirklich weh getan haben, doch Eve war trotzdem außer sich. Sie wäre am liebsten aus dem Bett gesprungen und hätte zum Fenster hinausgebrüllt. *Lass die Pfoten von ihr!* Doch sie konnte weder springen noch lau-fen, und außerdem ging die Sache sie nichts an.

Als Eve sie später am Tag auf den Vorfall ansprach, tat Lily es ab.

«Ach, das war gar nichts. Er hat nur Spaß gemacht. Und ich hatte schlechte Laune.»

Eve wusste, dass sie log, und Lily wusste, dass Eve es wusste, und dabei beließen sie es.

Als Clooney später am selben Abend kam, erzählte Eve ihm sofort davon.

«Glaubst du, dass Declan seine Frau verprügelt?», fragte sie ihn.

«Meinst du, ob ich glaube, dass Lily ein Opfer häusli-cher Gewalt ist?»

«Das ist doch dasselbe.»

«Nein, ist es nicht. Declan kenne ich nicht, Lily hinge-gen schon, und ich kann mir nicht vorstellen, dass sie es sich gefallen lassen würde, verprügelt zu werden.»

«Okay. Vermutlich hast du recht», sagte sie. «Aber an-dererseits kenne ich Declan besser als du, und ich glaube, dass er durchaus dazu in der Lage wäre.»

Auf diese Bemerkung hin erzählte Clooney von Lilys Reaktion auf Declans Anruf bei ihrem Abendessen.

«Ihr wart essen?», hakte Eve nach.

«Hat Lily dir das nicht erzählt?»

«Nein. Hat sie nicht.»

«Wahrscheinlich fand sie es nicht wichtig.»

Blödsinn!, dachte Eve. *Im Gegensatz zu Adam ist Clooney genau Lilys Typ. Vorausgesetzt natürlich, sie wäre keine glücklich verheiratete Ehefrau.*

Langsam kehrte Eves Kraft zurück. Als sie das erste Mal wieder auf die Toilette ging, wurde sie zwar hineingeschoben, und eine Schwester musste sie stützen, doch sie zog sich ihr Höschen ohne fremde Hilfe hinunter und bestand darauf, ihr Geschäft allein zu verrichten. Erst als sie «Oh nein! Ich habe Scheiße an den Fingern! Ich habe Scheiße an den Fingern!» kreischte, tauchte die Schwester auf und wusch ihr mit antibakterieller Seife gründlich die Hände.

Die Botschaft ist in allen Sprachen gleich!
Operite ruke
Lavarsi le mani
Lávese las manos
Xin jay rura tay
Hände waschen

Als es richtig heiß wurde, schob Clooney sie in den Krankenhauspark, und dort saßen sie dann stundenlang, beobachteten die Leute, genossen die Sonne, den Duft von Blumen und Gras und die Gesellschaft des anderen. Eve machte von Tag zu Tag Fortschritte. Ihre Bewegungen wurden zusehends fließender, und sie setzte ihren gesunden

Arm äußerst kreativ ein. Adam bestätigte, dass ihre Genesung extrem schnell vonstattenging. Er war noch immer besorgt wegen der Kopfschmerzen, doch ihre Schulter machte bemerkenswerte Fortschritte, und nach dem Widerwillen der ersten beiden Wochen hatte Eve zu einer stillen Übereinkunft mit ihren beiden Therapeuten gefunden. Sie arbeitete unermüdlich an ihrer Schulter und dem linken Bein. Sie verbrachte immer mehr Zeit außerhalb des Bettes in ihrem elektrischen Rollstuhl. Sie rollte durch die Korridore und schwatzte hier und da mit Marion, Abby und all den anderen Schwestern, die sie inzwischen kannte. Um die Cafeteria machte sie einen weiten Bogen, weil Lily einmal erwähnt hatte, dass sie sich dort häufig mit Declan treffe, und Eve blanken Horror davor hatte, ihm versehentlich in die Arme zu laufen. Clooney brachte ständig Köstlichkeiten aus ihrem Lieblingsfeinkostladen mit, und wenn ihr nicht zufällig schlecht von dem Gestank aus dem Lüftungsschlitz war, gegen den offensichtlich niemand etwas unternehmen konnte, veranstalteten sie an schönen Tagen Picknicks im Park und bei schlechtem Wetter im Wintergarten. Ihre Freunde kamen und gingen, wenn auch im Laufe der Zeit nicht mehr so häufig wie zu Beginn, doch selbst als die Besuche nachließen, sah Eve die meisten von ihnen noch zweimal pro Woche.

Simone war eine Offenbarung. Eve war Paddy zwar nie begegnet, aber Gina hatte angedeutet, dass er Paul sehr ähnlich war – ruhig, verschlossen, manchmal sogar kalt. Gina hatte den Verdacht, dass Paddy sie und Gar nicht mochte, und sie hatte recht. Paddy hatte nichts gegen sie – sie hatten nur einfach nichts gemeinsam. Das wusste Eve, weil Paul es in einem der seltenen redseligen Augenblicke zugegeben hatte. «Aber dich hätte er gemocht», sagte er.

Simone war jedenfalls ein offenes Buch. Sie benahm sich Gina gegenüber so charmant, dass Gina völlig hingerissen war. Zudem war Simone eine Augenweide, doch in ihren Zügen lag eine Weichheit, die Eve von anderen Models ihres Ranges nicht kannte. Sie freute sich außerordentlich, Pauls Freunde kennenzulernen, auch wenn sie ein bisschen enttäuscht darüber war, dass Gar nicht kommen konnte. Gina erfand eine erbärmliche Ausrede und wurde puterrot dabei. Es war für alle offensichtlich, dass sie log. Gina war eine schrecklich schlechte Lügnerin. Sie machte es immer viel zu kompliziert, erfand riesige Geschichten ohne Anfang, Mitte oder Ende. Der Anfang war nicht schlecht, doch dann verlor sie sich in Gestammel und Gemurmel. Paul war so gnädig und unterbrach sie mit einem Kompliment zu ihrem Kleid. Gina errötete wieder, weil ihr klar war, dass sie die Ausrede vermasselt hatte. Simone empfand Mitleid mit ihr, umarmte sie und sagte, wie froh sie sei, sie endlich kennenzulernen, und dass Paul ihr schon so viel von Gina erzählt habe. Das brachte Gina noch mehr in Verlegenheit. Entweder war Simone eine sehr viel bessere Lügnerin als sie, oder sie meinte es ernst, und Gina beschloss, Letzteres zu glauben. Simone wusste offensichtlich so gut wie alles über Pauls Freunde. Selbst Clooney erschrak, als sie sich mit ihm über die Orte unterhielt, an denen er gewesen war, und über seine Arbeit dort. Simone war entweder eine Politikerin im Körper eines Models mit fotografischem Gedächtnis, oder Paul hatte sich ihr gegenüber mehr geöffnet als bei seinen Freunden all die Jahre über, die sie einander jetzt kannten. Er wirkte in ihrer Gegenwart unglaublich entspannt – er berührte sie, lehnte sich an sie, lachte häufiger und redete mehr und in längeren Sätzen. Es war interessant zu beobachten. Gina und Simone verstanden sich blendend. Sie waren sich unglaublich ähnlich, und es war klar, dass sich hier eine Freundschaft fürs Leben anbahnte. *Wie das Leben so spielt.*

Manchmal kam Gar mittags allein zu Besuch. Er setzte sich zu Eve und verspeiste ein Panini oder Ciabatta und trank seinen mitgebrachten Kaffee, während Eve an ihrer Schonkost herumkaute.

«So schlimm ist es doch gar nicht», sagte er dann.

«So gut aber auch nicht.»

«Willst du die Hälfte von meinem Panini?»

«Nein, aber danke.»

Gar entging nicht der kleinste Fortschritt in Eves Entwicklung, und er ermutigte sie unermüdlich. Er sorgte stets dafür, dass sie sich besser fühlte, und erinnerte sie an das Licht am Ende des Tunnels.

Tja, Kumpel, leider bin ich immer noch nicht weit genug, um dieses Licht zu sehen.

Wenn ihr langweilig war, brachte sie Paul ins Spiel.

«Hast du schon mit ihm geredet?»

«Da gibt es nichts zu reden.»

«Das ist aber ein bisschen kindisch.»

«Findest du?»

«Ja.»

«Ich bin nicht mal mehr sauer auf ihn», sagte er eines Tages. «Ich bin einfach nur enttäuscht.»

«Das verstehe ich. Er ist dein Freund, und du hast gedacht, du kennst ihn.»

«Genau. Gina findet, ich übertreibe.»

«Ich glaube, dass Paul so lange nicht wusste, wer er ist, dass er sich einfach dumm vorkam, als er es endlich herausfand beziehungsweise akzeptierte. Das in Kombination mit der Persönlichkeit eines Typen, der so zurückhaltend ist, dass er sich nicht mal seine eigenen Geheimnisse erzählt. Ich glaube, es hat nichts damit zu tun, wie er dich als Freund sieht.»

Gar lachte. «So ist er immer schon gewesen. Schon als Kind. Wenn ich wissen wollte, wie es ihm in einer Prüfung ergangen ist, sagte er immer nur ‹gut› oder ‹schlecht› – nie die tatsächliche Note. Als wir Teenager waren, verschwand er manchmal einfach, und wir wussten nie, wo er steckte, bis er wieder auftauchte, einfach so. Wir haben alle geglaubt, dass er ein wahnsinnig aufregendes Sexleben hatte, mit jeder Menge Mädchen in verschiedenen Städten und Dörfern, aber das haben wir uns alle einfach so zusammengesponnen, denn er hat ja nie was erzählt.»

«Ich weiß.» Eve lachte. «Lily und ich nannten ihn den Jungfernkiller.»

«Hatte er überhaupt jemals mit einer von denen Sex?»

«Keine Ahnung», sagte Eve und lachte wieder. «Wahrscheinlich nicht. Kannst du dir vorstellen, dass Paddy vielleicht der erste Mensch war, mit dem er überhaupt geschlafen hat?»

«Ach, das klingt logisch. Kein Wunder, dass er sich verliebt hat.»

«Siehst du? Jetzt tun wir es schon wieder.»

Sie unterhielten sich über Simone, darüber, wie nett sie war und wie glücklich und ungezwungen und anders sich Paul in ihrer Gegenwart benahm. Gar machte sich Sorgen darüber, dass Gina sich zu sehr mit ihr anfreundete.

«Schließlich sind die beiden noch nicht verheiratet, und so wie die Sache steht, brennt er vielleicht als Nächstes mit dem Pfarrer durch.»

Gar ging es besser, wenn er über seinen Freund lachen konnte. Er war nicht gehässig, sondern fühlte sich einfach besser, wenn er sich zur Abwechslung nicht wie ein Idiot vorkommen musste. Seine Gedanken drehten sich ständig um all die Jahre mit Paul, in denen er sich seinem Freund vollkommen anvertraut hatte, während Paul ihn aus seinem Leben ausgesperrt hatte wie einen unwillkommenen Besucher. Außerdem fragte Gar sich, warum ihm das nicht früher aufgefallen war. *Lag es daran, dass ich dachte, er würde mit Männern schlafen, und ich einfach nichts davon wissen wollte? Was sagt das über mich aus? Und weshalb spielt es eine so große Rolle?* Außerdem machte Gar die Tatsache zu schaffen, dass Paul wusste, wie sauer er war, und dass er ihm aus dem Weg ging und bis jetzt keinen Versuch unternommen hatte, auf ihn zuzugehen oder sich mit ihm auszusprechen.

«Du weißt doch, wie er ist», wiederholte Eve Ginas Mantra.

«Das reicht aber nicht», antwortete Gar.

«Er wird sich nicht bei dir dafür entschuldigen, dass er dir nichts von sich erzählt hat, ehe er dazu bereit war, von sich zu erzählen. Also entweder kommst du drüber weg, und ihr seid wieder Freunde, oder du kommst nicht drüber weg, und ihr lasst es bleiben», sagte Eve eines Tages, während sie ihm über die Schulter sah und das Kommen und Gehen auf dem Parkplatz beobachtete. Sie sah Declan in seine Lücke einbiegen und deutete zum Fenster hinaus. «Da ist Declan!» Gar hätte sich beinahe den Hals verrenkt.

Als Declan aus dem Wagen stieg, stand Gar auf und starrte aus dem Fenster hinunter. Eve wollte auf keinen Fall, dass Declan ihn sah. Sie waren beide ein wenig aufgeregt, wie zwei Kinder, die etwas Verbotenes tun. Declan hob den Blick und sah direkt zu dem Fenster hinauf, als ob er spürte, dass er beobachtet wurde. Gar fuhr zu Eve herum.

«Er schaut rauf! Er schaut rauf! Er schaut rauf!»

Schnell setzte er sich hin, und sie kicherten hysterisch, obwohl sie wussten, dass Declan Gar sicher nicht erkannt hatte und dass Lily ihm Eves Anwesenheit in diesem Krankenhaus verschwiegen hatte.

Gar hatte es schon vor langer Zeit aufgegeben, darüber nachzugrübeln, weswegen Declan seinem alten Leben und seinen Freunden den Rücken gekehrt hatte, und sein plötzlicher Anblick rührte nicht mehr an den alten Verlustgefühlen.

«Noch einer, den ich nicht kannte», sagte er.

Da kannst du Gift drauf nehmen, dachte Eve.

Lily und Gar sahen sich ab und zu, wenn Lily arbeitete und kurz hereinkam, um Hallo zu sagen. Gar hatte Lily immer gemocht. Sie hatte schon früher einen beruhigenden Einfluss auf Declan gehabt, der schnell aus der Haut fuhr und sehr konkurrenzsüchtig war, was ihn zwar zu einem großartigen Rugbyspieler machte, abseits vom Spielfeld aber zu einem ziemlichen Hitzkopf. Lily brachte Declan dazu, über sich selbst zu lachen. Sobald sie den Raum betrat, entspannte er sich. Sie waren ein gutes Paar. Gar war damals eifersüchtig auf ihn gewesen. Declan und Paul waren die Stars der Mannschaft, und Gar hatte immer ein bisschen das Nachsehen gehabt. Paul bekam jedes Mädchen, das er wollte (oder auch nicht wollte), und Declan hatte Lily.

Als Gar dann mit Eve zusammen war, dachte er, er hätte endlich mit den beiden gleichgezogen, aber Eve hatte kein echtes Interesse an ihm, und weil Gar damals unter mangelndem Selbstbewusstsein litt, zweifelte er keine Sekunde an Eves Behauptung, das Problem läge allein bei ihm. Sie waren gute Freunde, aber zwischen ihnen stimmte die

Chemie einfach nicht. Eve war schön, und sie hatten viel Spaß zusammen, solange sie einander nicht berührten oder küssten. Eve zu küssen war wie eine Betonmauer zu küssen. Er hatte sich wirklich angestrengt, doch je größer die Anstrengung, desto schlimmer die Ergebnisse. Erst als sie sich trennten, er auch andere Mädchen küsste und sich ein bisschen die Hörner abstieß, wurde ihm klar, dass das Problem nicht bei ihm gelegen hatte, und auch nicht bei ihr. Es lag an ihnen beiden. Er war mit ihr zusammen gewesen, um es seinen Kumpels gleichzutun, und sie hatte sich auf ihn eingelassen, weil er einer der wenigen war, der keine Angst gehabt hatte, sie überhaupt anzusprechen. Der arme Gar hatte immer das Gefühl gehabt, nicht gut genug zu sein, und wenn er ehrlich zu sich war, lag darin auch der Grund, weshalb Declans Flucht ihn derart verletzt hatte. *Er hat die allererste Chance beim Schopf gepackt, von mir wegzukommen.* Aus demselben Grund verletzte ihn auch Pauls Schweigen so sehr. *Ich bin nur der Lückenbüßer für Declan, und zwar ein ziemlich lausiger.* Gina hatte Gars Hang zum Selbstmitleid ziemlich früh erkannt und ihr Bestes getan, ihn von seiner Unsicherheit zu befreien, doch sosehr sie sich auch bemühte, ihm klarzumachen, wie großartig er war, in seinem Hinterkopf gab es immer eine Stimme, die ihm sagte, dass er nicht ausreichte. Nichts, was er tat, war je gut genug. Er verglich sich ständig mit anderen und sah auf das, was sie erreicht hatten und was sie besaßen. Trotzdem wirkte Gar nach außen hin völlig im Reinen mit sich selbst und zufrieden mit seinem Schicksal, und das war er im Großen und Ganzen auch. Daher verloren er und Gina in den Boom-Jahren auch nicht den Kopf und stürzten sich nicht in lächerliche Schulden. Während andere sich Ferienhäuser im Ausland und immer bessere und größere

Eigenheime in Irland kauften, war er zufrieden mit dem Haus, das er hatte. Er brauchte kein neues Auto und hatte auch nicht das Bedürfnis, öfter als einmal am gleichen Ort Urlaub zu machen. *Wozu sollte das gut sein?* Doch es hielt ihn nicht davon ab, andere stets höher einzuschätzen als sich selbst, denn trotz der Liebe einer wunderbaren Frau, zwei wunderschönen Kindern und einem hübschen Haus am Meer wünschte sich ein Teil von Gar sein Leben immer einen Tick großartiger, als es nun mal war. «Sei doch einfach zufrieden damit, zufrieden zu sein», sagte Gina oft zu ihm. Kein anderer bekam diese Seite von ihm je zu Gesicht, denn es war eine Seite, die er selbst nicht mochte. Er wusste, wie armselig und dumm es war, und im Laufe der Jahre lernte er, die Stimme zu ignorieren, die ihm erzählte, dass er nicht gut genug war. Nur wenn die Leute, die ihm wichtig waren, ihn enttäuschten, bekam diese Stimme wieder mehr Gewicht.

«Woran denkst du?», fragte Eve, weil er schon schrecklich lange nichts mehr gesagt hatte.

«Dass man Menschen nicht ändern kann», antwortete er.

«Nein. Kann man nicht.»

«Wir sind, wie wir sind.»

«Das stimmt.»

Ein paarmal aßen sie zusammen zu Mittag, ohne viel zu reden, und sahen einfach nur gemeinsam fern. Er brachte Eve Kaffee mit und manchmal auch ein Stück Kuchen, obwohl sie ihn bat, es nicht zu tun. Dann erfreute sich Clooney nachmittags zum Tee daran.

Auch Clooney und Lily kamen sich im Laufe dieses Monats näher. Sie suchten sich oft ein stilles Plätzchen auf dem Flur oder in einem leeren Fernsehraum oder ehemaligen

Raucherzimmer, um sich zu unterhalten. Über Declan und die Kinder sprachen sie nie. Bei einem Becher Kaffee und einem Stück Kuchen, das Gar Eve mitgebracht hatte, oder einem Muffin, den Clooney unterwegs besorgte, redeten sie über dies und das, ganz alltägliche Dinge. Chocolate-Chip-Muffins mochte Lily am liebsten. Eve schlief nachmittags oft ein Stündchen, und Lily und Clooney nutzten die Zeit für sich. Sie fühlten sich beide in der Gesellschaft des anderen wohl. Sie waren zusammen aufgewachsen, hegten keinerlei Erwartungen an den anderen und lagen einander am Herzen.

Clooney hatte ganz vergessen, wie gut sie ihn kannte.

«Der Hausverkauf ist geplatzt», sagte er eines Tages.

«Oh nein! Ich dachte, das Thema wäre erledigt.»

«Genau als sie den Kredit aufnehmen wollten, hat der Käufer seinen Job verloren.»

«Oh, der arme Mann.»

«Ja, du hast wahrscheinlich recht. Aber ehrlich gesagt, ich dachte nur: ‹Idiot! Jetzt muss ich mich mit dem dämlichen Haus rumschlagen.›»

«Ich liebe dieses dämliche Haus.»

«Toll! Willst du es kaufen?»

«Ihr habt wirklich Glück, du und Eve, weil es euch so leichtfällt loszulassen.»

«Genau wie du», antwortete er. «Du hast uns schließlich auch einfach losgelassen.»

Sie nickte traurig. «Ich hatte das Gefühl, keine Wahl zu haben. Ich bin nicht sehr stolz darauf.» *Wenn ich wüsste, dass ich bald von dieser Welt scheiden muss, würde ich dann alles anders machen?*

Er drang nicht weiter in sie. Er mochte es nicht, wenn sie traurig war, und wechselte das Thema.

«Vielleicht behalten wir es doch. Wer weiß? Vielleicht ziehe ich eines Tages wieder her», sagte er.

«Das sagst du nur, weil du keine Lust hast, dich mit Geld und Notaren rumzuschlagen. Du würdest es kein ganzes Jahr hier aushalten», erwiderte sie lächelnd.

«Woher willst du das denn wissen?»

«Du hast mir dein Taschengeld geschenkt, weil dich schon die Überlegung gestresst hat, wofür du es ausgeben sollst.» Sie lächelte.

«Quatsch. Ich wollte einfach nur, dass du es bekommst.» Er lächelte ebenfalls.

«Mach dir keine Sorgen», sagte sie und stand auf. «Eve ist schneller wieder auf den Beinen, als es irgendwer für möglich hält, und dann kümmert sie sich darum.»

«Darauf zähle ich auch», sagte er, und sie drückte seine Hand und ging zurück an die Arbeit.

Clooney sah ihr nach. *Wenn ich dich hätte, Lily, würde ich dich dann jemals wieder loslassen?* Tief im Inneren wusste er, dass die Antwort ja lautete, doch sie würde es ihm nicht leicht machen.

Nach Declans Rückkehr aus London spitzte sich die Lage im Haus der Donovans langsam, aber sicher dramatisch zu. Anfänglich war er wegen der Sache mit dem Telefon beleidigt, obwohl Lily sich alle Mühe gab, ihn glaubwürdig anzulügen. Sie erzählte ihm, sie habe einen Spaziergang gemacht und der Akku sei leer gewesen. Schlicht und plausibel. Die Angelegenheit hätte weder zu weiteren Fragen noch einem Drama führen dürfen, doch genau das geschah.

«Du gehst nie spazieren.»

«Weil ich nie Zeit dazu habe.»

«Ach so. Ich beanspruche so viel deiner wertvollen Zeit, dass du nicht mal mehr spazieren gehen kannst? Willst du das damit sagen?»

«Nein. Declan, das sagst *du*! Ich habe gesagt, ich bin spazieren gegangen.»

«Ich glaube dir nicht.»

«Das ist mir egal», sagte sie.

«Wie bitte?»

«Du hast gehört, was ich gesagt habe, Declan. Es ist mir piepegal. Ich bin eine erwachsene Frau, und wenn ich mein Haus verlassen möchte, um spazieren zu gehen, dann tue ich das, und du wirst mir nicht sagen, was ich zu tun oder zu lassen habe. Die Zeiten sind vorbei!»

So etwas hatte sie zu ihrem Mann noch nie gesagt, vor allem weil sie sich nie eingestanden hatte, dass er ihr Leben total kontrollierte.

Scheibenhonig, Scheibenhonig, Scheibenhonig! Was habe ich getan? Okay, ganz ruhig, alles gut, alles schön. Alles ist toll, alles ist phantastisch und wunderbar. Was tue ich da? Wenn ich wüsste, dass ich bald von dieser Welt scheiden muss, würde ich dann alles anders machen? Himmel, Lily! Hör endlich auf mit diesem Satz!

Declan war seit seinem sechzehnten Lebensjahr mit Lily zusammen. Er kannte sie in- und auswendig, er war seit vierundzwanzig Jahren an jedem Lächeln beteiligt, an jedem Lachen, Weinen, Stöhnen, Nörgeln, an jeder Grimasse, jeder Lüge und jeder Wahrheit. Er kannte Lily besser als sie sich selbst. Ihm waren die Veränderungen in den Tagen und Wochen vor seiner Reise nach London nicht verborgen geblieben. Sie hatte schon immer eine spitze Zunge gehabt, aber jetzt wurde ihr Tonfall von Tag zu Tag schneidender.

Sie war seinen Eigenarten gegenüber zusehends weniger tolerant. Ihr war klar, dass er sich immer Sorgen machte, und er wollte, dass die Dinge ihre Ordnung hatten. Er brauchte Routine. Er wollte wissen, wo seine Frau war und mit wem sie zusammen war. *Wieso zum Teufel ist das auf einmal ein Verbrechen?* Außerdem mochte sie die Routine und wollte selbst, dass die Dinge ihre Ordnung hatten. Sie selbst hatte sich diesen regelmäßigen Tagesablauf geschaffen. Der Terminplaner am Kühlschrank gehörte Lily, nicht Declan. Er war nicht ihr Aufpasser, aber er hatte ein Recht darauf zu wissen, wo sie sich aufhielt. Er war ihr Mann. Sie war seine Frau. Sie hatte ihre Pflichten und er seine. Gut, Lily mochte manchmal genug von ihm haben – hin und wieder ging er sich ja sogar selbst auf die Nerven –, aber in jüngster Zeit war sie meistens ziemlich nachlässig. Wenn er etwas erzählte, wirkte sie gelangweilt, und sie schien nicht mehr zu merken, wenn er schlecht drauf war. Ihr letztes gutes Gespräch führten sie an dem Tag, als sie fix und fertig in der Badewanne lag und er ihr das goldene Armband schenkte. *Was zum Teufel will sie eigentlich von mir?* Die Erinnerung an den Abend bei Rodney beunruhigte ihn. Normalerweise hätte Lily sich alle Mühe gegeben, nett zu sein, aber diesmal betrat sie das Haus der Gastgeber bereits streitlustig. Die Demütigung durch Lilys Vorschlag, das Kleid umzutauschen, hätte Alice fast umgebracht. Sie war Lilys scharfe Zunge nicht gewohnt, und Rodney erzählte Declan später, sie sei so verärgert über Lilys Bemerkung, dass sie sich geschworen habe, Lily würde nie wieder einen Fuß über ihre Schwelle setzen. Rodney war Declans einziger echter Freund, und er war empört, dass Lily ein Zerwürfnis provoziert hatte. Als er sie damit konfrontierte, freute sie sich regelrecht.

«Gut! Ich bin begeistert. Sie kann austeilen, aber einstecken kann sie nicht.»

Es verletzte ihn, dass sie offensichtlich Spaß daran hatte, ihm und Rodney Schwierigkeiten zu machen. Natürlich konnten sie sich auch weiterhin auf dem Golfplatz und zu diversen anderen Gelegenheiten treffen, doch zerstrittene Ehefrauen machten die Dinge unnötig kompliziert. Lily merkte überhaupt nicht, wie sehr ihn das traf, und falls doch, war es ihr allem Anschein nach egal. *Sie ist eifersüchtig, Lily! Wieso kannst du es nicht einfach hinnehmen?*

Dann passierte der Zwischenfall mit der Bratpfanne, die sie gegen die Wand donnerte, wobei sie ihrer Familie verkündete, die Küche sei geschlossen. Seitdem gab es für alle dasselbe Frühstück, ohne dass sie ihn auch nur ein einziges Mal gefragt hätte, was er wollte. Eines Morgens stand eine Schale Porridge auf dem Tisch. Die Kinder rührten es nicht an. Er probierte wenigstens noch einen Löffel, ehe er seine Abscheu zum Ausdruck brachte, doch auch das schien seiner Frau egal zu sein.

«Iss es oder lass es bleiben», sagte sie, ging aus dem Raum und ließ Ehemann und Kinder entgeistert zurück.

«Hat Mum einen Nervenzusammenbruch?», fragte Daisy.

«Nein», antwortete er, «sie ist nur müde.»

«Ich mache mir bei Großvater irgendwas», sagte Scott und stand auf. «Wir machen normalerweise sowieso um zehn immer eine Frühstückspause.»

Es versetzte Declan jedes Mal einen Messerstich ins Herz, wenn Scott eine Bemerkung machte, die durchblicken ließ, dass das Verhältnis zu seinem Großvater nicht im Geringsten so schmerz- und leidvoll war wie alles, was Declan hatte erdulden müssen. Scott zuliebe spielte er mit, doch Lily wusste, wie sehr es ihn verletzte, dass sein Sohn eine Beziehung zu seinem Vater genoss, die er selbst nie gehabt hatte, doch auch das sprach sie nicht an. Es war ihr egal. Sie hatte kein Interesse mehr an ihm und entzog ihm ihre Fürsorge und Wertschätzung. Ihr Sexleben war schlimmer denn je. Lily lag da wie ein kalter Fisch. Wegen der verletzten Schulter fesselte er sie nicht noch einmal, und selbst wenn er es getan hätte, wäre es für ihn nur abstoßend und nicht erotisch gewesen. Sie sah ihn anders an und zog sich vor ihm zurück. Auf direkte Fragen bekam er keine Antwort mehr, und auch wenn sie leugnete, dass etwas nicht stimmte, Declan war kein Idiot.

Er war reiner Zufall, dass er eines Tages auf Clooney stieß, während er mit Rodney in der Cafeteria zu Mittag aß. Er hatte ihn zuvor zwar schon ein paarmal gesehen, jedoch ohne ihn zu erkennen. Clooney saß direkt gegenüber allein an einem Tisch und starrte zum Fenster in den Park hinaus. Er war in Gedanken, und Declan hatte seine Statur bewundert – kräftig, breit gebaut, der ideale Rugbykörper – und sich gefragt, ob er in irgendeiner Mannschaft spielte. Als der Mann an die Theke ging, um sich Kaffee nachzuschenken, betrachtete Declan ihn genauer. Er kam ihm irgendwie bekannt vor. Declan war sich nicht sicher, ob es die Augen, das Gesicht oder der Gang war. Rodney erzählte ihm irgendwas, aber es fiel ihm schwer, sich darauf zu konzentrieren. Als er dem Gesicht endlich einen Namen zuordnen konnte, prallten Rodneys Worte gänzlich an ihm ab. Schließlich verließ Clooney die Cafeteria, und Declan entschuldigte sich eilig bei Rodney, der sein Mittagessen allein beendete. Dann schlich er Clooney wie ein Spion aus sicherer Entfernung hinterher, bis hinauf zu Lilys Station. Es war Lilys freie Woche, und Declan musste nicht fürchten, seine Mission durch eine unfreiwillige Begegnung mit seiner Frau zu gefährden. Clooney verschwand in Zimmer Nummer acht. Declan wartete, bis die Schwester das Stationszimmer verließ, und warf einen Blick auf die Patientenliste. Eves Namen schwarz auf weiß zu lesen, war weniger schockierend, als er befürchtet hatte, denn Clooneys Anblick hatte den Schock schon im Vorfeld gemildert. Trotzdem fühlte er sich definitiv unwohl, die Krawatte saß zu eng, und seine Hände schwitzten. Plötzlich war es im Krankenhaus viel zu heiß und stickig. Er brauchte frische Luft und Raum zum Atmen, also setzte er sich ein paar Minuten auf eine Bank im Krankenhauspark und dachte darüber nach, was Eves Anwesenheit auf der Station seiner Frau zu bedeuten hatte. Plötzlich gab es eine Erklärung für Lilys Verhalten, ihr ständiges Verschwinden und ihre Unfähigkeit, ihm zu erklären, wo sie war und bei wem. Auch die köstlichen Lunchpakete alle vierzehn Tage ergaben plötzlich einen Sinn. *Sie ist nicht wegen mir gekommen, sie ist wegen ihr gekommen.* Das Ausmaß ihres Betrugs und der arglistigen Täuschung war immens. Lily hatte Eve seit zwanzig Jahren nicht gesehen, und jetzt war sie wieder da, und Lily verschwieg es ihm. *Liegt es daran, dass du mich nicht verletzen willst? Oder weil ich gesagt habe, ich will sie nie wieder sehen und ihren Namen nie wieder hören? Ist es, weil du mich liebst und diese Büchse der Pandora nicht noch einmal öffnen willst? Oder liegt es daran, dass du mir nicht traust? Weil du sie wiederhaben willst. Weil dir wieder eingefallen ist, wie viel sie dir bedeutet. Manche Freundschaften sind für die Ewigkeit. Das hast du doch damals gesagt, als wir sechzehn waren und deine beste Freundin mit aller Macht versucht hat, uns auseinanderzubringen, und du dich nicht entscheiden wolltest? Aber irgendwann hast du dich dann doch entschieden, Lily. Du hast dich für mich entschieden. Du hättest es mir sagen sollen.* Er musste sich überlegen, was er tun wollte, aber er war unsicher. *Sollte er es ansprechen oder nichts sagen?* Er entschied, nichts zu sagen und die Dinge laufen zu lassen, und währenddessen wollte er Lily noch stärker an die Kandare nehmen. Er würde nicht zulassen, dass sie ihm entglitt, und schon gar nicht wegen dieser Schlampe Eve. Wenn er sie direkt mit dem Thema konfrontierte, konnte das leicht zu einer hässlichen Diskussion oder einem Streit führen, den er weder wollte noch brauchte. Und so entschied er, seine Frau an ihren freien Tagen noch mehr zu beschäftigen und sie während der Arbeit, so gut es ging, im Auge zu behalten.

Declan war unfähig, mit komplexen Emotionen umzugehen. War er traurig, verwirrt oder besorgt, wuchsen diese Gefühle sich normalerweise zu übermächtiger Wut aus, und diese Wut trieb ihn dazu, seine Frau derart erniedrigend und brutal zu behandeln wie an dem Abend, ehe er nach London reiste. Wie ein Hund, der sein Territorium verteidigte, wie ein boshafter, rachsüchtiger Mensch oder wie sein Vater schlug Declan blindlings um sich, wenn er verletzt war. *Das hast du uns angetan, Lily.* Doch wenn er danach allein in ihrem gemeinsamen Bett lag, litt er Seelenqualen, war traurig, besorgt und von Gewissensbissen geplagt. *Ich mache es wieder gut, Lily. Ich bringe dir was Schönes mit.* Er wälzte sich die ganze Nacht im Bett hin und her, weil Eve wieder da war und Lily ihm entglitt. *O Gott, bitte nimm sie mir nicht weg!*

In der Zeit nach seiner Entdeckung rief er Lily noch öfter an und sah häufiger auf ihrer Station vorbei. Er beobachtete, wie sie sich bemühte, ihre Panik zu verbergen. *Erzähl's mir einfach, Lily.* Er stand lächelnd daneben, während sie sich wand, und tat ganz unschuldig, als wüsste er nicht, wie sehr seine unvermuteten Besuche sie aus dem Konzept brachten. *Es bringt dich doch um, Lily! Komm, erzähl's mir einfach.* Zweimal beobachtete er sie dabei, wie sie in einer ruhigen Ecke saß und sich mit Clooney ein Stück Kuchen teilte. Er war weit genug entfernt, um nicht entdeckt zu werden, aber durchaus nahe genug, um die Vertrautheit wahrzunehmen, die zwischen den beiden herrschte. In dem Augenblick kamen Wut und Verbitterung wieder an die Oberfläche. *Du miese Schlampe!* Wenn Declan wütend war, wurde er irrational und gemein.

«Du wirst langsam fett», sagte er am selben Abend zu ihr.

«Stimmt doch gar nicht», sagte sie, weil sie wusste, dass sie eher untergewichtig war. Er musterte sie von Kopf bis Fuß, seufzte, verließ das Zimmer und ließ sie mit der Frage allein, worauf er in Wirklichkeit hinauswollte.

In den Wochen, in denen Lily zu Hause war, füllte er jede einzelne Minute des Tages mit wichtigen Aufträgen, die keinen Aufschub duldeten, und wenn ihm nichts mehr einfiel, dann bot er Lilys Dienste Nachbarinnen wie Rachel Lennon an, zum Beispiel um nach Nancy zu sehen, die sich immer noch von ihrer Augenoperation erholte. *Ich beschäftige sie rund um die Uhr, bis diese Schlampe und ihr Bruder wieder aus unserem Leben verschwunden sind.*

«Was, bitte, hast du ihr gesagt?», schrie Lily, als er ihr davon erzählte.

«Ich habe ihr angeboten, dass du dich Montag bis Mittwoch um Nancy kümmerst, während sie ihrer Mutter dabei hilft, sich im Pflegeheim einzugewöhnen», sagte er, die Ruhe in Person.

«Dazu hattest du kein Recht.»

«Mach dich nicht lächerlich. Jemand muss sich um das Kind kümmern. Du bist zu Hause, und Rachel war verzweifelt.»

«Rachel hat sich nicht mal die Mühe gemacht, auch nur ein einziges Mal mit mir zu sprechen, seit ich ihr damals mit Nancy geholfen habe», antwortete Lily durch zusammengebissene Zähne.

Declan ignorierte ihren Widerspruch und freute sich, weil die zufällige Begegnung mit Rachel Lennon bei den Recyclingcontainern sich dermaßen auszahlte. *Mal sehen, ob du jetzt noch zu deinen Spaziergängen kommst!*

Wenn er Zeit hatte, kam er nach Hause, auch wenn es nur für eine Stunde war. Er kontrollierte ihr Handy. Er las ihre SMS. Er durchwühlte sogar den Wäschekorb und untersuchte ihre Höschen auf Spuren sexueller Erregung. Er war völlig besessen von seiner Mission. Er würde herausfinden, ob sie ihn mit Clooney betrog, und falls ja, würde er sie zerstören.

An dem Tag, als Eve Zeuge der Begegnung zwischen Declan und Lily auf dem Parkplatz wurde, hatte er seine Frau bei einem Flirt mit Clooney vor Eves Zimmertür beobachtet. Sie war viel zu sehr mit Lachen beschäftigt, um ihn zu registrieren, obwohl er ganz in der Nähe stand.

«Wo willst du hin?»

«Zum Auto.»

«Wo willst du mit deinem Auto hin?»

«Ich hole mein Mittagessen. Ich habe es im Kofferraum vergessen, falls das erlaubt ist.»

«Du treibst es wirklich zu weit. Seit wann nimmst du dir was zum Mittagessen mit?»

«Seit ich nicht mehr genug Geld habe und ich einen miesen Dreckskerl geheiratet habe.»

Lily wollte weitergehen, doch in dem Moment packte Declan sie am Arm.

«Was meinst du damit, du hast nicht mehr genug Geld? Für wen hast du es ausgegeben?», wollte er wissen.

Sie hatte es für Eve ausgegeben, und es tat ihr leid, dass sie es erwähnt hatte. Sie machte sich von ihm los.

«Ich frage dich nicht, was du mit deinen Millionen machst, und es geht dich nichts an, wofür ich meinen Hungerlohn ausgebe», antwortete sie und ging zu ihrem Auto.

Einen Augenblick lang war er regungslos stehen geblieben, weil er nicht wusste, ob er ihr nachgehen und sie schütteln oder ein paarmal tief durchatmen und zurück ins Gebäude gehen sollte. Er entschied sich für Letzteres. Er richtete sich auf, strich ein paar Falten glatt und ging hinein, ahnungslos, dass auch er beobachtet wurde.

Lily steckte in einer tiefen Krise. Einerseits genoss sie jeden einzelnen Augenblick, den sie mit Eve und Clooney verbrachte, während auf der anderen Seite irgendwas in ihr Klick gemacht hatte und sie das Leben, das sie bis jetzt geführt hatte, auf einmal unerträglich fand. Sie befand sich mitten im Umbruch. Unfähig, einen Schritt nach vorn zu machen, wusste sie doch, dass auch kein Weg mehr zurückführte. Je verrückter ihr Ehemann sich aufführte, desto leichter machte er es ihr, sich von ihm abzunabeln. Jeder Tag, der verging, jede Aufgabe, die er ihr auftrug, jedes gemeine Wort, das er ihr an den Kopf warf, kratzten an dem Mitleid und dem Verständnis, die sie all die Jahre an seiner Seite gehalten hatten. Sie betrachtete ihre Kinder. Scott war ein junger Mann, und auch Daisy war mit zwölf Jahren alt genug, um es zu verstehen. *Oder etwa nicht?* Es wäre hart für die Kinder, wenn ihre Eltern sich trennten, aber wenn sie blieb, verlor sie vielleicht tatsächlich den Verstand. *Was ist schlimmer? Gesunde geschiedene Eltern oder verrückte verheiratete Eltern?* Vor dem – wie sie selbst es nannte – Klick in ihrem Kopf hatte sie stets besonnen auf die Unbesonnenheit ihres Mannes reagiert. Sie war angesichts seiner Unvernunft immer die Vernünftige gewesen. Sie war es, die alles zusammengehalten und den Dingen einen fröhlichen Anstrich verliehen hatte, damit ihre Kinder unbeschwert aufwachsen konnten. Doch all das war auf ihre Kosten gegangen. Sie wünschte, sie könnte durchhalten, bis Daisy achtzehn wurde, doch das würde ihr nicht gelingen. Es war alles zu viel. Sie ertrug es nicht, ihren Part der Scharade weiterzuspielen. Ihr Leben rieb sie völlig auf. Sie litt unter Angstzuständen, und zwar so sehr, dass Adam ihr etwas verschreiben musste. Sie rang ihm das Versprechen ab, niemandem etwas davon zu sagen.

«Was ist los?», wollte er wissen.

«Nichts», antwortete sie.

«Sag nicht nichts und verlang dann von mir ein Rezept.»

Eigentlich wollte sie sich nicht hinsetzen, sondern lieber stehen, doch als sie merkte, dass Adam nicht so nachgiebig war, wie sie gehofft hatte, setzte sie sich doch und fing sofort an herumzuzappeln.

«Zwischen mir und Declan läuft es gerade nicht so gut», sagte sie.

«Verstehe.»

«Ich kann nicht schlafen …»

«Und du isst nichts», ergänzte er mit einem Blick auf ihre ausgemergelte, zerbrechliche Figur.

«Ab und zu einen Bissen hier und da. Es ist nicht leicht zu essen, wenn sich das Herz anfühlt, als würde es jeden Augenblick zerspringen.»

«Kann ich irgendetwas tun?»

«Ja. Stell das Rezept aus und halt den Mund.»

Er schrieb etwas auf seinen Notizblock, und Lily nahm das Blatt entgegen und las, was er aufgeschrieben hatte: eine Wochenration Tabletten und den Namen einer Therapeutin.

«Sie ist sehr gut», sagte er.

«Danke», antwortete Lily, und als sie das Rezept eingelöst hatte, warf sie den Namen der Therapeutin in den Müll und verschwendete keinen Gedanken mehr darauf. *Die Therapeutin, die meine Probleme löst, ist noch nicht geboren.*

Wenn sie nicht arbeitete, war es beinahe noch schwerer durchzuhalten. Sie vermisste die täglichen Gespräche mit Eve, selbst wenn Eve Lily oft bis an ihre Grenzen trieb, wie an jenem Tag, als sie ihre Freundin von Kopf bis Fuß musterte.

«Irgendwas stimmt nicht», sagte Eve.

«Alles in Ordnung.»

«Ich bin nicht blöd.»

«Aber klug auch nicht.»

Oder bei einer anderen Gelegenheit …

«Du siehst müde aus», sagte Eve.

«Ich bin müde.»

«Hält dich dein Unglück vom Schlafen ab?»

«Kümmere dich um deinen eigenen Kram.»

Eve versuchte, sie dazu zu bringen, zu entspannen und mit ihr zu essen, um ihr dabei Informationen zu entlocken.

«Nimm die Hälfte von meinem Sandwich», sagte Eve.

«Nein danke.»

«Aha? Du isst wohl nur Kuchen mit Clooney, ja?» Eve zog grinsend eine Augenbraue hoch.

«So ist das nicht», wehrte Lily sich.

«Irgendwas ist mit dir los.»

«Eve! Bitte!»

«Okay, okay», sagte Eve und hielt abwehrend die gesunde Hand hoch. «Alles zu deiner Zeit, Lily B.»

«Ich bin Lily D.»

«Für mich nicht.»

An den Tagen zu Hause, an denen Eve sie nicht herausforderte und sie ohne Clooneys ruhige Liebenswürdigkeit auskommen musste, schimpfte sie häufig mit Daisy, um es einen Moment später sofort wiedergutzumachen.

«Mum, weißt du, wo mein schwarzer Mantel ist?»

«Du bist wirklich alt genug! Such ihn doch selbst», antwortete sie, während sie die Toilette putzte.

«Mum, hörst du mir beim Spielen zu?», fragte Daisy, als Lily schon halb zur Tür raus war, um zur Reinigung zu fahren.

«Nicht jetzt, Daisy.»

«Mum, wenn du dich nicht mehr übergeben musst, kannst du mir dann Frühstück machen?», fragte sie, während ihre Mutter über der Kloschüssel hing.

«*Lass mich in Frieden!*», schrie Lily sie an, ehe sie weiter die Reste ihres dürftigen Mageninhalts in die Toilette spuckte.

Es gab Tage, da bekam das Kind nicht mal eine Antwort, ehe es abgewimmelt wurde.

«Mum?»

«Lass mich in Ruhe, Daisy.»

«Aber, Mum!»

«Ich meine es ernst! Egal, was es ist, kümmere dich selber drum!»

Die einst aufmerksame, geduldige, liebende Mutter des Jahres verwandelte sich in einen Menschen, den Daisy weder kannte noch besonders mochte. *Wo ist meine Mama geblieben?* Daisy weinte zwar nicht, aber ihr verwirrtes Gesicht war herzzerreißend, und dann tat Lily zerknirscht alles, um es mit Lieblingsdonuts, ungewollten Umarmungen und Entschuldigungen wiedergutzumachen. *Ich werde schon wie Declan.*

Seine Aufträge hielten sie den ganzen Tag auf Trab, und auf Nancy aufzupassen, machte ihre sowieso schon stressigen, prallvollen Tage noch schwieriger. Nancy war niedlich, aber sie plapperte den ganzen Tag lang, ohne Luft zu holen. Es war fast unmöglich, ihrem konstanten Gequassel zu folgen und gleichzeitig auch noch Wäsche zu waschen, zu bügeln, einzukaufen, zu putzen oder auch nur staubzusaugen.

«Lily? I ade de aida die da dede.»

«*Was?*», rief Lily über den Staubsauger hinweg.

«Lily, i ade de aida die da dede.»

«*Was?*»

«I ade de aida die da dede.»

Lily stellte den Staubsauger ab. «Was?»

«Ich habe ‹Piraten der Karibik› schon dreimal gesehen.»

«Toll.» Sie stellte den Staubsauger wieder an.

«Aba, Lily, esis ari ururi.»

«*Was?*»

«Esis ari ururi!»

Sie stellte den Staubsauger ab. «Was?»

«Es ist gar nicht gruselig.»

«Nancy?»

«Ja, Lily?»

«Meinst du, du könntest mich so ungefähr zehn Minuten lang in Ruhe lassen?», fragte sie mit zusammengebissenen Zähnen.

«Okay», sagte Nancy. «Und dann machst du mir die Augentropfen rein?»

«Gut.»

Als sie bereits drei Tage in Folge auf Nancy aufgepasst und es nebenbei irgendwie hinbekommen hatte, die ellenlange Liste von Aufträgen zu erledigen, die ihr Mann ihr aufgebürdet hatte, tauchte Nancy eines Morgens bei ihr im Garten auf.

«Hallo, Lily.»

«Hallo, Nancy. Was macht dein Auge?»

«Es geht ihm gut.»

«Es sieht auch gut aus. Es ist bestimmt schön, endlich das Pflaster los zu sein.»

«Ja. Aber manchmal fehlt es mir. Was machst du da?»

«Gartenarbeit.»

«Wieso kommst du nicht mit zu mir? Es gibt Kaffee und Kuchen.»

«Ich habe wirklich viel zu tun, Nancy. Aber danke dir.»

«Aber die anderen Frauen sind auch alle da.»

«Welche Frauen?»

«Die Nachbarinnen. Mama hat jede Menge Kuchen gebacken.»

Lily erstarrte. Rachel Lennon hatte sie drei Tage lang als Babysitter für ihre Tochter benutzt und dann die gesamte Nachbarschaft zu einem vormittäglichen Kaffeeklatsch eingeladen und sie ausgeschlossen. Früher hätte sie das zwar verletzt, aber sie hätte gelächelt und es geschluckt, doch damit war nun Schluss. Sie stellte sich eine Szene vor wie aus einer ‹Desperate Housewives›-Folge. In ihrer Phantasie riss sie sich die schmutzige grüne Gartenschürze vom Leib und stapfte wie eine Furie zu den Lennons hinüber. Sie legte einen grandiosen Auftritt hin, machte eine sehr geistreiche, schneidende Bemerkung und empfahl Rachel in höflichstem Tonfall, doch *die Wand anzuschauen*. Sie stellte Rachel Lennon vor der gesamten Nachbarschaft bloß, machte auf dem Absatz kehrt und rauschte in einem großartigen Abgang davon.

«Ja, Nancy, ich komme schrecklich gerne. Danke sehr», sagte sie, ließ die Schaufel fallen und ging mit Nancy im Schlepptau zu den Lennons hinüber, wobei das kleine Mädchen ohne Punkt und Komma vom Hund der Dolans erzählte, der offensichtlich zu einem YouTube-Star avancierte.

«Er hat einen Hut auf und macht total lustige Geräusche.»

Die Haustür war angelehnt. Lily betrat die Wohnung und ging durch die Küche hinaus in den Garten, wo die meisten der Frauen versammelt saßen, auch Rachel. Sie plauderten und lachten. Bei Lilys Anblick verstummten sie. Rachel stand auf und begrüßte sie verdattert.

«Lily! Wie geht es dir?»

Die Frauen tranken keinen Kaffee, obwohl es welchen gab – sie soffen tatsächlich Wein, und das vor zwölf Uhr mittags. Sie starrten Lily an wie eine Außerirdische.

Lily blickte sich um und musterte die Frauen, denen sie im Laufe der Jahre fast allen auf die ein oder andere Weise geholfen hatte, wie sie da versammelt saßen, sich amüsierten und sie absichtlich ausschlossen, und plötzlich war alle Schlagfertigkeit und Überlegenheit verschwunden. Der Schmerz war überwältigend. *Ich habe mich vollkommen verrenkt, um eure Freundin zu werden.* Sie versuchte zu sprechen, doch ihr versagte die Stimme. *Was habe ich euch eigentlich jemals getan?* Statt einem scharfzüngigen Spruch kamen Lily die Tränen. Sie konnte sie nicht aufhalten und stand einfach nur da, mitten im Garten der Lennons, und weinte, während ihre Nachbarinnen sie stumm beobachteten.

Amy Fitzpatrick, eine blondierte, botoxgespritzte Frau, presste sich das Weinglas gegen die Lippen, als hätte sie Mühe, einen Kommentar oder sogar Gelächter zurückzuhalten. Sie war fünfundvierzig Jahre alt, ausgezehrt und verhärmt, sämtlicher Versuche von Ärzten und Kosmetikerinnen zum Trotz. Sie sah aus, als hätte sie Mitte der Achtziger zuletzt etwas gegessen, und Lily vermutete schon lange, dass sie Bulimikerin war, die tagsüber hungerte, um sich nachts vollzustopfen und dann alles wieder von sich zu geben. Sie kleidete sich haargenau so wie ihre zwanzigjährige Tochter, und die Jahre auf der Sonnenbank hatten ihr eine gegerbte Lederhaut beschert. Sie war gemein wie eine Schlange, hatte sich über kurz oder lang schon mit jeder der Anwesenden überworfen, und trotzdem war sie eingeladen worden.

Naomi Smith, eine Frau Mitte dreißig, die früher außerordentlich anmutig und elegant gewesen war, wusste sich zwar immer noch zu kleiden, doch sie hatte sich nach ihrer fünften Schwangerschaft gehen lassen. Sie hatte den Mund voller Kuchen und traute sich nun weder zu kauen noch zu schlucken. Also ließ sie die breiige Masse einfach im Mund zergehen. Sie war immer noch schön, doch ihr Körperumfang, das Engagement für ihre Kinder und der gehetzte Blick ihres Ehemanns legten die Vermutung nahe, dass ihr Lustgarten endgültig den Betrieb eingestellt hatte. Wenn sie nicht gerade aß, kochte oder backte, redete sie über ihre Kinder. Sie langweilte ihre Umgebung mit endlosen Schwafeleien darüber, was Patrick gesagt oder was Veronica getan habe, was Shane doch für ein Witzbold und wie süß Davey sei, und: Habe ich euch eigentlich schon erzählt, was Michael letzte Woche in der Windel hatte? An einem Vormittag wie diesem, wo die Frauen sich nur möglichst rasch betrinken wollten, gingen alle einem Gespräch mit ihr aus dem Weg, und trotzdem war sie eingeladen worden.

Sofia Harris hielt den Blick hinter der Sonnenbrille gesenkt und wickelte sich die Serviette straff um die Finger. Selbst wenn es ihr gut ging, war sie eine angespannte, nervöse Frau, Ende vierzig und Mutter von In-vitro-Zwillingen, die ihr einiges abverlangten. Eines der beiden Kinder war mit einem Herzfehler zur Welt gekommmen, und Sofia hatte die ersten beiden Lebensjahre ihrer kleinen Tochter zum Großteil im Krankenhaus verbracht. Inzwischen waren die Zwillinge fünf Jahre alt, und der Kleinen ging es gut, doch sie musste ständig beobachtet werden, und deswegen war Sofia übervorsichtig. Wenn es schwierig wurde, wandte sie sich oft an Lily. Sie war die Einzige, die zu dieser vormittäglichen Kaffeerunde tatsächlich Kaffee trank und wenigstens den Anstand besaß, beschämt zu sein. Sofia mochte Lily und hatte bei den anderen oft für sie Partei ergriffen. Trotzdem waren sie sich alle einig, dass Lily einfach nicht zu ihrer Mädelsrunde passte und wahrscheinlich sowieso nicht kommmen würde, wenn man sie einlud.

Es waren noch andere da. Einige feixten, einige verzogen das Gesicht, einige starrten nur peinlich berührt vor sich hin, und einige Gesichter hatte Lily noch nie zuvor gesehen. Sie sah Rachel an, deren Gesichtsausdruck sich von Überraschung in Unbehagen verwandelt hatte.

«Ich glaube, du gehst jetzt besser», sagte sie, und sie hatte recht.

Lily hatte hier nichts verloren. Sie war ein Eindringling, und noch dazu ein weinender. *Eve hatte recht. Ihr seid neidische Zicken.* Sie gewann die Kontrolle über ihre Füße zurück und wandte sich zum Gehen, doch ehe sie den Garten verließ, brachte sie doch noch zwei Worte heraus: «Es reicht!»

Die Frauen blieben sprachlos zurück. Während sie durch die Küche und den Flur zur Haustür ging, hörte sie kein einziges Wort und kein Geräusch. Die Frauen schienen in diesem sehr unbehaglichen, schmerzlichen Augenblick erstarrt zu sein. Kurz vor der Haustür begegnete sie Nancy, die gerade von der Toilette kam.

«Tschüss, Nancy.»

«Tschüss, Lily.»

Lily zerzauste ihr die Haare. «Sei nett zu deinem Bruder.»

«Okay», antwortete Nancy, und im Stillen verabschiedete Lily sich endgültig von dem kleinen Mädchen.

Dass sie nicht schlafen konnte, war das Schlimmste an dem «Klick». Jede einzelne Minute sah sie vorbeiziehen, sie schaute zu, wie die Dunkelheit sich in Licht verwandelte, hörte den Wecker klingeln und musste dann beide Füße fest auf den Boden stellen, mit brennenden Augen, schwerem Kopf und rasendem Herzen. An manchen Tagen aß sie nicht mehr als ein Stückchen Kuchen oder einen halben Muffin mit Clooney. Doch sie brauchte nur wenig, um durchzuhalten, und wenn sie dann wieder in der Arbeit war, wenn sie sich ein bisschen Zeit stahl, um sich mit ihm hinzusetzen, ging es ihr beinahe gut. Er hatte einen beruhigenden, entspannenden Effekt auf sie – als wäre er das menschliche Äquivalent zu Lavendel. Weder ihr Gewichtsverlust noch die dunklen Ringe unter den Augen blieben ihm verborgen, genauso wenig wie Eve. Sie versuchte andauernd, sie aus der Reserve zu locken, aber Lily wich den bohrenden Fragen aus.

«Versuchst du vielleicht, mich fett aussehen zu lassen?», hatte Eve im Scherz gefragt, als ihr Lilys spindeldürre Figur zum ersten Mal aufgefallen war.

«Sehr witzig.»

«Was ist los?»

«Ach, immer der gleiche alte Trott», sagte Lily in dem gleichgültigen Tonfall, den sie immer anschlug, wenn sie einer Konfrontation aus dem Weg gehen wollte.

«Du isst nicht, wenn du im Stress bist», sagte Eve. «Damals vor den Prüfungen hast du gut sechs Kilo abgenommen, und Mrs. Connolly hatte schon den Verdacht, du wärst magersüchtig. Dabei warst du nur ein dicker, fetter, supernervöser Sorgenkloß.»

«Erwischt. Mrs. Connolly hatte recht.»

«Es liegt an ihm, stimmt's?»

«Nein», sagte Lily mit Nachdruck.

«Lügnerin», erwiderte Eve, und Lily verließ das Zimmer.

Clooney versuchte es auf die sanftere Tour. Sie saßen gemeinsam im Wintergarten. Lily war hundemüde und erstickte beinahe an den Fesseln, die ihr Mann immer straffer zog. Daher war sie ein wenig achtloser oder vielleicht auch unbekümmerter als sonst, mit Clooney bei Kaffee und Kuchen gesehen zu werden. Er teilte das Stück in zwei Hälften und reichte ihr eine. Sie lächelte, betrachtete den Kuchen und seufzte. Sie aß langsam und bemühte sich, nicht zu würgen. Sie war völlig übermüdet und extrem nah am Wasser gebaut. Die fröhliche Fassade bröckelte. Clooney sah ihre Hand zittern, und anstatt sie mit Fragen zu löchern, beugte er sich einfach zu ihr und nahm sie zärtlich in die Arme. Er küsste sie auf den Scheitel und befahl ihr leise zu schlafen. Sie legte den Kopf in seinen Schoß, und dort schlief Lily zum ersten Mal seit Wochen ganze zwanzig Minuten am Stück.

9 Der steinige Pfad
zur Freiheit

SONNTAG, 29. JULI 1990

Lil,

*tut mir leid, aber ich hab dir doch gleich gesagt, dass Colm
es bei dir versuchen wird. Ganz egal, was du gesagt oder
getan hast, er war von Anfang an hinter dir her. Das ist
mir aus dem Briefpapier förmlich entgegengesprungen.
Was Ellen und ihr spanisches Schätzchen betrifft, ich hasse
solche Mädchen. Sobald sie was Ernstes mit einem Typen
anfangen, verschwinden sie von der Bildfläche. Total armselig. Ginas ältere Schwester Helen ist genauso. Sie lässt
nicht nur sämtliche Freunde fallen, sondern gleich die ganze
Familie. Gina hat es mir im Vertrauen erzählt, also sag es
bitte nicht weiter, aber Helens letzter Freund hat sie total
schlimm verprügelt und bei sich eingesperrt, und als ihr
Vater zu ihm rüberging, um die Sache zu klären, hat Helen den Typen auch noch verteidigt. VÖLLIG BEKLOPPT!
Irgendwann hat er sie dann verlassen, und jetzt ist sie wieder zu Hause, aber Gina meint, sie rennt durch die Gegend
wie ein Gespenst. Sie tut und sagt kaum was und liegt die
ganze Zeit nur rum. Ich habe vorgeschlagen, sie auf eine
Hirnverletzung untersuchen zu lassen, weil ich neulich in
einer Zeitschrift was darüber gelesen habe. Gina meinte, sie
wäre schon durchgecheckt worden. Bitte erzähl keinem was
davon, aber sie war sogar eine Zeitlang im Irrenhaus, weil*

sie versucht hat, sich umzubringen, als er sie verlassen hat.
Die Arme, sie ist bestimmt Sadomasochistin.

Na ja, du hast wenigstens Clooney und seine Freunde
noch bei dir, und Colm wird drüber wegkommen, also mach
dir keine Sorgen. Grüß meinen Bruder von mir und sag
ihm, es wäre ganz schön still zu Hause ohne ihn. Es ist
großartig, das Bad fast für mich allein zu haben. Dad ver-
schwindet morgens schon in aller Frühe, und das bedeutet,
ich kann mir beim Duschen so richtig schön Zeit lassen. Ich
kann es kaum erwarten, endlich allein zu wohnen. Wobei:
Ich werde im College ein paar Jahre lang mit wer weiß was
für Leuten zusammenwohnen, und das ist wahrscheinlich
schlimmer, als sich mit Dad und Clooney das Bad zu teilen.
Die beiden sind wenigstens sehr reinlich.

London rückt immer näher, und ich werde langsam ner-
vös. Ich habe den totalen Knaller genäht. Gina hat mich
gebeten, für die Tochter ihrer Schwester (nicht die Irre,
mir fällt der Name nicht mehr ein, die uralte jedenfalls)
ein Kleid für die Firmung zu nähen. Sie hat wunderschönen
Stoff besorgt, und ich habe ihr ein cremefarbenes, mittel-
langes Kleid genäht. Sie liebt es über alles, und es steht ihr
richtig gut. Ich bin total zufrieden damit, aber abgesehen
davon habe ich im Augenblick ziemlich schlechte Laune.
Bens bescheuerte Großmutter hatte einen bescheuerten
Schlaganfall. Sie lebt in Cavan. Völlig bescheuert! Er ist
seit Montagabend dort. Sie ist zweiundneunzig und liegt
anscheinend im Sterben, und jetzt muss die ganze Fami-
lie dableiben, bis sie aus den Latschen kippt. Sie tut jetzt
bereits seit sieben Tagen ihren letzten Atemzug, und ich
wünschte wirklich, sie würde sich ein bisschen beeilen und
endlich sterben. Ich weiß, es klingt brutal, aber sie hat
zweiundneunzig Jahre auf diesem Planeten hinter sich

gebracht, und ich bin erst einen Monat lang mit ihrem Enkelsohn zusammen. Ausgerechnet jetzt beschließt sie zu sterben, und noch schlimmer: langsam zu sterben, und zwar in CAVAN. Wenn sie in der Nähe wäre, könnte ich ihn wenigstens ab und zu sehen. Ich vermisse ihn wirklich. Ich meine, ich vermisse ihn so sehr, dass mir die Knochen weh tun und ich die ganze Zeit am liebsten heulen würde. Ich weiß! Ich dumme Kuh! Ich muss die ganze Zeit daran denken, wie er aussieht, wie er riecht, wie er sich anfühlt. Ich habe ein T-Shirt von ihm, das er letzte Woche hiergelassen hat. Er hatte es unter seinem Pullover an und hat vergessen, es nach dem unglaublichsten Sex aller Zeiten (mehr dazu, wenn wir uns endlich wiedersehen) wieder anzuziehen. Jedenfalls habe ich es in meine Schublade getan, und ab und zu hole ich es raus und rieche daran. Ich werde bestimmt auch bald in die Klapse eingeliefert, so wie Helen. Jedenfalls ist jeder Tag, an dem Bens Oma nicht stirbt, ein Tag mehr, an dem ich Ben nicht sehen kann, und weißt du, was das Schlimmste daran ist? Falls sie heute, jetzt, in dieser Minute, doch endlich sterben sollte, sehen wir uns bis mindestens nächsten Mittwoch trotzdem nicht wieder, wegen der bescheuerten Beerdigung. Als er gestern Abend anrief, habe ich ihn gefragt, ob er sich nicht von ihr verabschieden und nach Hause fahren könnte, um dann, wenn sie gestorben ist, wieder runterzufahren – in meinen Augen ein absolut vernünftiger Vorschlag. Er sagte, er würde auf gar keinen Fall seine Mutter allein lassen. Wir haben uns tatsächlich gestritten, weil ich ihm nicht einfühlsam genug bin. Ich sagte, schließlich hat er gewusst, worauf er sich einlässt. Ich werde nicht so tun, als fände ich den Tod einer zweiundneunzigjährigen Frau, die er noch nicht mal richtig kennt, besonders traurig. Noch dazu, weil sie seit

Jahren dement ist, was bedeutet, dass sie ihn noch nicht
mal erkennt und wahrscheinlich weder weiß noch wichtig
findet, dass er überhaupt da ist. AAARRRGGGHHHH!
FRUST! Er meinte, seine Mutter wäre total am Ende, und
als ich wissen wollte, warum, hat er aufgelegt. Später
rief er dann zwar noch mal an, aber er war immer noch
stocksauer auf mich, obwohl ich mich entschuldigt habe.
Er fand, dass ich manchmal echt eiskalt wäre. Woraufhin
ich sagte, der Begriff pragmatisch wäre mir lieber. Er sag-
te, es wäre ihm egal, wie ich es nenne, jedenfalls würde er
sich deswegen Gedanken machen. Ich sagte, es gäbe keinen
Grund, sich Gedanken zu machen – ich verwandle mich
jetzt sicher nicht in eine Irre, die seine Familie auslöscht –,
auch wenn ich mich im Geiste schon gesehen habe, wie ich
seiner Oma ein Kissen aufs Gesicht drücke. Ist das jetzt
eiskalt oder pragmatisch? Jedenfalls war das unser erster
Streit, und als er hinterher zum dritten Mal anrief, sag-
te er, es täte ihm leid und er hätte ja schließlich gewusst,
dass ich seltsam wäre, als er sich in mich verliebt hatte,
und dass er mich lieben würde. Und dann habe ich ihm an
diesem bescheuerten Telefon gesagt, dass ich ihn auch liebe.
Mann, ich vermisse ihn so sehr, ich würde am liebsten die
ganze Zeit kotzen. Außerdem habe ich ein total schlechtes
Gewissen, weil ich wegen Declan immer so gemein zu dir
war. Endlich weiß ich, wie's dir geht, und auf einmal haben
die dämlichen Liebeslieder, die ich früher so gehasst habe,
alle eine Bedeutung, und mir tut das Herz weh, wenn ich
sie höre. Neulich vormittags habe ich mitten im Café ange-
fangen zu heulen, nur weil «There is a light that never goes
out» von den Smiths im Radio lief. Das war früher doch
der absolute Müll für mich, weißt du noch? Tja, plötzlich
fände ich es absolut himmlisch, mit Ben an meiner Seite

von einem Bus oder Lkw umgenietet zu werden. Und wenn ich sage, dass ich geweint hätte, dann meine ich geheult – dicke, fette Krokodilstränen. Die Mutter von Terry dem Touristen war mit irgendeiner englischen Freundin in dem Café, einer sehr anständigen Frau namens Vera. Sie saßen bei Tee und Scones und kamen zu mir, um mich zu trösten, weil sie dachten, es wäre jemand gestorben. Ganz schön ironisch, denn wenn Bens alte schrumpelige Schachtel von Oma endlich sterben würde, dann hätte ich Ben wieder und müsste nicht mehr weinen, wenn im bescheuerten Radio irgendein bescheuertes Lied läuft.

Declan geht es gut. Ich kann mich nicht erinnern, wie er an dem Tag nach dem Streit mit seinem Vater drauf war. Ein bisschen still vielleicht. Aber als wir uns unterhalten haben, war er ganz normal. Wieso regst du dich so darüber auf? Ich streite mich andauernd mit Danny und du dich mit deiner Mutter auch! Das ist zwischen Teenagern und Eltern ganz normal, Lily!

Ansonsten gibt es im Grunde nichts Neues. Paul sieht man überhaupt nicht mehr, und Gar hat schon wieder eine neue Freundin aus Bray. Declan hat mir erzählt, dass es sich um die beste Freundin von der anderen handeln würde und sie deshalb Schluss gemacht hätten. Ihm ist eingefallen, dass er die beste Freundin lieber hätte, und die war sofort einverstanden. Kannst du das glauben? Gar ist in Bray ein ganz toller Hecht. Es ist seltsam. Er wirkt viel selbst-bewusster und glücklicher. Wir verstehen uns echt prima, wenn wir uns sehen. Neulich hat er im Coffeeshop vorbeige-schaut, und er war richtig gut drauf. Er hat erzählt, seine neue Freundin wäre im Bett eine Wucht, woraufhin ich sag-te: ENTSCHULDIGUNG – was willst du damit eigentlich andeuten? Daraufhin hat er sich entschuldigt und gesagt, *so hätte er es nicht gemeint, er wäre einfach nur froh, weil sich die Dinge für uns beide so gut entwickelt hätten. Das war wirklich süß von ihm. Ich werde Gar vermissen, wenn ich in London bin. Er ist ein guter Freund. Er hat mir versprochen, mir zu helfen, ein paar Sachen aus meinem Zimmer in die Garage zu räumen. Ich komme nicht mal mehr an meinen Kleiderschrank ran, weil mein Zimmer so vollgestopft ist. Clooney ist nicht da, und Danny murmelt ständig irgendwas von Rückenschmerzen, sobald ich mit dem Thema anfange. Ich habe ihm versprochen, Abendessen zu machen, und hoffe, er mag Baked Beans auf Toast. In den letzten Tagen habe ich viel Zeit mit Declan verbracht. Im Café habe ich um 15.00 Uhr Pause, und er kann zur selben Zeit Mittag machen. Wir setzen uns dann zusammen an den Straßenrand und essen unsere Sandwichs. Er macht sich echt Sorgen, weil er nichts von dir gehört hat. Ich habe ihm gesagt, dass du wahrscheinlich echt beschäftigt wärst, aber als ich erzählt habe, dass Clooney unten in der Gegend wäre, ist er ziemlich sauer geworden. Ich habe ihm gesagt, er solle sich beruhigen, aber so wie der sich aufgeführt hat, hätte man meinen können, Clooney wollte dir was antun. Und für den Fall, dass er irgendwas Schräges gedacht hat, habe ich ihm gesagt, Clooney wäre für dich so was wie ein großer Bruder und dass du ihn (also Declan) lieben und ihm nie absichtlich weh tun würdest. Ich habe ihm sogar erzählt, ich hätte schon öfter versucht, dich dazu zu brin-gen, ihn zu verlassen, und du hättest es trotzdem nie getan. Zuerst war er total sauer, aber dann hat er gelacht und ge-sagt, ich wäre echt verrückt. Ich behaupte ja lieber, dass ich ehrlich bin. EGAL. Jedenfalls hat er sich dann wieder beru-higt. Himmel, Lily, du musst ihn unbedingt anrufen, er ist echt auf hundertachtzig deswegen. Abgesehen davon geht es*

ihm gut, und er ist nicht mehr so in Panik wegen seinen No-
ten. Er sagt, er hofft jetzt einfach das Beste, und wenn er es
nicht schafft, kann er immer noch ausflippen. Das wäre viel
besser, als jetzt schon auszurasten. Schon seltsam, dass De-
clan und ich fast direkt nebeneinander arbeiten und so viel
Zeit miteinander verbringen. Weißt du, Lily, bisher kannte
ich ihn eigentlich nicht wirklich. Ich finde ihn auch immer
noch arrogant, stocksteif und irgendwie extrem, aber ich
verstehe jetzt zum ersten Mal, was du in ihm siehst. Er ist
nett. Ich habe ihm irgendwann mal erzählt, dass mir eine
ganz bestimmte Schraube gut gefallen würde und ich sie
für meine Entwürfe brauchen könnte, und jetzt sammelt er
alle möglichen alten Metallteile für mich. Er hat echt einen
Blick dafür. Er hat mir so viel Material geliefert, dass ich
schließlich mit Draht eine Halskette daraus gemacht habe,
und dann hat mich auf der Straße eine Frau angesprochen
und wollte wissen, wo ich die Kette gekauft hätte. Declan
will mir weiter Sachen besorgen, von denen er glaubt, dass
man sie in Klamotten oder Schmuck verarbeiten kann. Eine
der Schrauben würde sich super für einen Ring eignen, ich
weiß nur noch nicht genau, wie ich es machen will. Außer-
dem ist er witzig. Er hat einen sehr trockenen Humor.
Wenn er mit einem redet, denkt man entweder: Mein Gott,
was für ein Idiot! Oder man kapiert, dass er einen Witz ge-
macht hat, und muss lachen. Neulich hat er zu mir gesagt,
ich wäre eine tolle Näherin! Ich hätte ihn fast geschlagen,
bis ich kapiert habe, dass er mich nicht kleinmachen wollte,
sondern einfach nicht weiß, was ein Designer ist. Ich habe
es ihm erklärt, und er hat total nett reagiert, obwohl ich
mir nicht sicher bin, ob er es jetzt verstanden hat. Wenn es
nicht um Recht oder Medizin geht, scheint er ein bisschen
auf der Leitung zu stehen. Neulich ist sein Vater an uns

vorbeigekommen, als wir gerade am Straßenrand saßen.
Er war völlig dicht. Er hat mich vom Bürgersteig hochge-
zerrt und angefangen, mit mir rumzutanzen. Er hat nur
Spaß gemacht, aber Declan war total sauer. Er hat seinen
Vater von mir weggerissen, und dann hat sein Vater ihn
geschubst, mit dem Finger auf ihn gezeigt und gelacht. An
dem Tag war irgendein großes Spiel, und Declans Vater ist
mit einem Kumpel feiern gegangen und hat Declan den Rest
des Tages freigegeben. Aber als er weg war, ging Declan
trotzdem zurück an die Arbeit. Der ist echt wahnsinnig
komisch!

Tja, sonst gibt es eigentlich nichts Neues. Die Woche
war ziemlich ruhig, total langweilig, um ehrlich zu sein.
Ich vermisse dich sehr. Gina lässt grüßen. Sie hat sich
auch kaum blicken lassen, weil sie immer bis spätabends
arbeitet und dann den ganzen Tag im Bett verbringt. Echt
nervig. Sag Clooney, dass Danny und ich seine Spaghetti
bolognese vermissen, und mach dir wegen Colm keine Gedanken. Das renkt sich bald wieder ein. Schau mich und
Gar an. Vor zwei Monaten haben wir kein einziges Wort
miteinander geredet.

Alles Liebe,
deine sehr gelangweilte Eve

Ach so, meine Top 4 lauten wie folgt:
1. «Freitag der Dreizehnte» (Aus demselben Grund wie bei
   dir. Weißt du noch, wie Clooney mittendrin auf einmal
   hinter dir hochgesprungen ist und «Buh» gerufen hat? Du
   bist fast an die Decke gegangen und hast angefangen zu
   weinen. Unbezahlbar!)
2. «Nightmare on Elm Street» (Ich bin kein Baby mehr.)

3. «*Fright Night*» *(Wenn ich die Liste gemacht hätte, wäre der Film gar nicht dabei. Ich hätte «Psycho» oder «Unbekannter Anrufer» genommen. Vampire sind behindert.)*
4. «*The Lost Boys*» *(Ich liebe diesen Film, aber es ist eine Komödie und kein Horrorfilm.)*

* * *

Je vielschichtiger Declans Emotionen wurden, desto unberechenbarer und irrationaler wurde er. Seine Frau hinterging ihn mit ihrer alten besten Freundin und deren Bruder. Das waren die beiden Menschen, die 1990 beinahe seine Beziehung zerstört hätten, und jetzt hielt sie diese Leute vor ihm geheim. Er hätte etwas sagen sollen. Er hätte sagen sollen, dass er über Eve Bescheid wusste, hätte Lily zur Rede stellen und sie fragen sollen, weshalb sie Eve vor ihm versteckte. Womöglich könnte er sogar Verständnis dafür zeigen, dass sie mit der Situation so umgegangen war. Er hätte nett und verständnisvoll sein müssen und mit ihr darüber reden sollen, wie es ihr damit ging, ihre alten Freunde wiederzusehen. Er hätte Mitgefühl zeigen sollen. Schließlich waren seitdem zwanzig Jahre vergangen, und zwanzig Jahre sind eine lange Zeit. Sie hatten sich ein gemeinsames Leben aufgebaut, sie hatten zwei Kinder, und das war viel wert. Er hätte Eve besuchen und sich mit ihr versöhnen sollen. Er hätte Clooney die Hand geben und Vergangenes in der Vergangenheit belassen sollen. *Wir machen alle Fehler.* Natürlich hielten seine Sturheit, seine Eitelkeit und sein Verfolgungswahn ihn davon ab, irgendetwas dergleichen zu tun. Es hatte eine Zeit in Declans Leben gegeben, da hatte er Lily all seine Gedanken anvertraut, all seine verborgenen Geheimnisse, seine Ängste und Schamgefühle –

damals, als er ein zutiefst traumatisierter, einsamer Junge war mit dem verzweifelten Wunsch, seinem schrecklichen Leben zu entrinnen. Wenn sein Vater ihn misshandelte und seine Mutter wegsah, schöpfte Declan Kraft aus Lilys Liebe. Er glaubte an sie und vertraute ihr blindlings. Sie hatte dieses Vertrauen nur ein einziges Mal missbraucht, doch das hatte ausgereicht, um andauerndes Misstrauen zu säen. Er schwor, dass er ihr verziehen hätte, und flehte sie seinerseits um Vergebung an, doch das war eine Lüge. Er würde ihr niemals verzeihen, und zudem machte er sie fortan für alle seine Sünden verantwortlich, weil sie sein Vertrauen missbraucht hatte. Denn hätte sie nicht … hätte er nicht… *Dann hätte alles anders sein können. Eve und Clooney Hayes, verflucht noch mal! Wenn ich gewusst hätte, dass ich damit durchkomme, hätte ich sie beide umgebracht!*

Wäre Declan ein anderer Typ Mensch gewesen, hätte er seine Frau in die Arme genommen, ihr gesagt, dass er sie liebe, sie gefragt, ob sie glücklich sei und was er tun könne, falls dem nicht so wäre. Möglicherweise hätte das funktioniert. Möglicherweise hätte Lily sich ihm anvertraut, ihm gestanden, dass sie mehr Freiraum brauchte, dass sie es satthatte, sich wie eine Sklavin ihres Mannes und ihrer Kinder zu fühlen. Dass sie sich wünschte, in ihrem Sexleben ginge es mehr um Liebe und weniger um Unterwerfung. Dass sie sich wünschte, er würde ihre Gefühle respektieren und aufhören, sie und den Rest der Welt wie persönliche Feinde zu behandeln. Doch der Mensch ändert sich nun mal nicht, nur weil ihn jemand darum bittet. Womöglich war das der Grund, weshalb Declan seine Frau nicht zur Rede stellte. Vielleicht wusste er, dass sie diese Konfrontation als Anlass nehmen würde, ihn und ihr gemeinsames Leben zu ändern, und ihm gefiel sein Leben, wie es war. Er wollte nicht, dass sich irgendetwas änderte. Er hätte nicht gewusst, wie er sich ändern sollte. Es war unmöglich, und ganz abgesehen davon: Wie kam Lily dazu, von ihm zu verlangen, dass er sich änderte? Sie behauptete seit achtzehn Jahren, er sei paranoid, und es mochte sein, dass sie damit manchmal nicht ganz unrecht hatte, doch in diesem Fall war er nicht paranoid, er war im Recht. Declan sagte nichts zu seiner Frau, weil es zwar einen winzigen Teil in ihm gab, der ihm leise *Du wirst sie verlieren* zuflüsterte. Der größere Teil von ihm, der arrogante, egoistische, paranoide und wütende Teil, brüllte ihm jedoch in voller Lautstärke *Sie verarscht dich, es wird Zeit, dass du das unterbindest und der Schlampe den Kopf zurechtrückst!* ins Ohr. Jeder Tag, der verging, jeder Blick zwischen ihnen, jedes Wort, das unausgesprochen blieb, jede Lüge, die er ihr aus der Nase zog, befeuerten seinen Zorn und fütterten seinen Rachedurst. In Declan Donovan brodelte es gewaltig. Es war nur eine Frage der Zeit, ehe er den Siedepunkt erreichen und der Kessel explodieren würde und Lily seinen Zorn zu spüren bekäme, doch dann wäre es ausgestanden. Nicht ein einziges Mal kam Declan Donovan in seinem paranoiden Gehirn der Gedanke, dass seine Frau ihn verlassen könnte. *Ich würde sie nicht gehen lassen.*

Als Eve am rechten Bein der Gips abgenommen wurde, war dies Anlass für eine kleine Feier. Lily brachte einen Minikuchen inklusive Kerze mit, die Eve auspusten musste, ehe sie ihn wieder einpackte, um ihn später mit Clooney zu essen. Eves Schulter wurde von Tag zu Tag besser, und das bedeutete, dass sie ab sofort üben konnte, auf Krücken zu gehen. Die Schulter tat zwar weh, doch Eve war fest entschlossen, und der erste Gehversuch wurde als durchschlagender Erfolg gewertet, obwohl sie ihn nach sechs Schritten und einem Schwindelanfall abbrechen musste. An dem Tag, als sie nicht mehr aus dem Bett und wieder hinein gehoben werden musste, flossen Freudentränen – nicht zuletzt deshalb, weil ihr ab jetzt Normans *a h-aon, a dó, a trí* erspart blieb. *Es sind die kleinen Dinge.* Das erste richtige Vollbad fühlte sich wie das Paradies an. Die erste Dusche war der reinste Segen, auch wenn Eve im Sitzen duschen musste und von einer Krankenschwester namens Monica begleitet wurde, die ohne Punkt und Komma über die Laktoseintoleranz ihrer Nichte redete. Das Wasser strömte auf sie herunter, sie schloss die Augen und fühlte sich wie in einem Tropensturm. *Weißt du noch, Ben? Als ich dir von meiner Zeit mit Clooney in Kenia erzählt habe? Das hat sich genauso angefühlt.* Sie redete oft mit Ben, auch wenn sie wusste, dass er sie nicht hörte. Es spielte keine Rolle, sie mochte einfach den Klang seines Namens. Manchmal verfluchte sie ihn regelrecht, zum Beispiel wenn ihre Verdauung nicht mitspielte und sie eine Stunde lang auf die Kloschüssel gefesselt war, dazu verdammt, das Poster an der Tür anzustarren. Es zeigte einen braunen Sack mit zwei Spritzen und quer darüber das Wort «Gesundheitsgefährdung». Darunter stand: «Achtung. Ansteckungsgefährliche Stoffe sind korrekt zu entsorgen.» *Ja, Ben, ich versuch es ja! Ich versuche es! Ich komme mir vor, als würde ich ein Kind zur Welt bringen. Wo wir gerade dabei sind: Es tut mir leid, dass du nie Vater werden konntest. Ich glaube, du hättest das toll gemacht.* Manchmal erzählte sie ihm von Adam. *Er ist nett, Ben. Er ist freundlich, und wenn ich ihm was erzähle, dann lacht er – sowohl wenn ich lustig sein will, aber auch wenn ich todernst bin. Er findet mich unterhaltsam. Das gefällt mir.* Wenn ihr Physiotherapeut sie mal wieder quälte, sie schwitzte, Schmerzen hatte und erschöpft war, sank sie in ihr sauberes, weißes, hartes Bett, schloss die Augen und erzählte ihm, wie alles hätte sein können. *Ich hätte dir anbieten sollen, dich rauszukaufen. Ich hätte in dich investieren sollen, anstatt dich zu vögeln. Du hättest deine Firma retten können, und dein Leben mit Fiona wäre wieder in normalen Bahnen verlaufen. Ben, wo bist du jetzt? Irgendwo oder nirgendwo? Ist wirklich alles vorbei gewesen, als sie dich abgeschaltet haben? Wusstest du es? Hast du sie weinen hören? Hast du still schreiend um mehr Zeit gefleht, oder hast du gerne losgelassen? Bist du fort? Es hätte mich treffen sollen, es hätte mich treffen sollen, es hätte mich treffen sollen. Es tut mir leid, Ben. Es tut mir leid, dass ich schwach war und dumm und egoistisch, und ich weiß, dass es dir auch leidtut.*

Wenn sie dann nach ein oder zwei Stunden Mittagsschlaf die Augen aufschlug, konzentrierte sie sich auf das Plakat.

Die Botschaft ist in allen Sprachen gleich!
Operite ruke
Lavarsi le mani
Lávese las manos
Xin jay rura tay
Hände waschen

Danach war das Fenster dran. *Ach, da bist du ja, Patty.* Nach einem Blick auf die Uhr schaltete sie den Fernseher an. *Es ist zwei Uhr nachmittags, also Zeit für* Ellen. *Kennst du Ellen, Ben? Sie ist wirklich großartig!* Als Mensch, der sonst nie viel fernsah, brachte Eve dem Medium einen neu gewonnenen Respekt entgegen. Sie sah sich Sendungen an, die sie noch nicht kannte, amerikanische Polizeiserien wie «Bones – Die Knochenjägerin» (lustig) und «Criminal Minds» (abgefahren). Sie mochte Krankenhausserien wie «Grey's Anatomy» und «Dr. House», in erster Linie weil sie sich mit den Patienten identifizieren konnte. Aber ihre absoluten Lieblingssendungen waren die Talkshows. Sie waren für Eve eine Offenbarung, auch wenn sie die meisten Gäste nicht kannte. Doch die eigentlichen Stars der Sendungen waren sowieso die Gastgeber. Menschen wie Ellen, Graham Norton, Piers Morgan und Conan O'Brien wurden Eves neue alte Freunde.

Adam kam beinahe jeden Tag auf einen Besuch vorbei, und obwohl sie ihm drohte, nicht mehr mit ihm zu sprechen, als er ihren ursprünglich vereinbarten Entlassungstermin nach hinten verschob, verzieh sie ihm rasch. Auf ihre ganz eigene Weise waren sie sich mittlerweile sehr nahe gekommen.

«Was machst du heute noch?», fragte sie ihn eines Tages nach «Ellen» und «Coronation Street».

«Ich habe ein Date», antwortete er.

«Ein Blind Date oder mit jemandem, den du wirklich kennst und magst?»

«Ein Blind Date.»

«Was weißt du über sie?»

«Sie ist fünfundvierzig, geschieden, hat zwei Kinder und eine eigene Bäckerei.»

«Okay, sie ist also älter als du, hat Kinder, die dich hundertprozentig hassen werden, und verkauft Dickmacher. Klingt wie die ultimative Traumfrau. Wie sieht sie aus?»

«Ich habe doch gesagt, dass es ein Blind Date ist.»

«Und du hast noch nicht mal ein Foto gesehen?»

«Nein.»

«Dann mach dir gar nicht erst die Mühe», sagte sie.

«Wieso nicht?», fragte er und fing an zu lachen.

«Anziehungskraft beruht auf Aussehen, und wenn sie dir optisch nicht gefällt, kann sie so nett sein, wie sie will, dann hilft auch eine Stunde Smalltalk nicht weiter.»

«Das klingt ein bisschen oberflächlich», sagte er.

«Mir gefällt der Ausdruck *präzise* besser, und außerdem weiß ich, dass du auf hübsche Frauen stehst.»

«Was soll das denn heißen?»

«Lily», sagte sie und lächelte ihn an. «Du stehst auf Lily. Keine Angst, das geht den meisten Männern so.»

Adam wurde rot und fing an zu stottern. «Ich … ich … ich …» Er gab es auf.

«Die Sache hat nur einen Haken. Selbst wenn Lily nicht unglücklich verheiratet wäre – und wir wissen beide, dass dem so ist –, wärst du nicht ihr Typ.»

Adam holte fassungslos Luft, schockiert über ihre Direktheit.

«Woher willst du das denn wissen?», fragte er und versuchte, dabei interessiert und nicht betroffen zu klingen.

«Weil du mein Typ bist und Lily und ich schon immer einen entgegengesetzten Geschmack hatten, was Männer betrifft.»

Er schüttelte den Kopf und lächelte. «Ich bin dein Typ?»

«Definitiv. Weißt du, Lily steht auf breitschultrige Männer. Sie steht auf Typen mit V-Ausschnitt-Pullis, Segelschuhen und maßgeschneiderten gestreiften Hemden. Sie steht auf den Durchschnittstypen, und du bist kein Durchschnittstyp, und genau das mag ich an dir.»

«Ich fühle mich geehrt.»

«Nein, tust du nicht. Du bist traurig, weil du weißt, dass ich recht habe. Lily hat dich nie mit diesem gewissen Blick angesehen. Zwischen euch herrscht keine erotische

Spannung, und selbst wenn du ihr den ganzen Tag verliebte Blicke zuwirfst, wird sie in dir nie mehr sehen als einen Freund.»

«Du hast recht», gab er zu.

«Gefalle ich dir?», fragte Eve. «Du musst keine Angst haben, die Wahrheit zu sagen. Ich halte es aus, falls ich nicht dein Typ bin.»

«Ich bin dein Arzt», sagte er. Plötzlich fühlte er sich traurig und unbehaglich zugleich.

«Ja. Aber nicht für alle Ewigkeiten. Also beantworte meine Frage.»

«Ich finde dich schön», sagte er.

«Gut. Dann lad mich zum Essen ein, wenn ich hier raus bin.»

«Eve, das geht nicht», sagte er, und sie lächelte.

«Doch, es ginge schon, wenn du es wolltest. Das Leben ist kurz, Adam, und wir könnten Spaß miteinander haben.» Sie zuckte die Achseln. «Du kannst es einer Frau nicht verübeln, es wenigstens zu versuchen.»

«Ich bin dein Arzt», wiederholte er und machte Anstalten zu gehen.

«Adam?», sagte Eve. «Ganz egal, was zwischen uns passiert oder auch nicht passiert, bitte bleib Lilys Freund. Sie hat nicht viele, und sie zählt auf dich. Rede dir bitte nicht ein, dass jemals mehr daraus werden könnte, denn das wird nicht geschehen. Sie wird dich nie auf diese Weise lieben, sonst würde sie es längst tun. Mach ihr das bitte nicht zum Vorwurf.»

Er nickte, bedankte sich und ließ sich drei Tage lang nicht mehr bei ihr blicken.

Hey, Ben, habe ich dir schon erzählt, dass ich die Sache mit Adam so richtig schön vermasselt habe?

Lily verbrachte den August damit, ihrem Mann, so gut es ging, aus dem Weg zu gehen. Er machte ihr das Leben extrem schwer, tauchte zu den unmöglichsten Zeiten an allen möglichen Orten auf. Es war inzwischen so schlimm geworden, dass Lily sich nur noch sicher fühlte, wenn er im OP stand. Daher spionierte sie ihrerseits ebenfalls ein bisschen, um herauszufinden, wann und wo sie mit Clooney gefahrlos eine Tasse Kaffee trinken oder ihre Mittagspause verbringen konnte. Lily wusste, was sie tat. Ihr war klar, dass sie dabei war, sich in Clooney zu verlieben. Sie betrog Declan, auch ohne Sex zu haben, und sie entfernte sich mit jedem Blick, jeder Berührung und jedem Moment der Vertrautheit ein Stückchen weiter von ihm. Sie versuchte sich einzureden, dass es nur um Freundschaft ging und Clooney wie ein Familienmitglied für sie war, aber sie wusste genau, dass sich zwischen ihnen etwas entwickelte, und er wusste es auch. Sie trieben ein gefährliches Spiel. Es war aufregend und machte Spaß, und Lily hatte sich seit sehr langer Zeit nicht mehr so lebendig gefühlt. Aber sie war eine Ehefrau und zweifache Mutter, und Clooney gehörte zu den Männern, die ins Leben einer Frau traten, ihr eine Weile das Gefühl gaben, etwas ganz Besonderes zu sein, und dann wieder verschwanden. Er hatte nie etwas anderes behauptet. Es lag ihm nicht zu lügen – genau wie seine Schwester schoss er direkt aus der Hüfte. Er gab keine Versprechen, die er nicht halten konnte. Sie sprachen über seine Zukunft, was er tun und wohin er gehen würde, nachdem Eve wieder völlig genesen war, und er sagte kein einziges Mal, dass er bleiben würde, und Lily machte auch keine Andeutung, dass sie sich das von ihm wünschen würde. Jeden Tag, an dem es irgendwie möglich war, saßen sie zusammen, sogen einander in sich auf und lebten von jenen Blicken und winzigen Berührungen, die so viel zu bedeuten haben, wenn man sich bis über beide Ohren verliebt. Sie lebten genauso im Augenblick, wie Eve und Ben es getan hatten, weil es im Augenblick weder Ehemann noch Kinder gab, keine Schuldgefühle und keinen Lockruf ferner Länder – es gab nur Lily und Clooney, voller Energie und Funken sprühend.

Eve hätte blind oder ein emotionaler Vollkrüppel sein müssen, um nichts zu bemerken, doch sie sagte nichts. Sie würde sich nicht einmischen. Das hatte sie bereits einmal getan, und der Preis dafür war zu hoch gewesen.

Der August verging schnell, und Eves Genesung machte gute Fortschritte. Lily machte sich Sorgen über eine Zukunft, in der sie sich nicht mehr um Eve kümmern würde und auch keine Zeit mehr mit Clooney verbringen könnte. Es war unvorstellbar für sie, in ihr altes Leben zurückzukehren. *Ich war so lange unglücklich.* Wenn Lily sich nicht in Clooney verlor, wenn sie in die reale Welt zurückkehrte, waren ihre Schuldgefühle so immens, dass sie daran zu ersticken drohte. Sie war auf ein absurd niedriges Gewicht abgemagert. Sie litt unter Stresskopfschmerzen und einer Nierenentzündung, die sie nicht in den Griff bekam. Obwohl sie dank der Tabletten inzwischen schlief, hatte sie häufig Schwindelanfälle, und ihr war klar, dass sie nicht mehr lange so weitermachen konnte. Sie grübelte Tag und Nacht darüber nach, welche Konsequenzen eine Trennung für die Kinder hätte. Ihr gesamtes Erwachsenenleben lang war es immer um die Kinder gegangen. Sie hatte sich ihren Kindern gewidmet und ihre Jugend daran verloren, sie großzuziehen. Lily bereute es jedoch keine Sekunde, auch wenn alles, was sie tat, als selbstverständlich hingenommen

wurde und sie sich in ihrem eigenen Haus als Mensch zweiter Klasse behandeln ließ. Mutter zu sein war ihre größte
Freude und ihre größte Errungenschaft. Doch sie erstickte
an ihrem Leben, starb seit vielen Jahren einen schleichen-
den Tod und war so lange so unglücklich gewesen, dass
es keine Rolle gespielt hatte. Auf einmal sah sie Licht und
Hoffnung vor sich und die Möglichkeit einer besseren Zukunft. Lily wusste, dass Clooney nicht die Lösung war – sie
wusste, dass er niemals bleiben würde –, doch das Gefühl,
das er ihr gab, hatte in ihr den Mut entfacht, für ein besseres Leben zu kämpfen. *Ich habe etwas Besseres verdient.*

Eines Nachmittags spazierte sie mit Eve und Clooney
durch den Park. Eve saß zwar die meiste Zeit noch im Rollstuhl, war aber fest entschlossen, die Krücken zu benutzen,
und so gingen Lily und Clooney rechts und links von ihr,
während sie fluchend vorwärtstorkelte. Declan hatte eine
lange OP auf dem Plan, sodass Lily nicht besonders vorsichtig sein musste. Sie genoss einfach nur einen sonnigen
Augusttag mit alten Freunden. Es war völlig harmlos, und
sie war glücklich. Sie hatte eine Stunde Mittagspause und
verbrachte eine halbe Stunde damit, mit Eve spazieren zu
gehen. Als diese erschöpft, aber trotzdem entschlossen war,
mit den Krücken auf dem Schoß allein im Rollstuhl in ihr
Zimmer zurückzufahren, entschieden die beiden, dass Eve
durchaus in der Lage war, mit einem elektrischen Rollstuhl
zurechtzukommen. Sie machten es sich auf dem Rasen in
der heißen Mittagssonne bequem. Lily fühlte sich bereits
den ganzen Tag lang unwohl. Normalerweise erledigte sie
ihr Pensum, egal wie schlecht es ihr ging, doch ihr Rücken
brachte sie fast um, die Antibiotika, die sie gegen die Nierenentzündung nahm, schlugen nicht an, und sie musste
mit Wellen der Übelkeit kämpfen, auch wenn ihr Magen

so gut wie nichts herzugeben hatte. Clooney breitete sich die Jacke über den Schoß, und sie legte sich hin, während er ihr sanft mit den Händen durch die Haare kämmte. Sie sprachen von früher und dachten an Danny. Lily hatte ihn so sehr geliebt, dass ihr bei der Erinnerung die Tränen in die Augen traten, und Clooney wischte sie zärtlich weg.

«Er hat dich auch geliebt», sagte er.

Als die Stunde vorüber war, stand sie eilig auf, ein bisschen zu schnell, denn ihr wurde schwarz vor Augen. Clooney fing sie gerade noch auf, und sie kam in seinen Armen wieder zu sich.

«Du musst zum Arzt», sagte er.

«Praktisch, dass ich ausgerechnet hier arbeite», antwortete sie lächelnd.

«Du musst auf dich aufpassen», sagte er.

«Mache ich», log sie.

Er nahm sie in den Arm, und sie hielt sich so lange an ihm fest, wie sie sich traute.

«Du kannst so nicht weitermachen», flüsterte er ihr ins Ohr. «Wir können so nicht weitermachen.»

Sobald er sich sicher war, dass es ihr gut ging und sie wieder sicher auf den Beinen stand, rang er ihr das Versprechen ab, sich besser um sich selbst zu kümmern. Sie lächelte ihm zu, verabschiedete sich und ließ ihn allein im Gras sitzen, um darüber nachzudenken, mit welchem Feuer sie spielten.

Clooney sah den Mann mit der Kamera nicht, der sie auf Schritt und Tritt fotografierte. Er hatte ihn weder an diesem Tag noch an irgendeinem anderen Tag des vergangenen Monats bemerkt. Er war es gewohnt, Tag für Tag denselben Gesichtern zu begegnen, sie bildeten lediglich den unscharfen Hintergrund seines Alltags. Er blieb noch ein paar Minuten im Garten sitzen, ehe er zurück zu seiner Schwester ging. Als er an dem Typen vorbeiging, der auf einer Bank saß und den Brunnen fotografierte, machte er eine Bemerkung über die tolle Kamera. Der Typ lächelte und nickte ihm zu, und Clooney ging weiter, völlig ahnungslos, dass er unter Beobachtung stand, dass Beweise gesammelt wurden und dass Lily in Gefahr war.

Als Adam nach dreitägiger Pause wieder in Eves Zimmer auftauchte, war er ziemlich kleinlaut.

«Und?», fragte sie.

«Und was?»

«Wie war dein Date?», fragte sie, und er entspannte sich und setzte sich hin, seufzte und erzählte es ihr.

«Du hattest recht», sagte er.

«Sie war hässlich.»

«Nein», antwortete er. «Nur nicht mein Typ.»

«Wann darf ich hier raus?»

«Na ja, du machst wirklich gute Fortschritte. Wenn alles so weiterläuft, vielleicht nächste Woche.»

«Und dann gehst du mit mir aus?»

Er schüttelte den Kopf, doch er tat es mit einem Lächeln, und sie wusste, dass er ernsthaft über ihren Vorschlag nachdachte. Etwa eine Minute lang sagte keiner von beiden ein Wort, zufrieden damit, in der Gesellschaft des anderen zu schweigen.

Eve betrachtete Adam. Er war so sehr mit Nachdenken beschäftigt, dass sie den Hamster in seinem Laufrad fast bildlich vor sich sah.

«Was denkst du?», wollte sie wissen.

«Ich denke, dass Lily dabei ist, sich in deinen Bruder zu verlieben.»

«Oh, das ist dir also nicht entgangen.»

«Ist auch schwer zu übersehen.»

«Stimmt, wenn man selbst Interesse hat.»

«Das kann ich nicht einfach so abschalten.»

«Ich weiß.»

«Glaubst du, sie wird Declan verlassen?», wollte er wissen.

«Weiß ich nicht.»

«Liebt er sie?»

«Wer? Clooney?», fragte sie.

Adam nickte.

«Ich glaube, er hat sie schon immer geliebt», antwortete Eve. «Aber Clooney ist ein Zugvogel. Es mag zwar sein, dass er ist, was Lily will, aber er wird nie sein, was sie braucht.»

«Weshalb magst du mich, Eve?»

«Du bist freundlich, offen, du hast ein wunderbares Lachen, einen tollen Sinn für Humor, du bist kultiviert, aber du definierst dich nicht über das, was du tust. Du bist sexy, gut gebaut, warmherzig, und ich glaube, du bist wirklich gut im Bett. Wo wir gerade beim Thema sind, wann glaubst du, bin ich wieder fit genug?»

Er lachte. «Du bist eine sehr interessante Frau», sagte er.

«Okay. Das ist doch schon mal ein Anfang.»

«Ich habe neulich von dir geträumt», sagte er.

«Gut oder schlecht?»

«Gut, sehr gut», antwortete er, und sie grinste.

«Das klingt doch schon nicht schlecht!»

Es war Freitagabend. Clooney traf sich mit Gar und Paul auf einen Drink im Pub um die Ecke. Gar hatte Paul endlich verziehen. Er hatte ihm einen Monat lang die kalte Schulter gezeigt und war schließlich zu der Erkenntnis gelangt, dass Menschen sich nun mal nicht ändern. Außerdem hatte Paul ihn angerufen und gebeten, sein Trauzeuge zu werden. Paul ging mit keinem einzigen Wort auf die Wut, die Enttäuschung oder den Frust seines besten Freundes ein, sondern kehrte sie einfach zu den anderen unbequemen Dingen in seinem Leben unter den Teppich. Er sagte nur, dass er ihn zum Trauzeugen wollte und dass es keine weiteren Geheimnisse mehr gäbe.

«Keine Mogelpackung mehr.»

«Na endlich.»

Paul grinste. «Hat auch lange genug gedauert.»

«Du musstest doch nur ehrlich dir selbst gegenüber sein.»

«Das ist leicht, wenn man weiß, wer man ist, aber das herauszufinden, hat ziemlich lange gedauert.»

«Du bist schon immer ein bisschen langsam gewesen», sagte Gar, und Paul nickte zustimmend.

«Und? Wirst du jetzt mein Trauzeuge?»

Gar nickte schniefend. «Klar», sagte er. «Mache ich.»

Paul zog ihn an sich, sie schlugen sich gegenseitig auf die Schultern, und ihre Welt war wieder in Ordnung. Damit war alles gesagt.

Bis zur Hochzeit blieben noch sieben Wochen, und Paul hatte den Tag damit verbracht, Menüvorschläge zu sondieren und eine Geschenkliste aufzustellen. Er hatte Lust auf ein Bier und war nicht in der Stimmung, sich zu unterhalten. Er schaltete auf stumm und ließ sich von Clooney und Gars Streit berieseln, ob Brian O'Driscoll nun der beste Rugbyspieler der Welt oder lediglich ein guter Rugbyspieler aus Irland war. Dieser Streit nahm gut eine halbe Stunde in Anspruch. Ab und zu warfen die beiden ihm einen fragenden Blick zu, doch Paul blieb schweigsam und in Gedanken versunken. Sie unterhielten sich über Fußball und die Spiele des kommenden Tages und wetteten darauf, wer die Partie Manchester United gegen Liverpool gewinnen würde. Sie unterhielten sich über Massenvernichtungswaffen, den Niedergang des Kommunismus, ethnische Säuberungen, Kim Kardashian und die Nutzung von Wellenenergie. Paul sagte die ganze Zeit über kein Wort.

Irgendwann machte Clooney eine Bemerkung darüber.

«Du hast noch keine zwei Worte gesprochen.»

«Bin des Redens müde, hab den ganzen Tag geredet, kann nicht mehr reden», antwortete Paul.

«Typisch Paul», sagte Gar.

«Warum bist du denn hier, wenn du so müde bist?», wollte Clooney wissen.

«Wenn ich zu Hause bleibe, will Simone weiterreden», antwortete Paul.

Gar lachte schallend. «Willkommen im Leben mit einer Frau!»

«Man hat keinen Einfluss darauf, in wen man sich verliebt.» Paul schüttelte den Kopf. «Aber wenn ich es beeinflussen könnte, würde ich mir einen Mann aussuchen.»

Paul steckte in einer Phase seines Lebens, die große Veränderungen mit sich brachte, und er war glücklich und besorgt zugleich. Die Dinge änderten sich rasend schnell, und er hoffte, dass er dieser Herausforderung gewachsen war. *Was für ein Ehemann werde ich sein? Was für ein Vater? Wird diese Frau mir genügen? Und, viel wichtiger: Werde ich ihr genügen?* Simone mit seiner Familie bekannt zu machen, war beängstigend gewesen. Seine Mutter reagierte erwartungsgemäß voller Freude und dankte Gott dafür, dass er ihren Sohn zurück auf den rechten Weg geführt hatte. Das machte ihn krank. Sie scharwenzelte um Simone herum, als wäre sie Gottes persönliche Antwort auf ihre Gebete. Während des Abendessens erzählte Simone, wie sie einander begegnet waren. Pauls Vater aß schweigend, während sie sprach, Pauls Bruder und seine Frau waren völlig baff und wussten nicht recht, was sie davon halten sollten, und seine Mutter unterbrach Simone in jedem zweiten Satz, um dem Herren zu danken.

«Es war in einem Café in der Stadt», erzählte Simone.

«Die Macht des Gebetes!», sagte Pauls Mutter.

«Wir haben angefangen, uns zu unterhalten, und ich weiß nicht … irgendwas hat klick gemacht.»

«Und das war die Macht des Gebetes!», sagte Pauls Mutter wieder und schlug mit der Hand auf den Tisch.

«Ich wusste es sofort», sagte Simone und lächelte ihn an.

Doch Paul hatte keine Lust zu lächeln. Er hatte Lust zu streiten. Er wollte seine Mutter so sehr verletzen, wie sie ihn jedes Mal mit der Bemerkung verletzt hatte, er müsse gerettet werden. *Wie kannst du es wagen, verdammt noch mal! Deinetwegen habe ich mich gehasst, bis ich sechsundzwanzig war. Deinetwegen hatte ich jeden Tag, den ich unter deinem Dach verbrachte, Selbstmordgedanken. Deinetwegen habe ich so viele Jahre damit verbracht, mich zu verstellen, dass ich nicht mehr weiß, wie ich es abstellen soll. Die Macht des Gebetes! Wenn Gebete irgendeine Macht hätten, wärst du schon lange vom Bus überfahren worden.*

Simone sah, wie es in ihm brodelte, und sie konnte seinen Schmerz fühlen. Mit einem zuckersüßen Lächeln im Gesicht wandte sie sich an seine Mutter.

«Ach wissen Sie, wir haben natürlich vor, einander treu zu sein, aber im Grunde wird Paul sich immer auch ein wenig nach einem Schwanz sehnen. Tja, aber das ist ganz normal, denke ich», sagte sie.

Pauls Mutter blieb der Mund offen stehen. Sie ließ die Gabel fallen und blickte um sich, als würde sie Stimmen hören. Pauls Bruder Alan lachte laut auf, und seine Frau stimmte in das Gelächter ein. Wie zwei kleine Kinder versuchten sie danach krampfhaft, sich das Lachen zu verbeißen, doch das machte es nur noch schlimmer. Paul saß da und grinste von einem Ohr zum anderen.

«Ich liebe dich», sagte er zu Simone.

«Ich dich auch», antwortete sie und gab ihm einen Kuss. «Und zwar genauso, wie du bist.» Dabei sah sie seine Mutter an, die inzwischen zur Salzsäule erstarrt war.

Pauls Vater sagte gar nichts. Pauls Coming-out hatte ihn schwer getroffen, doch im Laufe der Jahre hatte er sich informiert, und außerdem besaß er nicht die religiösen Bedenken seiner Frau. Er hatte sich damit abgefunden, einen schwulen Sohn zu haben, der jetzt bisexuell war, heiraten und ein Kind bekommen würde. Es war alles ein bisschen viel für ihn. Er las zwar ein paar Informationsbroschüren, doch die warfen mehr Fragen auf, als sie beantworteten. *Himmel, man müsste ja direkt studieren, um diese Dinge zu kapieren.* Er wusste weder, was er fühlen, noch, was er sagen sollte, also sagte er nichts. In dieser Beziehung war Paul seinem Vater sehr ähnlich. Im Zweifel sagte er nichts und hoffte, dass die Dinge sich von selbst erledigten.

«Glaubst du, Eve wird auf unserer Hochzeit tanzen können?», fragte Paul Clooney beim vierten Bier, das ihm ein wenig die Zunge löste.

«Vielleicht.»

«Warum fragst du? Willst du sichergehen, dass es jemanden gibt, der noch schlechter tanzt als du?», fragte Gar.

«So in der Richtung», antwortete Paul, doch das war nicht alles.

Paul mochte zwar nicht so häufig über seine Gefühle sprechen, doch das bedeutete nicht, dass er keine intensiven Gefühle besaß. Eves Unfall hatte ihn tief erschüttert. Er hatte sie gerade erst wiedergefunden, und dass er sie um ein Haar so plötzlich und auf so dramatische Weise wieder verloren hätte, hatte ihn schwer getroffen. In Eves Gesellschaft konnte er auf seine stille Weise immer er selbst sein. Sie akzeptierte ihn so, wie er sich gab. Heterosexuell, schwul, bi, schweigsam, geheimniskrämerisch – nichts davon schien sie zu stören. Eve gestattete jedem zu sein, wie er war. Entweder sie mochte einen, oder sie mochte einen nicht. Sie war sein Gegenpol, und ihre offene Art, ihre Stärke und ihr Selbstvertrauen gaben ihm Trost. Ihre schonungslose Ehrlichkeit und ihre Unbekümmertheit inspirierten ihn. Hinter seiner ruhigen, kühlen Fassade war Paul ein hoffnungslos sentimentaler alter Sack. Eves Beinahetod hatte Paul daran erinnert, dass er in Simone und dem Kind zum ersten Mal seit langer Zeit Liebe und Sicherheit fand, und er hatte schreckliche Angst, all das zu verlieren. *Was, wenn ich das gar nicht verdient habe? Was, wenn sie mir genommen werden? Was, wenn ich sie enttäusche?* Nach Eves Unfall hatte Paul schlaflose Nächte, in denen er sie sterbend auf der Straße liegen sah, Simone neben Eve, das Baby in ihrem Arm, blutüberströmt. Er war schreiend aufgewacht, und Simone lag neben ihm, um ihn zu beruhigen und zu trösten.

Eines Nachmittags, als sie allein waren, erzählte er Eve von seinen Albträumen. Es war das erste Mal, dass er sich ihr gegenüber richtig öffnete und etwas sehr Persönliches preisgab, und falls Eve bemerkte, dass dies einen Meilenstein in ihrer Beziehung markierte, ließ sie sich nichts anmerken.

«Angst zu haben, ist doch völlig normal», sagte sie.

«Ich habe Angst, sie im Stich zu lassen», sagte er.

«Wieso?»

«Weil …»

«Weil was?»

«Du weißt schon, warum.»

«Darf ich ehrlich sein?», fragte sie.

«Du bist immer ehrlich.»

«Ich weiß. Aber ich frage trotzdem um Erlaubnis, weil das, was ich zu sagen habe, ziemlich hart ist.»

«Okay?», sagte er zögerlich.

«Du glaubst, dass du nicht gut genug für sie bist, weil du von einer ignoranten, feindseligen Frau großgezogen wurdest, die dir jeden Tag deines Lebens erzählt hat, dass etwas mit dir nicht stimmt, weil du auf Männer stehst. Du musst endlich begreifen, dass du besser und stärker bist als sie, und du musst aufhören, dich selbst zu quälen.»

«Okay», sagte er lächelnd. «So hart war das gar nicht.»

«Ich bin noch nicht fertig. Du bist wie ich − wir sind eigensüchtig und unstet. Wir machen, was wir wollen und wann wir es wollen. Wir langweilen uns schnell und stellen uns selbst immer an erste Stelle. Sehen wir der Wahrheit ins Gesicht: Wir zwei sind erwachsene, verzogene Kleinkinder, echte Arschlöcher, und in deinem Fall wird es Zeit, andere an die erste Stelle zu setzen, und das macht dir Angst.»

Er lachte. «Das schaffe ich. Simone macht es mir leicht», sagte er.

«Gut», antwortete Eve und lächelte. «Dann wird alles gut.»

«Und was ist mit dir? Hast du auch vor, das verzogene Kleinkind endlich hinter dir zu lassen?»

«Nein», sagte sie.

«Auch gut.»

Gar und Paul verfolgten die Snookerpartie im Fernseher über der Bar, und Clooney war in seine eigenen Gedanken versunken. Er dachte an Lily. Er machte sich Sorgen um sie. Sie verwelkte vor seinen Augen. Sie rannte ihr ganzes Leben lang durch die Gegend und kümmerte sich um alle anderen, nur nicht um sich selbst. Er wollte sie in weiche Watte packen, sie füttern und baden und sich um sie kümmern. Er dachte ständig an sie und musste den Drang bekämpfen, sofort zu ihr nach Hause zu fahren und sie vor dem Mann zu retten, den sie nie hätte heiraten dürfen. Clooney kannte Declan nicht und hatte keine Ahnung, wozu er fähig war, aber er wusste, dass Eve ihn hasste und dass Declan der Grund war, weshalb die Mädchen zwanzig Jahre lang nicht miteinander gesprochen hatten. Ihm war klar, dass Lily sich an einem Scheideweg befand. Entweder entschied sie sich für Declan, oder sie entschied sich für sich selbst. Beim letzten Mal, als sie vor der gleichen Entscheidung gestanden hatte, war Clooney dabei gewesen, und damals hatte sie sich für Declan entschieden. *Wer wird es diesmal sein, Lily?*

Während Clooney in seine eigenen Gedanken versunken mit Gar und Paul in einem Pub saß, während sie tranken, Snooker schauten und ab und zu ein paar Worte wechselten, erreichte Lilys Krise den Höhepunkt.

Scotts Wagen war liegen geblieben und stand in der Werkstatt seines Großvaters, bis sie Zeit hatten, gemeinsam einen Blick darauf zu werfen. Lily hatte versprochen, ihn abzuholen, und als sie endlich dort eintraf, war es bereits

nach sieben. Scott und sein Großvater lagen beide gut gelaunt unter zwei Autos. Das Radio lief. Lily hatte ein seltsames Gefühl, als sie die Werkstatt betrat. Sie war nicht mehr
hier gewesen, seit sie ein junges Mädchen war. Es sah zwar
noch genauso aus wie früher, doch die Atmosphäre hatte
sich völlig verändert. Fast beinahe synchron rollten Scott
und sein Großvater unter ihren Fahrzeugen hervor. Sie gli-
chen einander wie ein Ei dem anderen, von Kopf bis Fuß
verdreckt, teilten sie sich einen Lumpen, um sich die Hände abzuwischen. Dabei lächelten sie und unterhielten sich
zwanglos. Der trostlose Ort aus Lilys Erinnerung schien
einer anderen Welt anzugehören. Sie lehnte dankend eine
Tasse Kaffee ab und hatte es eilig fortzukommen.

Scotts Großvater lächelte sie an.

«Es ist schön, dich mal wieder hier zu sehen», sagte er.

«Danke, Mr. Donovan», antwortete sie.

«Wie oft soll ich es dir noch sagen? Nenn mich Jack.»

Lily würde sich nie daran gewöhnen, ihren Schwieger-
vater mit seinem Vornamen anzusprechen. Zu lange war er
Mr. Donovan für sie gewesen, das Ungeheuer, mit dem sie
nicht zu sprechen wagte.

«Er würde einen guten Mechaniker abgeben», lobte er
seinen Enkelsohn, und Scott grinste. «Aber ich nehme an,
sein Vater hätte was dagegen.»

«Ich bin mir sicher, dass er Scott in jeder Wahl unterstützen wird», sagte sie.

«Das bezweifle ich», sagte Scott, und er und sein Großvater grinsten sich an. «Dazu ist Dad ein viel zu großer
Snob.»

«Dein Vater ist das, wozu dein Großvater ihn gemacht
hat!», fuhr Lily ihn an. Es war ihr plötzlich unerträglich,
dass ihr Sohn und sein Großvater sich über Declan lustig

machten. *Wie kannst du es wagen? Du hast ihn zerstört! Es ist deine Schuld, dass er so kaputt ist. Es ist deine Schuld, dass ich versuche, ihn zu heilen, seit ich sechzehn Jahre alt bin. Es ist deine Schuld, dass er nie wirklich eine Chance hatte.* Lily fing an zu weinen.

Scott und Jack sahen sich an, und keiner wusste, was er sagen sollte. Eilig trocknete Lily sich die Augen und scheuchte ihren Sohn in den Wagen. Er verabschiedete sich von seinem Großvater, und der winkte ihnen nach.

Im Auto sagte Lily kein Wort.

«Ist alles okay zwischen dir und Dad, Mum?»

«Wieso fragst du?»

«Weil ihr euch beide aufführt wie die Irren.»

«Nein», antwortete sie. «Es ist nicht alles okay.»

«Also, was auch immer zwischen euch los ist, ich glaube, er hat vor, es heute Abend wiedergutzumachen», sagte Scott.

«Wie kommst du darauf?»

«Er hat mir fünfzig Euro gegeben. Ich soll ins Kino gehen, und Daisy übernachtet bei Tess.»

«Ach so», sagte Lily, teils froh, dass sie endlich Raum haben würden, um zu reden, und teils voller Panik wegen dem, was gesagt werden musste. «Soll ich dich dann gleich bei Josh absetzen?»

«Ja. Und, Mum?»

«Ja?»

«Wie geht es deiner Freundin?»

«Es geht ihr gut», sagte Lily und lächelte. «Sie ist ganz schön launisch, und das bedeutet, sie ist wieder sie selbst.»

«Da bin ich froh», sagte er.

Vor Joshs Haus hielt sie an, und er stieg aus.

«Viel Glück mit Dad», sagte er und lief zum Haus.

Er hatte seine Eltern in den letzten Jahren oft genug streitend erlebt, und die Vermutung lag nahe, dass es diesmal ähnlich ausgehen würde. *Erst sind sie beide wochenlang beleidigt, dann kommt heute Abend der große Knall, danach lenkt Mum ein, und nächstes Wochenende hat sie wieder irgendein neues hübsches Schmuckstück in ihrer Sammlung.* Scott erwartete nicht, dass sich sein Leben in dieser Nacht verändern würde. Doch die größten Veränderungen kommen oftmals völlig unerwartet.

Declan hatte sich direkt nach seiner OP mit dem Privatdetektiv getroffen. Der Typ wartete bereits in seinem Büro. Die Fotos von Clooney und Lily lagen auf dem Tisch. Declan öffnete die Mappe und erblickte seine Frau mit dem Kopf im Schoß eines anderen Mannes. Mit zusammengebissenen Zähnen blätterte er die Bilder durch. Die beiden lächelten sich an, umarmten sich, berührten einander, teilten sich etwas zu essen, tauschten verliebte Blicke. Declan saß hinter seinem Schreibtisch und sah in Farbe vor sich, wie Lily und Clooney sich verliebten.

«Haben sie miteinander geschlafen?», fragte er in ruhigem, sachlichem Tonfall, der dem Mann, den er angeheuert hatte, suggerierte, dass ihm die Antwort im Grunde egal war.

«Nicht, soweit ich weiß», antwortete der Typ. «Ihre Frau ist sehr beschäftigt. Die einzigen Momente, wo sie sich hinsetzt und kurz Luft holt, nimmt sie sich mit ihm.»

«Ich habe Sie nicht danach gefragt, ob sie sich hinsetzt!»

Er blätterte zurück zu dem Foto mit Lilys Kopf in Clooneys Schoß. Seine Hand lag auf ihren Haaren.

Declan stellte einen Scheck aus und entließ den Mann. Der Detektiv ging. Declan saß in seinem Arbeitszimmer, schluckte schwer und bekämpfte mit aller Macht den Drang, aufzuspringen und das Büro zu verwüsten. Er atmete kontrolliert ein und aus und konzentrierte sich darauf, ruhig zu bleiben, doch er konnte seine Emotionen nicht in Schach halten. Das Blut schoss ihm in den Kopf, die Ohren brannten, und sein Puls raste. Er hatte das Gefühl, in Flammen zu stehen. Vollgepumpt mit Adrenalin, hatte er das übermächtige Bedürfnis, sich zu prügeln. Er stand auf und warf den Schreibtisch um. Der Bildschirm ging zu Bruch. Er nahm den Stuhl, schleuderte ihn gegen die Wand und zerschlug dabei das Diplom mit seinem Doktortitel. Er kickte den PC quer durchs Zimmer, und als schon alles in Trümmern lag, trat er ein Loch in die Tür. Dann sammelte er die Fotos ein und ging. Er blieb lediglich stehen, um seine verdatterte, zu Tode erschrockene Sekretärin in beherrschtem Tonfall zu bitten, sich darum zu kümmern, dass jemand den Saustall wieder aufräumte.

Lily kehrte um kurz nach acht Uhr heim. Das Haus war dunkel. Declans Auto stand in der Auffahrt. Sie rief nach ihm, doch sie bekam keine Antwort. Sie zog den Mantel aus und hängte ihn auf, knipste das Licht an und lief die Treppe hinauf ins Schlafzimmer, duschte, zog sich eine bequeme Hose und einen weichen Wollpullover an und ging wieder hinunter. Sie dachte, dass Declan irgendwo saß und schmollte, im Wohnzimmer oder in seinem Arbeitszimmer vielleicht, doch auch dort war alles dunkel. Die Küche war leer. Sie fragte sich, ob er womöglich die Nachbarschaft durchkämmte, um irgendwelchen undankbaren Nachbarinnen ihre Dienste anzubieten, oder ob er joggen war. In der letzten Zeit war er sehr viel gelaufen. Es war ihr egal, sie wollte nur, dass es vorbei war, auch

wenn sie keine Ahnung hatte, wie sie ein Gespräch beginnen sollte, das zum Ende ihrer Ehe führen würde. *Ich
kann einfach nicht mehr.* Außerdem hatte sie Angst, dass er
sie gegen die Wand schleudern oder, noch schlimmer, sich
selbst von der Klippe stürzen würde. In der Vergangenheit hatte er sie schon bei vielen Gelegenheiten mit dieser
Drohung manipuliert, mal dezent und mal weniger dezent.
*Ohne dich muss ich sterben. Ich schwöre bei Gott, Lily, wenn
du jetzt zur Tür rausgehst, schneide ich mir die Pulsadern
auf.* Sie würde ihn bitten zu gehen, und er würde ausflippen. Er würde toben und schreien, heulen und wüten und
danach vielleicht flehen und betteln und drohen, doch sie
würde standhaft bleiben. *Bitte geh einfach. Lass mir Luft
zum Atmen. Lass mich. Ich bin so müde.* Er würde fragen,
was anders geworden wäre, und die Antwort darauf wäre:
«Nichts», und genau das war das Problem. Doch das war
natürlich gelogen. Alles war anders. Sie hatte ihre beste
Freundin wieder, sie hatte erkannt, wie kurz das Leben
war, und sie hatte sich in einen anderen Mann verliebt. Sie
kam sich dumm und schlecht und falsch und selbstsüchtig
vor, und eine Entscheidung allein für sich selbst zu treffen,
fühlte sich so fremd an, dass sie sich nicht sicher war, ob
sie es durchziehen konnte. *Was tue ich, wenn er weint und
bettelt und heult und mich anfleht? Kann ich ihn wirklich
verlassen, obwohl ich weiß, was er durchgemacht hat? Was
sage ich, wenn er die Kinder ins Spiel bringt? Was soll ich
machen, wenn sie mich dafür hassen, dass ich unsere Familie
zerstöre? Was, wenn er nein sagt? Gehe ich dann trotzdem?
Bei wem bleiben die Kinder? Kommen sie mit mir? Können
wir überhaupt irgendwohin? Nein. Er muss gehen. Das kann
er sich weiß Gott leisten. Und wenn er zusammenbricht? Ich
habe es so satt, mich von meinen Schuldgefühlen auffressen*

zu lassen und mich nur noch weit weg zu wünschen. Wieso kommt er nicht endlich nach Hause, damit wir es beenden können? Wo zum Teufel steckst du, Declan?

Als klar war, dass er nicht nach Hause kam, zog sie ihr Nachthemd an und ging ins Bett. *Ich verstehe es nicht.*

Sie hörte ihn nicht hereinkommen. Als sie aufwachte, hielt er ihr mit einer Hand Mund und Nase zu. Er war in ihr. Mit der zweiten Hand hielt er ihre Handgelenke über ihrem Kopf fest. Ihre Schulter gab ein seltsames Geräusch von sich, und Lily wurde vor Schmerzen schlecht. Es war irgendwann frühmorgens. Sie roch seine Alkoholfahne. Ihr Kopf knallte gegen das Kopfteil, ihr Hals war überstreckt, sie bekam keine Luft und hatte das Gefühl, ihr würden die Innereien herausgerissen. Sie versuchte zu schreien, doch es kamen nur erstickte Laute. Er war brutal und gewalttätig und befahl ihr, ihr dreckiges Maul zu halten. Sie rang nach Luft, und ehe es ihr gelang, ihm in die Finger zu beißen, die er auf ihre Lippen presste, dachte sie einen Moment lang, sie würde ersticken. Sie konnte kurz Luft schnappen, ehe er seine Hand wieder auf ihren Mund presste und so fest zudrückte, dass sie Angst hatte, er würde ihr die Nase und die Wangenknochen brechen. Er riss sie herum auf den Bauch und drückte sie fest ins Kissen. Sie fürchtete, endgültig zu ersticken. Dann spürte sie einen messerscharfen, stechenden Schmerz, der ihr den Anus zerriss.

«Na, gefällt dir das, du miese Hure?», rief er und drang wieder und wieder in sie ein, bis sie das Bewusstsein verlor.

Als sie erwachte, hatte sie einen tiefen, blutenden Riss in der Lippe und heftige Kopfschmerzen. Ihre Schulter war ausgerenkt, und ihr After war aufgerissen und blutete. Sie hörte ihn duschen und stand mühsam auf. Auf dem Bett lag aufgeschlagen eine Mappe. Überall verstreut waren Fotos von ihr und Clooney, redend, essend, lachend. Auf manchen waren Spermaspuren, andere waren mit ihrem Blut beschmiert. Ihr Ehemann würde nirgendwo hingehen. Es würde kein Gespräch geben und keine Verhandlungen. Wenn sie jetzt nicht verschwand, würde sie entweder in die Küche hinuntergehen, ihr schärfstes Messer holen und es ihm direkt ins Herz stoßen, oder sie würde noch mal vergewaltigt und misshandelt werden. Lily zog sich ein frisches Höschen an, legte eine Binde ein, um das Blut aufzusaugen, schlüpfte in ein paar Flip-Flops, verließ das Schlafzimmer und schlich die Treppe hinunter. Mit dem unversehrten Arm nahm sie den Mantel vom Garderobenhaken und legte ihn sich um die Schultern, um das blutige Nachthemd zu verbergen. Sie nahm ihre Handtasche, öffnete die Haustür und ging. Langsam und vorsichtig stieg sie in ihr Auto und fuhr zu Eves Wohnung. Sie kannte die Apartmentanlage, auch wenn sie zuvor noch nicht da gewesen war. Sie hatte sich nie Clooneys Telefonnummer geben lassen, weil ihr kein Grund eingefallen war, ihn darum zu bitten, und weil sie viel zu viel Angst davor hatte, dass Declan sie fand. Eve bog in die kleine Seitenstraße ab, in der vor zwei Monaten Ben Logan ums Leben gekommen war, und sah in der Ferne das Apartmenthaus auf der Klippe. Nachdem sie vor dem Gebäude geparkt hatte, stieg sie langsam und unter Schmerzen aus, rückte den Mantel zurecht, umklammerte ihn vorne mit der Faust und ging auf den Hauseingang zu. Sie suchte das Klingelschild nach Eves Namen ab und fand ihn nicht. Doch sie kannte Eve gut genug, um zu wissen, dass sie sich in einer Apartmentanlage mit nicht weniger als dem Penthouse zufriedengeben würde. Sie drückte auf die Klingel. Als niemand antwortete, klingelte sie noch einmal, und diesmal ließ sie den Finger auf dem Knopf.

Clooney antwortete mit verschlafener Stimme, doch sobald er sie schluchzen hörte, war er hellwach. Die Haustür ging auf, und er wartete ungeduldig auf den Lift. Er hüpfte auf der Stelle auf und ab und legte die Hände an die Aufzugtür, als könnte er sie zwingen, sich zu öffnen. Als der Lift sich endlich öffnete, sah er sie: verletzt und blutend und mit eindeutig ausgerenkter Schulter.

«Er hat mich vergewaltigt», sagte sie. «Er hat mich eine Hure genannt, und dann hat er mich vergewaltigt.»

Clooney brachte sie hinein. Stumm führte er sie an der Hand. Sie schützte den verletzten Arm. Sie wusste nicht, ob sie sitzen oder stehen, sich bewegen oder hinlegen wollte. Clooney kniete sich auf den Boden, und sie sah zu ihm hinunter. Er hielt ihre Hand und lächelte sie an.

«Jetzt bist du in Sicherheit», sagte er, und aus ihren brennenden Augen liefen heiße Tränen über das zerschundene, empfindliche Gesicht. Sie schluchzte, die geschwollene Lippe riss auf und fing wieder an zu bluten, und Clooney stand langsam auf, legte seine Wange an ihre und flüsterte ihr ins Ohr, dass sie jetzt bei ihm wäre, in Sicherheit, und dass es kein Zurück mehr gäbe. Als sie wieder etwas ruhiger war, bat er, sich ihren Arm ansehen zu dürfen.

«Er ist ausgekugelt», sagte sie.

«Ich weiß. Wir müssen ihn wieder einrenken.»

«Weißt du, wie das geht?», fragte sie, und Clooney nickte.

«Ich habe mir diesen Schatz hier schon viermal ausgekugelt», sagte er und zeigte auf seine linke Schulter.

Vorsichtig nahm er ihren Arm und drehte ihn behutsam bis zu einem Fünfunddreißig-Grad-Winkel. Der Schmerz war unerträglich, und sie konnte sich einen Aufschrei nicht verkneifen, als das Gelenk wieder an seinen Platz rutschte. Die Schmerzen ließen augenblicklich nach. Sie seufzte und bewegte vorsichtig den Arm.

«Besser?», fragte er.

Sie nickte und sank zu Boden, zog die Knie an den Körper und umschlang sie. Er setzte sich neben sie, und als sie die Hand nach ihm ausstreckte, nahm er sie in seine Arme, hielt sie fest und schaukelte sie sanft, während sie weinte. Nachdem sie eingeschlafen war, trug er sie ins Bett. Beim Zudecken entdeckte er das Blut auf der Rückseite ihres Nachthemdes. Clooney legte sich neben sie, bewachte ihren Schlaf und dachte an all die Dinge, die er Declan antun wollte. Er wollte zu ihm fahren und sein Haus anzünden, und ihn gleich mit. Er wollte ihn auf die Straße zerren und ihn halb totprügeln, ihm die Kleider vom Leib reißen und auspeitschen, ihn mit dem Auto überfahren oder ihm einfach nur ins Gesicht boxen. Die ganze Welt sollte wissen, was er getan hatte. Er wollte mit einem Megaphon durchs Krankenhaus und durch die Nachbarschaft laufen und es laut in die Welt hinausschreien, und er wollte sehen, wie Declan vor dem Richter stand und seine gerechte Strafe empfing. Clooney war wütend, und ihm war schlecht, und plötzlich fragte er sich: *Hat er das schon öfter getan?*

Als Lily aufwachte, hörte sie, wie Wasser in eine Wanne lief und jemand in der Küche hantierte. Eves Bademantel lag auf dem Bett, und Lily zog ihn eilig über, um die Blutflecken zu verstecken. Sie ging in die Küche. Clooney lächelte ihr zu und deutete aufs Sofa. Sobald sie unter der Decke saß, stellte er ihr ein Tablett mit einem kleinen Teller Rührei auf den Schoß.

«Iss.»

«Ich kann nicht.»

«Drei Bissen, nicht auf einmal, und nimm dir Zeit», sagte er. «Aber bitte trotzdem, nur drei Bissen.»

Sie nickte.

Er setzte sich mit seiner eigenen Portion ihr gegenüber hin. Sie spielte mit dem Essen, schob es auf dem Teller herum wie früher, als sie Kinder gewesen waren. Er nahm ihr die Gabel aus der Hand, belud sie mit einer winzigen Portion Rührei und fütterte sie. Sie schluckte runter, und er lächelte.

«Es wartet eine Badewanne auf dich, aber ehe du dich wäschst, müssen wir uns darüber unterhalten, ob du Anzeige erstatten willst oder nicht.»

Sie sah ihn an und schüttelte den Kopf. «Er ist der Vater meiner Kinder», sagte sie.

«Und er hat dich letzte Nacht brutal vergewaltigt.»

«Ich kann nicht.»

«Du weißt, dass ich dich zu nichts zwingen würde, was du nicht willst, Lily, aber du solltest es trotzdem melden.»

Sie weinte wieder. Dicke, stumme Tränen liefen und liefen, brannten rote Spuren in ihr wundes Gesicht, krochen den Hals hinab und tränkten den Kragen ihres Nachthemdes. Clooney stand auf und nahm sie in den Arm.

«Es tut mir leid», sagte sie.

«Das muss es nicht. Es gibt nichts, was dir leidtun sollte.»

«Ich kann nicht», sagte sie.

«Okay, okay.»

Dann fragte er sie, ob es in Ordnung wäre, ein paar Fotos von ihrem Gesicht zu machen. Sie willigte ein. Er führte sie ins Bad, und als sie sich ausziehen wollte, ließ er sie allein, ging ein paar Sachen von Eve holen, betrat das Badezimmer mit dem Rücken zuerst und legte ihr die Sachen auf den Hocker neben der Wanne.

«Wir gehen dir was Passendes kaufen, wenn es dir ein bisschen besser geht», sagte er.

Er nahm das Nachthemd und ging damit hinaus. In der Küche betrachtete er das Blut und die Spermaspuren, faltete das Nachthemd sorgfältig zusammen, schlug es in Frischhaltefolie und steckte es in eine Tüte.

Als sie gebadet und sich Sachen angezogen hatte, die ihr viel zu lang und zu weit waren, bestand er darauf, dass sie ihre Schulter untersuchen ließ. Als sie schließlich zustimmte, rief Clooney Adam an, erklärte, was geschehen war, und bat ihn zu kommen. Adam kam direkt von zu Hause und war innerhalb von einer Stunde da. Er untersuchte ihre Schulter und das Gesicht. An ihren Unterleib ließ sie niemanden heran, und er beharrte nicht weiter darauf, unter der Bedingung, dass sie später einen Gynäkologen aufsuchte. Es war nicht sein Fachbereich, und sie hatte schon genug durchgemacht. Sie konnte kaum gehen und war in einem fürchterlichen Zustand. Ihr Anblick erschütterte ihn zutiefst. Er steckte sie ins Bett und gab ihr ein Schlafmittel.

«Du darfst nichts sagen», sagte sie, als er sich zum Gehen wandte.

«Es wird alles wieder gut», antwortete er und schloss die Tür.

Er gesellte sich zu Clooney in die Küche. Clooney schenkte ihm eine Tasse Kaffee ein, und die beiden Männer saßen schweigend da und wussten weder, was sie tun, noch, was sie sagen sollten.

Nach einer Weile kratzte Adam sich am Kopf. «Wir sollten Anzeige erstatten», sagte er.

«Das können wir nicht.»

«Wir müssen sie dazu bringen, ihre Meinung zu ändern.»

«Ich habe das Nachthemd aufgehoben. Mit seinem Sperma und ihrem Blut drauf.»

«Himmel!», sagte Adam. «Ich habe immer gewusst, dass Declan ein Arschloch ist, aber das ist eine ganz andere Nummer.»

Die beiden verfielen erneut in Schweigen und hingen ihren Gewaltphantasien nach, in denen sie das böse Ungeheuer töteten und die holde Maid erretteten, doch das Unglück war bereits geschehen, und ihnen waren völlig die Hände gebunden, solange Lily nicht einwilligte. Selbst wenn einer von ihnen beiden der Typ dazu gewesen wäre, Declan in seinem Hause oder im Krankenhaus zu stellen und ihn zu verprügeln oder mit dem Baseballschläger zu bearbeiten, bis er selbst eingeliefert werden musste, wem wäre damit geholfen? Es würde Lily nur noch mehr Schmerz bereiten und ihre Kinder unnötig quälen. Wenn sie beide etwas behaupteten und Lily die Geschichte nicht bestätigte, würde Declan sofort auf Verleumdung klagen, und ihnen war klar, dass Lily trotz des Beweisstücks, das Clooney gerettet hatte, niemals Anzeige erstatten würde. Sie hatte es selbst gesagt: Declan war der Vater ihrer Kinder, und sie würde niemals zulassen, dass die beiden erfuhren, zu was für einem abstoßenden, abscheulichen Akt ihr Vater fähig war. Das würde sie ihnen nicht antun. Clooney und Adam waren zwei anständige Männer, die nicht das Zeug dazu hatten, so tief im Dreck zu wühlen, dass Declan es tatsächlich mit der Angst zu tun bekäme. Sie fühlten sich hilflos und waren frustriert. Lily hatte Clooney von den Fotos erzählt, und das hieß, Declan könnte wegen Untreue gegen sie vorgehen, falls es nötig sein würde.

«Aber ihr seid nicht zusammen gewesen, oder?», wollte Adam wissen.

«Nein.»

«Aber du wärst es gern?»

Clooney seufzte. «Ich war vierzehn, als ich mich in Lily verliebt habe, und sie war zwölf.»

«Und ihr wart nie zusammen?»

«In einem einzigen Sommer, vor langer Zeit», sagte Clooney. «Und es endete damit, dass ich sie zu ihm zurückgefahren habe.»

«Das tut mir leid.»

«Wir wollten immer völlig verschiedene Dinge. Sie wollte Familie. Ich wollte Abenteuer. Sie wollte ein Zuhause, ich am liebsten ein Zelt am Strand. Sie wollte nie mehr als ein bisschen Stabilität, und die konnte ich ihr nicht geben.»

«Und jetzt?»

«Ich glaube, ich werde immer der Typ bleiben, der wieder weggeht», sagte Clooney. «Das ändert aber nichts daran, dass ich sie liebe.»

Sie brüteten wieder stumm vor sich hin und dachten darüber nach, wie sie Lily helfen konnten, wieder nach Hause zurückzukehren und Declan aus dem Haus zu kriegen, doch sie kamen beide zu dem Schluss, dass das unmöglich war, solange ihnen die Hände gebunden waren. Wenn Lily ihm nicht mit einer Anzeige drohte, hatte er keinen Grund, zu gehen. Ganz im Gegenteil, Adam war überzeugt davon, dass Declan gerade seinen mickrigen Sieg genoss. Wenn Lily ihn verließ, würde er dafür sorgen, dass sie es mit leeren Händen tat.

«Und wenn wir bluffen?», fragte Adam.

Clooney hob den Kopf.

«Wir könnten doch behaupten, dass sie ihn anzeigt, wenn er nicht verschwindet», erklärte Adam. In dem Moment betrat Lily das Wohnzimmer.

Clooney fragte sich, wie lange sie schon lauschte. Sie machte sich nicht die Mühe, es zu leugnen. Sie zog Eves Bademantel fest um sich, setzte sich aufs Sofa und nahm ein Kissen in den Arm. «Er wird euch nicht glauben. Ihm ist völlig klar, dass die Kinder bei mir immer an erster Stelle stehen. Er wird erst ein bisschen mit euch spielen, dann wird er den Einsatz erhöhen, mir Schimpfnamen geben und euch erzählen, dass ich es gern ein bisschen härter habe. Dabei wird er hoffen, dass einer von euch ihm eins auf die Nase gibt, damit er die Polizei rufen kann, und falls ihr es nicht tut, wird er euch rausschmeißen. Ihr müsst wissen, dass Declan nicht der Meinung ist, er hätte irgendwas falsch gemacht. Man kann einem Menschen, der glaubt, das Recht auf seiner Seite zu haben, schlecht Angst machen.» Sie war völlig ruhig und ihr Tonfall sachlich. Sie kannte den Mann, den sie geheiratet hatte, sehr gut. «Aber danke, dass ihr versucht, mir zu helfen», sagte sie und lächelte. «Ich schaffe das schon», sagte sie. «Das tue ich immer.»

An diesem Tag besuchte Clooney Eve nicht im Krankenhaus. Stattdessen lag er in ihrem Bett und hielt Lily im Arm.

Am frühen Abend fiel Lily ein, dass Daisy abgeholt werden musste. Sie rief Tess' Mutter an, um sicherzugehen, dass Daisy noch eine Nacht bleiben durfte. Die Frau erbot sich, Daisy ans Telefon zu holen, doch Lily lehnte dankend ab, weil sie sich nicht imstande fühlte zu lügen und ihrer zwölfjährigen Tochter noch keine gute Erklärung liefern konnte.

Dann telefonierte sie mit Scott, um zu hören, ob es ihm gut ging.

«Der Alte hatte heute Morgen einen heftigen Kater», sagte er.

«Scott? Ich verlasse deinen Vater», antwortete sie.

«Was?»

«Ich werde einen Anwalt damit beauftragen, ihn schriftlich darum zu bitten, aus dem Haus auszuziehen, aber wenn er sich weigert, kann ich nicht zurückkommen. Ich habe kein Geld. Ich weiß nicht, wo ich bleiben werde, und es kann sein, dass ihr zwei, du und Daisy, eine Zeitlang bei ihm bleiben müsst, bis ich mich irgendwo eingerichtet habe.»

«Du klingst, als würdest du weinen. Weinst du, Mum?»

«Mir geht's gut», log sie. «Es tut mir leid.»

«Das geht doch wieder vorbei», sagte er.

«Nein, Scott. Diesmal nicht.»

«Du kannst ihn nicht verlassen», sagte er, als wären ihre Worte eben erst zu ihm durchgedrungen.

«Ich muss aber.»

«Du musst nach Hause kommen!» Sein Tonfall erinnerte sie an Declan.

«Sprich nicht so mit mir!», sagte sie.

«Warum tust du das?»

«Weil ich es tun muss.»

Er nannte sie eine blöde Kuh, warf ihr vor, einfach so das Leben von allen anderen zu zerstören, und legte dann auf.

Lily biss sich auf die sowieso schon aufgerissene Lippe, und Clooney brachte ihr schon wieder etwas zu essen.

«Kinder», sagte er und stellte eine winzige Portion Fisch mit kleinen Kartoffeln und gedünstetem Gemüse vor sie hin. «Egoistische kleine Ratten, oder?»

Es war das erste echte Lächeln, das über ihre Lippen kam. Sie nickte, nahm die Gabel zur Hand, belud sie, hob sie zum Mund, kaute und schluckte.

Später am Abend lag sie wieder neben Clooney im Bett. Ihr tat alles weh, und sie war völlig erschöpft, doch sie kämpfte darum, wach zu bleiben, und lächelte ihn zaghaft an.

«Jetzt bin ich fast frei», flüsterte sie.

Er beugte sich zu ihr, küsste sie auf den Scheitel und nahm ihr wunderschönes, zerbrechliches Gesicht in seine Hände.

«Ja, das bist du», sagte er. «Und jetzt schlaf.»

10 Schuldzuweisungen

Lil?

Hallo!?!

   Wo steckst du? Seit zwei Wochen kein Wort von dir!
Hast du uns vergessen? Declan flippt völlig aus. Ich habe
ihn noch nie so erlebt. Er hat gesagt, du hättest nicht ange-
rufen, und als ich ihm erzählt habe, dass du auch nicht ge-
schrieben hättest, ist er völlig ausgetickt. Er hat sich übel
mit seinem Vater gestritten, weil der ihm nicht freigeben
will, damit er zu dir runterfahren kann. Ich bin da gewe-
sen! Ich bin in die Werkstatt gegangen, weil ich mit Declan
Pause machen und ein bisschen Krimskrams für meinen
Schmuck zusammensuchen wollte (ich habe im Café sogar
schon ein paar Teile verkauft!), und Declan wollte wissen,
ob ich irgendwas gehört hätte. Ich habe nein gesagt, und da
meinte er, du hättest immer noch nicht angerufen, und dann
hat er angefangen, auf seinen Fingern rumzubeißen, so wie
er es immer macht, wenn er aussieht, als würde er gleich
anfangen zu heulen. Dann ist sein Vater reingekommen und
hat irgendwas Gemeines gesagt, weil ich da war, aber es
war nur halblaut genuschelt, und ich habe ihn nicht genau
verstanden. Aber es war deutlich, dass ihm meine Anwe-
senheit völlig egal war. Declan hat ihm erklärt, dass er frei
bräuchte, weil er wegfahren müsste, aber sein Vater hat ihn
einfach ausgelacht, und da ist Declan ganz nah an ihn ran-

getreten. Ich schwöre, es sah aus, als würde Declan seinem
Vater jeden Moment eins auf die Nase geben, und dann hat
sein Vater sich vor Declan aufgebaut, als würde er Declan
zuerst eins auf die Nase geben. Ich dachte nur noch: Heilige
Scheiße! Aber dann haben sie doch noch geschnallt, dass sie
keine wilden Tiere sind oder dass ich auch noch da war, und
beide haben einen Schritt zurück gemacht. Ich sagte zu De-
clan, ich käme später noch mal wieder, um mit ihm Pause
zu machen, aber das habe ich dann doch nicht getan. Ich
dachte, es wäre das Beste, ihm ein bisschen Freiraum zu
lassen, um wieder runterzukommen. Er war wirklich sauer,
und es war nicht sehr angenehm, das mitzubekommen. Ich
bin dann am nächsten Tag wieder hin, um zu sehen, wie es
ihm geht. Außerdem war mein Vorrat an diesen kleinen
Schraubendingern fast aufgebraucht, aus denen ich schon
einige tolle Armbänder gemacht habe. Ich kann's kaum
erwarten, dir das Zeug endlich zu zeigen! Ich arbeite inzwi-
schen auch noch mit dem alten Trockenofen von Ginas
Vater. Ich habe dir schon ein paar Teile zur Seite gelegt,
und jetzt hat Barry Douglas eine Kette für seine Freundin
bestellt – als ob der eine hätte! Aber eingebildete Freundin
hin oder her, er ist ein zahlender Kunde. Und Rebecca Kelly
möchte ein paar Ohrringe. Ich verlange nicht besonders viel
dafür, wahrscheinlich macht das den Charme aus, aber
trotzdem. Wir könnten uns ein hübsches kleines Geschäft
aufbauen: Declan besorgt das Zubehör, und ich bastle das
Zeug. Ach, und mach dir keine Sorgen, ich habe dein Kleid
für den Abschlussball nicht vergessen. Ich war letzte Wo-
che in der Stadt und habe den Stoff besorgt. Das Material
ist mein Geschenk an dich. Ich hoffe, es gefällt dir. Ich kann
es kaum erwarten, dich darin zu sehen. Egal, zurück zu
meiner Story: Ich bin also wieder in die Werkstatt gegan-

gen, um Declan zu besuchen und die Sachen abzuholen. Ich
wartete, bis sein Vater am Café vorbeigegangen ist. Nach
vier arbeitet der eigentlich nie. Ich brachte Declan ein Stück
Kuchen mit, das sonst im Müll gelandet wäre, und ein
Sandwich, aber er war viel zu aufgewühlt, um zu essen. Er
sagte, sein Vater lässt ihn nicht zu dir runterfahren und
will ihm auch seinen Lohn nicht geben. Ich konnte es nicht
fassen! Kannst du das glauben? Declan hat alle möglichen
Sachen durch die Gegend geschleudert und sich aufgeführt
wie ein eingesperrtes Raubtier. Eben noch ganz ruhig, kriegt
er auf einmal einen solchen Wutanfall, dass es eigentlich
zum Lachen gewesen wäre, wenn ich nicht vor einer Schach-
tel Schrauben hätte in Deckung gehen müssen, die gegen die
Wand flog. Ich verstehe ja seinen Frust, aber dass er immer
gleich so dramatisch sein muss! Jedenfalls ist es mir gelun-
gen, ihn wieder runterzuholen. Ich habe ihm gesagt, dass
ich ihm das Geld leihen würde, falls er was bräuchte.
Schließlich habe ich mit dem Schmuck aus den Sachen, die
er für mich aufgetrieben hat, locker zweihundert Mäuse
verdient. Da hat sich seine Laune auf einen Schlag um hun-
dertachtzig Grad gedreht. Er hat mich hochgehoben und
durch die Luft gewirbelt und mir gesagt, ich wäre die beste
Freundin auf der ganzen Welt. Es war schön, ihn so glück-
lich zu sehen. Ich meinte zu ihm, dass wir sofort Terry den
Touristen holen sollten, um ein Foto davon zu machen, da-
mit wir uns später alle an diesen Moment erinnern können.
Jedenfalls hat seine Mutter Ende nächster Woche einen run-
den Geburtstag, ihren vierzigsten, und bis dahin muss er
hierbleiben, aber direkt danach kommt er zu dir runter. Er
sagte, er würde seinem Vater einen Zettel hinlegen. Ich kann
mir schon vorstellen, wie der reagieren wird. Na ja, wie
auch immer, jedenfalls: gern geschehen. Aber jetzt im

Ernst: Bitte schreib mir! Ich weiß, dass im Restaurant wahrscheinlich viel los ist, mit Colm hast du dich inzwischen sicher auch ausgesöhnt, und außerdem ist Clooney mit seinen Kumpels da, aber ich bin hier oben trotzdem ganz allein – na ja, nicht ganz allein, aber es fühlt sich so an. Letzten Mittwoch war mir so langweilig, dass ich freiwillig mit Danny ins Kino gegangen bin, um Ghost – Nachricht von Sam anzusehen. Es war toll. Da musst du unbedingt reingehen, falls es bei dir in der Pampa überhaupt ein Kino gibt. Gibt es bei dir ein Kino? Und letzten Freitag ist dann endlich Bens Oma gestorben. Sie hat viermal die Letzte Ölung bekommen, was ich ein bisschen seltsam finde. Wenn man an den Krempel glaubt, sollte einmal doch eigentlich genügen, oder? Die Beerdigung war dann am Montag, und Ben ist Dienstag wieder zurückgekommen. Es war so schön, ihn wiederzusehen! Er wirkte müde und muss dringend zum Friseur, aber ansonsten sieht er einfach nur gut aus. Ich hatte völlig vergessen, wie gut. Er kam ins Café spaziert, und ich schwör dir, mein Herz setzte echt einen Schlag lang aus, und mein ganzer Körper kribbelte. Ich liebe dieses Gefühl! Du auch? Auch wenn es mir den Magen zuschnürt – und du weißt, wie gern ich esse! Jedenfalls hatten wir Freitag die Nacht unseres Lebens. Ben hat in der Stadt ein Hotelzimmer gemietet! Danny habe ich erzählt, dass ich auf ein Konzert gehe, und dann sind wir von fünf Uhr nachmittags bis zum letzten Bus dortgeblieben. Es war ein ganz kleines Hotel mit der schlimmsten Tapete, die ich je gesehen habe, und es hat voll nach Rauch gestunken, aber die Laken waren sauber und das Bett groß. Es war so toll! Er bringt mich immer zum Lachen, und ich weiß, wie dämlich sich das anhört, aber bei ihm fühle ich mich richtig schön. Und wenn er mich berührt: AAAAAHHHHH! Trotzdem habe

ich angefangen nachzudenken und bin auf einmal ganz traurig geworden. Ich habe nichts gesagt, weil ich nicht wollte,
dass er auch traurig wird. Mir bleiben nur noch drei Wochen, ehe ich nach London gehe. Er vergisst ständig, dass
mein Semester einen ganzen Monat früher anfängt als bei
allen anderen. Ich erinnere ihn zwar daran, aber ich glaube,
er vergisst es absichtlich wieder. Ich glaube, er will so tun,
als ob alles so weiterginge, und das ist okay. Ich verstehe
ihn. Ich wünschte, ich könnte auch so tun, als ob, aber ich
muss mich vorbereiten. Ich muss mich konzentrieren, denn
das ist mein Traum, solange ich denken kann. Irgendwann
schlief er kurz ein, und ich lag nur da und sah ihn an und
musste weinen, weil ich ihn schon vermisst habe, obwohl er
nur ein paar Zentimeter von mir entfernt lag. Ich dachte,
mir zerreißt es das Herz. Es tat mir richtig weh, und deshalb ging ich ins Bad und weinte dort weiter. Als er aufwachte, kam er zu mir ins Bad, und dann ging es mir gleich
wieder besser. Trotzdem muss ich immer daran denken. Lil!
Drei Wochen sind alles, was uns bleibt. Allein bei dem Gedanken daran wird mir so schlecht, dass ich am liebsten
kotzen würde. Weißt du noch, als wir bei Pauls Vater im
Auto saßen und im Radio «Love Hurts» von Roy Orbison
lief und ich meinte, das wäre der schlimmste Song aller Zeiten? Na ja, er gehört zwar immer noch zu den Top Ten der
schlimmsten Songs aller Zeiten, aber irgendwie verstehe ich
den Text auf einmal. Wenn ich nur daran denke, wie ich in
dieses Flugzeug steige und mein Zuhause verlasse, meinen
Dad, Clooney, dich, die Clique! Aber ich denke, wir kriegen
das schon hin. Wir werden uns schreiben, und zu Weihnachten sehen wir uns alle wieder. Außerdem bleibe ich ja
auch nicht für immer in London. Ich weiß, dass ich traurig
und einsam sein werde, aber ich werde es trotzdem schaf-

fen. Aber wenn ich darüber nachdenke, dass ich Ben verlassen muss, habe ich das Gefühl, ich müsste sterben. Es ist so dumm und übertrieben und erbärmlich, weil ich ihn ja erst so kurz kenne, aber bei dem Gedanken, ihn zu verlieren, bleibt mir die Luft weg. Das gefällt mir nicht. An so einem Punkt wollte ich diesen Sommer definitiv nicht stehen. Trotzdem ist dieser Sommer (mal abgesehen von den letzten zwei Wochen und Bens Oma, möge sie in Frieden ruhen) der beste Sommer meines Lebens. Noch drei Wochen. Kommst du wenigstens rechtzeitig nach Hause, um Auf Wiedersehen zu sagen?

Bitte schreib mir. Ich vermisse dich.

Eve

MORGEN KOMMEN UNSERE NOTEN RAUS!!!
KANNST DU DAS GLAUBEN!?

* * *

Als Lily Daisy abholen wollte, war sie bereits weg. Declan war ihr zuvorgekommen. Sie fuhr zu Jack Donovans Werkstatt und traf ihn dort alleine an. Declan hatte von Scott verlangt, zu Hause zu bleiben und sich um seine Schwester zu kümmern.

«Er ist nicht untätig gewesen», sagte Lily.

«Stimmt es, was Scott gesagt hat? Verlässt du Declan?», wollte Jack wissen.

«Ja.»

«Für einen anderen Mann?» Er sagte es weder boshaft noch verurteilend.

«Für mich selbst.»

426

«Ist er so, wie ich es war?», fragte er und sah sie direkt an. Seine Augen bohrten sich wie ein Laserstrahl in ihre, und sie konnte den Blick nicht abwenden.

«Nein und ja wahrscheinlich. Er hat die Kinder nie angerührt.»

«Und dich?»

«Ein- oder zweimal», sagte sie und senkte den Blick.

«Seiner Mutter habe ich nie etwas getan», sagte er beinahe flüsternd und wischte sich an einem alten Handtuch die Hände ab. Er deutete auf die beiden schäbigen Stühle, auf denen er und Scott immer ihre Mittagspause verbrachten. Sie setzte sich, und er nahm gegenüber Platz.

«Du hast neulich abends gesagt, er wäre das, wozu ich ihn gemacht hätte», sagte er.

Sie nickte. Sie hatte es nicht vergessen.

«Was soll ich sagen? Ich war ein schrecklicher Vater und habe furchtbare Dinge getan, aber irgendwann muss Declan selbst die Verantwortung dafür übernehmen, wer er ist und was er tut.»

«Plötzlich sind Sie der Dalai Lama», sagte Lily kopfschüttelnd. «Ich kann mich noch gut daran erinnern, in welchem Zustand Declan oft war, wenn Sie mit ihm fertig waren. Ich erinnere mich an die Blutergüsse, die Verletzungen und seine Tränen. Ich habe gehört, wie er im Schlaf Ihren Namen schrie. Klar, Sie haben recht, wir sind mehr als die Summe unserer Erfahrungen in der Vergangenheit, und diese reichen zur Entschuldigung nicht aus. Aber manchmal, wenn Declan besonders grausam, paranoid und brutal ist, dann sehe ich ihn an und sehe Sie, als würden Sie direkt vor mir stehen. Er ist Ihr Sohn, Mr. Donovan. Er ist, was Sie aus ihm gemacht haben, genetisch und in sozialer Hinsicht. Mag sein, dass Sie nicht mehr der Narziss oder

Tyrann sind, der Sie mal waren, oder vielleicht sind Sie es nur auf eine andere Weise. Selbst wenn Sie sich durch die Anonymen Alkoholiker von Grund auf geändert haben, oder weil Sie glauben, Gott oder Frieden oder den tieferen Sinn Ihres Lebens gefunden zu haben, dann freue ich mich für Sie. Aber glauben Sie bitte nicht, wir beide könnten jemals Verbündete sein.»

Sie stand auf und wischte sich den Hosenboden ab.

Er erhob sich ebenfalls. «Verstehe», sagte er und machte sich wieder an die Arbeit, und Lily verließ die Werkstatt.

Clooney wartete in dem Café ein paar Häuser weiter. Es hatte sich seit ihrer Jugend und der Zeit, als Eve hier gearbeitet hatte, sehr verändert. Er hatte ihr einen Kaffee bestellt. Sie erzählte ihm, dass Scott zu Hause bleiben musste.

«Was hat er vor?», wollte Clooney wissen.

«Er versammelt seine Truppen», antwortete sie.

Adam hatte angerufen und berichtet, dass Declan sich ein paar Tage freigenommen hatte. Lily musste unbedingt nach Hause, um ein paar Sachen zu holen. Ihr war klar, dass Clooneys Anwesenheit ihrem Mann nur einen willkommenen Vorwand liefern würde, um sie vor den Kindern erneut fertigzumachen, aber sie war viel zu verängstigt, um alleine zu gehen.

Sie parkten vor dem Haus und blieben noch einen Moment im Auto sitzen, bis Lily all ihren Mut zusammengenommen hatte. Sie öffnete die Wagentür, stieg aus und ging den Weg zur Haustür hoch. Clooney folgte ihr dicht auf den Fersen. Sie steckte den Schlüssel ins Schloss. Er ließ sich mühelos umdrehen, die Tür schwang auf, und sie betraten das Haus. Sie hörte Declan in der Küche. Das Radio lief, und er redete mit Daisy. Als sie in die Küche kamen, standen die beiden an der Kochinsel, und Daisy zeigte ihrem Vater, wie man Muffins machte. Überall lagen Backutensilien verstreut, und sie waren von Kopf bis Fuß mit Mehl bestäubt. Declan leckte gerade etwas Glasur von der Gabel, und Daisy machte es ihm nach. Sie starrten Lily an wie einen unwillkommenen Eindringling. Scott kam aus dem Garten herein und starrte sie ebenfalls an. In den gut dreißig Stunden, die seit der Vergewaltigung vergangen waren, war es ihrem Mann gelungen, ihre Kinder gegen sie aufzubringen. *Immer das Opfer, Declan.*

«Was willst du hier, Mum?», fragte Scott. Er war wütend, aber als sein Blick von ihr zu seinem Vater wanderte, machte sich auf seinem Gesicht Besorgnis breit. *Was hast du ihnen erzählt, Declan?*

Clooney tauchte hinter ihr auf und legte seine Hand auf ihre Schulter.

«Was macht *der* denn hier?», wollte Daisy wissen.

«Er ist mein Freund.»

«Wir wissen, wer das ist. Dad hat uns die Fotos gezeigt», sagte Scott.

Sie sah Declan an und hätte am liebsten geschrien: *Hast du ihnen die Fotos mit meinem Blut gezeigt oder lieber die anderen Abzüge?* Doch sie schüttelte nur den Kopf.

«Du bist ein Schwein», sagte sie.

«Du hast Nerven!», antwortete er. «Ihn in das Zuhause unserer Kinder zu bringen.» Er stand direkt hinter Daisy, die Hand auf ihrer Schulter, und musterte Clooney von dort aus. Declan war selbst jetzt ein meisterhafter Manipulant. Hätte er seine zwölfjährige Tochter nicht vor sich positioniert, wäre Clooney vielleicht über die Anrichte gesprungen und hätte ihn zu Brei geschlagen. Declan wusste genau, was er tat. Scott trat zu seinem Vater und seiner Schwester. Die Fronten waren klar.

«Du hast neulich gesagt, dass du gehen müsstest, also geh auch, Mum!», sagte Scott. «Und wo immer du auch landest, wir bleiben hier bei unserem Dad.»

Lily sah ihrem Mann in die Augen. Sie waren eiskalt und verrieten keinerlei Gefühl. Nur ein selbstgefälliger Zug um die Lippen zeigte seine hämische Befriedigung.

Auch wenn sie es nicht schaffte, ihren Kindern zu sagen, dass ihr Vater ein brutaler Vergewaltiger war, hätte sie ihnen doch sagen können, dass er log und sie ihn verließ, weil er ein Tyrann, ein Manipulant und ein paranoider Kontrollfreak war, der sie seit Jahren mental misshandelt hatte, doch sie tat es nicht. Ihre Kinder waren bereits der festen Überzeugung, dass sie eine Schlampe war, die mit einem anderen Mann davonrannte. Ihnen die Bilder zu zeigen, die zwar harmlos, aber trotzdem zweifelsohne verfänglich waren, war nur ein winziges Beispiel für das, wozu Declan fähig war, und obwohl ihre Kinder sie mit Blicken voller Hass und Zorn ansahen, weigerte Lily sich in diesem Moment, zu kämpfen oder sich zu verteidigen. Auf dieses Niveau würde sie nicht sinken. Sie würde ihren Kindern nicht noch mehr schaden, als er es schon mit voller Absicht getan hatte. Das war erst der Anfang. Declan würde die Kinder benutzen, er würde ihnen alle möglichen schrecklichen Märchen erzählen, nur um sie auf seine Seite zu ziehen. Er würde mit aller Macht dafür sorgen, dass die Kinder seinen Schmerz spürten und ihn bemitleideten, genau wie sie selbst es so viele Jahre lang getan hatte. Er würde es ihnen unmöglich machen, ihn zu verlassen, doch Lily konnte nicht bleiben. Sie ließ ihre Kinder in den Fängen eines waidwunden Wolfs zurück und konnte nichts tun, außer Geduld zu haben, die rechte Zeit abzuwarten, ihre Kinder wissen zu lassen, wie sehr sie sie liebte und wie leid es ihr tat, dass sie egoistisch war und sich an die erste Stelle setzte, ehe es endgültig zu spät war. In diesem Augenblick gab Lily sich das feste Versprechen, ihre Kinder zurückzuholen. Sie selbst hatte sie dazu erzogen zu erkennen, was echte Liebe war, und auch wenn sie die beiden ein wenig verwöhnt hatte, waren sie trotzdem gute Kinder, die ihr irgendwann verzeihen würden.

«Okay», sagte sie. «Verstehe. Ich möchte nur, dass ihr wisst, dass ich euch beide liebe und immer für euch da sein werde.»

Wahrscheinlich gab ihr nur der Glaube daran die Kraft, in den ersten Stock hinaufzugehen und ihren Schrank zu leeren. Während Clooney Wache hielt, füllte sie drei Koffer mit allem, was sie besaß. Den Schmuck nahm sie nicht mit. Bis auf ein paar Perlenketten, die Daisy im Kunstunterricht für sie gemacht hatte, ließ sie alles da. In einen Koffer packte sie Fotoalben und die alte Schuhschachtel mit Eves Briefen und Bildern. Zwanzig Minuten später war sie bereit zu gehen. Die Kinder blieben bei ihrem Vater in der Küche, und Lily ging, ohne sich zu verabschieden.

Sie sah nicht, wie Declan seine Tasse in die Spüle pfefferte und nach oben rannte, sobald sie gegangen war. Sie sah nicht, wie Daisy weinte und Scott nach der Hand seiner kleinen Schwester griff. Sie wurde nicht Zeugin, wie ihr Sohn binnen einer einzigen Nacht erwachsen wurde, weil er instinktiv verstand, dass er ab jetzt die Rolle seiner Mutter übernehmen musste, die darauf vertraute, dass er sich an all die unzähligen verregneten Nachmittage erinnerte, als sie dem kleinen, neugierigen Jungen, der noch gern Zeit mit seiner Mutter verbrachte, das Kochen beigebracht hatte, während er auf dem Küchentresen hockte. Lily sah nicht, wie er morgens seine Schwester weckte und auf dem täglichen Weg in die Werkstatt verlässlich die Hemden seines Vaters in die Reinigung brachte und wieder abholte. Sie hörte nicht, wie Declan seine Launen an den Kindern ausließ, wenn er so sehr in Selbstmitleid versank, dass er sich nur Erleichterung zu verschaffen wusste, indem er den Schmerz, den er spürte, weitergab. Sie hörte die hässlichen Dinge nicht, die er sagte, wenn er ihnen die Schuld daran gab, dass ihre Mutter mit einem anderen Mann durchgebrannt war.

«Wenn ihr bessere Kinder gewesen wärt, klüger, fröhlicher.»

«Wenn ihr nicht so große Klappen hättet.»

«Wenn du nicht jeden Tag von morgens bis abends auf diesem dämlichen Klavier rumklimpern würdest.»

«Wenn ihr beide nicht eine so dermaßen abgrundtiefe Enttäuschung wärt.»

In diesen ersten Nächten lag Lily allein in Eves Schlafzimmer wach, fragte sich, wie das Leben ihrer Kinder ohne sie war und wie lange es dauern würde, bis sie ihr gestatten würden, es wieder ein bisschen besser zu machen. *Ich muss alles besser machen.*

Nach jenem ersten Tag und der ersten Nacht, als Clooney sie im Arm gehalten hatte, ihr flüsternd Mut gemacht, sie sanft auf den Kopf geküsst und ihr Haar gestreichelt hatte, hielt er sich im Hintergrund. Er gab ihr Raum, um zu heilen, seelisch und körperlich. Auf keinen Fall wollte er sie verletzen, Druck auf sie ausüben oder ihr Angst machen. Lily ging durch eine ganz besondere Hölle, eine Hölle, die für Mütter reserviert war, die von ihren Kindern getrennt waren. Clooney hatte das schon oft gesehen, aus ganz unterschiedlichen Gründen, und trotzdem sah es immer gleich aus. In ihrem Blick lagen Resignation und Schuld, die er ihr auszureden versuchte, obwohl er wusste, dass es ihm nicht gelingen würde. In jenen ersten Tagen blieb Lily für sich, bis auf die Mahlzeiten, wenn er dafür sorgte, dass sie sich an den Tisch setzte und aß, ganz gleich wie wenig sie herunterbekam. Lily musste ihre Dämonen bekämpfen, und er trat in den Hintergrund, gab ihr geduldig die Zeit, ihren Kampf zu führen, und wartete auf den Tag, da sie den Sieg davontrug.

Eve war weniger geduldig. Nach neun Wochen im Krankenhaus wollte sie nun endlich unbedingt entlassen werden. Sie war rastlos und gelangweilt, und obwohl sie immer noch schwach auf den Beinen war, hatten die Physiotherapeuten ganze Arbeit geleistet und ihre Mobilität zumindest teilweise wiederhergestellt. Das Laufen bereitete ihr große Schwierigkeiten, die Schulter schmerzte noch immer, und sie litt an Muskelschwund, aber sie konnte sich den täglichen Hausbesuch eines privaten Physiotherapeuten leisten. Die zweite Schulteroperation, von der Adam lange gesprochen hatte, erwies sich endgültig als unnötig, und wenn sie nach Hause kam, würden sich gleich zwei Menschen um sie kümmern.

Adam überbrachte ihr die Neuigkeiten, dass Lily Declan verlassen hatte. Declan hatte mit seinem Angriff bis zu Lilys letztem Arbeitstag gewartet. Sie hatte eine Woche frei, und als Clooney nicht kam, hatte Eve sich nichts weiter dabei gedacht. Sie vermutete, er würde einfach einen Tag freimachen, vielleicht um Paul zu helfen, der von Simones Liste zu erledigender Hochzeitsvorbereitungen völlig überfordert war. Sie befand sich gerade in London, um mit ihren Modelfreundinnen einen vorzeitigen Junggesellinnenabschied zu feiern. Die beiden planten eine kleine Trauungszeremonie mit einer weiblichen Standesbeamtin im Restaurant eines Hotels in Westport. Die Feier würde im Atlantic Coast Hotel & Spa stattfinden, danach stand im Blue Wave Restaurant ein feierliches Abendessen auf dem Programm, gefolgt von Musik und Tanz in Fishworks Bar & Café. Und die besonders trinkfesten und hartgesottenen Hochzeitsgäste würde dann noch ein Bus zu einer spätabendlichen, traditionell irischen Session zu Matt Molloy's Bar bringen.

«Wieso in Westport?», hatte Eve Paul gefragt.

«Um meine Mutter zu ärgern.»

«Und warum keine kirchliche Trauung?»

«Aus demselben Grund.»

Bei der Vorstellung musste Eve lachen, und sie freute sich, dass Paul sich auf die Art gegen seine Mutter auflehnen konnte. Eve war nie mit ihr warmgeworden.

Als sie wissen wollte, wie er auf das Hotel gekommen wäre, verriet er ihr, dass er und Simone dort ihr erstes gemeinsames Wochenende verbracht hätten und sie seitdem noch häufiger dort gewesen wären. Der Wellnessbereich wurde von Dr. Thomas, einem indischen Ayurveda-Arzt, geleitet. Er therapierte mit warmen Ölgüssen und Massagen und stellte individuelle Diätpläne und Ratschläge für den Alltag zur Verfügung, die Heilungsprozesse unterstützten und für Balance und ganzheitliche Gesundheit sorgten.

«Es geht darum, was du isst und wann du es tust», erklärte Paul. «Es hängt alles mit unserem Vata, Pitta und Kapha zusammen.»

«Mit wem?», fragte Eve verständnislos.

«Wir bestehen alle entweder aus Vata – Luft und Äther, Pitta – Feuer und Wasser oder Kapha – Wasser und Erde.»

«Aha. Klingt ja toll», sagte Eve sarkastisch, während sie den Kopf schüttelte und die Augen verdrehte.

«Ayurveda ist die Mutter der Medizin», sagte er. «Versuch's doch einfach. Wenn es irgendwer nötig hat, wieder ins Gleichgewicht zu kommen, dann bist das ja wohl du.»

Eve, die immer noch in einem Krankenbett saß, hatte die Nase voll von Ärzten und Pflegern und davon, gepiekt, umsorgt und gestupst zu werden. Sie machte Paul klar, dass sie fürs Erste mehr als genug medizinischen Beistand genossen hatte.

«Glaub mir. Die Massagen sind himmlisch, und sie unterstützen deinen Heilungsprozess.»

Sie lachte. «Du solltest fürs Fremdenverkehrsamt arbeiten!», sagte sie, ehe sie ihm gestand, dass es für sie die reinste Horrorvorstellung war, massiert zu werden. Die Physiotherapie kam immer noch einer Folter gleich, und die Vorstellung, dass eine Inderin auf ihrem Rücken spazieren ging, war schrecklich.

«Erinnerst du dich noch an den Sommer, als wir alle mit der Schule fertig waren?», fragte er sie.

Wie könnte sie den je vergessen? Dieser Sommer war ihr in jüngster Zeit wieder äußerst klar in Erinnerung.

«An das Rugbyspiel im August?», fuhr er fort. «Das Freundschaftsspiel gegen die Jungs von Dun Laoghaire?»

«Ja. Ich erinnere mich daran. Du hattest dir das Knie ausgerenkt.»

«Also eigentlich hat mir ein Typ namens David Sweeney mein Knie ausgerenkt. Und zwar, weil ich ihm vorher in einem Schwulenclub begegnet war, wir uns geküsst hatten und ich ihn wieder küssen wollte, aber er war damals noch viel weiter entfernt davon, sich zu outen, als ich, falls das überhaupt möglich war. Vor dem Spiel hatten wir eine Aussprache.»

«Was? Du bist damals schon in Schwulenclubs gegangen? Ich dachte, du hättest deine erste schwule Erfahrung im College gemacht.»

«Darum geht es jetzt überhaupt nicht.»

«Das ist mir doch egal.»

«Er war sauer, und als er angriff, tat er es richtig. Er hat damals wirklich großen Schaden angerichtet.»

«Okay?»

«Und seitdem leide ich permanent unter Schmerzen im Knie.»

«Spielst du deshalb so schlecht Tennis?», fragte Eve grinsend.

«Ich habe Arthrose im Knie», sage er. «Und nach einer einzigen Sitzung bei Dr. Thomas waren die Schmerzen weg, und sie kamen nicht wieder zurück. Das ist kein Witz! Eve, du musst aufpassen. Wenn du deine Reha nicht ernst nimmst, kann das unter Umständen wirklich schlimme Folgen haben. Er kann dir helfen. Ich meine es ernst.»

«Ach, dann geht es bei der Hochzeit also in Wirklichkeit um mich?», fragte sie.

«Nein. Es geht nur um uns, aber du kannst ja trotzdem davon profitieren.»

«Deine neue offene, Anteil nehmende Art geht mir ziemlich auf die Nerven.»

«Gewöhn dich nicht zu sehr daran.»

Sie zuckte die Achseln. «Wie du meinst.»

Als Adam am Nachmittag zu ihr kam, setzte er sich zu Eve ans Bett. Sie war gut gelaunt und konnte es kaum erwarten, von ihm zu hören, wie und wann genau ihre Entlassung endlich vonstattengehen würde. Er war still und bleich und lächelte nicht, obwohl Adam immer lächelte, wenn er sie sah.

«Was?», fragte sie und befürchtete einen Augenblick lang, dass irgendetwas ihre Entlassung in nächster Zukunft doch noch verhinderte.

«Es geht um Lily», sagte er.

«Was ist mit Lily?»

Ihr Herz fing an zu rasen, denn sie hatte diesen Tonfall schon öfter in ihrem Leben gehört: damals, als ihre Mutter und ihr Vater krank geworden waren, und auch, als Ben nur noch ein Organspender war. *Sag es mir!*, schrie sie innerlich, doch es kam kein Ton heraus. Sie wappnete sich gegen das Schlimmste. Adam fühlte sich sichtlich unwohl und war unsicher. Er wusste nicht, ob er Lilys ältester Freundin die sehr privaten Neuigkeiten über Lily erzählen durfte. Doch schließlich wohnte Lily momentan in ihrem Apartment und war ganz offensichtlich ihrem Bruder zugetan. Außerdem fühlte er sich Eve verbunden, nicht nur als ihr Arzt, sondern auch als Freund. Wenn er ehrlich war, fühlte er sich zu ihr hingezogen und war vielleicht sogar ein bisschen in sie verliebt. Er war es ihr schuldig, die Wahrheit zu sagen, und die beiden Menschen, die sich im Augenblick in ihrem wunderschönen, sterilen Penthouse mit Meerblick aufhielten, schuldeten ihr ebenfalls die Wahrheit. Außerdem wollte er ihre Meinung hören. Eve sah die Dinge immer so klar und unverstellt. Er wusste nur nicht, wie er es sagen sollte. Es verursachte ihm regelrecht körperliches Unbehagen. Die Worte schienen in seiner Kehle festzustecken, und er konnte ihr die Ungeduld vom Gesicht ablesen.

«Er …»

«Er was?» Sie wusste sofort, dass Declan etwas getan hatte.

«Er …»

«Leidest du etwa plötzlich an einer Sprechblockade? Was?»

«Er hat sie vergewaltigt.»

Eve wurde auf einen Schlag bleich. «Woher weißt du das?» Sie klang heiser. Ihre Stimme zitterte ein wenig, und jemand, der sie nicht gut kannte, hätte es sicher nicht bemerkt. Doch Adam fand, dass er sie nach den neun sehr intensiven Wochen, die sie miteinander verbracht hatten, inzwischen ziemlich gut einschätzen konnte.

«Er hat ihr die Schulter ausgerenkt, Lippen und Gesicht waren geschwollen, er hat sie unten …» Er war zwar Arzt, aber er konnte es trotzdem nicht aussprechen, weil Lily seine Freundin war. Obwohl sie verheiratet war, sich wahrscheinlich in Eves Bruder verliebt hatte und obwohl er selbst inzwischen Gefühle für Eve hegte, lag Lily ihm sehr am Herzen. Die Vorstellung, wie sie gelitten hatte, war für ihn unerträglich.

«Wo ist sie jetzt?» Eve schaltete augenblicklich in ihren Organisationsmodus.

«In deiner Wohnung.»

«Wo sind die Kinder?»

«Bei ihm.»

«Sie können auch nicht alle in der Wohnung leben», sagte sie. «Wo ist Clooney?»

«Er kümmert sich um Lily.»

«Okay», sagte sie und nickte. «Um den Rest kümmere ich mich.»

«Überrascht dich das gar nicht? Bist du gar nicht schockiert?»

«Nein. Es überrascht mich nicht», sagte sie. «Und Declan Donovan hat mich bereits vor sehr langer Zeit zum ersten Mal schockiert. Wie geht es ihr?»

«Sie behauptet, es ginge ihr gut.»

«Sie wird es packen. Sie ist im Handumdrehen wieder sie selbst. Wenn das passieren musste, um sie endlich von ihm wegzukriegen, auch gut.»

«Er hat die Kinder. Er wird versuchen, sie zu vernichten, und sie will die Vergewaltigung nicht nutzen, um zurückzuschlagen.»

«Verstehe. Keine Sorge, um den kümmere ich mich», sagte sie.

Als Adam sicher war, dass Eve nicht vorhatte, einen Killer zu engagieren, ließ er sie allein, damit sie anfangen konnte zu telefonieren und die Sache in die Hand zu nehmen. Hier lag Eves große Begabung. Der Unfall hatte ihr mit Gewalt die Kontrolle über ihr Leben entrissen, und neun Wochen waren eine viel zu lange Zeit. Die Zicke war zurück.

Sieh dich vor, Declan, jetzt komme ich, du widerliches Arschloch!

Vier Tage nach der Vergewaltigung wurde Eve endlich entlassen. Der Neurologe kam zu einer letzten Visite und stellte Frage um Frage, ehe Adam endlich die Entlassungspapiere unterschrieb. Sie antwortete ihm zum größten Teil wahrheitsgemäß, aber bei einigen Fragen log sie doch. Sie wollte endlich da raus!

«Ist Ihnen manchmal schwindlig?»

«Nein.»

«Sehen Sie Doppelbilder?»

«Nein.»

«Muskelzuckungen?»

«Nein.»

«Veränderter Geruchssinn?»

«Nein.»

«Was ist mit den Kopfschmerzen?»

«Die hatte ich schon immer.» Eve war sich absolut im Klaren darüber, dass die Krankenakte voll war mit ihren dämlichen Kopfschmerzen. «Lassen Sie mich einfach gehen.»

Abby schob sie im Rollstuhl zum Ausgang. Adam ging auf ihrer einen Seite, Clooney auf der anderen, und zu Hause wartete Lily auf sie. Eve war aufgeregt. *Wir sind alle wieder zusammen, Clooney. Genau wie früher.* Aber abgesehen von dieser unglaublichen Freude war sie traurig und wütend und bereit für die Schlacht.

Clooney und Eve waren sich in vieler Hinsicht absolut unähnlich, während Clooney und Lily zahlreiche Gemeinsamkeiten hatten. *Immer den rechten Weg beschreiten.* Eve war mit genau der gegenteiligen Einstellung zur Multimillionärin geworden. Nicht das Geld interessierte sie, sondern das Spiel, und sie verlor nie. Ihr Schmuck wurde von jeder ehrbaren Persönlichkeit und jedem Star im Rampenlicht getragen, ihre Kollektionen waren auf allen Laufstegen von Mailand, Paris, New York und London zu sehen, und so etwas geschah nicht rein zufällig. Dies war das Resultat vieler Jahre harter Arbeit und einer knallharten Einstellung. Eve hatte den wirtschaftlichen Abwärtstrend vor allen anderen kommen sehen und sofort eine Linie entworfen, die für den Vertrieb über eine führende amerikanische Supermarktkette gedacht war. Die Mitglieder des Firmenvorstandes bekämpften jeden einzelnen ihrer Schritte, doch sie ließ nicht locker, bot ihnen allen die Stirn, und ihre Firma wurde vom Haute-Couture-und-Schmuck-Millionen-Dollar-Unternehmen zum Haute-Couture-und-Billigschmuck-Millionen-Dollar-Unternehmen. Eve legte all ihre Leidenschaft und ihr Herzblut in ihre schöpferische Arbeit, doch zugleich war sie eine eiskalte, berechnende Unternehme-rin. Sie gehörte zu den Menschen, die nie verlieren, weil sie nicht zulassen, dass sich ihrem Sieg irgendetwas in den Weg stellt. Declan Donovan hatte im Sommer 1990 nur ge-wonnen, weil sie damals naiv gewesen war und Lily nicht mehr verletzen wollte als unbedingt nötig. Der Plan, den sie jetzt aushecke, war auch deswegen so zuckersüß, weil sie Declan endlich doch noch schlagen und gleichzeitig ih-rer Freundin helfen konnte. *Geduld zahlt sich aus.*

Der Tag, an dem Abby sie mit Adam zur Rechten und Clooney zur Linken aus dem Krankenhaus schob, bedeutete für Eve einen großen Triumph. Die Glastüren glitten auf, und unter einem strahlend blauen Himmel und der gleißen-den Sonne rollte sie hinaus auf den Parkplatz, den sie so lange von ihrem Fenster aus beobachtet hatte. Ein kleiner Teil von ihr geriet ein wenig in Panik, weil sie nun den Ort verließ, an dem Ben seine letzten Tage verbracht hatte und schließlich gestorben war. Sie ließ den Ort hinter sich, an dem sie von ihm Abschied genommen hatte. *Ich komme raus, Ben. Ich verspreche dir, wenn die Zeit gekommen ist, bringe ich den Roten Unhold hinter Gitter. Es ist zwar nicht viel, aber zumindest das kann ich tun.* In ihrer Wohnung wartete Lily auf sie, und nach allem, was geschehen war, konnte Eve kaum erwarten, sie endlich wiederzusehen. Sie vermisste sie, sie wollte sich um sie kümmern und alles wie-dergutmachen. Als der Rollstuhl am Ende des Gehsteigs an-gelangt war, bestand sie darauf, die Krücken zu benutzen, die quer über ihrem Schoß lagen. Mühsam schlurfte sie zu dem parkenden Wagen, stieg ungeschickt ein und schnallte sich an. Als sie endlich saß, machte sie das Fenster auf und warf dem Gebäude, in dem sie mehr als zwei Monate lang zu Hause gewesen war, einen letzten Blick zu.

Adam beugte sich hinein.

«Und schikaniere deinen Physiotherapeuten nicht!», warnte er sie.

«Komm nicht zu spät zum Abendessen», antwortete sie.

«Welches Abendessen?»

«Meine Willkommensfeier», sagte sie und sah ihren Bruder an. «Du hast mir eine Willkommensfeier versprochen!»

Clooney lächelte. «Natürlich gibt es ein Abendessen. Morgen Abend, alle kommen und, ja, Adam ist natürlich auch eingeladen.»

Adam lächelte. «Ich freue mich schon.»

«Ach, übrigens: Du bist nicht mehr mein Arzt.»

«Es gibt noch ein paar Nachuntersuchungen», sagte er.

«Scher dich zum Teufel, Adam, ich gehe in eine Privatpraxis.» Sie winkte, und Clooney fuhr davon.

Adam sah ihnen lachend nach, und während er winkte, überlegte er, wie es wäre, mit ihr zu schlafen, wenn sie nicht mehr so empfindlich war und sich in ihrer Haut wieder wohler fühlte. Wie lange es bis dahin noch dauerte, konnte er nicht sagen. Jeder heilt in seiner eigenen Geschwindigkeit, ob seelisch oder körperlich. Er hoffte nur, dass sie seiner in der Zwischenzeit nicht überdrüssig wurde. *Ich glaube, das mit uns könnte wirklich was werden.*

Zu Hause wurde Eve von Lily sehnlichst erwartet. Überall in der Wohnung standen Blumen, um etwas Farbe hineinzubringen. Eve mochte zwar eigentlich keine Blumen, doch sie konnte das Bedürfnis ihrer Freundin nachvollziehen, ihre Wohnung weniger steril und etwas wohnlicher zu gestalten. Für Eve waren das kühl blaue Meer, das grüne Gras, die warme gelbe Sonne, strömender Regen oder grauer Himmel das ganz Besondere an diesem Appartement mit den hohen Räumen und den verglasten Wänden, doch

Lily stand mehr auf Kitsch und Gemütlichkeit. Sie mochte farbige Wände, Blumen, Kühlschrankmagnete, Bilder, Fotos und Unordnung in einem Maße, dass sie das Leben einer Familie widerspiegelte. Eve hingegen liebte klare Linien, leere Flächen und starke Architektur. Auf dem Sofa lagen ein paar neue Kissen, und auf dem Kamin, der den Küchenbereich vom Wohnzimmer trennte, stand in einem kleinen braunen Holzrahmen ein verblasstes Foto. *Das muss weg*, war ihr erster Gedanke, ehe sie sich besann und darüber nachdachte, wieso und wo Lily dieses Bild all die Jahre über aufgehoben hatte. Als sie den Rahmen zur Hand nahm, um sich das Bild mit den beiden Mädchen auf der alten Schaukel näher anzusehen, hätte sie am liebsten geweint.

«Wer am höchsten schaukelt, hat einen Wunsch frei!», hatte Eve immer gerufen. «Mir fällt nichts ein, mir fällt nichts ein», hatte Lily jedes Mal verzweifelt geantwortet, während sie höher und höher schwangen, und wenn sie dann am höchsten Punkt angelangt waren, schrie Lily aus voller Lunge: «Ich hab dich lieb, Eve Hayes!»

«Ich hab dich lieb, Lily Brennan!»

Beim näheren Hinsehen entdeckte Eve hinter Lily ganz blass ihren Bruder, der Lily anschubste. Lily und Clooney grinsten beide das typische breite Fotogrinsen, während sie selbst mit fest verschränkten Armen dasaß und ein Gesicht machte wie sieben Tage Regenwetter. Clooney war etwa sieben, und sie und Lily dann wahrscheinlich fünf Jahre alt. Sie konnte sich tatsächlich noch an diesen Tag erinnern. Ihre Mutter hatte mit viel gutem Zureden den Fotoapparat bedient, während ihr Vater hinter ihr stand, albern winkend auf und ab hüpfte und sich aufführte wie ein Idiot. Clooney und Lily fanden es lustig, Eve nicht.

Armer Dad. Bei der Erinnerung an seine Grimassen und den einbeinigen Affentanz musste Eve lächeln, aber nur einen Augenblick lang, dann kehrte der Wunsch zurück, das Bild zu entfernen. *Sentimental, aber scheußlich.* Sie hatte absichtlich kein großes Theater gemacht, als der Lift sich öffnete und sie und Lily einander begrüßten. Eve umarmte ihre Freundin lediglich und sagte, wie schön es sei, wieder zusammen zu sein. Lily wirkte niedergeschlagen. Ihre neue Wirklichkeit machte ihr offensichtlich sehr zu schaffen. Eve reagierte auf komplexe Emotionen, die sie nicht kontrollieren oder verstehen konnte, grundsätzlich mit praktischer Geschäftigkeit. Sie ließ sich auf ihr hartes weißes Ledersofa fallen und umarmte eins von Lilys lila Fellkissen, und zwar nur, weil ihr alles weh tat und ihr Sofa zwar ein Kunstwerk, aber trotzdem irgendwie unbequem und abweisend war.

Lily reichte ihr eine Tasse frisch gebrühten Kaffee, und Clooney stand unschlüssig herum.

«Ich hab dich lieb, Lily Brennan», sagte Eve plötzlich.

Lily war völlig überrumpelt, und ihr stiegen Tränen in die Augen.

«Und es wird alles wieder gut», sagte Eve. «Dafür werde ich sorgen.»

Lily nickte. «Du hast dich immer um mich gekümmert», sagte sie und musste daran denken, wie sie in der Schule wegen ihres mediterranen Teints und den weichen, braunen Lippen gehänselt worden war. «Aber jetzt bin ich ein großes Mädchen.»

«Mach dich nicht lächerlich. Du bist winzig», sagte Eve und grinste.

Lily bedankte sich für die Gastfreundschaft, zog sich zeitig ins Gästezimmer zurück und ließ die Geschwister allein. Sie machten es sich auf der Dachterrasse bequem, und mit Blick auf das schwarze Meer erzählte Clooney Eve bei einer Flasche Wein in groben Zügen, was Declan getan hatte.

«Steht unser Haus noch zum Verkauf?», fragte sie.

«Ja, als der potenzielle Käufer vor ein paar Wochen einen Rückzieher gemacht hat, wurden die Schilder wieder aufgestellt.»

«Dann müssen wir sie noch mal eine Weile wegnehmen.»

«Für Lily?»

«Für Lily und die Kinder.»

«Scott und Daisy halten sie für den Teufel persönlich», sagte Clooney kopfschüttelnd. «Er hat sie total manipuliert.»

«Die kommen schon wieder zur Vernunft», sagte Eve. Ihr Tonfall ließ keinen Zweifel daran, dass sie notfalls nachhelfen würde, falls es nicht von selbst geschah.

«Eve!», sagte Clooney warnend.

«Und er kommt auch noch zur Vernunft.»

«Eve!»

«Überlass das mir.»

«Tu bitte nichts, was Lily dann bedauern wird», sagte er.

«Versprochen.»

Sie saßen gemeinsam unter einem Heizstrahler in der kühlen Abendluft, beobachteten die schwarzen Wogen, und als die Flasche leer und Eve betrunken genug war, um ihrem Bruder zu gestatten, sie zu stützen, gingen sie hinein.

«Ich kann laufen. Es tut nicht weh, es tut nicht weh! Hätte ich mich doch bloß schon viel früher besoffen», sagte sie, schwankte auf den Krücken zur Kommode im Schlafzimmer und nahm ein frisches Nachthemd heraus. Sie roch

dran. «Mhm! Der Duft nach Zedernholz statt Krankenhaus-
gestank!»

Sie wankte zu ihrem Schminktisch. Clooney folgte ihr
voller Sorge, sie könnte stürzen, aber das tat sie nicht.
Schließlich scheuchte sie ihn hinaus.

«Gute Nacht. Geh ins Bett! Mir geht es gut.»

«Es ist schön, dass du wieder zu Hause bist», sagte er,
schloss die Tür und überließ sie zum ersten Mal seit über
zwei Monaten völlig ihrer Privatsphäre.

Clooney richtete sich auf der Ausziehcouch in Eves
Arbeitszimmer das Bett. Er fragte sich zwar, warum seine
Schwester in einem Büro, das lediglich eine Treppe von ihrem Schlafzimmer entfernt lag, eine Ausziehcouch brauchte,
doch da Eve praktisch jahrelang in ihrem Büro übernachtet
hatte, konnte sie sich wahrscheinlich nicht so leicht von alten Gewohnheiten trennen. Ehe er schlafen ging, schaltete
er ihren PC ein und ging auf Facebook. Er hatte ein paar
Nachrichten von Leuten, mit denen er zusammenarbeitete,
und von Freunden, die er im Laufe der Jahre kennengelernt
hatte. Er schrieb ein paar Kommentare und sah sich einige
neu gepostete Fotos an. Mark Grey, ein Typ, den er bei
diversen Projekten immer wieder getroffen hatte, hatte in
Genf einen Bürojob angenommen, nachdem er Barbara Cas-
hin, eine von Clooneys Exfreundinnen, geheiratet hatte. Er
hatte ein paar Fotos von ihrem frisch geborenen Sohn Lau-
rence eingestellt. Auf einem Bild hielt Barbara ihren Sohn
im Arm und strahlte in die Kamera, und ein weiteres zeigte
die ganze glückliche Familie: Vater, Mutter und Sohn. Mark
war zwar ein bisschen älter geworden, doch er strotzte vor
Stolz und strahlte wie ein Honigkuchenpferd. Clooney hatte seit Jahren beruflich nichts mehr mit Mark oder Barbara
zu tun gehabt. Er und Mark hatten sich in Kenia eine kleine

Wohnung geteilt, und Barbara war zu der Zeit Clooneys Freundin gewesen, doch als offensichtlich wurde, dass sie mehr wollte als eine Affäre, beendete er es. Barbara nahm ihm das sehr übel, und eine ganze Weile sprachen sie nicht miteinander. Clooney verließ Kenia, ließ Mark und Barbara zurück, und sie trafen sich das nächste Mal erst 2005 wieder, als jede hartgesottene, erfahrene und fähige Hilfsorganisation nach dem Tsunami ihre Leute nach Indonesien entsandte. Dort liefen sie einander in Aceh zufällig über den Weg, und damals waren die beiden bereits verlobt. Barbara hatte Clooney halbwegs verziehen, und Mark freute sich, seinen alten Kumpel wiederzusehen. Seitdem waren sie in Kontakt geblieben. Auf den Fotos wirkten die beiden glücklich und zufrieden, und der Anblick war schön und ein bisschen beunruhigend zugleich. Im Laufe der Jahre waren die meisten Leute, mit denen Clooney angefangen hatte, auf die ein oder andere Weise sesshaft geworden und arbeiteten entweder innerhalb der Hilfsorganisationen in ihrer Heimat oder in den Hauptstadtzentralen in Europa oder Amerika. Nur wenige von ihnen reisten immer noch von Front zu Front, von Land zu Land, von Job zu Job. Er wurde im Dezember vierzig, und er war zwar müde, aber noch nicht müde genug, um Mark um sein neues, geregeltes Vorstadtleben mit Gartenzaun und bezahltem Urlaub zu beneiden. *Viel Glück, Mann, aber meins ist das nicht.*

Dann öffnete er seinen E-Mail-Account. Er hatte drei neue Nachrichten. Zwei stammten von Stephanie, die erste war vom 20. August. In der Betreffzeile stand: Traurige Nachrichten. Sie teilte ihm mit, dass bei einem englischen Journalisten, den sie beide kannten, Krebs diagnostiziert worden war und dass er nach London zurückkehrte, um sich behandeln zu lassen. Die zweite Nachricht stammte vom 27. August. Die Betreffzeile lautete: Hallo aus Paris. Sie schrieb, sie habe am 18. Juni zum letzten Mal ihre Tage gehabt. Sie würde sich deshalb so genau an das Datum erinnern, weil ihr damals mitten in der Wüste die Tampons ausgegangen seien und ihr nichts anderes übrig geblieben sei, als sich von ihrem geliebten Seidenschal zu verabschieden. Am 2. Juli war sie ins Hotel zurückgekehrt, und in der gleichen Nacht hatten sie miteinander geschlafen. Aus irgendeinem Grund hatte ihre Spirale versagt, was bedeutete, dass sie in der zehnten Woche schwanger war. Sie befand sich in Frankreich, in Paris, für eine Abtreibung und einen Kurzurlaub. Weiter erklärte sie ihm, dass eine Abtreibung nur bis zur zwölften Schwangerschaftswoche legal sei und sie sich eine Woche vor dem Eingriff zu einem obligatorischen Beratungsgespräch melden müsse. Als sie erfuhr, wie weit die Schwangerschaft bereits fortgeschritten war, war sie ins nächste Flugzeug gestiegen. Seit zwei Tagen befand sie sich nun dort, und der Eingriff wurde in fünf Tagen durchgeführt. Sie fragte ihn, ob er für ein Wochenende in Paris Zeit hätte, schrieb, dass der Termin für den Eingriff auf den kommenden Mittwoch festgelegt worden sei. Falls er also am Freitag käme, könnten sie beide vor ihrer Rückkehr nach Afghanistan noch ein langes, faules Wochenende im Ritz verbringen. Die E-Mail war drei Tage alt.

Clooney saß auf Eves Drehstuhl, das Kinn auf die Knöchel gestützt, und las die Mail wieder und wieder. Sie klang so gleichgültig. *Eine Abtreibung und ein Kurzurlaub?* Die E-Mail war kurz, sachlich und verriet keinerlei Gefühl – typisch Stephanie. Wahrscheinlich war ihr die Entscheidung, sich ihren Lieblingsseidenschal ins Höschen zu stopfen, schwerer gefallen als der Entschluss, ihr Kind abzutreiben. Er wollte nicht Vater werden und verurteilte sie nicht, doch es ließ ihn definitiv nicht kalt. Es ging um ein Kind, seins und ihrs. Ungewollt und trotzdem da, und auch wenn sie es in zwei Tagen wieder loswerden würde, in diesem Moment war es da und wuchs in ihrem Bauch. Seine Gedanken rasten. Er war nicht zum Vatersein geschaffen. Sie waren beide Zugvögel. Sie hatten aufgepasst. Sie benutzte die Spirale, und er hatte erst aufgehört, Kondome zu benutzen, als sie beide einen sauberen Bluttest hatten. Sie mochten einander, aber sie liebten sich nicht. Sie war im Herzen auch Soldatin, eine Kämpferin, eine Kriegerin. Sicher wäre sie eine gute und leidenschaftliche Mutter, aber der Krieg ist kein Ort für ein Kind, und der Krieg war das Einzige, womit Stephanie sich auskannte. Sie gehörte genauso wenig auf einen amerikanischen Stützpunkt wie er in ein Stadtbüro der Vereinten Nationen.

In der zehnten Woche schwanger. Mit Hilfe von Google recherchierte er, was einen zehn Wochen alten Fötus ausmachte.

10. Woche: Der Embryo ist jetzt ein Fötus.
Der Fötus hat die Größe einer Erdbeere.
Die Füße messen zwei Millimeter.
Der Hals beginnt sich auszuformen.
Die Körpermuskulatur ist beinahe entwickelt. Der
    Fötus beginnt sich zu bewegen.
Auch wenn Sie es noch nicht spüren können, Ihr
    Kleines dreht und wendet sich.
Der Kiefer hat sich ausgebildet. Mundhöhle und
    Nase sind verbunden.
Ohren und Nase sind deutlich zu erkennen.
Die Fingerabdrücke zeichnen sich eindeutig ab.
Brustwarzen und Haarfollikel bilden sich aus.

Bei der Abtreibung wird sie in der elften Woche sein.

Er hatte fast Angst davor, aber er musste trotzdem weiterlesen.

11. Woche: Die Nerven vermehren sich
Finger und Zehen sind klar voneinander getrennt.
Die Geschmacksknospen entwickeln sich.
Die Zahnwurzeln sind angelegt, der Fötus besitzt einen
   vollständigen Satz von zwanzig Milchzähnen.
Das Baby kann schlucken und die Zunge heraus-
   strecken.
Abgesehen von der Zunge ist der gesamte Körper
   berührungsempfindlich.
Das Knorpelgewebe lagert Kalzium zur Knochen-
   bildung ein.
Wenn es ein Junge ist, beginnen die Hoden mit der
   Testosteronproduktion.

Clooney las den Artikel immer wieder. *Abgesehen von der Zunge ist der gesamte Körper berührungsempfindlich. Wird es etwas spüren?* Bei Yahoo stieß er auf ein Diskussionsforum, in dem sich Frauen pro und kontra Abtreibung gegenseitig in der Luft zerrissen und mit übelsten Schimpfwörtern bedachten. Er las sich durch medizinische Webseiten und stieß auf die gleichen Argumente, nur ohne die Schimpftiraden. Die meisten Fachleute waren sich einig, dass echtes Schmerzempfinden eher im letzten Schwangerschaftsdrittel entstand. Der Fötus war noch zu jung, um bewusst Schmerzen zu empfinden. *Abgesehen von der Zunge ist der gesamte Körper berührungsempfindlich.*

Er versuchte, eine Antwort zu formulieren. Stephanie hatte ihm keine Telefonnummer geschickt und sich auch nicht noch einmal gemeldet. Seit der Nacht, als Lily vor seiner Tür stand, hatte er keine Mails mehr abgerufen. Er hatte sich nur noch auf sie konzentriert. Er fragte sich, ob es Stephanie überhaupt etwas ausmachte. Drei Tage waren vergangen, seit sie ihm geschrieben hatte, dass sie schwanger sei. Die Betreffzeile sprach Bände: Hallo aus Paris. *Amüsierte sie sich?* Er hoffte es. *War sie genauso traurig wie er?* Eher unwahrscheinlich.

Hallo, Stephanie.

Er löschte es.

Stephanie,

Er löschte es.

Ach, Steph,

Er löschte es.

Es tut mir so leid!

Er löschte es.

Ich habe gerade meine Mails abgerufen.

Er löschte es.

Er saß ratlos am Computer und tippte mit dem Zeigefinger leicht auf der J-Taste herum. *Wir könnten ein langes, faules Wochenende im Ritz verbringen, ehe ich nach Afghanistan zurückkehre.* Wohnte sie im Ritz? Er googelte die Website und fand die Telefonnummer. In Irland war es kurz nach zwei Uhr morgens, in Paris also bereits kurz nach drei.

Er rief das Hotel an. Die Rezeptionistin ging beim vierten Klingeln ans Telefon. Sie klang wach und fröhlich wie am helllichten Tag. Clooney entschuldigte sich in gebrochenem Französisch für die späte Störung und bat, auf das Zimmer von Stephanie Banks durchgestellt zu werden. Die Frau am anderen Ende brauchte einen Moment und informierte ihn, Miss Banks habe darum gebeten, nach 22.00 Uhr nicht mehr gestört zu werden. Er erklärte, dass es sehr wichtig sei. Sie zögerte kurz und rief Stephanies Zimmer an. Nach ein paar Augenblicken stellte sie ihn durch. Stephanie klang verschlafen.

«Hallo?»

Er hörte, wie sie nach dem Lichtschalter tastete.

«Ich habe gerade deine Mail gelesen», sagte er.

«Ich habe mich schon gewundert, dass du so stumm geblieben bist», antwortete sie gähnend.

«Geht es dir gut?»

«Alles in Ordnung», sagte sie. Sie klang entspannt, und er hörte, dass sie sich rekelte, wie sie es immer tat, wenn sie nicht richtig wach war.

«Bist du sicher, dass du es tun willst?»

«Es ist das, was wir beide wollen», sagte sie.

«Danke, dass du es mir gesagt hast.»

«Ich hatte gehofft, dich zu sehen.»

«Eve ist heute erst aus dem Krankenhaus entlassen worden.»

«Wow! Dann muss es ihr ja richtig schlecht gegangen sein.»

«Kann man wohl sagen.»

«Und jetzt?»

«Sie wird wieder ganz gesund», sagte er. «Hast du Angst?»

«Sie geben mir eine Vollnarkose», antwortete sie.

«Wann und wo?»

«Donnerstag, 13.00 Uhr, Rue Vivienne.»

«Ich komme», sagte er.

«Musst du nicht.»

«Will ich aber.»

«Ich bin wirklich müde», sagte sie.

«Dann schlaf weiter.»

«Und, Clooney?»

«Ja?»

«Danke.»

Er legte auf und suchte online einen Flug, der ihn Donnerstagmorgen so früh wie möglich nach Paris bringen würde. Er fand eine Maschine, die um 7.00 Uhr abflog und um 9.45 Uhr landete. Er buchte einen Platz und schrieb Stephanie eine Mail, um ihr die Daten mitzuteilen. Er fragte auch, ob er ins Hotel kommen oder direkt in die Klinik fahren sollte.

Ehe er den Computer herunterfuhr, las er die letzte der drei E-Mails. Es handelte sich um ein Jobangebot in einem Ernährungsprogramm in Peru. Das Programm lief seit vier Jahren und war von einem Mann geleitet worden, den er zwar kannte, jedoch nicht persönlich. Er verließ den Posten ohne Angabe von Gründen. In einem angehängten Dokument wurden die Aktivitäten des Welternährungsprogramms, die betreuten Regionen sowie die Strategien erläutert. Der Typ hörte Ende November auf, hoffte aber, dass Clooney schon zum ersten Oktober in Peru sein konnte, um ihn einzuarbeiten. Clooney verzichtete darauf, den Anhang zu öffnen. Er antwortete auf die Mail und bat um eine Woche Bedenkzeit. Er fuhr den Computer herunter und sank auf die Ausziehcouch. Er lag hellwach, die Augen offen, im Dunkeln, mit rasenden Gedanken und rasendem Herzen.

Stephanie braucht mich, aber nur kurzzeitig. Ich will Lily, aber sie ist eine Mutter, die gerade eine scheußliche Trennung durchmacht. Sie ist an Irland gebunden. Und Peru? Kein Krieg mehr. Ich könnte ihren Kindern genauso wenig ein Stiefvater sein, wie ich Stephanies Kind ein Vater sein könnte, selbst wenn eine von beiden es von mir verlangen würde. Aber warum eigentlich nicht? Was wäre, wenn Stephanie ihre Meinung ändern würde? Könnte ich mich der Herausforderung stellen, wenn ich müsste? Natürlich würde ich mein Bestes geben. Und Peru? In Peru könnte ich was bewegen. Ein Kind, verdammt noch mal! Wenn es ein Junge ist, beginnen die Hoden mit der Testosteronproduktion. Elf Wochen. Und wenn Lily und ich zusammenkommen? Werde ich ihr am Ende wieder so weh tun wie beim letzten Mal? Würde sie heute immer noch dasselbe wollen wie damals? Was, wenn Stephanie sich insgeheim wünscht, dass ich sie bitte, nicht abzutreiben? Frauen verändern sich, wenn sie schwanger sind. In ihr wächst ein Kind heran. In ihr wächst mein Kind heran. Will ich sie bitten, nicht abzutreiben? Nein. Was würde das für uns beide bedeuten? Ein völlig anderes Leben? Ich will kein anderes Leben. Was heißt das für mich? Eve braucht mich hier, aber wie lange noch? Könnte ich mir überhaupt vorstellen, in Irland zu bleiben und sesshaft zu werden? Nein. Nicht mal für Lily? Ich kann einfach nicht hierbleiben. Und Peru? Es wäre ein Neuanfang mit einem Projekt, das tatsächlich funktioniert und von der örtlichen Regierung unterstützt wird. Wie zum Teufel konnte das passieren? Scheiße, Stephanie, wenn du das so cool siehst und dir so sicher bist, warum hast du mir dann überhaupt was erzählt? Lily, du machst mich so glücklich … Könnte ich dir doch nur geben, was du brauchst. Und Peru?

Am nächsten Morgen war Clooney müde und schweigsam. Eve schlief lange aus. Zum ersten Mal seit einer Ewigkeit kam niemand zu lächerlichen Uhrzeiten herein, um an ihr herumzufuhrwerken. Clooney saß am Küchentresen, trank Kaffee und sah den Wellen zu, die sich an den Felsen brachen.

Lily tauchte in einem niedlichen, blau-weiß gestreiften Baumwollpyjama auf. Die Hosenbeine waren ihr zu lang, das Zugband war fest verknotet, aber die Hose war ihr um die Hüften trotzdem viel zu weit. Das formlose Oberteil war auch zu groß, und sie hielt es mit beiden Händen fest. Obwohl sie offensichtlich gerade aufgestanden war, war der Schlafanzug völlig knitterfrei, und als sie an ihm vorbeiging, stieg ihm Rosenduft in die Nase. Unter ihrem dichten dunkelbraunen Pony warf sie ihm einen besorgten Blick zu.

«Du hast nicht geschlafen», sagte sie.

Er nickte. «Zu viel im Kopf.»

«Kann ich helfen?»

«Nein», sagte er.

«Versuch's doch einfach mal», sagte sie, schenkte ihm Kaffee nach und sich selbst auch eine Tasse ein und setzte sich ihm gegenüber. Er blickte ihr in die braunen Augen und fragte sich, wie viel sie in den vergangenen zwanzig Jahren durchgemacht hatte. *Es tut mir so leid, Lily.*

«Ich muss morgen nach Paris», sagte er.

«Oh?» Sie wirkte enttäuscht. «Wie lange?»

«Nur ein paar Tage.»

«Ist das alles?»

«Ich komme wieder.»

«Aber nicht lang», sagte sie und lächelte, doch das Lächeln geriet zur starren Maske.

«Ich bleibe nie lange.»

«Ich werde dich vermissen», sagte sie, hob die Tasse an ihre weichen Lippen, trank einen Schluck, stand auf und ging zurück ins Gästezimmer.

Die Ersten, die um kurz nach acht zu Eves Willkommensfeier eintrafen, waren Paul und Simone. Sie hatten vier Flaschen Wein und vier Sixpacks Bier dabei.

«Meint ihr, das reicht?», fragte Clooney lachend.

«Besser zu viel als zu wenig», antwortete Paul, nahm
eine Dose Bier aus dem Karton und reichte sie an Clooney
weiter, ehe er sich selbst ebenfalls bediente und den Rest
in den Kühlschrank stellte.

Er hatte zusammen mit seinem Vater seinen Hochzeits-
anzug gekauft und musste den ganzen Tag lang Fragen beantworten, weil sein Vater gerade ein Buch mit Erfahrungs-
berichten von Bisexuellen las.

«Wenn du auf einer einsamen Insel festsitzen würdest,
dann lieber mit einem Mann oder einer Frau?»

«Am liebsten mit dem, den ich liebe.»

«Also gut, sagen wir, Simone wäre ertrunken, wärst du
dann lieber mit einem Mann oder einer Frau dort?»

«Das weiß ich nicht. Es kommt darauf an, ob die Person
attraktiv ist, humorvoll und intelligent, sexy, ob es zwischen uns funkt oder nicht.»

«Okay, sagen wir, all das wäre gegeben. Mann oder
Frau?»

«Ach, um Gottes willen, Dad, ich habe wirklich keine
Ahnung.»

«Wenn ich bisexuell wäre, würde ich mir den Mann
aussuchen. Also nur in diesem Gedankenspiel natürlich»,
sagte er. Paul blieb wie angewurzelt stehen.

«Tatsächlich?»

«Na klar! Wenn ich die Wahl hätte – nur zu zweit, auf
einer einsamen Insel, ohne Fernseher –, dann müsste ich
ihm nicht alle fünf Minuten erzählen, was ich gerade denke, und ich liebe deine Mutter wirklich, aber es wäre zur

Abwechslung mal ganz nett, nicht darum betteln zu müssen, wenn ich mal ranwill.»

Paul hatte gelacht und seinem Vater den Arm um die Schultern gelegt. Er hätte ihm sehr gern gesagt, wie sehr er ihn liebte und schätzte, aber er tat es nicht und lächelte stattdessen. Sein Vater war damit zufrieden und boxte ihn freundschaftlich in die Seite.

«Das Beste von beidem ist doch auch nicht schlecht, mein Sohn.»

«Sie ist die Richtige, Dad.»

«Ich weiß», sagte er. «Aber nur für den Fall, dass du doch irgendwann mal auf einer einsamen Insel feststeckst», sagte er und zwinkerte. Dann setzten sie ihren Weg fort, um sich mit Gar beim Herrenausstatter zu treffen.

Es war ein langer Tag gewesen, und Paul riss seine Dose auf und nahm einen tiefen Schluck, ehe er Lily Hallo sagte, die in der Küche einen riesigen Wirbel veranstaltete.

«Schön, dich zu sehen, Lily», sagte er.

Sie trug ein schwarzes Kleid mit V-Ausschnitt, und obwohl sie zu dünn war, war sie wunderschön. Sie lächelte ihn an. «Ebenfalls, Paul», erwiderte sie.

«Das mit deiner Ehe tut mir leid», sagte er.

Clooney hatte den anderen erzählt, Lily und Declan hätten sich getrennt, weil sie sich auseinandergelebt hatten.

«Danke. Gratuliere zur bevorstehenden Hochzeit», antwortete sie.

Pauls schwule Jahre waren gänzlich an Lily vorbeigegangen. Das letzte Mal, als sie ihn gesehen hatte, war er mit einem schönen Mädchen zusammen gewesen, und in ihren Augen hatte sich nichts verändert, ob er sich nun als bisexuell bezeichnete oder nicht.

Simone stand in der Mitte des langgezogenen zentralen Raums, der Küche, Esszimmer und Wohnzimmer zugleich war, und bewunderte durch die Fensterfront die Aussicht. Auf dem Wasser spiegelten sich die Lichter der Wohnungen und beleuchteten ein Schiff, das in der Ferne vorbeizog. Sie wandte sich um und sah hinauf zu dem ein Stockwerk höher gelegenen offenen Arbeitszimmer mit den Einbauregalen und der wunderschönen hölzernen Wendeltreppe, die für Eve ein unüberwindbares Hindernis war.

«Diese Wohnung ist unglaublich», sagte sie.

«Sie ist typisch Eve», sagte Clooney.

«Wo wir von ihr reden ... Wo steckt sie eigentlich?», fragte Paul.

Lily ging sie holen. Sobald sie weg war, fragte Paul: «Und? Habt ihr schon miteinander geschlafen?»

Clooney sah ihn erstaunt an. Wie zum Teufel ...? Er gab keine Antwort, und Paul erwartete auch keine.

Noch ehe Eve auftauchte, kam Adam. Er brachte noch mehr Wein und eine Flasche teuren Whiskey mit, nahm aber gerne das angebotene Bier an. Auch ihm gefiel die Wohnung.

«Sie ist typisch Eve», sagte er.

Clooney lächelte. Er mochte Adam und hoffte, dass seine Schwester ihn nicht ebenfalls bei lebendigem Leib verschlang und dann wieder ausspuckte, so wie sie es seit Ben Logan mit allen Männern getan hatte.

Gar und Gina kamen leicht verspätet und wirkten gehetzt. Ihre Babysitterin hatte verkündet, auf keinen Fall länger als bis Mitternacht bleiben zu können, weil sie für eine Schulaufgabe lernen müsse. Sie hatten eine Münze geworfen, um zu entscheiden, wer länger bleiben durfte. Gina hatte verloren.

«Klar, Schulaufgabe!», sagte sie. «Wahrscheinlich ist sie mit irgendeinem Typen verabredet. Dabei komme ich höchstens alle Jubeljahre mal aus dem Haus!»

Auch sie hatten Alkohol für den wachsenden Vorrat dabei. Gar schenkte sich ein Glas Rotwein ein, und Gina und Simone setzten sich auf Eves unbequemes Designersofa und unterhielten sich über die unglaubliche Wohnung.

«Aber für kleine Kinder ist das hier eine wahre Todesfalle», sagte Gina und sah von der Wendeltreppe hinaus auf die Dachterrasse mit dem niedrigen Mäuerchen. Der Blick vom vierten Stock ging nach hinten auf den Rasen der Anlage, der ohne jeglichen Übergang direkt von der Klippe ins Meer zu stürzen schien.

«Eine großartige Aussicht ist ja gut und schön, aber wenigstens im Garten hätte man doch einen Zaun aufstellen können. Unser Jüngster würde glatt immer weiterrennen, nur weil ihn nichts aufhält», sagte sie, und Simone rieb sich über den Bauch und hoffte, ihr Kind würde nicht ganz so einfach gestrickt sein, wie es sich bei Ginas anhörte.

Eve stand einem Nervenzusammenbruch nahe im Schlafzimmer, weil sie nichts zum Anziehen hatte. Lily betrachtete den Inhalt des riesigen Kleiderschranks.

«Du scheinst eine gewisse Vorliebe für Jeans und Tops zu haben», sagte sie.

«Ich hatte mal ein schwarzes Kleid, das ich ganz gerne mochte, aber das hatte ich an dem Unfallabend an. Clooney hat es zwar für mich in die Reinigung gebracht, aber ich kann es nicht mehr anziehen. Und außerdem trägst du schon Schwarz.»

«Und was ist mit dem roten?», fragte Lily und nahm eines der anderen beiden Kleider aus dem Schrank.

«Viel zu tief ausgeschnitten.»

«Okay, dann das weiße.»

«Bleich bin ich selbst.»

«Na gut, wie wär's mit einer Jeans und einem deiner tollen Kaschmirpullover?»

«Dann denkt Adam, ich hätte mir keine Mühe gegeben.»

«Adam wird dich wunderschön finden.»

Eve zögerte kurz, dann legte sie eine kleine Beichte ab. «Ich weiß, dass er dich mag, aber ich habe ihm gesagt, du würdest nie was von ihm wollen», gab sie zu.

«Ich weiß. Hat er mir erzählt», sagte Lily und lächelte. «Interessant.»

«Er findet, du wärst eine gute Freundin.»

«Klar, aber nur weil er mich nicht kennt.»

«Er hat recht», sagte Lily. «Du bist die allerbeste Freundin.» Keine der beiden wollte in diesem Moment zu tief in die Vergangenheit eintauchen.

Auf eine Krücke gestützt, nahm Eve ein Paar Jeans und einen Kaschmirpullover aus dem Schrank. «Das wird gehen, auch wenn es wahrscheinlich sowieso vergebene Liebesmüh ist, weil er dir immer noch nachtrauert.»

«Oh, ich glaube, du hast ihn definitiv auf andere Gedanken gebracht! Er spricht die ganze Zeit von dir.» Lily nahm Eve die Sachen ab und folgte ihrer humpelnden Freundin zum Bett.

Eve zog den Bademantel aus und saß in ihrer seidenen Unterwäsche da, die aussah, als hätte sie mehr gekostet als Lilys gesamte Garderobe. Die Narben an Schulter und Bein waren immer noch grimmig rot und geschwollen.

«Was sagt er denn?», fragte Eve, während sie ihre Narben betrachtete und sich wünschte, sie würden endlich verblassen. *Wisst ihr, ich habe nicht ewig Zeit zu warten, bis ihr verschwunden seid!*

Lily nahm sich vor, ihrer Freundin biologisches Körperöl zu besorgen, und half ihr, den Pullover anzuziehen. Eve hatte immer noch Schwierigkeiten, den linken Arm zu heben. Lily umschiffte das Problem mit Leichtigkeit.

«Na ja, er stellt mir jede Menge Fragen über die Zeit, als wir Kinder waren, will wissen, wie du warst, und wenn er von dir spricht, dann grinst er wie ein dämlicher Teenie. Er zitiert dich und lacht dabei. Er steht echt auf dich.»

«Das weißt du doch gar nicht!», schnaubte Eve.

Lily half ihr in die Hosenbeine und zerrte sie vom Bett hoch, und während Eve sich an Lily festhielt, machte sie ihr die Jeans zu. «Doch, weiß ich, weil er jetzt dich so ansieht, wie er früher immer mich angesehen hat», sagte sie, erleichtert ihretwegen und froh für ihre Freundin.

«Ich weiß überhaupt nicht, ob ich mich jemals in einen anderen als Ben Logan verlieben kann.»

«Es gibt nur eine Möglichkeit, das herauszufinden. Und jetzt leg ein bisschen Make-up auf und komm. Ich muss mich ums Essen kümmern.»

Als Eve schließlich auftauchte, saßen bereits alle in fröhlicher Runde um den Esstisch versammelt. Lily war mit Clooneys Unterstützung die perfekte Gastgeberin. Im Hintergrund lief Musik. Gar machte sich zur allgemeinen Erheiterung über Gina lustig. Sie wurde rot, befahl ihm aufzuhören, und Paul hielt Simones Hand und lachte sich kaputt. Auf die Krücken gestützt, blieb Eve im Hintergrund stehen und betrachtete ihre Freunde. Es fühlte sich gut und richtig an, obwohl Ben nicht da war, aber der hatte sowieso nie wirklich zu ihr gehört. Der Wohnraum wirkte so anders, wenn er von Menschen und Geräuschen erfüllt war. Ihr wurde bewusst, dass sie nicht mehr allein war. *Ich bin zu Hause. Ich bin endlich zu Hause.*

Adam drehte sich zu ihr um. Er stand auf und kam zu ihr. «Du siehst umwerfend aus», sagte er und küsste sie mitten auf den Mund. Er löste sich von ihr, und sie grinste.

«Das ging aber schnell», sagte sie.

«Ach, eigentlich nicht. Das hatte ich schon eine ganze Weile vor.»

Sie beugte sich zu ihm, erwiderte seinen Kuss und hörte erst damit auf, als sie das Gefühl bekam, ihre Beine würden nachgeben, und Clooney ihr zurief, sie solle sich endlich einen Platz suchen.

«Das *ist* mein Platz!», antwortete sie.

Der restliche Abend verging mit Lilys Gourmetmenü, viel gutem Wein, unzähligen Geschichten und jeder Menge Gelächter. Selbst Paul gab ein oder zwei Anekdoten von sich zum Besten.

Als es Mitternacht wurde und eine sehr betrunkene und rührselige Gina nach Hause gehen musste, um den Babysitter abzulösen, mühte Eve sich zusammen mit Lily und Simone zur Wohnungstür, um sich zu verabschieden.

Gina umarmte Lily und sagte ihr, dass sie sie vermisst habe. «Du darfst nie wieder weggehen», sagte sie.

Lily lachte und versprach es ihr.

«Es ist schön, dass du wieder da bist», sagte sie zu Eve. «Die Rumhockerei in diesem Krankenhaus ist mir tierisch auf die Nerven gegangen.»

Als sie bereits den Flur hinuntergegangen und in den Aufzug gestiegen war, lehnte sie sich noch einmal hinaus und rief: «Und, Simone? Bleib genau, wie du bist!» Sie winkte, und die Lifttür schloss sich.

Lily half Eve zurück ins Wohnzimmer, und dort setzten sie sich zu Adam, Clooney, Gar und Paul und sprachen weiter über die alten Zeiten. Adam und Paul stellten fest, dass sie beide mit dem gleichen Mädchen von der Mount Anville School zusammen gewesen waren, und schwelgten in gemeinsamen Erinnerungen, bis Clooney wissen wollte, ob Donald Blair schwul sei. War er nicht, doch die Frage führte zu einer lebhaften Diskussion, welche Spieler in den Rugbymannschaften, gegen die sie gespielt hatten, schwul waren.

«Martin Walsh», sagte Clooney.

«Niemals!», rief Gar.

«Doch, den hatte ich», sagte Paul.

«Bist du nicht irgendwann mal mit seiner Schwester gegangen?», fragte Gar.

«Ja.»

«Du lieber Gott!», sagte Gar. «Und ich habe mir mal gewünscht, du zu sein!» Er schüttelte den Kopf. «Bitte versteh mich nicht falsch, aber die würde ich nicht von der Bettkante stoßen, nur um mit Martin Walsh rumzuknuspern.»

«War das nicht der Typ mit den Blumenkohlohren und der gebrochenen Nase?», fragte Eve, erhob sich und stellte sich zu Lily in den Küchenbereich.

«Als wir im College zusammenkamen, fehlten ihm auch noch zwei Zähne, aber er hatte trotzdem das gewisse Etwas.»

«Gott!» Gar schüttelte den Kopf.

Simone lachte. Sie saß im Lotussitz auf dem Fußboden, und obwohl sie als Einzige nichts trank, amüsierte sie sich blendend. «Ich glaube, mir wird es hier richtig gefallen», sagte sie und stand auf, um zum achten Mal an diesem Abend aufs Klo zu gehen. Paul staunte, wie entspannt sie mit seiner Vergangenheit umging. Sie erschien ihm wie ein Wunder, das der Himmel geschickt hatte, aber nicht, wie seine Mutter glaubte, um ihn vor der Verdammnis zu retten, sondern um dafür zu sorgen, dass er sich endlich wohlfühlte in seiner Haut. *Danke, Simone. Vielen, vielen Dank. Ich liebe dich!*

Adam folgte Eve in den Küchenbereich. Sie lehnte am Küchentresen, während Lily sauber machte.

«Das heute ist ein tausendmal schönerer Abend als der bei den Rodneys», sagte er zu Lily.

«Das ganze Leben ist schöner», antwortete sie und fragte sich, wie es ihren Kindern ging und wann sie wohl wieder ans Telefon gehen würden, wenn sie anrief. *Lass ihnen Zeit, Lily.*

Adam küsste Eve und sagte ihr, dass er nun gehen würde. Sie wollte, dass er blieb, doch er musste am nächsten Tag arbeiten.

«Ich rufe dich morgen an», versprach er.

Das Taxi wartete bereits. Er verabschiedete sich von den Jungs und auch von Simone, die gerade von der Toilette zurückkam.

Als er weg war, grinste Eve Lily breit an. Sie war noch immer in der Küche und kochte inzwischen Kaffee, in der Hoffnung, dass die Jungs wenigstens so taten, als würden sie ihn trinken.

«Ein guter Küsser ist er schon mal», sagte Eve und machte mit dem Zeigefinger ein Häkchen in die Luft.

Simone gesellte sich zu ihnen an den Küchentresen. Lily reichte ihr einen Becher Pfefferminztee, und Simone umfasste ihn mit beiden Händen. «Ich habe so viel gegessen, dass ich glaube, ich platze», sagte sie, trank einen Schluck und sah Eve an. «Und? Bringst du Adam mit auf die Hochzeit?»

«An die Hochzeit hatte ich noch gar nicht gedacht!», antwortete sie.

«Ja, dann fang mal damit an.»

«Glaubst du denn, er würde mitkommen?»

«Mit Handkuss!», sagte Lily.

Simone nickte. «Er ist verrückt nach dir.»

«Ich frage mich, wie es im Bett sein wird», sagte Eve und blickte an sich hinunter.

«Genau wie vorher, nur dass du nicht mehr so biegsam bist», antwortete Lily.

«Dr. Thomas wird dir schon wieder auf die Beine helfen», sagte Simone. «Eine einzige Padaghata-Massage, und du bist wieder gelenkig wie eine Zirkusprinzessin.»

Irgendwann war der Abend zu Ende, und die Besucher gingen. Eve war völlig erschöpft. Lily half ihr ins Bett, und als sie das Licht gelöscht und die Tür geschlossen hatte, lag Eve allein im Dunkeln und erzählte Ben von dem Abend. *Paul und Martin Schweinenase Walsh. Ich glaub es nicht!*

Clooney half Lily, die letzten Reste aufzuräumen.

«Für die nächste Dinnerparty engagieren wir einen Partyservice», sagte er. Die Vorstellung, dass Lily noch mal so viel Arbeit hatte, gefiel ihm nicht.

«Nur über meine Leiche!», sagte sie, froh, dass er offensichtlich darüber nachdachte, zumindest so lange zu bleiben, um noch eine Dinnerparty zu geben. *Lebe im Augenblick, Lily, genieße einfach nur den Moment.*

Als das Geschirr gespült war und der Tresen wieder blitzte, trennten sich ihre Wege. Er wünschte ihr eine gute Nacht und sagte, dass er am nächsten Morgen sehr früh los müsse. Sie nickte und wünschte ihm alles Gute für seine Reise. Er bedankte sich, und sie blieben unschlüssig voreinander stehen, aber nur einen Augenblick lang. Dann drehten sie sich beide um und gingen in unterschiedliche Richtungen davon.

Am nächsten Tag – genau zwei Wochen und vierundzwanzig unbeantwortete Nachrichten später – tauchte Lily in Jack Donovans Werkstatt auf. Scotts Großvater war unterwegs, um Teile zu besorgen, und Scott war allein. Als die Glocke einen neuen Kunden ankündigte, kam er lächelnd aus dem Büro, doch beim Anblick seiner Mutter verfinsterte sich sein Gesicht schlagartig.

Er fragte sie, was sie wolle.

«Weltfrieden», gab Lily zur Antwort.

«Sehr witzig!»

«Das ist aber nicht alles.»

Er war immer noch wütend, und sie trat vorsichtig näher.

«Wie geht es dir?», fragte sie.

«Mir ging's schon besser.»

«Und Daisy?»

«Sie ist am Boden.»

«Das wird wieder besser», sagte sie. «Ich habe mir einen Monat freigenommen. Ich suche mir was, und wenn ich was gefunden habe, könnt ihr bei mir leben.»

«Wir gehen nirgendwohin!»

«Ihr könnt zumindest darüber nachdenken.»

«Kann ja sein, dass du Dad verlassen hast, aber wir verlassen ihn sicher nicht!», sagte er, und sie hatte wieder Declans Stimme im Ohr.

«Ich habe euren Vater verlassen, aber euch werde ich nie verlassen», entgegnete Lily.

«Ach ja? Aber genau danach riecht es, schmeckt es und sieht es aus. Ich glaube, du laberst gerade ziemlichen Müll.»

«Ich habe gesagt, wenn ich was gefunden habe …»

«Ziehst du mit ihm zusammen?»

«Nein.»

«Er ist der Bruder von dieser Frau, oder?»

«Ja», antwortete sie und fragte sich, was Declan ihnen über Eve erzählt hatte.

«Wie lange verheimlichst du das alles schon vor Dad?»

«Ich konnte deinem Vater nicht erzählen, dass Eve in unserem Krankenhaus lag, weil ich wusste, dass er mich daran hindern würde, sie zu sehen.»

«Und *ihn*!»

«Und ihn, ja, er heißt Clooney.»

«Bescheuerter Name!»

«Was ich getan habe, hat mit Clooney nichts zu tun», sagte sie.

«Mit was denn dann?»

«Erinnerst du dich noch an den Sommer, als du dreizehn warst? Du hast dir am zweiten Tag von vier Wochen Ferien in Frankreich das Bein gebrochen. Die anderen Kinder haben alle den ganzen Tag am Pool gespielt, und du konntest nicht mitmachen. Also hast du dich weit genug weggesetzt, um nicht nass gespritzt zu werden, aber noch nahe genug, um die anderen Kinder spielen zu hören. Du warst hautnah dran an all dem Spaß und der Freiheit, aber es hat sich trotzdem angefühlt wie ein ganzes Universum weit weg. Du warst einsam und todunglücklich.»

«Und was hat das mit dir zu tun?»

«Ich habe zwanzig Jahre lang in diesem Sommer gelebt.»

«Willst du damit sagen, du hast das Leben mit uns gehasst?»

«Ich sage damit, dass ich das Leben mit deinem Vater gehasst habe.»

«Tut es dir leid, dass du uns bekommen hast?»

«Nein. Ihr beide seid das Beste ...»

«Er ist eine Katastrophe ohne dich.»

«Das wird wieder besser.»

«Du hast ihm das Herz gebrochen», sagte er, und es klang nicht so sehr wie eine Anklage als viel mehr wie eine Tatsache.

«Das wird wieder besser.» *Damit einem das Herz gebrochen werden kann, muss man erst mal eins besitzen.*

Sie standen da und sahen sich schweigend an.

«Ich sollte gehen», sagte sie schließlich. «Ich melde mich wieder.» Sie wandte sich ab.

«Mum!», rief er, und sie drehte sich um.

«Daisy vermisst dich», sagte er.

«Dann sag ihr, sie soll ans Telefon gehen», sagte Lily, und Scott nickte. «Und, Scott? Lass dich von deinem Vater bitte nicht runterziehen. Das ist so seine Art, wenn es ihm schlecht geht. Denk also einfach dran, dass es um ihn geht und nicht um dich, okay?»

Scott presste den Mund zusammen und schwieg. Ihm würde kein schlechtes Wort über seinen Vater über die Lippen kommen. Vielleicht war er seiner Mutter gegenüber kurzzeitig ein wenig nachgiebiger gewesen, aber er war immer noch wütend auf sie, und er gab ihr immer noch die Schuld, weil sie seine Familie auseinandergerissen und seine Welt zerstört hatte. *Warum musst du so egoistisch sein? Wieso kannst du nicht einfach glücklich sein? Wieso liebst du uns nicht genug, um bei uns zu bleiben? Wie konntest du uns verlassen?*

Lily ging zur Tür hinaus, und als sie an ihrem Auto angekommen war, hatte sie das dringende Bedürfnis weiterzulaufen. Sie legte die Handtasche in den Kofferraum, lief bis ans Ende des Hafens und die Klippe hinauf, immer weiter, bis zu jener Stelle, wo sie und Eve in ihrer Jugend so viel

Zeit verbracht hatten. Sie setzte sich hin, sah nach Wales hinüber und dachte darüber nach, was sie tun sollte. *Ich habe alles vermasselt. Es ist alles meine Schuld. Bitte verzeiht mir.*

11 Von Paris nach Peru

Ach, Eve,

es tut mir so furchtbar leid, dass ich nicht früher geschrieben habe. Ich wusste einfach nicht, was ich sagen sollte. Ich habe tausendmal angefangen, aber entweder habe ich alles tausendmal durchgestrichen oder gar nichts zustande gebracht oder alles zerknüllt und in den Papierkorb geschmissen. In den letzten Wochen ist so viel passiert, und ich weiß nicht, wie ich es dir sagen soll und was du dann von mir denkst. Ich weiß ja selbst nicht, was ich von mir denken soll. Ich bin total durcheinander. Ich muss die ganze Zeit heulen. Du weißt ja sicher schon, dass ich einen Wahnsinnsdurchschnitt in meinem Abschlusszeugnis habe, weil Clooney mit Danny telefoniert hat, und das ist auch echt toll. Trotzdem gibt es einen Teil von mir, den ich selbst nicht verstehe, und dieser Teil wünscht sich, ich wäre durchgefallen! Wenn ich wiederholen müsste, hätte ich mehr Zeit, darüber nachzudenken, was ich wirklich will. Klingt das bescheuert? Declan hat es auch geschafft, wie du weißt, und er wird mit seinen Noten definitiv in Cork einen Platz für Medizin bekommen. Ich habe immer noch nicht mit ihm gesprochen, aber er hat im Restaurant einen ganzen Berg Nachrichten für mich hinterlassen. Das geht denen hier langsam richtig auf die Nerven. Dass dein

Zeugnis gut ist, weiß ich auch schon. Danny hat es Clooney erzählt. Ich freue mich so für dich, auch wenn es dir nicht so wichtig ist, weil du kreativ bist und dich im St. Martin mit deiner Mappe und nicht mit deinen Noten beworben hast, aber es ist trotzdem ein tolles Ergebnis. Wie ist es Paul ergangen? Und Gar? Ich weiß, ich hätte dich anrufen sollen. Du glaubst wahrscheinlich, es wäre mir alles egal, aber das stimmt nicht. Ich fühle mich hier einfach gerade nur so seltsam.

Ich wünschte, du wärst hier, aber wahrscheinlich ist es besser so, weil du mich sonst umbringen würdest. Du und Clooney, ihr seid für mich wie meine Familie. Ich habe keine einzige Erinnerung, die nicht mit dir und ihm und Danny zu tun hat. Dein Dad ist für mich immer so was wie ein Ersatzvater gewesen. Ich liebe euch so! Ihr seid die Familie, die mir meine Mutter nie geben konnte. Das weißt du. Du weißt, dass ich dich liebe, und du weißt, dass ich Clooney liebe. Ich habe ihn immer geliebt. Und zwar nicht als Bruder, sondern als Jungen, als Mann. Aber er war ja immer älter als ich, und es hat sich nie richtig angefühlt, weil er eben so was wie mein Bruder war. Mir war nicht klar, dass es ihm genauso ging. Ich dachte immer, in seinen Augen wäre ich eine kleine Nervensäge, die ihn zwar ab und zu zum Lachen bringt, ihm aber meistens im Weg steht, wenn er versucht, bei den vielen hübschen Mädchen, die hinter ihm her sind, den coolen Typen zu markieren. Nicht einen einzigen Augenblick lang hätte ich je daran gedacht, dass es anders sein könnte.

Wir haben hier unten viel Zeit miteinander verbracht. Zuerst haben wir nur rumgeblödelt, und der einzige Unterschied war, dass du nicht dabei warst. Und dann hat er mich eines Abends bei mir besucht. Ich hatte eine Quiche gebacken, und wir tranken ein paar Bier. Dann fiel der blöde Strom aus, weil ich vergessen hatte, Münzen zu besorgen, also zündete ich einfach ein paar Kerzen an. Wir unterhielten uns, und als es ungemütlich wurde, weil diese Wohnung so feucht ist, dass ich mich frage, warum hier keine Pilze an den Wänden wachsen, kuschelten wir uns zusammen auf dem Sofa unter eine Decke. Ich weiß selbst nicht genau, was dann passierte. Wir lachten über irgendwas, und dann haben wir uns plötzlich geküsst. Ich weiß, dass du jetzt völlig ausflippst, aber es war unglaublich. In meinem Kopf schrie eine Stimme die ganze Zeit «Was? Was? Was?», und ich konnte nicht aufhören ihn zu küssen. Und dann haben wir miteinander geschlafen. Die Details erspare ich dir, weil ich weiß, dass du sonst ausrastest, aber ich glaube, ich liebe ihn. Die ganze Zeit habe ich kein einziges Mal an Declan gedacht. Erst als Clooney am nächsten Morgen ging, fiel mir wieder ein, dass ich einen Freund habe, den ich liebe, und ich liebe Declan wirklich. Ich bin so durcheinander und fühle mich so mies. Mir ist die ganze Zeit kotzübel. Ich kann nicht mit Declan sprechen. Ich rufe absichtlich bei ihm an, wenn ich sicher weiß, dass er nicht zu Hause ist, und hinterlasse seiner Mutter Nachrichten für ihn. Mir ist klar, dass er wahrscheinlich gerade völlig durchdreht, aber ich weiß einfach nicht, was ich ihm sagen soll, und anlügen kann ich ihn nicht.

Seit der Nacht sind Clooney und ich jeden Tag zusammen. Er schläft nicht mehr im Zelt, sondern wohnt hier bei mir. Mit ihm geht es mir so unglaublich gut, es gibt Augenblicke, da denke ich, ich wäre gestorben und im Himmel. Aber dann kommen die Schuldgefühle wieder, und ich würde am liebsten sterben, weil ich Declan nicht im Stich lassen kann und weil ich ihn liebe.

Das tue ich wirklich, und außerdem ist das mit Clooney und mir nicht die Wirklichkeit, sondern reine Phantasie. Ich werde nie seine feste Freundin sein. Er hat mir erzählt, dass er weggeht. Er hat Danny noch nichts gesagt, also sag du bitte auch nichts. Sein Studium langweilt ihn, und sosehr er seine Sendung auch liebt, er hat das Gefühl, dort in einer Sackgasse zu stecken. V Kill P zieht nach London zu ihrer Freundin, und er sagt, ohne sie funktioniert die Sendung nicht. Er hatte letzten Monat in Dublin ein Vorstellungsgespräch bei einer Entwicklungshilfeorganisation, die in Afrika hilft, Häuser zu bauen. In ein paar Wochen geht es los. Er stand ja schon immer auf solche Sachen, und ich weiß genau, dass ihm das gefallen wird. Endlich startet er in das Abenteuer, das er sich immer gewünscht hat. Als er mir davon erzählte, brach es mir trotzdem das Herz. Er meinte, ich sollte mich für ihn freuen, und das tue ich natürlich auch, aber ich kann einfach nicht aufhören zu heulen. Kann schon sein, dass er mich auch vermissen wird, aber sicher nicht so sehr wie ich ihn. Unsere Familie bricht auseinander, Eve. Du gehst nach London, er geht nach Afrika, und ich soll mit Declan nach Cork gehen, und das tue ich ja auch, weil ich ihn liebe, aber wo sollte ich auch sonst hingehen? Was sollte ich denn sonst tun? Ich habe keine Leidenschaft, nichts, wofür mein Herz brennt. Meine Leidenschaft ist Clooney, aber der verlässt mich, und das ist auch in Ordnung so. Ich bin ja noch nicht mal richtig mit ihm zusammen. Ich bin mit Declan zusammen, und der braucht mich. Er würde mich nie verlassen. Ich liebe ihn. Ich bin so verwirrt und habe solche Angst, weil ich nicht weiß, was ich will oder wohin ich will. Soll ich Medizin studieren, nur weil ich es kann? Soll ich nach Cork gehen, nur weil Declan da hinwill? Ganz sicher weiß ich nur eins:

Ich verliere meine Familie, die Menschen, die ich liebe. Was bin ich ohne euch? Ich kann nicht fassen, was ich Declan angetan habe. Er darf es nie erfahren. Es würde ihn kaputtmachen. Bitte erzähl ihm das niemals. Erzähl es niemandem! Es ist unser Geheimnis.

Ich glaube, ich werde Schluss machen, wenn Clooney heute Abend kommt. Das sage ich mir schon seit Tagen, aber dann sehe ich ihn wieder und denke: Er ist sowieso nur noch eine Woche hier und … Ich weiß es nicht. Ich war noch nie so durcheinander. Bitte schreib mir. Bitte sei nicht sauer auf mich oder enttäuscht von mir. Ich hab dich lieb. Dass ich jetzt mit Clooney zusammen bin, ändert nichts daran, dass du meine beste Freundin bist. Daran wird sich nie etwas ändern.

Bitte sag mir, was ich tun soll, Eve. Ich brauche deinen klaren Verstand.

Es tut mir so leid!

1000 Küsse,
Lily

* * *

Die Maschine landete pünktlich auf dem Flughafen Paris-Charles-de-Gaulle. Clooney hatte am Vorabend trotz der rauen Mengen Alkohol, die bei der Feier vorhanden waren, kaum etwas getrunken. Er besaß einen klaren Kopf und konzentrierte sich ganz auf die Begegnung mit Stephanie. Sie hatte ihm zurückgeschrieben und darum gebeten, direkt in die Klinik zu kommen, weil sie schon ab neun Uhr dort sein würde. Er stieg in ein Taxi, nannte dem Fahrer die Adresse, lehnte sich zurück und ließ Paris an sich vorbeiziehen. Im Radio sang James Blunt *«Je Realise»*. James Blunt gehörte zu Stephanies Lieblingssängern. Clooney war sich nicht sicher, ob es an seiner Musik lag oder an seinem militärischen Background, der seine Musik beeinflusste: der Schmerz und die Qualen, der Verlust, der Sittenverfall, aber auch die totale Konzentration und die Bedeutsamkeit. So beklagenswert Tod und Zerstörung auch waren, sie waren größer und bedeutender, als in einer Kleinstadt den Tag damit zu verbringen, sich die neusten Schuhe zu kaufen oder ins Kino zu gehen. Stephanie identifizierte sich damit. Er lauschte dem Song, während seine Blicke sich in den Straßenzügen, den blauen Straßenschildern, den Brücken und den majestätischen Eckhäusern verloren. Als sie die Rue Vivienne erreichten, bezahlte er den Fahrer und stieg aus. Es war halb eins.

Er betrat die Klinik, fragte nach Stephanie Banks und wurde zu einem Zimmer geführt. Stephanie war sichtlich froh, ihn zu sehen. Sie strahlte, als träfen sie sich in einem Café oder an einem sonnigen Sandstrand. Stattdessen trug sie ein Krankenhaushemd und lag in einem Krankenbett, denselben gelben Schalter in der Hand, den Eve so lange hatte. Sie umarmten sich. Stephanie war dankbar, dass er gekommen war.

«Natürlich bin ich da», sagte er. Ihm war bewusst, dass ihnen nur noch zwanzig Minuten blieben, ehe sie in den OP musste.

Sie lächelte und küsste seine Hand. Ihr traten Tränen in die Augen, aber weinen würde sie nicht. Stephanie war aus härterem Holz geschnitzt.

«Es ist besser so», sagte sie, weil sie wusste, dass er weicher war als sie.

«Ich weiß», sagte er.

«Ich wollte dich einfach nur sehen», sagte sie.

«Du kennst mich so gut.»

«Na ja, du bist wie ich, nur ohne Eier», sagte sie lachend. Doch ihr Lachen klang hohl. Die Situation ließ keine unbeschwerte Freude zu. Sie sah ihn seufzend an.

Es waren lange neun Wochen gewesen, seit er Afghanistan verlassen hatte. Sie hatte seitdem hart gearbeitet und war in ein paar brenzlige Situationen geraten, doch das war für Stephanie nichts Ungewöhnliches. Sie war über eine Geschichte gestolpert, mit der sie Karriere machen konnte, falls sie es richtig anging. Falls nicht, wäre sie geliefert, bis auf die Knochen blamiert und riskierte vielleicht sogar, aufgrund einer erfundenen Anklage ins Gefängnis zu wandern. Doch Stephanie würde kämpfen, was auch immer geschehen mochte, und sie würde entweder Erfolg haben und tatsächlich etwas verändern oder dem System zum Opfer fallen. Egal, was am Ende herauskäme, die Geschichte würde Aufsehen erregen, und obwohl ihr natürlich Ersteres lieber wäre, war Stephanie Banks der Ausgang im Grunde nicht wichtig. *Und genau aus dem Grund kann ich unmöglich Mutter werden.*

«Erzähl mir von dir», sagte sie, ganz die Journalistin.

«Ich habe ein Jobangebot aus Peru.»

«Und?»

«Und meine Schwester wäre beinahe gestorben, und ihr Lover ist tot.»

«Und?»

«Und die Frau, die ich schon mit zwanzig geliebt und im Stich gelassen habe, wurde gerade von ihrem Ehemann vergewaltigt.»

«Und du glaubst, du kannst sie retten.»

«Nein», sagte er, weil er wusste, dass Lily nur von Lily selbst gerettet werden konnte.

«Liebst du sie immer noch?»

«Ich glaube schon, aber …», sagte er und legte sanft seine Hand auf ihren Bauch.

«Wir sind keine schlechten Menschen», sagte sie und kämpfte wieder mit den Tränen, die bei ihr niemals den Sieg davontragen würden. Ihre Augen trockneten wieder, sie legte den Kopf schief und lächelte.

«Wir wollen einfach nur unterschiedliche Dinge», sagte er und nahm die Hand wieder fort.

«Genau», sagte sie. «Und ich wähle mich.»

«Genau wie ich.»

«Wir sind keine schlechten Menschen», sagte sie noch einmal, und dennoch betrauerten sie beide ihren wachsenden Bauch und dachten still darüber nach, was hätte sein können, wenn sie beide andere Menschen gewesen wären, zu einer anderen Zeit, an einem anderen Ort, mit anderen Zielen und Wünschen. Als sie in den OP gebracht wurde, winkte er ihr lächelnd nach und vertrieb sich die Zeit auf dem Flur mit französischem Fernsehen. Es dauerte nicht lange, nicht einmal eine Stunde. Die Narkose hielt noch zwei weitere Stunden an. Als Stephanie wieder aufwachte, war er an ihrer Seite. Sie war erschöpft und litt unter Krämpfen. Er blieb eine weitere Stunde, sie redeten ein wenig, und er fütterte sie mit trockenem Toastbrot. Als sie müde wurde und die Besuchszeit vorüber war, fuhr er in ihr Hotel. Sie hatte an der Rezeption Bescheid gegeben, dass er kommen würde. Die Dame am Empfang gab ihm eine Zweitkarte zu ihrem Zimmer. Er ließ sich aufs Bett fallen und rief bei Eve zu Hause an. Lily ging ans Telefon. Er fragte, wie es ihr ginge, und sie sagte: «Gut.» Sie redeten fast eine halbe Stunde lang, ohne dass er ihr erzählte, weshalb er nach Paris geflogen war, und sie fragte ihn auch nicht danach. *Ich wünschte, du wärst hier bei mir, Lily. Mein Gott, ich bin so ein Riesenarschloch.*

Als Eve an dem Morgen, als ihr Bruder nach Paris flog, erwachte, hatte ihre beste Freundin Lily bereits Frühstück gemacht. Sie saßen zusammen, und es war genau wie früher. Sie redeten nicht und genossen die Stille, die sich ausbreiten darf, wenn zwei Menschen sich gut genug kennen, um miteinander schweigen zu können. Als sie mit dem Frühstück fertig waren, bestellte Eve sich telefonisch ein Taxi zum Krankenhaus. Lily wusste nicht genau, was sie davon halten sollte.

«Geht es dir gut?», wollte sie wissen.

«Sehr gut.»

«Warum fährst du dann ins Krankenhaus?»

«Ich habe eine Verabredung.»

«Mit wem?», fragte Lily.

«Spielt das eine Rolle?»

Lily wusste nicht, was sie darauf antworten sollte, aber sie kannte Eve gut genug, um zu wissen, dass sie etwas im Schilde führte.

«Möchtest du, dass ich dich begleite?»

«Nein danke.»

«Okay», sagte Lily. «Ich werde keine Fragen stellen.»

«Das ist auch besser so.»

Wenig später bekam Eve einen Anruf von dem Lagerhaus, in dem das Mobiliar aus ihrem Elternhaus untergebracht war. Sie bat darum, die Möbel wieder in das Haus zurückzubringen. Als das Telefonat beendet war, rief sie nach Lily.

«So. Das wäre geklärt», sagte sie.

«Was ist geklärt?», rief Lily und stieg die Wendeltreppe vom Arbeitszimmer herunter, wo sie sich seit zwanzig Minuten mit den schmutzigen Fußbodenleisten beschäftigt hatte, die in ihren Augen eine Zumutung waren. Schmutz war für Lily unerträglich. Außerdem brauchte sie dringend Ablenkung.

Warum zum Teufel bezahle ich eigentlich eine Putzfrau?, dachte Eve.

«Wir haben das Haus wieder vom Markt genommen. Ende der Woche kommen die Möbel zurück. Das Haus ist wirklich gar nicht so übel, weil Dad es Ende der Neunziger komplett renoviert hat. Es gehört dir, solange du es brauchst.»

«Euer Haus?» Lily stand der Mund offen.

«Das Haus, in dem wir aufgewachsen sind.»

«Euer Haus!»

«Unser Haus.»

«Und Clooney?»

«Er hat in diesem Haus unsere Eltern sterben sehen, das weißt du. Er will das Geld aus dem Hausverkauf nicht haben, ich brauche es nicht, und du bist Teil von all dem, was gut in diesem Haus gewesen ist. Ich glaube, Danny wäre glücklich und stolz.»

Lily fing an zu weinen. «Ich war in meinem ganzen Leben nirgendwo so glücklich wie in diesem Haus.»

«Ich weiß.»

«Bist du dir sicher? Sobald ich wieder arbeite, zahle ich Miete.»

Eve legte keinen Wert auf Miete und Clooney genauso wenig, aber sie wusste, dass Lily das Bedürfnis hatte, ihren Beitrag zu leisten, weil Lily nun mal so war.

«Du kannst es gerne als Wohnen auf Probe betrachten. Falls du dich in dem Haus wohlfühlst und glaubst, dort ein glückliches Leben führen zu können, kaufst du es.»

«Es wird eine Ewigkeit dauern, bis ich mir ein Haus wie das leisten kann», sagte Lily.

«Wir machen dir einen guten Preis, und deine Scheidungsvereinbarung wird das locker hergeben.»

«Das kann Jahre dauern, vor allem wenn Declan sich querstellt, was er mit Sicherheit tun wird.»

«Vielleicht, vielleicht aber auch nicht», sagte Eve. «Wie dem auch sei. Wir können warten.»

«Das ist ein Almosen.»

«Das ist Freundschaft.»

«Es ist zu viel.»

«Quatsch! Es ist genau richtig.»

Eves Taxifahrer stammte aus London und hatte England verlassen, weil er sich in ein Mädchen aus Dublin verliebt hatte. Der Verdienst war zwar schlechter, aber er behauptete, die Lebensqualität sei besser. Er wohne in der Nähe der Stadt und trotz der Vielzahl an Taxis auf der Straße gehe es ihm gut, weil er die Fähigkeit habe, über den eigenen Tellerrand hinauszuschauen, erzählte er ihr. Sie fragte nicht, was er damit meinte, sondern akzeptierte seine Aussage, weil sie keine Lust hatte, sich weiter auf das Thema einzulassen. Er fuhr vor das Hauptportal des Krankenhauses und war Gentleman genug, ihr aus dem Wagen zu helfen. Sie richtete sich auf, bezahlte und stützte sich auf beide Krücken, den Blick fest auf die Eingangstür geheftet. Sie betrachtete einen Moment lang den Krankenhausschriftzug, dann ging sie hinein.

Am Empfang blieb sie stehen und fragte nach dem Büro

von Dr. Declan Donovan. Nach dem Grund ihres Besuchs gefragt, antwortete Eve der diensthabenden Schwester am Empfang, sie sei da, um ihm ein Renovierungsangebot zu unterbreiten. Adam hatte ihr erzählt, dass Declan sein Büro zertrümmert habe. Die Geschichte hatte in Windeseile die Runde gemacht. Renovierung klang glaubwürdig. Die Frau grinste sie an und beschrieb ihr den Weg. Eve meldete sich im Wartebereich bei Declans Sekretärin, die ihr sagte, ohne Termin habe sie keine Chance.

«Das glaube ich sehr wohl», antwortete Eve arrogant.

«Also gut. Er ist momentan im OP. Sie werden also warten müssen.»

«Kein Problem», sagte Eve.

Ehe sie heraufgekommen war, hatte sie sich ein Buch besorgt und war in weiser Voraussicht noch mal auf die Toilette gegangen. Zweieinhalb Stunden später tauchte er auf. Er betrat das Vorzimmer und nahm die Post aus dem Eingangskorb, ohne seine Sekretärin eines Blickes zu würdigen.

Mühsam kam Eve auf die Beine. Er drehte sich um, sah sie, und sein Gesichtsausdruck verwandelte sich in Sekundenschnelle von Überraschung zu Schock. Sie war gewappnet. Sie setzte ein teuflisches Lächeln auf, um ihn zu reizen, ohne jedoch offensichtlich als Biest zu erscheinen.

«Declan», sagte sie.

«Eve», antwortete er und wurde bleich.

«Kannst du eine Minute für eine alte Freundin entbehren?» Sie blieb äußerlich völlig gelassen, doch in ihr tobte es. *Reiß dich zusammen, Eve! Konzentrier dich und zieh das jetzt durch!*

Er lächelte seine Sekretärin an. «Natürlich», sagte er mit zusammengebissenen Zähnen.

Langsam humpelte Eve in Declans Büro. Er schloss die Tür, und sie setzte sich. Er nahm hinter seinem Schreibtisch Platz und faltete die Hände unter dem Kinn.

«Was kann ich für dich tun?», fragte er.

Sie lachte. «Ich glaube, die Frage lautet eher, was ich für dich tun kann», antwortete sie.

Vor der Tür tippte die Sekretärin medizinische Notizen ins Reine, ahnungslos, dass ihr Chef in diesem Augenblick direkt nebenan erpresst wurde.

Am nächsten Morgen holte Clooney Stephanie aus der Klinik ab. Sie hatte zwar Schmerzen, ließ sich aber nicht davon abhalten, in Montmartre auf einen Kaffee anzuhalten. Sie überredete ihn dazu, sich gemeinsam mit ihr von einem Karikaturisten porträtieren zu lassen. Sie verbrachten einen fröhlichen, albernen Vormittag, genossen Milchkaffee und Croissants und lachten sich über die Skizzen kaputt, die nur für den Papierkorb taugten. Die beiden Bilder waren eine Momentaufnahme, eines traurigen noch dazu. Es war eine Ablenkung und nicht mehr. Als sie ins Hotel zurückkamen, war es Zeit, zu Mittag zu essen, und sie gingen ins Restaurant. Stephanie hatte Blutungen. Sie hatte leichte Schmerzen und fühlte sich unwohl, also aßen sie lediglich eine Kleinigkeit und gingen hinauf auf ihr Zimmer. Clooney ließ ihr ein Bad ein, weil er wusste, dass Stephanie die Badewanne liebte. Als das Bad bereit war, stieg sie in die Wanne, und er setzte sich auf den Rand.

«Kommst du auch rein?», fragte sie.

«Nein», sagte er. «Ich passe auf dich auf.»

«Blödsinn!»

Er trat ans Wannenende und massierte ihr den Kopf. Sie schmiegte sich an seine Hände.

«Mein Vater sagt immer: Gott wird über uns richten, wenn wir Böses getan haben.»

«Du weißt, dass ich nicht an Gott glaube.»

«Ich aber.»

«Außerdem ist das doch alles relativ. Dein Vater hat im Namen seines Landes unzählige Männer getötet, und wahrscheinlich auch Frauen und Kinder. Du berichtest nur darüber. Du wirst ein ungeborenes Kind los. Wer von euch beiden ist jetzt der Böse?»

«Er glaubt an das, was er getan hat.»

«Im Gegensatz zu dir.»

«Ich habe selbstsüchtig gehandelt, er nicht.»

«Er hat im Namen des Krieges lebendige, atmende, verängstigte Menschen umgebracht. Unser Kind war ein elf Wochen alter Fötus, es kannte weder Tag noch Nacht, keine Berührungen, weder die Liebe noch ein Lächeln. Er oder sie hat nie geweint, niemals Traurigkeit oder Schmerz empfunden. Dieses kleine Wesen hat nie gekämpft und hatte auch nie Angst. Die Menschen, die jeden Tag im Krieg ihr Leben lassen, wissen, was es bedeutet zu atmen, zu beten, zu flehen, zu leiden, zu verlieren, zu sterben, zu trauern. Wenn unser Kind gelitten hat, dann höchstens eine Sekunde lang. Die Menschen, mit denen dein Vater zu tun hatte, sind bestens mit dem Leid vertraut. Es sind Kämpfer, die sich verzweifelt ans Leben klammern. Wenn irgendjemand weiß, was ich damit meine, dann du.» Und Stephanie wusste es.

«Wir sind keine schlechten Menschen», sagte sie.

«Nein. Das sind wir nicht.»

Sie weinte nicht, weil sie nicht weinen konnte, aber sie ließ zu, dass er sie sanft streichelte, und gab sich der tröstenden Berührung hin. Dann half er ihr aus der Badewanne, hüllte sie in ein großes Handtuch, brachte sie ins Bett und überreichte ihr als Geschenk einen Seidenschal, den er am Vortag gekauft hatte, nachdem er die Klinik verlassen hatte. Er sah zwar nicht genauso aus wie derjenige, den sie in ihr Höschen legen musste, doch er war ihm ähnlich und teuer. Stephanie lag im Bett und umarmte den Schal.

«Manchmal wünschte ich, ich wäre anders», sagte sie.

«Ich weiß, was du meinst.»

Er legte sich zu ihr, nahm sie fest in den Arm, und sie schliefen zusammen ein. Als am nächsten Tag die Krämpfe wiederkamen und die Blutungen, war er für sie da, brachte sie vom Bett zur Toilette, von dort in die Wanne und wieder zurück ins Bett. Sie bestellten sich etwas Gutes zu essen aufs Zimmer, redeten und lachten und betrauerten auf ihre Weise ein Leben, das nicht sein sollte.

Clooney blieb in Paris, bis Stephanie nach Afghanistan zurückflog. Der Eingriff hatte sie mehr geschlaucht, als sie erwartet hatte, sowohl körperlich als auch emotional. Ihr Abschied war endgültig und ihrer Beziehung würdig. Sie umarmten einander fest und akzeptierten, dass sie sich nicht wiedersehen würden. Es war der Abschied zweier verwandter Seelen, die nicht dazu bestimmt waren, einander zu lieben, aus welchen Gründen auch immer.

Ich werde dich vermissen, Stephanie Banks.

Ich werde dich vermissen, Clooney Hayes.

Als er ihr zum Abschied nachwinkte und sie durch die Sicherheitsschleuse in den internationalen Abflugbereich verschwand, fühlte sich die Last auf seinen Schultern leichter an. Er begab sich zu seinem eigenen Flugsteig, in Richtung Heimat, zurück zu Lily.

Als Eve nach Hause kam, setzte sie sich auf den hohen Hocker am Küchentresen, und Lily kochte Kaffee.

«Ich habe Scott heute auf der Straße gesehen. Ich habe ihm nachgerufen, aber er ist nicht mal stehen geblieben», erzählte Lily.

«Er wird drüber wegkommen.»

«Ich wollte einfach nur wissen, wie seine Prüfungen gelaufen sind.»

«Ich bin mir sicher, er hat sie prima gemeistert, und sobald er sich nicht mehr wie ein egoistischer Idiot aufführt, wird er es dir erzählen.»

«Er ist innerlich völlig zerrissen. Sein Vater hat den Kindern eindeutig zu verstehen gegeben, dass sie die Wahl treffen müssen. Entweder er oder ich. Er hat Angst, das ist alles.»

«Du kriegst deine Kinder zurück», sagte Eve und dachte zufrieden an die Unterhaltung, die sie eben mit Declan geführt hatte. *Und zwar schneller, als du glaubst.*

«Er hat immer gegen mich gewonnen.»

«Die Zeiten sind vorbei.»

«Nicht, solange er meine Kinder hat.»

«Alles wird gut», sagte Eve, und in dem Augenblick klingelte Lilys Telefon. Im Display leuchtete Daisys Name auf.

«Das ist Daisy!», sagte Lily strahlend. «Das ist Daisy!» Sie nahm ihr Telefon und ging damit ins Gästezimmer. «Daisy!» In ihrer Stimme schwangen unterdrückte Tränen und Dankbarkeit mit. Sie schloss die Tür, und als sie wieder aus dem Zimmer kam, war sie glücklich und verwirrt und auch ein bisschen erschüttert.

«Sobald ich das Haus bezogen habe, will Daisy zu mir ziehen!» *Glücklich.*

«Woher wusste sie denn eigentlich, dass ich in ein Haus ziehen werde?» *Verwirrt.*

«Declan hat sie angerufen und ihr erzählt, er hätte zu viel zu tun, um sich um sie zu kümmern! Sie ist völlig am Boden!» *Erschüttert.*

«Wieso tut er das?», fragte sie.

«Weil er ein egozentrischer, sadistischer Soziopath ist!», sagte Eve.

«Er ist ein Soziopath», gestand Lily sich zum allerersten Mal laut ein. «Aber ich verstehe es trotzdem nicht. Er würde niemals einfach so aufgeben. Das sieht ihm überhaupt nicht ähnlich.»

«Vielleicht ist ihm ja ein Licht aufgegangen», sagte Eve und vollführte innerlich einen Freudentanz.

«Irgendwas ist da im Busch.»

«Na und?», sagte Eve. «Du kriegst dein Kind zurück. Und er verschwindet aus deinem Leben.»

«Glaubst du, Scott wird mir verzeihen?», fragte Lily.

«Natürlich.»

«Er ist alt genug, um selbst zu entscheiden, bei wem er leben möchte.»

«Dann lass ihn auch.»

«Sie konnte kaum sprechen, so sehr hat sie geweint», sagte Lily. «Ich glaube, ich hasse ihn!»

«Gut! Das ist sehr gesund. Ich bin stolz auf dich.»

Nach dem Auszug ihrer Mutter hatte Daisy haargenau das getan, was ihr Vater von ihr verlangt hatte. Sie weigerte sich, mit ihr zu sprechen, ignorierte sämtliche Anrufe stoisch, genau wie Declan es befohlen hatte. Sie erledigte akribisch all die Aufträge, um die ihr Vater sie bat, und zeigte sich von ihrer allerbesten Seite. Sie hielt den Mund und forderte nichts. Sie fragte sich, was sie falsch gemacht hatte, was ihn dazu gebracht haben mochte, sie so plötzlich anzurufen und ihr zu mitzuteilen, dass er sie nicht weiter bei sich haben wollte.

«Ruf deine Mutter an. Sag ihr, sie soll dich abholen.»

«Aber, Dad?»

«Los, fang an zu packen. Sobald sie in dieses Haus gezogen ist, ziehst du aus!»

«Aber, Dad!»

«*Daisy!*», brüllte er. «Du tust, was ich dir sage! Ruf diese Schlampe an, die sich deine Mutter schimpft, und sag ihr, dass du bei ihr einziehst. Und zwar augenblicklich!»

Daisy war fassungslos. Es fühlte sich an, als hätte ihr jemand in den Magen geboxt. Sie zitterte, als sie ihre Mutter anrief. Sie hasste ihre Mutter dafür, dass sie gegangen war, doch gleichzeitig vermisste sie die Freude und die Leichtigkeit, die sie immer verbreitet hatte. Ohne sie war in ihrem Zuhause alles düster und leer. Sogar wenn Declan nicht rumbrüllte, sondern versuchte, sich wie ein richtiger Vater zu benehmen, sah man ihm an, wie viel Mühe ihn das kostete. Daisy hatte Mitleid mit ihrem Vater, auch wenn sie das nicht davon abhielt, sich heimlich vorzustellen, wie es wäre, ihn zu verlassen. Doch als er sie dann selbst hinauswarf, war sie völlig verzweifelt. Er hatte den Kindern gesagt, wie sehr er sie brauchte und liebte, und jetzt befahl er ihr zu verschwinden. *Was habe ich denn getan?* Erst ließ ihre Mutter sie im Stich, und jetzt warf ihr Vater sie raus. Lily hatte versucht, sie zu trösten, doch erstens hatte sie kein Wort verstanden, weil sie so weinen musste, und zweitens glaubte sie ihrer Mutter sowieso kein Wort mehr. Nach dem Telefonat legte Daisy sich aufs Bett und weinte sich in den Schlaf. Als sie die Augen schloss und wegdöste, war es erst fünf Uhr nachmittags. Sie wachte nicht auf, als ihr Vater um sieben nach Hause kam und sich in der Mikrowelle ein Fertiggericht aufwärmte, und sie schlief weiter, als Scott die Treppe heraufpolterte, um sich schnell fertig zu machen, ehe er mit Josh, Cedric und Ethan loszog, um sich zu betrinken. Keiner der beiden sah nach ihr, und es spielte sowieso keine Rolle. Sie schlief, bis der Hunger sie am nächsten Morgen um acht Uhr weckte. Die beiden Männer gingen zur Arbeit, und sie hatte wieder einen langen, einsamen Tag vor sich, an dem sie nichts anderes zu tun hatte, als darauf zu warten, dass sie aus ihrem eigenen Zuhause geworfen wurde.

Lily benahm sich wie ein Tiger im Käfig. Sie konnte es nicht erwarten, endlich das Haus zu beziehen und ihre Tochter zurückzubekommen. An dem Tag, als die Immobilienmaklerin Eve die Hausschlüssel zurückbrachte, bestand Lily darauf, umgehend Daisy abzuholen und ihr das neue Haus zu zeigen. Eve begleitete sie. Lily parkte in der Auffahrt.

«Hübsch hier», sagte Eve.

Lily blieb reglos sitzen. «Und was mache ich, wenn er da ist?», fragte sie.

«Declan ist doch tagsüber nie zu Hause. Und außerdem hast du mich.»

«Nimm es mir nicht übel, Eve, aber du bist ein Krüppel.»

«Ich könnte ihn locker mit meinen Krücken erschlagen.»

Lily lächelte. «Vielleicht ist Declan ja nicht der einzige Soziopath in meinem Leben.»

Eve zuckte die Achseln – selbst dabei tat ihr die Schulter weh. Die neue Physiotherapeutin, die zu ihr ins Haus kam, war eine Art Feldwebel und wollte sich offensichtlich einen

Namen damit machen, Eve in Rekordzeit zu kurieren. Die Vorstellung klang zwar verlockend, aber die Wirklichkeit war äußerst unbequem und schmerzhaft. Irgendwas tat ihr nach den Sitzungen immer weh. *Aber mit dem nehme ich es trotzdem noch auf.*

Lily beschloss, Daisy anzurufen, in der Hoffnung, dass sie abhob. Sie ging tatsächlich nach dem zweiten Klingeln ans Telefon. Als Lily sagte, dass sie vor dem Haus stünde, kam Daisy an ihr Zimmerfenster, und Eve sah Lilys zwölfjährige Tochter hinausspähen. Lily bat sie, mit ihnen zu kommen, um sich das neue Haus anzusehen. Daisy lehnte ab. Sie und Tess seien beschäftigt, und außerdem habe ihr Vater ihr verboten, das Haus zu verlassen. Lily erwiderte, sie würde gerne ihnen beiden das Haus zeigen, denn schließlich würde Tess Daisy in Zukunft dort besuchen kommen. Es folgte eine lebhafte Debatte im Flüsterton zwischen den beiden Mädchen. Daisy legte auf, und als die beiden Mädchen kurz darauf an der Haustür auftauchten, lächelte Lily Eve an.

Lily stieg aus dem Auto, und Tess kam direkt auf sie zugesprungen und warf sich in ihre Arme.

«Ich habe dich echt vermisst, Lily.»

«Ich dich auch, Tess.»

Daisy ließ sich für den Weg von der Haustür zum Auto eine halbe Ewigkeit Zeit. Sie umarmte ihre Mutter nicht, stattdessen starrte sie Eve an.

«Ist sie das?», fragte sie.

«Ich bin Eve.»

«Sie ist meine Freundin», sagte Lily.

«Sie ist eine blöde Kuh», sagte Daisy.

«Und dein Vater ist offensichtlich noch genauso charmant wie eh und je», sagte Eve. Ihr war vollkommen klar, woher der Wind wehte. «Und jetzt steig ein, wir haben nicht ewig Zeit.»

Lily versuchte, ihre Tochter zu umarmen, doch Daisy machte sich los und setzte sich zu ihrer Freundin auf die Rückbank. Sie sprach die ganze Fahrt über kein Wort, dafür redete Tess wie ein Wasserfall.

«Sie sind die Schmuckfabrikantin», sagte sie.

«Designerin», entgegnete Eve.

«Meine Mama sagt, Sie sind stinkreich und mit total vielen berühmten Männern ausgegangen.»

«Deine Mama hat recht.»

«Stimmt es, dass Sie mit Robert Downey Junior zusammen waren, bevor die Drogen ihn kaputtgemacht haben?»

«Welcher war das gleich wieder?», wollte Eve wissen.

«‹Chaplin›», sagte Lily eifrig. Sie kannte kaum Promis, weil sie keine Klatschblätter las, aber ihn kannte sie. *Ich liebe ihn!* Im Krankenhaus lagen zwar genügend Zeitschriften herum, aber die sahen alle gleich aus, und selbst die Schlagzeilen lauteten ähnlich. Sie waren voll mit Gesichtern, die sie nicht kannte, und mit Dingen, die sie sich nicht leisten konnte. Es war deprimierend. Und währenddessen stieg ihre beste Freundin mit Robert Downey Junior ins Bett!

«‹Iron Man›», sagte Tess.

«Ach ja, den habe ich mal im Flugzeug gesehen», sagte Eve. «Nein.» Sie schüttelte den Kopf. «Der ist nicht mein Typ.»

Tess lachte. «Sie sind cool!», sagte sie.

Daisy warf ihr einen bösen Blick zu, doch Tess kümmerte sich nicht darum.

«Und der nimmt Drogen?», wollte Eve wissen.

«Nein. Das ist ewig her. Er war sogar im Gefängnis deswegen, aber das hat er hinter sich.»

«Also dem sind sie im Gefängnis mit Sicherheit an die Wäsche gegangen», sagte Eve.

«Eve!», rief Lily protestierend.

«Stimmt doch», sagte Tess. «Manche Menschen sehen eben zu gut aus.»

«Okay, danke. Themawechsel», sagte Lily.

Tess fügte sich. «Und? Leben Sie in einer Villa?»

«Nein.»

«Haben Sie Dienstboten?»

«Ich habe eine Putzfrau, aber Lily ist besser. Ich werde sie wohl rauswerfen müssen.»

«War der Typ, der bei dem Unfall gestorben ist, Ihr Freund?»

«Woher weißt du das denn?»

«Stand in der Zeitung.»

«Ach was?»

«Na, was denn sonst?», sagte Tess. «Sie sind schließlich berühmt.»

Lily zuckte die Achseln. «Am Anfang haben ein paar Journalisten vor dem Krankenhaus herumgelungert. Du warst nicht bei Bewusstsein, und wir haben dafür gesorgt, dass sie verschwinden.»

«War er Ihr Freund?»

«Haben sie das geschrieben?», fragte Eve sichtlich panisch.

Lily legte ihr die Hand aufs Knie. «Nein. Haben sie nicht», sagte sie. «Es hieß, ihr wärt Geschäftspartner gewesen und dass du vorgehabt hättest, deinen Schmuck in seinen Läden zu vertreiben.»

Eve lachte erleichtert. Sie war froh, dass die örtlichen Zeitungen sich immer noch so wenig um die Fakten scherten wie früher. Als ihr Vater starb, waren auch ein paar

Klatschreporter auf der Trauerfeier aufgetaucht, um ein Foto von ihr in Schwarz und ein paar O-Töne zu bekommen. Sie hatte ihnen geraten, zur Hölle zu fahren. Daraufhin hatte die Fotounterschrift gelautet: *«Die Hölle von Eve Hayes' Vater».* Eve hatte so gut wie nie unter der Presse zu leiden. In Amerika war sie nur einer von vielen herausragend erfolgreichen Menschen gewesen, die sich wenig um die Medien scherten, und seit sie wieder zu Hause war, lebte sie völlig unbemerkt von der Presse. Sie besuchte weder Partys noch PR-Events, auf denen es nur so wimmelte von wichtigen Menschen, die sie nicht kannte. Am Anfang war sie oft eingeladen worden, aber sie hatte keinerlei Interesse daran, sich in ihrer alten Heimat zu irgendeinem B-Promi hochstilisieren zu lassen. Sie befand sich im Ruhestand, war auf der Suche nach Frieden, und es musste schon etwas einigermaßen Berichtenswertes geschehen, um doch einmal die Aufmerksamkeit der Medien zu wecken. Aber sie war nicht berühmt genug, dass man bei ihr aktiv nach Leichen im Keller suchte. *Gott sei Dank. Es tut mir so leid, Ben. Wo bist du heute? Hier? Dort? Nirgendwo?*

Als sie vor dem Haus ankamen, stellte Lily den Motor ab. Sie strahlte von einem Ohr zum anderen. Ihre Augen glänzten. Eve reichte ihr den Schlüssel, und Lily umklammerte ihn fest. Es war ein wunderschöner, wolkenloser Tag. Eine von Bäumen gesäumte Auffahrt führte auf das große weiße Haus zu, das zum Großteil von einer Kletterpflanze mit rosaroten Blüten bewachsen war. Die Haustür war in einem wunderschönen Dunkelblau gestrichen, und auch die alte Holzbank stand noch immer unter der großen Eiche im Vorgarten. Lilys Herz klopfte wie wild. Sie warf Eve einen Blick zu.

«Es ist, als würde ich nach Hause kommen», sagte sie.

«Das tust du auch.» Eve sah ihre Freundin mitfühlend an, die der Anblick des Hauses, in dem sie aufgewachsen war, so sehr bewegte. Sie wünschte, sie könnte genauso glücklich sein, doch auch Eve hatte in diesem Haus zu viel verloren, um jemals wieder solche Gefühle dafür hegen zu können wie Lily.

Sie stiegen aus.

Tess gefiel das Haus auf Anhieb. «Es ist total hübsch und außerdem nur ein paar Haltestellen von uns entfernt!», sagte sie zu Daisy, die sich noch immer distanziert und schweigsam gab.

Lily schloss die Haustür auf und betrat die große Eingangsdiele. Sie umfasste mit beiden Händen das breite, alte Mahagonigeländer mit dem geschwungenen Ende und betrachtete die frisch gestrichenen Wände. Eve hatte darauf bestanden, dass die Maler kamen, nachdem alle Möbel draußen waren. Von den Familienbildern, die im Treppenaufgang gehangen hatten, war keine Spur mehr geblieben, doch im Geiste hatte Lily jedes einzelne vor sich. Der alte Holzfußboden war frisch eingelassen und auf Hochglanz gewienert. Lily ging weiter nach hinten durch bis in die geräumige, offene Küche, die hinaus auf die Terrasse und den großen Garten führte, wo sie und Eve als Kinder so oft gespielt hatten. Sie sah zur Terrassentür hinaus und entdeckte die beiden Schaukeln. Sie klatschte in die Hände.

«Mein Gott, habe ich diese Schaukeln geliebt!», sagte sie und biss sich auf die Lippe.

«Weiß ich doch», antwortete Eve.

Lily nahm staunend die Küche in Augenschein. Hier hatte sich so gut wie alles verändert. Die Küche war modern eingerichtet und mit einem ausgezeichneten Gasherd, einem zusätzlichen Backofen und einer Mikrowelle ausgestattet.

«Danny hat die Küche renoviert?», fragte sie ungläubig.

«Seine Lebensgefährtin hat gerne gekocht», sagte Eve und fragte sich plötzlich, wie es wohl Jean McCormack gehen mochte. Sie beschloss, Jean bei nächster Gelegenheit anzurufen. Sie war eine sehr liebenswerte Frau, die ihren Vater in seinen letzten Jahren sehr glücklich gemacht hatte. Sie fragte sich flüchtig, weshalb sie nicht schon früher auf diese Idee gekommen war, wurde aber gleich wieder von diesem Gedanken abgelenkt, weil Lily erneut seufzend in die Hände klatschte.

Sie folgte Lily hinaus in den Garten, Tess und Daisy im Schlepptau. Tess setzte sich sofort auf die eine Schaukel und Daisy auf die andere daneben.

«Die ist genau wie deine», sagte Tess.

«Ist sie nicht», antwortete Daisy.

Lily betrachtete die Bäume. Sie waren inzwischen so groß gewachsen, dass das Haus von Terry dem Touristen kaum noch zu erkennen war. Sie ging zurück ins Haus, durchquerte die Diele und betrat das Wohnzimmer mit dem großen Panoramafenster, das den Blick auf den Vorgarten mit der alten Eiche und der Holzbank freigab. Sanft ließ sie die Hand über den Kamin gleiten. Dann öffnete sie die großen weißen Flügeltüren, die das Wohn- vom Esszimmer trennten. Sie hatte völlig vergessen, wie groß es war, weil dieser Raum selten genutzt worden war. Sie ging zurück in die Diele und sah Eve auf den Stufen ins obere Stockwerk sitzen.

«Darf ich raufgehen?», fragte Lily.

«Es ist dein Haus.»

Lily nahm zwei Stufen auf einmal die Treppe hinauf, und Tess lief ihr nach.

«Lily! Warte auf mich!»

Dann tauchte auch Daisy aus dem Garten auf. Eve sah sie an.

«Und? Bist du immer so übellaunig und motzig oder nur jetzt, weil dein Leben auf den Kopf gestellt worden ist?»

Daisy lehnte sich gegen den Türrahmen. «Hat meine Mutter was mit Ihrem Bruder?»

«Nein», antwortete Eve. «Aber sie mögen sich sehr. Das war schon immer so. Deine Mutter ist praktisch in diesem Haus aufgewachsen. Sie wurde hier geliebt.»

«Sie wurde zu Hause geliebt.»

«Nein, das stimmt nicht. Weißt du, Daisy, das kannst du jetzt noch gar nicht verstehen, weil du ein Kind bist und Kinder grundsätzlich egoistische Mistkäfer sind, die glauben, die ganze Welt würde sich nur um sie drehen. Nur weil du zu Hause glücklich warst, muss sie es auch gewesen sein, denkst du, stimmt's?»

Daisy blinzelte, sagte aber nichts.

Eve nickte bestätigend. «Neunzehn Jahre lang hat deine Mutter deinen Vater, Scott und dich an erste Stelle gesetzt. Sie hat gearbeitet, das Haus geputzt, Kuchen gebacken, Geschichten erzählt, euch Tag und Nacht bekocht. Sie hatte keine Freunde, keine Freizeit und kein Leben. Sie ging ständig auf dem Zahnfleisch, war die ganze Zeit damit beschäftigt, euch vor dem Frust eures Vaters zu beschützen, vor seiner Paranoia und seinen Launen. Sie war einsam und unglücklich, und sie konnte nicht mehr.»

«So wie Sie das sagen, klingt es, als wäre mein Vater der Teufel persönlich.»

«Dein Vater ist ein Arschloch, Daisy, aber das würde deine Mutter nie sagen, weil sie dir nicht weh tun will.»

«Aber Ihnen macht es nichts aus, mir weh zu tun, oder wie?»

«Ich bin eine Fremde für dich, Daisy, und ich wette, was ich gerade über ihn gesagt habe, ist gar nichts im Vergleich zu dem, was er euch über eure Mutter erzählt hat. Macht es ihm denn was aus, dir weh zu tun? Denk mal darüber nach.» Eve stand mühsam auf und stützte sich auf ihre Krücken.

«Er ist mein Vater.»

«Und sie ist deine Mutter, und wenn du ihn und seine Unzulänglichkeiten verteidigst, dann wäre es das Mindeste, bei deiner Mutter denselben Maßstab anzulegen.»

«Sie glauben wohl, Sie wüssten alles!»

«Nein», antwortete Eve. «Ich weiß einfach nur mehr als du. Sag deiner Mutter, ich warte im Auto.»

Sie humpelte hinaus, und Daisy starrte die Treppe hinauf nach oben, zu ihrer Mutter und zu Tess.

Lily fuhr Eve zurück in ihre Wohnung und lud Daisy und Tess zu Eddie Rocket's zum Essen ein. Lily setzte sich den Mädchen gegenüber in eine Nische, und sie bestellten.

«Du hast noch gar nicht gesagt, wie dir das Haus gefällt», sagte Lily.

«Es ist schön», antwortete Daisy.

«Und dein Zimmer? Gefällt es dir?»

«Es ist auch schön.»

«Ich find's toll!», sagte Tess.

«Und was ist mit Scott?», wollte Daisy wissen.

«Er kriegt das linke Zimmer.»

«Weiß er das mit dem Haus?»

«Ich habe es ihm noch nicht gezeigt.»

«So läuft das also? Wir verlassen einfach alle meinen Dad?», fragte Daisy, und ihre Augen füllten sich mit Tränen.

Lily wollte ihre Hand nehmen, doch Daisy zog sie weg. «Du wirst ihn trotzdem weiter sehen. Du kannst ihn jederzeit besuchen und auch übers Wochenende bleiben, wenn du willst. Er ist immer noch dein Dad.»

«Und zieht *er* auch mit ein?»

«Wer?»

«Der Typ mit dem bescheuerten Namen.»

«Nein.»

«Aber irgendwann schon. Es ist ja schließlich sein Haus.»

«Nein. Er lebt nicht in Irland. Er geht bald wieder weg.»

«Wann?»

«Bald.»

«Liebst du ihn?»

Lily wurde rot und fing an zu stammeln. Die Frage erwischte sie auf dem falschen Fuß. Natürlich liebte sie Clooney, aber sie würden kein Paar werden, sosehr sie sich das auch wünschte. Ihnen war nie mehr bestimmt gewesen als das, was sie im Moment hatten. *Ach Daisy, er ist vor allen Dingen meine Familie gewesen.* Daisy stocherte auf ihrem Teller herum. Sie war wie ihre Mutter – wenn sie sich gestresst oder traurig fühlte, war ihre Kehle wie zugeschnürt. Sie hatte in dem Maße abgenommen, wie Lily zugenommen hatte. Clooney bestand darauf, Lily aufzupäppeln, und tatsächlich legte sie langsam ein wenig zu. Noch immer war sie zerbrechlich dünn, doch wenigstens standen inzwischen die Knochen nicht mehr hervor. *Und wenn du dann bei mir zu Hause bist, mache ich es mit dir genauso, Daisy.*

Tess war sichtlich froh darüber, dass sich für sie selbst im Grunde nichts änderte. Daisy würde nach wie vor dieselbe Schule besuchen wie sie, und Lily war endlich zurück. Sie hatte ihre Wärme und Freundlichkeit vermisst. Tess besaß genug Abstand, um zu erkennen, was Daisy nicht sehen konnte oder wollte. *Du hast so ein Glück, Daisy. Manchmal schließe ich die Augen und wünsche mir, ich wäre du.*

Lily setzte Tess zu Hause ab. Ihre Mutter tauchte wie aus dem Nichts auf und warf sich förmlich vor den Wagen, um die Neuigkeiten aus erster Hand zu hören.

«Ich habe es gehört», sagte sie.

«Alles ist gut», antwortete Lily.

«Tess war am Boden, und die arme Daisy … Geht es dir gut, Daisy?»

«Ja. Mir geht's gut.»

«Ich habe gehört, Sie wohnen jetzt bei dieser Designerin, Eve Hayes! Ich kann nur ahnen, wie es da aussieht!»

«Ich ziehe bald in ein eigenes Haus», antwortete Lily. «Tess ist uns jederzeit herzlich willkommen.»

«Das ist nett.»

«Ich muss los», sagte Lily, trat aufs Gas und ließ die Frau mitten auf der Straße stehen.

«Wie oft habe ich dieses Kind heimgefahren? Und das war das allererste Mal, dass diese Person sich die Mühe macht, vor die Haustür zu kommen und mit mir zu sprechen», sagte sie. «Grässliche Leute!»

Sie ließ Daisy vor der Haustür ihres Vaters aussteigen.

«Kommst du noch mit rein?», wollte Daisy wissen.

«Nein.»

«Auch gut!», sagte Daisy und stapfte den Weg hinauf.

Lily rief ihr nach. «Daisy!»

Ihre Tochter drehte sich um.

«Ich liebe dich, und ich mache es wieder gut!»

«Und wie willst du das machen?»

«Indem ich glücklich bin», antwortete Lily.

«Na, wenigstens einer!», sagte Daisy, steckte den Schlüssel ins Schloss, ging ins Haus und machte die Tür hinter sich zu.

Adam kam mit einem Picknickkorb. Es war noch früh genug, um draußen zu essen, und er bestand darauf, mit ihr auf die Wiese hinter dem Haus zu gehen und sich mit Blick aufs Meer auf eine Decke zu setzen. Er half Eve beim Hinsetzen und schob ihr ein paar Kissen unter, die er eigens aus dem Auto geholt hatte.

«Du denkst auch an alles», sagte sie.

Er machte eine Flasche Wein auf, aber ihnen war beiden nicht nach Alkohol zumute. Stattdessen legten sie sich einfach auf den Rücken, den Blick in den dunkler werdenden Himmel gerichtet, und redeten. Eve erzählte ihm von dem Haus für Lily und dass Declan die Kinder gehen ließ. Auf einen Ellbogen gestützt, sah er sie an.

«Das sieht ihm aber gar nicht ähnlich», sagte er.

«Nein. Das tut es nicht.»

«Hat seine Entscheidung zufällig irgendwas mit den Befunden zu tun, die ich neulich für dich aus dem Archiv herausgesucht habe?»

«Ja», antwortete sie.

«Wirst du mir jemals erzählen, was passiert ist?»

«Irgendwann mal», sagte sie, und er nickte, beugte sich vor und küsste sie. Sie küssten sich sehr lange, so lang, dass Eve sich an Ben erinnert fühlte und an die Zeit, als sie noch Teenager waren. Damals war ein Kuss das höchste der Gefühle gewesen und hatte dafür gesorgt, dass die Erde sich schneller drehte. Bei Adam drehte sich die Erde auch schneller, vielleicht lag das aber auch nur an ihren Schwindelanfällen. Eve war sich nicht ganz sicher.

Sie unterhielten sich über seinen Job und darüber, wie anstrengend er war. Er war fasziniert davon, dass sie sich zur Ruhe gesetzt hatte, und wollte wissen, was sie jetzt für Pläne hatte.

«Gar keine.»

«Hast du keine Angst?»

«Nein.»

«Und es fällt dir auch nicht schwer, dein Lebenswerk und deine ganze Identität einfach so hinter dir zu lassen?»

«Nein.»

«Und du vermisst es auch nicht?»

«Kein bisschen», sagte sie, und sie verstummten. «Ich habe dir doch gesagt, dass ich im Ruhestand bin.»

«Das wird doch irgendwann langweilig», sagte er.

«Vielleicht.»

«Und was ist mit Heirat?»

«Was soll damit sein?»

«Ist das etwas, das du möchtest?»

«Lily hat mir erzählt, dass die Ehe nichts für dich wäre. Fragst du deshalb?»

«Teils deshalb und teils, weil ich einfach wissen will, wie du dazu stehst.»

«Ich glaube, eine Hochzeit ist eine nette Sache, aber ein Stück Papier ist noch lange keine Garantie für irgendwas, und deswegen finde ich es überflüssig zu heiraten.»

Er nickte lächelnd. «Immer so klar im Kopf.»

«Es gibt Menschen, die mir das als Gefühlskälte auslegen.»

«Ich jedenfalls nicht.»

«Und was hast du gegen die Ehe?»

Er legte sich auf den Rücken und sah in den Himmel. Dann erzählte er ihr, dass sein Vater seine Mutter wegen einer anderen Frau verlassen habe, als er sieben Jahre alt gewesen war. Die Frau wurde schwanger und wollte heiraten. Weil Scheidungen damals noch verboten waren, versuchte sein Vater, eine Annullierung durchzusetzen, und obwohl er seit sieben Jahren verheiratet war, ein gemeinsamer siebenjähriger Sohn existierte und es für eine Annullierung keinerlei Grundlage gab, setzte er sich schließlich mit dem Argument durch, er sei wegen der Schwangerschaft zur Ehe genötigt worden. Er heiratete die andere Frau und bekam vier Kinder mit ihr. Adams Mutter hatte sich nie richtig von diesem Schlag erholt. Sie ließ nie wieder einen Mann wirklich an sich heran und starb mit sechzig Jahren an einem schweren Herzinfarkt – allein.

«Hast du ihn je wiedergesehen?», fragte Eve.

«Nein.»

«Hast du darunter gelitten?»

«Ja.»

«Ich finde, es ist besser, keinen Vater zu haben als einen schlechten.»

«Woher willst du das denn wissen? Wie man hört, hattest du den besten Vater der Welt.»

«Es ist einfach sinnlos, seine Zeit und sein Herz an jemanden zu verschwenden, der nichts von einem wissen will», antwortete sie. «Vor allem wenn es so viele Menschen gibt, die einen durchaus mögen.» Sie grinste, und er beugte sich zu ihr und küsste sie. «Wann haben wir Sex?»

Er schüttelte lachend den Kopf. «Sobald du dich kräftiger fühlst.»

«Ich fühle mich bereits sehr kräftig», sagte sie.

«Na, dann bald.»

«Du wimmelst mich ab», sagte sie.

«Nein, ich gebe dir nur etwas Zeit.»

«Ich will aber keine Zeit.»

«Wann findet die Hochzeit statt?»

«In zwei Wochen», sagte sie.

«Okay», antwortete er. «Dann tun wir es in zwei Wochen.»

«Ich habe dich doch noch gar nicht zu der Hochzeit eingeladen.»

«Wirst du aber.»

«Ich warte doch keine zwei Wochen mehr!»

«Doch, tust du.»

«Herrgott noch mal!»

«Weißt du, für eine Atheistin nimmst du den Namen Gottes wirklich reichlich oft in den Mund.»

«Du solltest mich mal im Bett hören», sagte sie grinsend.

«Und Jesus Christus und …»

«Und heilige Scheiße sage ich ebenfalls, aber das heißt ja auch nicht, dass ich an einen gesegneten Scheißehaufen glaube, der zur Rechten Gottes sitzt», sagte sie, und er lachte.

«Auch wieder wahr.»

Sie blieben draußen liegen, bis es kühl wurde, dann half er ihr ins Haus. Als er ging, fragte sie ihn, ob sie tatsächlich noch zwei Wochen warten müsse, und er sagte, er würde dafür sorgen, dass sich das Warten lohnte.

«Na, dann will ich aber mindestens eine rote Schleife um deinen Bauch!», rief sie ihm nach, als der Lift sich schloss.

Als Clooney nach Hause kam, war Eve bereits im Bett. Lily saß mit hochgezogenen Beinen auf dem Sofa, trank ein Glas Wein und las eines der vielen Bücher aus Eves umfangreicher Sammlung. Als er zur Tür hereinkam, sprang sie auf, offensichtlich froh, ihn zu sehen. Er wirkte erschöpft und war wortkarg. Sie schenkte ihm ein Glas Wein ein und fragte, ob er hungrig sei. Das war er. Er setzte sich auf einen Hocker am Küchentresen, während sie den Inhalt des Kühlschranks inspizierte, diverse Dinge aus der Vorratskammer holte, schnippelte und kochte. Sie zu beobachten, war pure Entspannung. Bei ihr sah es kinderleicht aus, wie sie aus nichts eine Mahlzeit zauberte. Sie setzte sich zu ihm, während er die köstlichsten Nudeln seines Lebens aß.

«Du hättest Köchin werden sollen.»

«Ich hätte viele Dinge werden sollen», sagte sie.

Er hielt ihr die Gabel hin, und sie machte gehorsam den Mund auf.

«Hast du heute was gegessen?», wollte er wissen.

«Ja.»

«Gut.»

«Ich bin im Haus gewesen», sagte sie und grinste. «Danke.»

«Du musst mir nicht danken. Ich bin froh, wenn du glücklich bist.»

«Das bin ich», sagte sie. «Und Declan macht mir die Kinder nicht mehr streitig. Das sieht ihm überhaupt nicht ähnlich.»

Anstatt etwas zu sagen, bestand Clooney nur darauf, dass sie noch eine Gabel aß.

«Wie war es in Paris?»

«Traurig.»

«Willst du, dass ich dich frage, warum?»

«Lieber nicht.»

«Okay.»

Nach dem Abendessen unterhielten sie sich noch eine Weile, und als Mitternacht vorüber war, sagte Lily ihm gute Nacht und ging ins Gästezimmer. Clooney zog das

Schlafsofa in Eves Arbeitszimmer aus. Auf dem Weg zum Wäscheschrank hielt er vor Lilys Zimmertür inne. An die Tür gelehnt, fragte er sich, ob sie wach war oder schon schlief und ob sie ihn genauso begehrte wie er sie. In dem Augenblick machte sie von innen die Tür auf, und er stolperte ins Zimmer. Sie lachte.

«Alles in Ordnung?», fragte sie, als er wieder aufrecht stand.

«Ich habe dich vermisst.»

«Ich dich auch.»

Lily stellte sich auf die Zehenspitzen und küsste ihn. In dem Augenblick, als ihre weichen Lippen seinen Mund berührten, verschmolz er förmlich mit ihr, und dann konnte nichts sie mehr auseinanderbringen. Er hob sich Lily auf die Hüften, trug sie durchs Zimmer und legte sie so sanft wie nur möglich aufs Bett. Er fand seinen Platz zwischen ihren Beinen und achtete sehr darauf, dass es ihr gut ging und sie ihn wirklich wollte. Er war zärtlich und einfühlsam, und als sie einander auf diese Weise begegneten, stand Lily in Flammen und wollte ihn so sehr wie noch niemanden zuvor in ihrem Leben. Als sie einander alles gegeben hatten, lagen sie zitternd und bebend beieinander, erschöpft und seelisch aufgeladen zugleich, und sie öffnete ihm ihr Herz.

«Ich hätte dich damals nicht wegstoßen dürfen», sagte sie.

Er fuhr mit dem Zeigefinger über ihr Kinn. «Das hast du nicht.»

«Ich hatte solche Angst», sagte sie.

«Das habe ich bis heute nicht verstanden.»

«Ich habe ihn geliebt.»

«Er hat dich gebraucht», sagte er, und er wusste, wie

sehr Lily sich immer danach gesehnt hatte, gebraucht zu werden.

«Im Gegensatz zu dir», sagte sie mit Tränen in den Augen.

«Es tut mir leid.»

«Mein Fehler. Wir sind, wie wir sind.»

Er wischte ihr die Tränen vom Gesicht. Sie lagen in den Armen des anderen, und obwohl Lily noch immer Angst vor der Zukunft und um die Zukunft ihrer Kinder hatte, war sie glücklich, und ihr wurde bewusst, dass sie seit sehr langer Zeit nicht mehr glücklich gewesen war. *Ich erinnere mich wieder*, dachte sie.

Clooney wollte wissen, weshalb sie lächelte.

«Ich bin glücklich. Ich bin tatsächlich glücklich.»

«Gut. Ich bin auch glücklich.»

«Wohin wirst du als Nächstes gehen?»

«Lass uns jetzt nicht darüber sprechen.»

«Wieso nicht? Du bist der Mann, der immer wieder weggeht», sagte sie und gab damit zu, dass sie seine Unterhaltung mit Adam vor ein paar Tagen tatsächlich belauscht hatte. «Es ist okay. Ich bin keine achtzehn mehr. Ich habe das Leben bekommen, das ich wollte, und es hat mir nicht gefallen.»

«Ich habe ein Jobangebot aus Peru.»

«Ich war noch nie in Peru.»

Er grinste. «Spielst du etwa mit dem Gedanken, mich zu besuchen?»

«Kann schon sein.»

«Das fände ich wirklich schön», sagte er und küsste sie. Dann glitten sie in den Armen des anderen in einen tiefen und friedlichen Schlaf.

12 Wo der Croagh Patrick auf die Clew Bay trifft

Lily,

*ich weiß wirklich nicht, was ich sagen soll. Gestern ist end-
lich dein Brief angekommen. Es sind, wie du selbst sagst,
ein paar ziemlich verwirrende und lange Wochen gewesen.
Als du dich nach der Notenbekanntgabe immer noch nicht
gemeldet hast, haben Declan und ich angefangen, uns ernsthaft Sorgen zu machen. Dann hat Clooney Danny am Telefon von deinen tollen Noten erzählt, Danny hat es mir gesagt und ich es Declan, und als wir dann immer noch nichts
von dir hörten, wussten wir endgültig nicht mehr, was wir
denken sollten. Declan wollte die ganze Zeit von mir wissen, warum du nicht anrufst. Er hat mir echt leidgetan. Er
war so einsam und traurig, und ich hatte keinen Schimmer,
was dich davon abhält, dich bei uns zu melden. Jetzt ist
mir das natürlich klar. Ich stehe total unter Schock! Ich
wusste ja, dass ihr euch nahesteht, du und Clooney, aber ich
wäre nie im Leben auf die Idee gekommen, dass ihr zusammen seid. Wahrscheinlich weil ich ein emotionaler Krüppel
bin, zumindest werdet ihr beide das wahrscheinlich von mir
behaupten. In meinen Augen war Clooney immer dein großer Bruder. Was für ein Schock! Ich finde es unglaublich
gemein von dir, dass du mir einfach nicht mehr geschrieben
und mich so hast hängen lassen. Ich habe mir furchtbare*

Sorgen gemacht und mir alles Mögliche ausgemalt. Du hast Declan und mich hier mit unserer Angst einfach alleingelassen. Ich hatte plötzlich das Gefühl, in diese Rolle gedrängt worden zu sein, dass ich mich um ihn kümmern müsste, irgendwie so was, keine Ahnung. Das war der totale Frust. Du hast uns eiskalt fallen gelassen, und ich möchte kein Wort mehr über dich und Clooney verlieren, weil es einfach nur bescheuert ist. Wie kannst du nur so gemein und dämlich sein? Da sprichst du ständig von Liebe und was sie für dich bedeutet, aber wenn es dann drauf ankommt, bist du genauso unfähig wie ich. Die Sache mit Ben und mir ist vorbei. Wir haben gestern Abend Schluss gemacht. Pauls Eltern waren unterwegs, und er hat bei sich zu Hause eine Party geschmissen. Ben brachte Billy mit, und sie waren schon betrunken, als sie kamen, weil sie nachmittags einen Gig gespielt und seitdem durchgesoffen hatten. Ben ging mir die ganze Zeit wegen London auf die Nerven. Er meinte, er wollte nicht, dass ich wegginge, und fragte, ob ich mir nicht ein College suchen könnte, das nicht so weit weg wäre. Er präsentierte mir tatsächlich eine ganze Liste mit Unis, die natürlich alle nicht halb so cool sind wie St. Martin's. Er wollte mir erzählen, dass ich mich da bewerben müsste, was natürlich erst im nächsten Jahr möglich wäre. Seit der Notenbekanntgabe führen wir diese Diskussion immer wieder. Er ist der Meinung, mit meinen Noten müsste ich sogar einen Platz am National College of Art & Design bekommen, aber ich will da gar nicht hin. Ich will nach London ans St. Martin's. Gestern Abend meinte er dann, wenn ich mich nicht fürs NCAD bewerbe, schmeißt er sein Studium und kommt mit nach London. Einfach so. Er war besoffen, und Billy war total sauer, weil Ben dabei keinen einzigen Gedanken an die Band verschwendete. Aber Ben meinte, er

liebt mich, und wenn ich ihn auch liebe, dann würde ich
entweder hierbleiben oder wenigstens darüber nachdenken,
dass er mit mir mitkommt. Das war alles völlig bescheuert.
Er war total durcheinander und streitsüchtig, und ich war
auch völlig durch den Wind, weil ich gerade deinen Brief
gelesen hatte. Er hat bei mir alle falschen Knöpfe gedrückt
und mich als unsensibel und eiskalt bezeichnet. Daraufhin
nannte ich ihn einen dummen Jungen und meinte, ich wäre
auf keinen Fall bereit, nach einem einzigen Sommer meinen
Traum für ihn aufzugeben, und er wäre ein Idiot, wenn er
einfach seine Band aufgeben würde. Billy war natürlich auf
meiner Seite. Er warf seine Bierdose nach Ben und gab ihm
übelste Schimpfnamen. Als sie anfingen, sich zu prügeln,
bin ich ins Haus gegangen. Auf der Treppe lief ich Declan
in die Arme. Er hatte ein blaues Auge. Ich wollte wissen,
was passiert wäre, und er fing an zu heulen. Er war auch
betrunken. Wir waren alle total blau. Ich ging mit ihm ins
Bad und habe die Platzwunde über seinem Auge sauber ge-
macht. Sie war ganz schön tief, aber er wollte nichts davon
wissen, als ich meinte, das müsste genäht werden. Es hörte
dann zwar auf zu bluten, aber er hatte ein richtiges Loch
im Gesicht. Dabei trank er die ganze Zeit weiter direkt aus
einer Wodkaflasche. Ich wollte wissen, wie das passiert
wäre, und er meinte, er wäre überfallen worden. Das war
aber gelogen, denn sein Geldbeutel steckte noch in der
Hosentasche, aber weil er es offensichtlich nicht erzählen
wollte, habe ich nicht weiter nachgebohrt. Wir verzogen uns
in Pauls Zimmer, um zu reden. Declan war völlig am Bo-
den. Er hatte immer noch nichts von dir gehört, und ich
kam mir echt mies vor, denn ich wusste ja schließlich, dass
du mit meinem Bruder zusammen bist. Wir tranken noch
ein bisschen weiter und sprachen über dich. Um das Thema

zu wechseln, erzählte ich ihm von Ben, und da bekam Declan natürlich gleich wieder Oberwasser. Er zog die Beziehung von Ben und mir total in den Dreck, bezeichnete sie als albernen Sommerflirt und Ben als Idioten und sagte im Grunde dasselbe, was ich vorher selbst zu Ben gesagt hatte. Aber das alles aus Declans Mund zu hören, hat mich echt genervt. Wie gesagt, ich war total blau. Er meinte, ich würde Ben schnell vergessen, weil ich in Wirklichkeit keinen blassen Schimmer von echter Liebe hätte, auch wenn ich im Moment noch glaubte, dass ich Ben liebte. Womit er natürlich nur sagen wollte, dass er im Gegensatz zu mir sehr wohl Ahnung von wahrer Liebe hätte. Angesichts der Tatsache, dass er seit Wochen nichts von dir gehört hatte und du mit meinem Bruder schläfst, fand ich das natürlich total lachhaft, und da bin ausgerastet. Also hab ich's ihm gesagt – dass du in diesem Augenblick wahrscheinlich mit Clooney in der Kiste liegen würdest. Er wurde furchtbar still, und ich bereute es sofort. Ich versuchte, mit ihm zu reden, ihm zu erklären, dass es nichts zu bedeuten hätte und dass Clooney im September sowieso verschwinden würde. Er sah aus, als hätte ich ihm das Herz rausgerissen. So blau konnte ich gar nicht sein, dass ich nicht sofort gemerkt hätte, was ich angerichtet hatte. Ich wollte das alles nicht. Ich war einfach nur so sauer und frustriert, und Declan hat nun mal eine fürchterlich fiese Art an sich, andere Leute runterzumachen, als hätte er die Weisheit mit Löffeln gefressen. Ich wollte ihm einfach nur weh tun. Aber doch nicht so. Er fing an zu zittern und zu schluchzen, wie ich in meinem ganzen Leben noch niemanden schluchzen gehört hatte. Ich setzte mich neben ihn und umarmte ihn, er erwiderte meine Umarmung und heulte an meiner Schulter, aber dann hat er mich geküsst. Und ich ihn auch. Ich weiß selbst nicht, warum. Ich habe heute den ganzen Tag lang versucht rauszufinden, weshalb ich das getan hab, aber ich kann es dir nicht sagen, weil ich es wirklich nicht weiß, und ich werde es jetzt nicht darauf schieben, dass ich besoffen war. Ich wusste ja, was abging. Dann machte er sich an meinem Oberteil zu schaffen, und zuerst ließ ich ihn gewähren, aber dann wurde mir klar, was wir da taten, und ich wollte aufhören, aber er hat gar nicht mehr auf mich gehört, und er ist echt stark. Er zog mir den Rock hoch und küsste mich die ganze Zeit, sodass ich ihm gar nicht sagen konnte, dass er aufhören sollte. Ich versuchte, ihn wegzudrücken, aber es war, als wäre ich gar nicht da, und dann hatten wir tatsächlich Sex! In dem Augenblick kam Ben ins Zimmer. Er sah uns nur an, und Declan hörte für einen Moment auf und sagte zu Ben, er solle die Tür hinter sich zumachen, wenn er ginge. Ich war einfach nur geschockt und brachte keinen Ton heraus. Ich hab's zwar versucht, aber ich kapierte einfach nicht, was da gerade ablief. Ben rannte raus. Ich wollte ihm nach, aber ich konnte mich nicht bewegen. Er hatte die Tür offen gelassen, aber das bemerkte Declan gar nicht, sondern machte einfach nur weiter und bohrte sich voll in mich rein. Ich kann dir gar nicht sagen, was das für Schmerzen waren! Du findest wahrscheinlich, ich hätte es nicht anders verdient, und vielleicht stimmt das ja auch. In meinen Ohren klingelte es, und ich dachte, ich wäre in einem Albtraum gefangen. Hinterher hat Declan furchtbar rumgeheult und behauptet, dass wir dir bloß heimgezahlt hätten, was du ihm angetan hättest, dabei wollte ich dir gar nichts heimzahlen. Er umarmte mich und bedankte sich dafür, dass ich für ihn da war. Ich blieb nur wie betäubt sitzen und wusste nicht, was ich sagen sollte. Ich war wütend auf dich. Klar war ich wütend auf dich, aber ich wollte

weder dir noch Clooney, noch Ben irgendwas antun. Ich füh-
le mich total krank. Heute kam Billy vorbei. Er hat mich
rundgemacht und gesagt, ich hätte Bens Leben ruiniert. Ich
erinnerte ihn daran, dass er sich mit Ben geprügelt hatte,
als ich sie beide das letzte Mal zusammen gesehen hatte. Er
sagte, ich wäre eine eiskalte Schlampe und es hätte auch ge-
reicht, einfach Schluss zu machen und offen zu sagen, dass
ich keine Lust mehr hätte, mit Ben zusammen zu sein, an-
statt mit dem erstbesten Typen zu vögeln, der mir über den
Weg lief. Aber so war es nicht, Lily, das schwöre ich dir.
Ich hatte wirklich nicht vor, mit Declan zu schlafen. Ich
wollte ihn noch nie, und ich würde dir das nie antun. Ich
weiß nicht, was passiert ist. Mir ist klar, dass du mich
jetzt hasst. Es ist dir bestimmt auch egal, dass ich heute
den ganzen Tag im Krankenhaus verbracht habe. Als Billy
endlich damit fertig war, mich anzubrüllen, merkte er, dass
ich blutete. Da stimmt was nicht, sagte ich. Er fuhr mich in
die Notaufnahme, und sie haben mich dabehalten. Ich
schreibe dir aus einem Krankenbett in der Notaufnahme.
Du findest wahrscheinlich, ich hätte es verdient, und viel-
leicht stimmt das auch. Dad ist auf Reisen, du brauchst dir
also keine Sorgen zu machen, er wird nichts davon erfah-
ren. Ich weiß, dass es viel verlangt ist, dich darum zu bit-
ten, aber erzähl Clooney nichts. Wenn ich könnte, würde ich
alles ungeschehen machen. Hätte ich doch nur nichts gesagt.
Ich war einfach nur so sauer auf euch beide und auf Ben
und Declan, aber ich weiß, dass das keine Entschuldigung
ist. Billy will diesen Brief für mich zur Post bringen. Ich
habe ihm gesagt, es wäre wichtig, dass der Brief heute noch
rausgeht, denn wenn ich ihn heute nicht wegschicke, werde
ich es niemals tun, und du hast es verdient, die Wahrheit
zu erfahren. Lily, es tut mir so leid! Ich will, dass du das

weißt. Ich habe mich in meinem ganzen Leben noch nie so
mies gefühlt. Ben ist weg. Er spricht nicht mehr mit mir,
und ich kann es ihm nicht verübeln. Billy hat mir verspro-
chen, über den heutigen Tag kein Wort zu verlieren – Ben
zuliebe wahrscheinlich genauso wie mir zuliebe, vielleicht
sogar noch mehr wegen ihm. Er ist immer noch sauer auf
mich, aber er ist trotzdem hier, und das ist doch schon mal
was. Ich frage mich die ganze Zeit, wie es andersrum wä-
re … ob ich dir verzeihen könnte, und die Antwort lautet:
keine Ahnung. Ich hoffe, dass ich dazu in der Lage sein wer-
de, aber ich kann es nicht sagen. Das Leben ist bestenfalls
verwirrend, und ich weiß nicht, was ich noch sagen soll,
außer dass es mir furchtbar leidtut. Bitte verzeih mir, Lily.
Ich kann mir ein Leben ohne dich nicht vorstellen. Ich hab
dich lieb, und ich vermisse dich, und wenn du willst, dann
kannst du meinen Bruder heiraten.

In Liebe,
Deine Eve

* * *

Lily war verzweifelt, weil Scott sich weigerte, seinen Vater
zu verlassen und bei ihr einzuziehen. Er setzte sie in ziemlich deutlichen Worten auf dem Gehsteig vor der Werkstatt
seines Großvaters davon in Kenntnis, dass er alt genug sei,
um selbst zu entscheiden, wo er leben wolle, und dass er
sich für seinen Vater entschieden habe. Er wollte mit ihr,
mit ihrem neuen Haus, ihrem neuen Mann und ihrem neuen
Leben nichts zu tun haben, und so traurig es auch war, Lily
blieb nichts anderes übrig, als seinen Standpunkt zu akzeptieren. *Bitte verzeih mir, Scott. Ich vermisse dich so sehr.*

Eve hatte nicht so viel Verständnis für ihn. *Unverschämter kleiner Scheißer.* Sie musste mit ansehen, wie es Lily förmlich innerlich zerriss, und selbst Clooney konnte ihren Schmerz nicht lindern.

«Das Haus ist mit Sicherheit kalt und leer. Wie soll er dort denn leben? Merkt er nicht, dass Declan nie da ist? Was glaubt Scott denn, an wem sein Vater seine Launen auslassen wird? Declan wird ihn mürbemachen und auf ihm rumtrampeln, er wird sein Gift versprühen und dafür sorgen, dass mein Sohn mich hasst. Vielleicht verliere ich ihn für immer.»

Clooney war mitfühlend und tröstete sie. Eve hingegen hatte langsam genug von Lilys Wehklagen.

«Jetzt mach mal 'nen Punkt, Lily! Der kommt schon noch.»

«Das kannst du doch nicht wissen.»

«Natürlich weiß ich das», sagte Eve, als wäre sie ein Orakel, das sich auf die menschliche Psyche spezialisiert hatte.

Lily hielt dagegen und warf Eve vor, dass Eve zwar in ihrem Unternehmen immer alles richtig gemacht habe, dass Menschen aber komplexer waren als Unternehmen und sie mit keinerlei Erfahrung aufwarten konnte, wenn es darum ging, die Bedürfnisse ihrer Kinder zu verstehen. Das wiederum ließ Eve nicht gelten. Sie widersprach und sah sich ganz im Gegenteil in der perfekten Situation, um die Welt durch die Augen von Lilys Kindern zu sehen.

«Sie sind egozentrisch und selbstgerecht», sagte sie und deutete auf sich. «Ich bin ebenfalls egozentrisch und selbstgerecht, und deshalb halte ich mich durchaus für geeignet, mich in sie hineinzuversetzen.»

Eve hatte Lily zwar versprochen, sich nicht einzumischen, doch sie ging trotzdem in die Werkstatt, um mit

Scott zu sprechen. Jack bot ihr eine Tasse Tee an. Eve lehnte höflich ab und bat ihn, sich ein paar Minuten ungestört mit Scott unterhalten zu dürfen. Jack war gern dazu bereit, seinen Enkel mit Eve auf einen Kaffee zu entlassen, vorausgesetzt, er brachte ihm auf dem Rückweg auch einen Becher mit.

Sie setzten sich in ein Café und starrten einander missmutig an.

«Du siehst deiner Mutter ähnlich», sagte Eve schließlich.

«Hab ich schon mal gehört.»

«Glück gehabt.»

«Was wollen Sie von mir?»

«Hat dein Vater von dir verlangt, dass du bei ihm bleibst?»

«Nein. Und das geht Sie auch nichts an.»

«Stimmt, tut es nicht. Ich will nur sichergehen, dass du freiwillig bei ihm bleibst.»

«Und warum interessiert Sie das?»

«Als ich in deinem Alter war, dachte ich, ich hätte den Durchblick, und deiner Mutter ging es genauso. Aber die Sache ist die: Wir hatten keinen blassen Schimmer. Wir verstanden die Welt und die Menschen um uns herum nicht mal ansatzweise.»

«Tja. Ich bin aber nicht Sie, und wir leben nicht mehr im achtzehnten Jahrhundert.»

Eve musste lachen. «Lustig», sagte sie.

«Ich bleibe bei ihm, weil er mein Vater ist, weil ich dort zu Hause bin und weil ich nicht gehen will.»

«Ich würde gerne etwas sagen, um ein bisschen Licht in die Sache zu bringen, aber ich weiß beim besten Willen nicht, welchen Teil der Geschichte ich beleuchten soll.»

«Sie hören sich an wie die Irre, die jeden Morgen mit ihrem Plakat an der Werkstatt vorbeigeht. Darauf ist ein Bild von einem Fötus, und sie schreit ständig irgendwas von Händen und Füßen.»

«Die kenne ich. Sie hat mir gestern den Stinkefinger gezeigt», sagte Eve, und Scott lächelte.

Er konnte nichts dagegen machen, aber er mochte sie. Er sah, wie schön sie war, und auch die Krücken konnten ihrer Anmut nichts anhaben.

Eve seufzte. Sie hatte die Sache nicht richtig durchdacht. Sie hasste Declan, aber sein Sohn liebte ihn, und sie war natürlich nicht die herzlose Zicke, die sie gerne zur Schau stellte. Sie wollte sichergehen, dass Declan sich an die Abmachung gehalten hatte, und das war offensichtlich der Fall. Scott hatte seine eigenen Gründe, bei ihm zu bleiben.

«Also, was wollen Sie jetzt damit sagen, dass Sie Licht in die Sache bringen möchten?», wollte Scott wissen.

«Vor vielen Jahren habe ich etwas getan, das deine Mutter sehr verletzt hat. Ich habe sie verloren, und das war unbeschreiblich schmerzhaft und ...»

«Und?»

«Und ich möchte, dass du dir dein Leben ohne sie vorstellst. Denn wenn du glaubst, dass du irgendwas änderst, indem du wie ein kleines Kind mit dem Fuß aufstampfst und einen auf beleidigte Leberwurst machst, irrst du dich gewaltig. Lily hat deinen Vater verlassen, und es gibt kein Zurück mehr. Du musst dich entscheiden, ob du sie genug liebst und respektierst, um sie zu unterstützen oder eben nicht.»

«Sie hat ihn und uns einfach sitzenlassen.»

«Ich verstehe, dass du deinen Vater liebst», sagte sie. «Aber so ist es nicht gewesen.»

«Sie hat ihn kaputtgemacht.» Er verstummte, und seine Augen füllten sich mit Tränen.

«Sie hat sich selbst gerettet.»

«Das verstehen Sie nicht.»

«Ich kann dir versichern, dass ich es sehr gut verstehe, und ich verstehe auch, dass du deinen Vater beschützen und ihm helfen willst. Das ist gut und richtig, aber deine Mutter zu bestrafen ist falsch, und das weißt du ganz genau. Die Kampflinien existieren nicht mehr. Es ist nicht mehr notwendig, dich für ein Elternteil zu entscheiden. Es ist Zeit, nach vorne zu schauen.»

Er saß eine Weile schweigend da. Sie war sich nicht sicher, ob er aufstehen und einfach davongehen würde oder ob er tatsächlich versuchte, sich in den Standpunkt seiner Mutter hineinzuversetzen.

«Gut. Ich komme einmal in der Woche zum Abendessen», sagte er.

«Und zweimal im Monat am Sonntag.»

«Einmal im Monat.»

Sie lächelte, streckte die Hand aus, und er ergriff sie. «Das ist ein guter Anfang», sagte sie und gab ihm fünfzig Euro, um damit drei Kaffee und ein Sandwich zu bezahlen.

«Behalt den Rest», sagte sie, drehte sich um und ging. Er sah ihr nach, wie sie zu dem Taxi humpelte, das draußen auf sie wartete. Eve mischte sich normalerweise nie in das Leben anderer Menschen ein, weil es ihr schlicht nicht wichtig genug war, aber Lily hatte schon immer die Löwin in ihr zum Vorschein gebracht.

Beschwingt und mit einem kleinen Anflug von Selbstgefälligkeit ließ Eve sich auf die Rückbank sinken. Lily fühlte sich ihren Kindern und auch deren Vater gegenüber schuldig und war viel zu loyal, um wirklich für sich zu kämpfen – ganz gleich, was ihr Mann auch tat. Eve hingegen würde erst Ruhe geben, wenn Lilys Kinder wieder auf ihrer Seite standen und Declan so allein und machtlos war, wie er es verdient hatte.

In der Woche vor der Hochzeit gab es viel zu tun. Lily verbrachte den Großteil ihrer Zeit damit, das Haus zu putzen, das in Eves Auftrag vor nicht ganz drei Monaten von einem professionellen Putztrupp auf Vordermann gebracht worden war. Wenn sie allein war, spazierte sie durch das ganze Haus und lauschte den Echos ihrer Kindheit. Ihr Herz war so übervoll, dass sie ab und zu das Gefühl bekam, es würde gleich platzen. Clooney half ihr dabei, Vorhänge aufzuhängen und Wände zu streichen, und als die Möbel zurückkamen, half er Lily dabei, sich einzurichten, während Eve auf dem Sofa saß und sie mit ihren Krücken dirigierte. Als die Möbel standen, verbrachten Lily und Clooney einen ganzen Tag bei IKEA. Sie kamen mit zwei Wagenladungen voller Vasen, Töpfe, Pfannen, Tassen, Teller, Schüsseln, Federbetten, Bildern, Bilderrahmen, Teppichen und Pflanzen zurück. Clooney wirkte ein bisschen durch den Wind. Er hatte in dem Geschäft jegliches Zeitgefühl verloren. «Das ist ja wie in Las Vegas, nur ohne Spaß.»

Als das Haus herausgeputzt und das Zimmer ihrer Tochter fertig eingerichtet war, fuhr Lily allein zu ihrem ehemaligen Haus. Sie hatte darauf bestanden, weder von Clooney noch von Eve begleitet zu werden. Obwohl die Begegnung mit Declan sie nervös machte, fühlte sie sich doch stärker als zuvor. Sie hatte das Bedürfnis, ihrer Tochter zu zeigen, dass sie beide von nun an ein Team waren – sie war ihre Mutter, und Daisy stand an erster Stelle. Clooney und Eve hatten Verständnis dafür, und obwohl sie beide insgeheim ziemlich nervös waren bei der Vorstellung, dass Lily allein auf Declan traf, unterstützten sie ihre Entscheidung.

Mit zitternder Hand drückte Lily den Klingelknopf. Ein Adrenalinschub schoss durch ihren Körper, und sie fühlte sich gleichzeitig beklommen und aufgeregt.

Declan öffnete die Haustür. Daisy saß auf der Treppe, einen riesigen Koffer neben sich. Lily sagte: «Hallo», und Declan sah sie finster an. Sie blickte an ihm vorbei zu ihrer Tochter. Sie hatte rote, verquollene Augen.

«Zeit zu gehen, Daisy», sagte sie.

Daisy blieb auf der Treppe sitzen.

«Daisy, es ist alles in Ordnung. Du kannst deinen Vater sehen, so oft du willst», sagte Lily, doch Daisy rührte sich nicht.

Sie saß da wie festgefroren, unfähig, auch nur einen Muskel zu bewegen. Declan drehte sich langsam zu seiner Tochter um und schluckte schwer. Seine Stimme war brüchig und drohte jeden Augenblick zu kippen. «Daisy! Tu, was deine Mutter sagt.»

Sie sah mit rot umränderten Augen zu ihm auf und begegnete seinem eisigen Blick.

«Willst du wirklich, dass ich gehe, Dad?», fragte sie. Declan biss sich innen auf die Wangen und nickte knapp.

Daisy fing wieder an zu weinen. Dicke Tränen kullerten ihr über die Wangen, und die Geräusche, die sie von sich gab, zeugten von reinem Schmerz. Sie sah ihre Mutter an und flehte stumm darum, dass sie alles wiedergutmachte. Lily wäre am liebsten zu ihr gelaufen und hätte sie in die Arme genommen, aber Declan stand zwischen ihnen, und eine unsichtbare Mauer schien sie daran zu hindern, das Haus zu betreten. Sie war ein unwillkommener Vampir, der ihrer Familie das Leben aussaugte. Sie war gezwungen, aus der Ferne den Schmerz mit anzusehen, dessen Verursacherin sie war. Daisy stand auf und wollte den Koffer hochheben, doch er war zu schwer. Declan nahm ihn auf und schob ihn grob zu Lily hin. Als Daisy an ihrem Vater vorbeigehen wollte, packte er sie und nahm sie fest in den Arm.

«Ich liebe dich», sagte er. Dann schubste er sie von sich, aus dem Haus hinaus, und knallte die Tür hinter ihr zu. Daisy stand weinend davor und schaute die Haustür an.

Dahinter sank Declan zu Boden, rollte sich zusammen wie ein Fötus und weinte wie ein kleines Kind.

Im neuen Haus legte Daisy sich auf ihr neues Bett in ihrem hellen neuen Zimmer und schaute zum Fenster hinaus auf den großen Baum, die alte Schaukel und die hohe Steinmauer, die den Garten von dem einstigen Grundstück von Terry dem Touristen trennte.

Lily hatte Eves alten Schreibtisch wieder in das Zimmer gestellt. Sie hatte Stunden damit verbracht, die Wände zu streichen und Fotos aufzuhängen: Fotos von Daisy und ihrem Bruder, Daisy und ihrem Vater, Daisy und ihren Freundinnen, Daisy und ihrer Mutter. Sie hatte eine Tagesdecke mit großen, leuchtenden, wunderschönen Blumen fürs Bett gekauft und große violette Fellkissen, weil Violett Daisys Lieblingsfarbe war. Über dem Bett hing ein großes gerahmtes Poster von Justin Bieber, und Clooney hatte einen ganzen Nachmittag damit zugebracht, Bücherregale an einer Wand aufzubauen und mit allem an Lesestoff zu bestücken, was Lily für jemanden in Daisys Alter hatte auftreiben können. Dazwischen standen zur Auflockerung viele hübsche Kleinigkeiten von IKEA, die dem Zimmer Farbe und Wärme verliehen.

Trotz Lilys Bemühungen, es ihr behaglich zu machen, lag Daisy da wie steifgefroren. Sie machte sich Sorgen um ihren Vater und um Scott, sie vermisste ihr Klavier, ihr Zuhause, ihre Straße, ihre Welt. Sie wusste nicht, wie sie mit ihrer Mutter umgehen sollte, was sie sagen oder tun sollte. Sie war noch immer wütend, traurig und verängstigt, und ganz egal, was Eve oder sonst wer auch sagen mochte, ihre Mutter war diejenige, die sie alle sitzengelassen hatte. *Wie konnte sie uns einfach so verlassen?*

Unten stand Lily in der Küche und telefonierte im Flüsterton mit Clooney, während sie einige Köstlichkeiten zauberte und hoffte, dass der Duft nach frischem Brot und Daisys Lieblingsspeise sie aus ihrem Zimmer herunter und zurück in Lilys Leben locken würde. Clooney riet ihr zu Geduld und wartete gleichzeitig selbst höchst ungeduldig auf den Zeitpunkt, wo er endlich wieder mit ihr allein sein konnte.

Daisy kam an diesem Abend tatsächlich die Treppe herunter und pickte ein wenig in ihrem Shepherd's Pie herum. Als Eve vorbeischaute, um hallo zu sagen, grunzte Daisy sie nur finster an.

«Ach, und ich dachte, wir hätten die Grunzphase hinter uns. Na dann!», sagte Eve, und Lily sah, wie ihre Tochter gegen ein Lächeln ankämpfen musste.

Die erste gemeinsame Woche war mal leichter und mal schwerer. Wenn Daisy mit ihrem Vater telefonierte, war sie danach wortkarg und distanziert, und als Lily an Daisys Telefon ging, weil ihre Tochter gerade unter der Dusche stand und Declan bereits dreimal vergebens durchgeklingelt hatte, merkte sie augenblicklich, dass Declan betrunken war. Wie oft mochte er Daisy schon in diesem Zustand angerufen haben? Sie sagte ihm, sie wäre dankbar, wenn er ihre Tochter nicht mehr betrunken anriefe, und äußerte die Hoffnung, dass er nüchtern bleiben würde, wenn sie ihn am kommenden Wochenende besuchte. Er nannte Lily eine Hure.

«Ach Declan, leg endlich eine andere Platte auf.»

«Was hast du gesagt, Hure?»

«Werde nüchtern!»

«Sag mir nicht, was ich machen soll, du Schlampe», brüllte er. «Das hat deine tolle Freundin Eve schon zur Genüge getan!»

«Wie bitte?», sagte Lily.

«Tu bloß nicht so, als wüsstest du nichts davon, du verlogenes Miststück!», sagte er und legte auf.

Wie vom Donner gerührt blieb Lily auf Daisys Bettkante sitzen. Plötzlich war ihr klar, was es mit seinem Sinneswandel auf sich hatte. Er hatte Daisy nicht freigegeben, weil es das Beste für sie war, er hatte sie freigegeben, weil Eve ihn dazu gezwungen hatte. Er hatte seinen Schlachtplan nicht vorzeitig aufgegeben, er hatte die Schlacht schlicht verloren. Lily überlegte, was Eve gesagt haben mochte, um ihren Mann dazu zu bringen, etwas zu tun, was er nicht tun wollte. Sie reimte sich ziemlich schnell zusammen, was geschehen war.

Eves Körper gewann von Tag zu Tag mehr Kraft und Stabilität zurück. Die kostspieligen und intensiven Physiotherapie- und Pilatesstunden zahlten sich aus. In Woche elf war sie die Krücken los und benutzte nur noch einen Gehstock. Adam war mit ihren Fortschritten höchst zufrieden, und eines Abends, zwei Tage vor der Hochzeit, als Clooney endlich wieder einmal etwas kostbare Zeit mit Lily allein verbringen konnte, weil Daisy bei Tess übernachtete, kam er mit einer Flasche Wein, einem Blumenstrauß und etwas zu essen zu Eve. Es war das allererste Mal, dass sie die Wohnung für sich allein hatten. Adams selbst verordnete Enthaltsamkeit spielte auf einmal keine Rolle mehr. Sie aßen keinen einzigen Bissen, sie tranken keinen einzigen Schluck Wein, und die Blumen welkten auf dem Küchentresen vor sich hin, während die beiden ungeniert und ausgelassen übereinander herfielen. Sie lachten und redeten, sie neckten sich und alberten herum, und zwischendurch brachten sie sich gegenseitig immer wieder zum Höhepunkt. Sie duschten und wechselten das Bettlaken, weil sie beide einen kleinen Tick hatten, was frische Bettwäsche anging, schliefen danach wieder miteinander, und irgendwann zwischen vier und fünf Uhr morgens wärmten sie ein würziges indisches Gericht auf und aßen, ehe sie ins Bett zurückkehrten und sich lustvoll an die nächste Runde machten.

«So viel Sex hatte ich seit Ewigkeiten nicht mehr», sagte sie.

«Da bist du nicht allein.»

«Wie traurig ist das denn eigentlich?»

«So traurig wie ‹Unten am Fluss›», sagte er lächelnd.

Ihm war eingefallen, dass Eve und Lily als Kinder achtmal «Unten am Fluss» gesehen hatten.

«Das ist sehr traurig.»

Adam war witzig und ein wenig verschroben, einfühlsam und interessant, und besonders gefiel ihr an ihm, dass er genau wie sie ein bisschen verloren war.

Er machte sich keinerlei Illusionen mehr, was seine Karriere betraf. Er hatte den ewig gleichen Trott ziemlich satt und brauchte dringend eine Pause oder eine völlig neue Richtung.

«Du kannst dich ja erst mal eine Zeitlang auf mich konzentrieren», sagte sie.

«Aber nur eine Zeitlang», antwortete er lachend.

«Außerdem könntest du in heiße Länder reisen und arme kleine Kinder zusammenflicken. Oder du entwickelst einfach ein neues OP-Gerät und revolutionierst damit die Chirurgie. Oder finde doch ein Heilmittel gegen Knochenkrebs.»

«Alles absolut machbar», sagte er und lachte leise.

Sie küsste ihn. «Du kannst all das sein und tun, was du willst, Adam. Du bist ein wunderbarer Chirurg. Du bist im Moment einfach nur ein bisschen gelangweilt.»

Er atmete aus und hob die Hände in die Luft. «Du ahnst ja nicht, wie gelangweilt ich bin! Wenn ich noch ein einziges neues Hüftgelenk einsetzen muss!» Er reckte in gespieltem Ärger die Faust zur Decke. Sie lachte, und er drehte sich wieder zu ihr.

«Und du? Mit was fängst du als Erstes an? Stricken, Malen oder Bridge? Ich habe gehört, unter den Pensionisten ist Wasseraerobic im Moment ziemlich angesagt.»

«Ach nein. Ich bleibe einfach nur mit dir hier liegen.»

«So wie John und Yoko.»

«Ich wage allerdings die Behauptung, dass unsere Frisuren besser sind.»

Zwei Wochen, nachdem sie von der Beisetzung ihres Vaters nach New York zurückgekehrt war, hatte Eve erkannt, dass sie ihr Leben ändern musste. Sie litt unter Heimweh und war aufgewühlt und ruhelos, doch erst ein harmloser Zusammenstoß mit einem New Yorker Taxi verhalf ihr endgültig zu der Einsicht, dass es höchste Zeit war, die Koffer zu packen und nach Hause zurückzukehren. Sie war ungebremst auf den Wagen aufgefahren. In dem Versuch, die viele verlorene Zeit nachzuholen, machte sie lächerlich viele Überstunden. Sie war erschöpft, ihr Kopf pochte, und während sie am Straßenrand stand und stumm die Schimpftiraden eines italienischstämmigen Taxifahrers namens Patrick Alberti über sich ergehen ließ, versuchte sie verzweifelt herauszufinden, was geschehen war. Sie war nicht eingeschlafen. Sie hatte nicht telefoniert, und weil sie so müde war, hatte sie sich ganz besonders viel Mühe gegeben, hellwach zu sein und auf den Verkehr zu achten. Der andere Wagen war weit vor ihr gewesen, nach ihrer Einschätzung mindestens zwei Wagenlängen. Sie hörte den Aufprall und spürte den Ruck, ehe sie das Heck des Wagens sah. Das Geschrei des Typen drang wie von ferne an ihr Ohr.

Oh nein. Noch nicht. Ich habe doch noch gar nicht gelebt.

An diesem Abend traf Eve die Entscheidung, stehen zu bleiben und sich umzuschauen, im Moment zu leben und am wirklichen Leben teilzuhaben, sich mit anderen Menschen zu beschäftigen, mit der Familie und mit Freunden. Und seit sie genau das tat, enthüllte jeder einzelne Augenblick eine gewisse Schönheit, die in ihr nachklang. Das genügte ihr. Eve Hayes war endlich zufrieden und glücklich.

«Was würdest du morgen am allerliebsten tun?», fragte Adam.

«Es ist fünf Uhr, es ist schon morgen.»

«Okay, was würdest du am liebsten tun, nachdem wir aufgestanden sind?»

«Ich würde gern das alte Boot meines Vaters und seine Wasserski herausholen …»

«Kommt nicht in Frage. Was sonst?»

«Okay. Vergiss die Wasserski.»

«Na gut», sagte er und küsste sie, und um kurz nach sechs schliefen sie gemeinsam ein.

Sie bekamen nicht mit, wie Clooney gegen acht Uhr nach Hause kam. Auch seine Nacht war sehr kurz gewesen. Er und Lily hatten keinen einzigen Augenblick geschlafen. Ihnen blieb keine Zeit zu schlafen, ihre gemeinsame Zeit war begrenzt und kostbar, und sie konnten es sich nicht leisten, auch nur einen einzigen Augenblick zu verpassen. Bis jetzt hatten sie lediglich hier und da einen Kaffee zusammen getrunken oder sich auf ein Glas Wein getroffen, als Daisy an einem Dienstagabend mal im Kino war. Sie telefonierten viel und schrieben sich jede Menge SMS, aber Lily vermisste Clooneys Berührungen, und ihm ging es genauso. Seine Unruhe stieg. Eve brauchte ihn nicht mehr, und Lily fing gerade ein neues Leben an, eines, in dem er keine größere Rolle spielen konnte, zumindest für eine ganze Weile nicht. Er nahm das Angebot aus Peru an, und bis zu seiner Abreise blieben noch zwei Wochen. Der Vertrag hatte eine Laufzeit von sechs Monaten.

«Sechs Monate sind gar nichts», sagte er, als sie nebeneinanderlagen und sich verliebt in die Augen sahen.

«Das vergeht wie im Flug. Und außerdem habe ich dir ja schon gesagt, dass ich dich vielleicht besuchen komme», sagte sie.

«In sechs Monaten wird sich alles Mögliche verändert haben», sagte er.

«Daisy hat sich eingelebt und Scott, na ja … der hat mir dann hoffentlich wenigstens ein bisschen verziehen.»

«Und du hast vielleicht jemanden kennengelernt.»

«Nein.» Lily schüttelte den Kopf. «Ich habe mir wirklich eine Auszeit verdient, wegen guter Führung.»

«Ich hätte nichts dagegen. Ich möchte nur, dass du glücklich bist.»

«Das weiß ich», sagte sie.

Am nächsten Morgen stahl er sich in der Früh davon, um eine Begegnung mit Daisy zu vermeiden. Er küsste sie, sagte ihr, dass er sie liebe und sie immer lieben werde. Es war kein Versprechen nötig, um diese Worte zu unterstreichen. Sie waren schlicht die Wahrheit.

«Ich liebe dich auch», sagte sie, zwinkerte ihm zu und grinste. «Und jetzt hau ab!»

Sie waren beide erwachsen genug, um zu wissen, dass ihre Beziehung nicht zur Heldensage taugte. Er könnte einer exotischen Frau begegnen, und es war durchaus möglich, dass Lily sich in einen der vielen Männer verliebte, die sich während seiner Abwesenheit um sie bemühen würden. Sie waren nicht naiv, und trotzdem hegten sie die Hoffnung, dass sie eines Tages, wenn die Zeit reif war, zueinander zurückfinden würden. *Wenn es sein soll, dann soll es so sein.*

Scott versprach seiner Mutter, an den Wochenenden zu Hause zu sein, wo Daisy ihren Vater besuchte. Er sagte ihr, dass sie sich keine Sorgen machen müsse. Er und sein Vater würden sich gut um Daisy kümmern.

«Wir haben 'ne Menge Übung», sagte er, weil er trotz des langsam einsetzenden Tauwetters zwischen sich und seiner Mutter noch immer wütend auf sie war, vor allem wenn er Zeuge werden musste, wie sehr sein Vater litt. Und seit sie gegangen war, litt Declan offensichtlich eine ganze Menge.

Adam bestand trotz der sehr guten Zugverbindung darauf, mit seinem nagelneuen BMW nach Westport zu fahren. Weil Eve vorne sehr viel Fußraum brauchte, mussten sich Clooney und Lily auf die Rückbank quetschen, was besonders unangenehm wurde, als Adam sich verfuhr und aus den vier Stunden Fahrt schließlich fünf wurden. Eve musste ab und zu aussteigen und die Beine ausstrecken, und Lilys winzige Blase war angesichts der zwei Pints, die sie mit Clooney unterwegs beim Mittagessen in einem Pub getrunken hatte, leicht überfordert

Es wurde bereits dunkel, als sie Westport erreichten. Lily schlief in Clooneys Armen. Als er sie sanft weckte, sah sie gerade noch, wie das Licht über den Bergen von Rosarot zu Dunkelblau wechselte. Das Atlantic Coast Hotel war ein imposantes Gebäude, das aussah wie aus grobem Felsgestein gebaut. Sie betraten den Empfangsbereich und wurden von freundlichen Gesichtern, einem knisternden Kaminfeuer, einer kleinen Bibliothek, riesigen, gemütlichen Sesseln und der Fishworks Café Bar begrüßt. Ein verheißungsvoller Duft wehte zu ihnen herüber, bei dem einem das Wasser im Mund zusammenlief, und die Szene wurde untermalt vom Klang fröhlicher Stimmen und klirrender Gläser.

Während sie die Formalien erledigten, tauchten Paul und Simone auf. Er schwebte im siebten Himmel, und unter seiner Jeans lugten weiße Hotelslipper hervor. Er hob die Hände in die Luft.

«Da seid ihr ja endlich!», sagte er und umarmte sie alle so herzlich, dass Eve sich fragte, ob er schon betrunken war. Simone erzählte, dass Paul sich seit zwei Tagen jeder ayurvedischen Behandlung hingab, die er irgendwie in seinen Terminplan quetschen konnte.

«Jetzt hat er sich gerade Shirodara gegönnt, quasi einen Einlauf für die Seele», sagte sie.

«Aua!», antwortete Clooney.

«Es ist unglaublich!», widersprach Paul und umarmte Eve erneut, bis es ihr zu viel wurde und sie damit drohte, ihn zu treten.

Er scherte sich kein bisschen darum. Er schwebte über den Dingen.

«Wie heißt diese Behandlung noch mal?», wollte Clooney wissen.

«Lasst euch von den Namen nicht verwirren», antwortete er. «Ich habe euch alle für morgen bei Dr. Thomas vorgemerkt.»

«Das kannst du vergessen», murmelte Eve. In dem Augenblick trat Pauls Mutter aus dem Lift.

Ohne die Freunde ihres Sohnes auch nur eines Blickes zu würdigen, legte sie los: «Wusstest du, dass die hier im dritten Stock einen richtigen Veranstaltungsraum haben?», fragte sie.

Paul lächelte nur.

«Ja, weiß er», sagte Simone.

«Und weshalb haben wir den nicht gebucht?»

«Weil die Hochzeitsfeier so klein ist, dass wir alle im Blue Wave Restaurant Platz haben. Das ist ebenfalls im dritten Stock, und wir lieben es», sagte Simone mit einem zuckersüßen Lächeln. «Wir verbinden damit sehr wertvolle Erinnerungen. Es ist warm und gemütlich, und ich könnte mir keinen schöneren Ort vorstellen.»

«Wenn ihr den Veranstaltungsraum genommen hättet, hätten wir gut noch ein paar Leute mehr einladen können», sagte Pauls Mutter.

«Mit Leuten meint sie Nachbarn, und mit Nachbarn meint sie die Menschen aus ihrer Kirchengemeinde, die mich für einen Schwulen halten.»

«Wenn ich Ihnen einen Rat geben darf, Mrs. Doyle, gönnen Sie Ihrer Seele doch auch einen Einlauf und kommen Sie endlich drüber weg», sagte Eve.

Paul lachte, und die anderen schwiegen.

Pauls Mutter kratzte sich am Ohr und dann an der Nase. «Du bist schon immer eine freche Göre gewesen, Eve Hayes – schön, dass es tatsächlich ein paar Dinge im Leben gibt, die sich nie ändern.» Sie musterte ihren Sohn von Kopf bis Fuß. «Zumindest *ein paar* Dinge», sagte sie, sichtlich bemüht, sich ein Grinsen zu verkneifen. Dann verschwand sie in Richtung Bar.

«Ach du meine Güte! Sie kann ja lächeln!», sagte Simone. «Ein Wunder ist geschehen.»

Ein wenig später, als sie alle den besten Fish Pie aller Zeiten genossen hatten, die Mädchen bei der zweiten Flasche Wein saßen und die Jungs beim dritten Pint Guinness, kamen Gar und Gina hereingeschwebt. Sie befanden sich ebenfalls in einem tranceartigen Zustand. Gina bestellte sich ein Lachsgericht und erzählte den Mädchen von den Behandlungen, die Dr. Thomas ihr empfohlen hatte.

«Der Mann ist unglaublich», sagte sie. «Im Ernst. Er hat mir außerdem Ernährungsratschläge gegeben und mich zum Nachdenken gebracht – darüber, wie ich lebe und wie ich mich fühle. In letzter Zeit war das tatsächlich nicht optimal. Er hat mir gesagt, was für meinen Körpertyp die beste Zeit wäre, um zu schlafen und morgens aufzustehen. Und die Behandlungen, o mein Gott! So entspannt habe ich mich seit Jahren nicht mehr gefühlt!»

«Und sobald wir gegessen haben, verschwinden wir zwei nach oben und nutzen die Gunst der Stunde!», sagte Gar.

«Allerdings!», stimmte Gina ihm zu.

«Dieser Mann ist ein Genie!» Gar hob das Glas und stieß mit seinen Freunden an.

Lily litt seit Jahren unter Spannungskopfweh und Rückenschmerzen und konnte ihre Konsultation kaum noch erwarten. Eve verhielt sich still. Der einzige Arzt, den sie in ihrem Leben haben wollte, war Adam. Es wurde ein langer Abend. Sie tranken und hörten der Band zu. Alle bis auf Eve tanzten mit den Einheimischen wilde Jigs, und beim letzten Tanz des Abends war dann auch Eve dabei. Vier Einheimische hoben einfach ihren Stuhl in die Luft und tanzten zu Adams Entsetzen ausgelassen mit ihr durch den Raum.

«Hey, hey, Vorsicht!», rief er in einer Tour und versuchte, mit ihnen mitzuhalten und den Stuhl zu stabilisieren.

Eve war viel zu vergnügt, um Angst zu haben. «Also gut, das reicht jetzt. Setzt die nette Dame mit der nigelnagelneuen Schulter vorsichtig wieder zu Boden!»

Gegen zwei Uhr morgens verschwanden alle auf ihre Zimmer, und völlig erschöpft schliefen Clooney und Lily eng aneinandergeschmiegt ein.

Als Adam aus der Dusche kam, stand Eve am Fenster und sah auf den Hafen hinaus. Sie wirkte friedlich, versunken in die Aussicht auf Berge und Meer.

«Alles in Ordnung?», fragte er und legte sanft die Hand auf die Schulter, die er jüngst wieder aufgebaut hatte.

«Mir geht's gut», sagte sie. «Es ist schön hier.»

Er stimmte ihr zu, und sie gingen zu Bett.

Lily war als Erste dran, danach kam ein neugieriger und faszinierter Adam an die Reihe mit seiner Konsultation bei Dr. Thomas. Beide erhielten dabei etwas mehr Einsicht in sich selbst und ihren Körper. Adam war tief beeindruckt und wollte so viel wie möglich über das Thema erfahren. Dr. Thomas lieh ihm ein Buch, das er nach einer unglaublich entspannenden Massagebehandlung im Bett las.

«Du musst zu ihm», sagte er zu Eve, die mit einer Ausgabe von *Marie Claire* in der Badewanne lag.

«Nein.»

«Er sorgt dafür, dass es dir besser geht.»

«Du sorgst dafür, dass es mir besser geht.»

Er las ihr einen Abschnitt vor. «Ayurveda erneuert das Erinnerungsvermögen unseres Immunsystems und erlaubt unserem Körper mit Hilfe von Anwendungen und speziell verschriebenen ayurvedischen Kräutern und Ölen, die ihm innewohnenden Selbstheilungskräfte zu reaktivieren.»

«Kein Interesse.»

«Es hilft der postoperativen Genesung.»

«Ist mir egal.»

«Und bei Kopfschmerzen.»

«Adam, wirklich!»

«Es ist unglaublich entspannend, und dein Körper hat ein massives Trauma erlitten. Der Genesungsprozess verläuft wunderbar, aber das hier ist eine unglaubliche Gelegenheit, ihn wirksam zu unterstützen. Was könnte denn schlimmstenfalls passieren? Dass du vor Öl triefend aus einer einstündigen Massage kommst? O Gott! Ich bitte dich, es für mich zu tun.»

«Gut, schön! Du lieber Gott! Ich dachte immer, alle westlichen Ärzte würden alternative Medizin aus Prinzip verdammen.»

«Ich bin aber nicht alle, und außerdem ist Ayurveda die Mutter der modernen Medizin, also hör auf zu jammern!»

Mit klopfendem Herzen betrat Eve das kleine Sprechzimmer. Sie wusste selbst nicht, weshalb sie so nervös war, doch es war nun mal so, und sie fühlte sich äußerst unwohl. Dr. Thomas war ein Inder mit einem jungen Gesicht und einem breiten Lächeln. Es gab nichts, wovor sie Angst haben musste, und Eve war auch nicht der ängstliche Typ.

Trotzdem raste ihr Puls, als er ihre Hand in seine nahm, und sie konnte nicht verbergen, dass sie zitterte. Wie sie es bereits aus dem Krankenhaus kannte, stellte er ihr Frage um Frage, aber diesmal folgten diese nicht stur einem Katalog, sondern eine Frage ergab die nächste, spezifischere, je nachdem wie sie antwortete. So manche Frage war ihr tatsächlich noch nie gestellt worden, und aller Vorbehalte zum Trotz spürte Eve, wie sie sich immer mehr öffnete. Er untersuchte ihre Zunge, er sah ihr forschend in die Augen und maß ihren Puls. Während er ihr Handgelenk zwischen Daumen und drei Fingern hielt, erklärte er ihr ausführlich die Funktionsweise der Pulsdiagnose, und plötzlich verspürte Eve den heftigen Drang, ihm den Arm wegzuziehen. Sie sah den Ausdruck in seinen Augen, und dann war es für einen Rückzieher zu spät.

«Sie sagten mir, Sie würden unter Kopfschmerzen leiden, aber die Schmerzen wären nicht allzu schlimm», sagte er.

Sie nickte, und ihr Herz fing wieder an zu rasen. *So. Jetzt ist es so weit.*

«Sie sind sehr schlimm», sagte er.

«Ich habe mich vor zwei Monaten untersuchen lassen und habe Entwarnung bekommen», sagte sie.

«Es ist Zeit für eine zweite Meinung.»

«Mir geht es gut.»

«Heute befreie ich Sie von den Kopfschmerzen, die Sie angeblich nicht haben, und wenn Sie wieder zu Hause sind, müssen Sie sich einem CT oder einem MRT unterziehen, oder auch beidem.»

Eve sagte nichts, weil sie nicht ganz aufrichtig gewesen war, als sie im St. Martin's-Krankenhaus über ihre Kopfschmerzen befragt worden war. Sie verschwieg die Gleichgewichtsprobleme und die Sehschwierigkeiten, unter denen sie bereits vor dem Unfall gelitten hatte. Für jemanden, der rund um die Uhr, sieben Tage die Woche, im Bett lag, waren Gleichgewichtsprobleme kein Thema. *Ich habe Entwarnung bekommen.* Wenn ihre Sicht nach stundenlangem Lesen verschwommen wurde, redete sie sich ein, es läge daran, dass sie eine Brille bräuchte. *Ich habe Entwarnung bekommen.* Sie erzählte niemandem von ihrem veränderten Geruchsempfinden, weil in diesem Krankenhaus alles komisch roch. Exkremente rochen nach Rosen, und Chanel No. 5 roch nach Babykotze. *Ich habe Entwarnung bekommen.* Sie redete sich ein, dass sie viel zu viele Medikamente bekam und viel zu lange in dieses winzige Zimmer eingesperrt war, dass sie sicher nur frische Luft und eine andere Aussicht brauchte. *Ich habe Entwarnung bekommen.* Hätte sie den endlos vielen Spezialisten, die ihr endlos viele Fragen stellten, erzählt, dass sie auch deswegen zu arbeiten aufgehört und ihre Firmenanteile verkauft hatte, weil sie Konzentrationsschwierigkeiten hatte, ihr Erinnerungsvermögen lückenhaft und ihr räumliches Vorstellungsvermögen völlig aus dem Gleichgewicht war, und dass sie bei dem Geruch von Katzenpipi Lust auf gebratenen Speck bekam, hätten die sie mit Sicherheit in dem winzigen Zimmer behalten, und das hätte sie nicht ertragen.

«Es ist Zeit, der Sache auf den Grund zu gehen», sagte Dr. Thomas und sah sie mitfühlend an, als könnte er ihre Gedanken lesen. Er verordnete ihr eine Talam-Behandlung zur Linderung von Migräne und eine Kizhi-Massage zur Lösung ihrer Verspannungen und zur Unterstützung des Heilungsprozesses.

Obwohl Dr. Thomas die Befürchtungen, die sie im Grunde bereits seit New York hegte, bestätigt hatte, genoss Eve die beiden Behandlungen. Hinterher fühlte sie sich entschieden besser und entspannter. Ob es an der Magie von Ayurveda lag oder schlicht daran, dass sie nicht mehr so tun musste, als gäbe es kein Problem, wusste sie nicht. Jedenfalls fühlte Eve sich ruhig und bereit.

Ich habe Entwarnung bekommen, aber sie haben sich geirrt.

Als sie ins Zimmer zurückkam, strahlte Adam von einem Ohr zum anderen. Er hatte den Nachmittag mit der Lektüre von Dr. Thomas' Büchern verbracht.

«Was hältst du von einer Reise nach Indien?», fragte er.

«Toll!», sagte sie.

Sie aßen alle früh zu Abend und zogen sich danach mit ihren Liebsten zurück, um sich auszuruhen für den großen Tag. Sie standen zeitig auf und gönnten sich ein gemütliches Frühstück. Adam blieb im Bett und las. Clooney zog in dem wunderschönen azurblauen Schwimmbecken seine Bahnen. Lily und Eve saßen im Whirlpool und sahen zu, wie er unter Wasser an ihnen vorbeiglitt.

«Er war schon immer wie ein Fisch», sagte Eve, und Lily nickte.

«Erzählst du mir, was dich beschäftigt?», bat Lily.

Eve lachte und meinte, es sei nichts.

«Erzählst du mir, womit du Declan unter Druck gesetzt hast?», fragte Lily daraufhin.

Eves Lächeln verblasste. In Lilys Blick lag eine Mischung aus Verunsicherung und Ehrfurcht.

«Ich habe ihn lediglich zur Vernunft gebracht», sagte Eve.

«Niemand bringt Declan zur Vernunft.»

Aber Eve schüttelte nur den Kopf, was bedeutete, dass sie nicht die Absicht hatte, mehr zu sagen.

«Eines Tages müssen wir darüber sprechen», sagte Lily.

«Ich weiß. Aber nicht heute.»

Lily lächelte ihre Freundin an und umarmte sie, obwohl sie wusste, dass Eve das nicht mochte, und zog sich schnell wieder zurück, als Clooney aus dem Schwimmbecken kam und zu ihnen in den Whirlpool stieg. Eve entschuldigte sich und ließ die beiden allein. Irgendwann bald würde Eve ihrer Freundin von dem Tag erzählen, als sie in Declans Büro gegangen war und ihm zum ersten Mal seit zwanzig Jahren in die Augen geschaut hatte. Sie würde Lily erzählen, dass Declan am Anfang wie immer sehr überheblich war und wie sie dem schnell ein Ende bereitete. Sie würde ihr erzählen, dass Declan sagte, sie wäre sehr dumm, wenn sie glaubte, es hätte irgendeinen Sinn, für Lily zu betteln.

«Wann habe ich jemals um irgendwas gebettelt, Declan?», fragte sie ihn.

Er sah sie mit zusammengekniffenen Augen an. «Was kann ich für dich tun, Eve?»

«Du kannst Lily ihre Kinder zurückgeben, das Haus verkaufen, ihr die Hälfte des Kaufpreises überlassen, und zwar zügig und noch vor der Scheidung, in welche du so bald als möglich einwilligen wirst.»

Er warf den Kopf in den Nacken und lachte schallend.

Du hattest schon immer einen Hang zur Theatralik, Declan.

«Diese Schlampe bekommt weder meine Kinder noch mein Geld, noch irgendeine Scheidung. Wenn es nach mir geht, kann sie in einem rattenverseuchten Drecksloch verschimmeln. Sie hat sich ihr flohverpestetes Nest selbst ausgesucht, und darin kann sie jetzt gern vergammeln.»

«Es sei denn, du tust, was ich sage», antwortete Eve.

Declan beugte sich vor. «Und weshalb sollte ich das tun?»

«Weil ich sonst an die Presse gehe und erzähle, dass ich mit achtzehn vom Freund meiner besten Freundin auf einer Party vergewaltigt worden bin. Ich werde offiziell zu Protokoll geben, dass der Junge von damals inzwischen hier in Dublin ein höchst angesehener Herzchirurg ist. Sie werden so ungefähr zwei Minuten brauchen, um herauszufinden, von welchem Jungen die Rede ist.»

«Du lügst.»

«Du kannst es ja drauf ankommen lassen.»

«So ist es nicht gewesen.»

«Es ist haargenau so gewesen.»

«Nein. Wir haben uns geküsst und …»

«Und du hast mich vergewaltigt und mir dabei Verletzungen zugefügt.» Sie zog die Kopien der Krankenakte aus der Tasche, die Adam ihr besorgt hatte, und knallte sie auf den Tisch. «Und ich habe die Beweise.»

Er schlug die Mappe auf, blätterte den Bericht durch und sah sie an, bereits sehr viel weniger selbstgefällig als noch vor wenigen Minuten. «So ist es nicht gewesen. Ich war betrunken. Du wolltest es.»

«Es ist mir egal, ob du glaubst, du hättest mich nicht vergewaltigt, oder ob du meinst, es sei völlig in Ordnung, deine eigene Frau zu vergewaltigen. Es interessiert mich weder, was du glaubst, noch, was du denkst, und deine Arbeitgeber, Patienten und den Rest des Landes interessiert das auch nicht.»

«Du wirst mich zerstören», sagte er.

«Das klingt ja, als müsste mich das interessieren.»

«Du zerstörst meine Kinder», sagte er, und sie lachte.

Immer die gleiche Tour, du Dreckskerl.

«Ich scheiß auf deine Kinder, Declan», sagte sie, und er glaubte ihr aufs Wort. «Um fünf Uhr heute Nachmittag will ich Lily vor Freude durch meine Küche tanzen und den Umstand feiern sehen, dass du ein einziges Mal etwas Anständiges tust und in das gemeinsame Sorgerecht einwilligst. In spätestens zwei Monaten will ich sehen, dass euer Haus zum Verkauf annonciert ist. Du wirst das erste realistische Angebot annehmen, das du bekommst. Ich werde den Verkauf überwachen, und der Erlös des Hauses wird zu gleichen Teilen unter euch aufgeteilt. Wenn es so weit ist, wirst du dich bedingungslos und schnell von ihr scheiden lassen.»

«Das hast du dir ja alles schön ausgedacht!», sagte Declan.

Eve erhob sich. «Komm mir nicht in die Quere, Declan. Ich habe zwanzig Jahre lang darauf gewartet, dich fertigzumachen.» Sie verließ ihn, und er starrte auf den Bericht auf seinem Tisch.

Danke, dass du mich damals ins Krankenhaus gebracht hast, Billy. Wo immer du auch sein magst.

Die Hochzeit war wunderschön, ein traumhafter Tag. Gar war ein stattlicher Trauzeuge, und obwohl seine Rede zu Beginn ein bisschen holperte, war sie doch humorvoll und bewegend.

«Ich wollte mit etwas Leichtem beginnen, also bin ich ins Internet gegangen, um ein paar Witze über Bisexuelle zu finden, aber es gibt keine. Wahrscheinlich haben Bisexuelle viel zu viel damit zu tun, an beiden Ufern zu fischen, um sich auch noch Witze auszudenken.»

Pauls Mutter entgleisten die Gesichtszüge, und im Raum breitete sich tödliche Stille aus. Deswegen konnten auch alle hören, dass sie murmelte: «Um Gottes willen, müssen wir uns ausgerechnet heute so was anhören?»

Simone konnte sich ein breites Grinsen nicht verkneifen. Sie brach in herzliches Gelächter aus, Paul stimmte ein, und das Lachen schwappte wie eine La-Ola-Welle durch den Raum. Gar seufzte und wischte sich den Schweiß von der Stirn. Er erzählte von seiner Jugend mit Paul und wie einschüchternd es war, mit jemandem befreundet zu sein, der ein großartiger Sportler, intelligent und obendrein auch noch so gut aussehend war, dass jedes Mädchen in Irland mit ihm gehen wollte. Diesen Satz quittierten Eve und Lily mit demonstrativem Hüsteln.

«Also gut, *fast* jedes Mädchen, meine Frau eingeschlossen.»

Gina erhob ihr Glas. «Ja! Darauf darfst du wetten!», sagte sie, und die Hochzeitsgesellschaft lachte. Dieser Teil der Rede gefiel Pauls Mutter offensichtlich besser.

Gar sprach darüber, wie verschlossen Paul immer gewesen war, und obwohl er es mittlerweile verstand und auch akzeptierte, hatte diese Verschlossenheit im Laufe der Jahre zwischen ihnen eine Distanz geschaffen, die ihn seinen besten Kumpel sogar dann vermissen ließ, wenn sie sich im selben Raum befanden.

Als es so aussah, als würde er jeden Augenblick in Tränen ausbrechen, wandte er sich mit einem breiten Lächeln an Simone. «Aber dann kamst du und hast ihn aus der dunklen Kammer befreit, in die er sich selbst gesperrt hatte. Du hast ihn heraus ans Licht gebracht. Ich habe ihn nie glücklicher und zufriedener erlebt, nie freier und nie offener als jetzt.»

Simone lächelte, Tränen in den Augen.

«Du vervollständigst ihn», sagte er, drehte sich um und blinzelte, und die Gästeschar beschwerte sich stöhnend über seine gespielte Sentimentalität.

Pauls Vater fand warme Worte für seinen Sohn. Seine Sexualität erwähnte er mit keinem Wort, weil Paul mehr war als nur das, und er legte die Tatsache, dass sein Sohn verschlossen war, positiv aus, indem er ihn als wunderbaren Geheimnisträger bezeichnete. Er beschrieb ihn als ehrenhaft und geduldig. Bei dem letzten Wort warf er seiner Frau einen Blick zu. Es war unbeabsichtigt geschehen, doch die Gäste lachten, und als er merkte, was er getan hatte, lachte er ebenfalls.

Pauls Mutter erhob ihr Glas und lächelte. *Macht euch nur auf meine Kosten lustig. Wir werden ja sehen, wer zuletzt lacht, wenn ich im Himmel bin und ihr alle im Fegefeuer schmort.*

Simones Vater war mit der Wahl seiner Tochter weniger glücklich, als er vorgab. Tapfer versuchte er, den Anlass zu feiern, doch er war nun mal kein Schauspieler. Er hielt seine Rede kurz und sprach hauptsächlich davon, was für ein wunderbarer Mensch Simone war, wie offen und verletzlich, und dass er sich rücksichtslos an jedem vergreifen würde, der es wagte, ihr weh zu tun. Er verzichtete darauf, Paul in seiner Familie willkommen zu heißen, so wie Pauls Vater es mit Simone getan hatte, wünschte den beiden schlicht Glück und versprach seiner Tochter, immer für sie da zu sein, was auch kommen möge. Simone schien die beinahe unverhohlenen Drohungen an ihren Ehemann nicht bemerkt zu haben, und falls doch, war sie eine bessere Schauspielerin als ihr Vater. Sie umarmte ihn herzlich und sagte ihm, wie sehr sie ihn liebte. Pauls Mutter sah aus, als wollte sie jeden Augenblick aufspringen und dem Mann ins Gesicht schlagen, denn obwohl sie sich selbst durchaus im Recht fühlte, über ihren Sohn zu richten, so durfte das außer ihr nur Gott allein. Paul, ganz Gentleman, reichte Simones Vater die Hand. Als sie einander die Hände schüttelten, applaudierte die Hochzeitsgesellschaft.

Simone hielt eine kleine, aufgeregte, atemlose Rede voller Dankeschöns, warm und herzlich wie immer. Paul sagte, ebenfalls wie immer, nichts.

Das Menü war köstlich und übertraf bei weitem, was auf Hochzeiten üblicherweise serviert wurde. Das Restaurant blickte auf den Croagh Patrick hinaus, dessen Hänge sich bis hinunter in die Clew Bay erstreckten, und während die Stunden verstrichen, änderte sich das Licht, und die wunderschöne Landschaft vor der verglasten Fensterfront wirkte immer wieder neu und anders.

Clooney, Lily, Eve, Adam und Gina saßen an einem Tisch, und als nach dem Essen die Musik einsetzte, tanzten Eve und Adam langsam durch den Raum und scherten sich nicht um das Tempo, das die anderen vorlegten. Die Menschen um sie herum verschwammen im Hintergrund. Eve legte Adam die Arme um den Hals.

«Danke, dass du mich wieder ganz gemacht hast», sagte sie.

«Ich habe dir doch gesagt, dass ich der Beste in meinem Fach bin.»

«Das habe ich nicht gemeint.»

Dieser Tag war vollkommen, und Eve Hayes würde sich für den Rest ihres Lebens voller Liebe daran erinnern.

Eves Hirntumor wurde in einer Privatklinik diagnostiziert. Es geschah an einem Mittwochnachmittag, und sie war allein. Das Meningeom, obwohl gutartig und nur langsam wachsend, war aufgrund seiner Lage und Größe inoperabel. Es zerstörte Zellen und baute Druck in ihrem Schädel auf.

«Sie sagten, Ihre Mutter hätte einen Hirntumor gehabt?», sagte der Arzt.

«Er war bösartig», antwortete sie.

«Wir werden Ihren genau im Auge behalten.»

Sie stellte keine Fragen. Sie wollte keine Antworten, nicht ganz allein an einem bescheuerten Mittwochnachmittag. Sie lächelte und schüttelte ihm die Hand. *Ein Freitag ist für solche Nachrichten viel besser geeignet.*

«Vielen Dank, Doktor», sagte sie.

«Es tut mir leid», entgegnete er.

«Das muss es nicht. Das war längst überfällig», sagte sie, lächelte ihm zu, ging aus dem Sprechzimmer und ließ ihn mit dem Gedanken zurück, dass es solche und solche gibt.

Es war ein strahlender Septembermorgen. Für Daisy begann das neue Schuljahr, und sie hatte sich mit einem Mädchen namens Willie angefreundet, was die Kurzform für Wilhelmina war. Sie waren gleich alt, und Willies Familie lebte direkt hinter der Gartenmauer in dem ehemaligen Haus von Terry dem Touristen. Daisy, Tess und Willie avancierten zu den It-Girls der Gegend. Daisy lächelte wieder mehr, und obwohl die Mutter-Tochter-Beziehung sich unwiderruflich verändert hatte, lag das eher daran, dass Daisy erwachsen wurde und den Blick für die Welt öffnete, als an hartnäckigem Groll. Wenn Daisy wirklich ehrlich zu sich wäre, und es würde noch Jahre dauern, ehe sie dazu in der Lage war, müsste sie zugeben, dass das Leben mit einer fröhlichen, hübschen, glücklichen, ausgelassenen, liebevollen, fürsorglichen Mutter besser war. Sie würde auch erkennen, dass ihr Vater ebenfalls glücklicher wirkte nach dem Weggang seiner Frau und sobald er seinen anfänglichen Zusammenbruch überwunden hatte. *Manche*

Menschen bringen gegenseitig ihre schlimmsten Seiten zum Vorschein, Daisy. Dein Vater und ich gehören dazu.

Scott war bereits zweimal zum Abendessen erschienen und hatte beim zweiten Mal sogar den Nachtisch mitgebracht. Als er ihr erzählte, dass er das Junggesellenleben mit seinem Vater genoss, war das nicht gelogen. Sie ernährten sich von Fertigmahlzeiten aus der Mikrowelle, dreimal pro Woche erschien die Putzfrau, sie kamen und gingen beide, wie es ihnen passte, und wenn sie einmal Zeit miteinander verbrachten, führten sie gute Gespräche. Hatte sein Vater schlechte Laune, verließ Scott einfach das Haus, und wenn Scott ein Mädchen oder seine Freunde zu Besuch hatte, zog sein Vater mit Rodney um die Häuser oder machte Überstunden. «Es geht uns gut, Mum», sagte er.

Lily war sich völlig im Klaren darüber, dass ihr auch noch schlechtere Zeiten bevorstanden und dass ihre Kinder ihr den Treuebruch immer mal wieder zum Vorwurf machen würden, wenn sie verletzt waren. Trotzdem hatte sich Lilys Leben nach ihrem Auszug mit der Unterstützung der Menschen, die sie liebte und die sie liebten, unglaublich schnell und um einhundert Prozent verbessert. Als sie sich also wieder die Frage stellte: *Wenn ich wüsste, dass ich bald von dieser Welt scheiden muss, würde ich dann alles anders machen?,* da lautete die ehrliche Antwort: *Nein. Wenn es mich am Ende hierherführt, würde ich alles wieder ganz genauso machen.*

Nachdem Lily ihre Tochter zur Schule gefahren hatte, holte sie Clooney ab und brachte ihn zum Flughafen. Sie verabschiedeten sich. Clooney hielt sie im Arm und küsste sie auf den Scheitel. Sie kämpfte gegen die Tränen an und schenkte ihm ein strahlendes, aufrichtiges Lächeln.

«Ich danke dir», sagte sie.

«Ich liebe dich, Lily Brennan.»

«Ich liebe dich, Clooney Hayes», sagte sie und ließ ihn ziehen.

Er ging durch die Sicherheitsschleuse und verschwand aus ihrem Blickfeld. Ein oder zwei Minuten lang blieb Lily regungslos stehen, um sich zu sammeln.

Zeit, ein neues Kapitel aufzuschlagen, Lily.

Eve wartete, bis sie sich fit genug fühlte, um mit Lily auf die Klippe zu gehen, ehe sie ihr von dem Tumor erzählte. Sie stiegen zusammen den Hügel hinauf, bis hin zu ihrem alten Lieblingsplatz. Es war noch immer warm, und sie streckten sich unter dem ruhigen Spätseptemberhimmel im weichen Gras aus und redeten, so wie sie es als Teenager immer getan hatten: Lily, den Kopf auf den Ellbogen gestützt, und Eve auf dem Rücken, in die Sonne blinzelnd.

Eve erzählte Lily, dass sie schon kurz nach ihrer Rückkehr nach New York gemerkt hatte, dass sie kognitiv beeinträchtigt war. Zahlen und andere kleine Details, die nie zuvor ein Problem waren, bereiteten ihr plötzlich Schwierigkeiten und entglitten ihrem Gedächtnis. Sie litt unter Kopfschmerzen und hatte Probleme beim räumlichen Sehen. Sie war nach Hause zurückgekehrt, weil sie erschöpft war, gelangweilt und sich ein anderes Leben wünschte, aber auch deshalb, weil sie tief in sich wusste, dass ihr die Zeit davonlief. Lily lag auf ihren Arm gestützt da, unbewegt und stumm, und versuchte, die Neuigkeiten zu verdauen, doch es war nicht einfach. Sie war zutiefst bestürzt.

«Aber du hast einen Autounfall überlebt!», sagte sie.

«Schon komisch, oder?»

Lily schüttelte unwillig den Kopf, als ließe sich damit Eves Schicksal beeinflussen.

«Gutartige Hirntumore kann man entfernen, sie führen in den seltensten Fällen zum Tod», sagte sie.

«Dieser ist inoperabel.»

«Wie lange noch?», fragte Lily. Sie hatte sich aufgesetzt und klang sauer, als würde Eve langsam sterben, nur um sie zu ärgern.

Eve blieb liegen. «Er wächst nur langsam, die Symptome sind immer noch relativ harmlos. Er kann zum Stillstand kommen, schneller wachsen oder langsamer werden. Man weiß es nicht.»

«Du könntest also für immer leben?», fragte Lily und kämpfte mit den Tränen.

«Klar. Für immer und ewig.»

Sie spazierten langsam zurück, Hand in Hand, bis es Eve zu schwitzig wurde. Sie ließ Lily los und wischte sich die Hand an der Jacke ab. Über dem Hafen färbte sich der rosarote Himmel langsam tiefrot.

«Können wir jetzt endlich darüber sprechen, was passiert ist?», fragte Lily völlig unvermittelt, doch Eve wusste genau, was sie meinte.

«Okay», sagte sie.

«Declan hat dich vergewaltigt.»

«Ja.»

«Ich habe deinen Brief sicher hundertmal gelesen, aber so habe ich die Situation nie gedeutet. Ich dachte immer, du wärst eifersüchtig und gemein und wolltest mir weh tun, weil ich mit Clooney zu weit gegangen war.»

«Hast du mir deswegen nie geantwortet?», wollte Eve wissen.

«Ich habe dir jede Menge Briefe geschrieben. Die meisten waren grauenhaft, und sie sind alle im Müll gelandet. Declan hat einfach unglaublich schnell reagiert, Eve. Er stand am nächsten Tag vor meiner Tür und sagte, er wüsste alles über Clooney und mich und dass er mit dir geschlafen hätte. Er flehte mich an, ihm zu verzeihen, und bat um einen Neubeginn.»

«Ich verstehe.»

«Ich nicht», sagte Lily. «Ich war so dumm!»

«Wir waren beide sehr, sehr dumm», sagte Eve und lächelte.

«Ich habe deine Briefe alle aufgehoben.»

«Ich deine auch», antwortete Eve. «Lass uns einen Pakt schließen. Wir geloben, sie nie wieder zu lesen. Ich habe versucht, die Zeit zurückzudrehen. Es hat ganz offensichtlich nicht funktioniert. Lass uns lieber in der Gegenwart leben.»

Lily nickte. «Erst als wir geheiratet haben, ist mir langsam klargeworden, was wirklich passiert ist. Ich will, dass du das weißt. Ich hätte mich bei dir melden sollen, aber ich war mit ihm verheiratet.»

«Du musst mir nichts erklären, Lily. Ich hab dich lieb!» Sie zuckte die Achseln. Eine Weile gingen sie schweigend weiter.

«Ein Hirntumor?», sagte Lily plötzlich. *«Wirklich? Ein belämmerter Hirntumor?»*, schrie sie in den roten Abendhimmel hinauf. *«Da musst du dir schon was Besseres einfallen lassen! Hörst du?»*

Eve lachte. «Ja, genau! Leckt mich doch, Himmel, Universum, all ihr Götter, Aliens, Leere! Ihr könnt mich alle mal!», rief sie und schüttelte die Faust.

Lily drehte sich zu ihrer Freundin um. Tränen liefen ihr über das Gesicht.

«Du kannst mich mal, Eve Hayes!», sagte sie.

«Du mich auch, Lily Brennan!», antwortete Eve.

Sie nahm ihre beste Freundin in den Arm und küsste sie so auf den Scheitel, wie ihr Bruder es immer getan hatte. «Sieh es doch mal so», sagte Eve. «Egal, was passiert, wir haben wieder zueinandergefunden, um unsere Irrtümer wiedergutzumachen, und das ist auch was wert», sagte Eve.

Lily erwiderte die Umarmung. «Und wir werden kämpfen bis zum Schluss.»

«Jawohl!»

Als Nächstes erzählte Eve es Adam. Er war wütend, schrie sie an, weil sie ihn angelogen und ihm die Wahrheit vorenthalten hatte. Er zeigte mit dem Finger auf sie, lief zornig im Zimmer hin und her, und als er endlich aufhörte zu schreien, stürmte er mit hochrotem Gesicht hinaus, nur um eine Stunde später wiederzukommen und sie auf ihrem schrecklich unbequemen Sofa im Arm zu halten. Sie erklärte ihm, dass sie zum Sterben nach Hause gekommen sei und es einen Autounfall gebraucht habe, um leben zu wollen. Sie entschuldigte sich bei ihm, weil sie im Grunde immer gewusst hatte, dass die Entwarnung eine Fehldiagnose gewesen sein musste. Sie bat ihn um Verzeihung und wollte wissen, ob er sich ernsthaft in eine Todeskandidatin verlieben könnte.

«Ich frage nur deshalb, weil ich mich nämlich trotzdem in dich verlieben würde, wenn es andersherum wäre», sagte sie. «Außerdem *bin* ich tatsächlich egoistisch, selbstsüchtig und glaube, dass sich die Welt nur um mich dreht.»

Er küsste sie und sah sie seufzend an. «Nicht zu vergessen, dass du eine Zicke bist.»

Sie grinste. «Bis zum letzten Atemzug.»

Er bestand darauf, dass sie sich weiteren Tests unterzog,

und Eve fühlte sich ihm verpflichtet, weil es das Mindeste war, nachdem sie ihn schon zu einem Teil ihres Lebens gemacht hatte, obwohl sie es hätte besser wissen müssen. Den Mitgliedern der Familie Hayes war ein langes Leben einfach nicht vergönnt. *Viel Glück, Clooney, du wirst der Letzte von uns sein.* Die Ergebnisse blieben dieselben, sosehr Adam sich auch etwas anderes wünschte. Die Prognose war ungewiss. Eve konnte noch ein Jahr leben oder zehn, abhängig davon, ob ihr Tumor weiter wuchs oder zum Stillstand kam. Zwei Tage nachdem er von der Diagnose erfahren hatte, zog Adam bei ihr ein. Er kam mit zwei Koffern.

«Was wird das?»

«Ich ziehe hier ein.»

«Wer hat dich darum gebeten?»

«Das Leben ist zu kurz, um darauf zu warten, gebeten zu werden», sagte er und brachte seine Koffer in Eves Zimmer, und von da an war es ihr gemeinsames Zimmer und ihre gemeinsame Wohnung. Nach seinem Einzug bestellte Adam als Erstes ein neues Sofa. Auf dem saß er Abend für Abend und las bis spät in die Nacht Bücher über alternative Medizin. Er kam immer wieder auf Ayurveda zurück.

Eines Nachts weckte er sie auf.

«Was denn?»

«Erinnerst du dich noch daran, dass ich dich gefragt habe, ob du mit mir nach Indien reisen willst?»

«Hmhm.»

«Du hast ja gesagt.»

«Hmhm.»

«Also fliegen wir nach Kerala. Okay?»

«Hmhm.»

«Sag ja.»

«Ja.»

Er beugte sich über sie und gab ihr einen Kuss. «Ich buche morgen», sagte er, und sie drehte sich um und schlief gleich wieder ein.

Clooney erzählte sie es via Skype, weil sie wollte, dass er sah, wie gut es ihr ging, wie glücklich sie war und wie gesund – Hirntumor hin oder her. Dieses Gespräch fiel ihr am schwersten, weil er eine Nachricht wie diese schon zu oft erhalten hatte. Sie gab sich fröhlich und unbeschwert und sagte ihm, dass die Aussichten nicht so düster waren, wie er vermuten würde. Sie verbot ihm, nach Hause zu kommen.

«Ich komme nach Hause.»

«Damit du die nächsten zehn oder zwanzig Jahre lang hier rumhocken und darauf warten kannst, dass ich sterbe? So lange habe ich nämlich mindestens vor, noch am Leben zu bleiben», sagte sie.

«Eve!», sagte er.

«Leb dein Leben, Clooney, ich lebe meins nämlich auch. Okay?»

«Und wenn es dir schlechter geht?»

«Wenn es mir schlechter geht, wirst du das von Lily erfahren, bevor ich überhaupt auf die Idee komme, zum Hörer zu greifen.»

Der Rest war leicht. Gina weinte ein paar Wochen lang jedes Mal, wenn sie Eve sah, doch als sie merkte, dass Eve so schnell nirgendwo hingehen würde, beruhigte sie sich. Gar erklärte, sie sei ein echter Kämpfer, und Paul schüttelte nur stumm den Kopf, setzte sich und vergrub das Gesicht in den Händen. Als er sich wieder gefasst hatte, sagte er ihr, Simone und er seien immer für sie da und sie dürfe sich nicht aus dem Staub machen, ehe das Kind nicht geboren sei, weil sie wollten, dass Eve die Taufpatin würde.

«Weil ich reich bin und bald sterben muss?», fragte Eve.

«Eigentlich nur, weil du reich bist. Das Sterben ist ein Bonus», antwortete er, und sie lachte.

«Ich fühle mich geehrt.»

«Gut.»

An dem Abend, ehe sie mit Adam nach Indien flog, um einen Monat in Kerala zu verbringen, wartete Eve in der Küche, in der sie aufgewachsen war, auf Lily. Lily war kurz losgegangen, um Kaffee zu besorgen, und Eve war allein. Ohne darüber nachzudenken, fing sie an, durchs Haus zu streifen. Sie ging die Treppe hinauf, vorbei an der Wand, wo einst die Familienbilder gehangen hatten, die inzwischen durch ein Gemälde von einem Sonnenuntergang ersetzt worden waren. Von der Wand am oberen Treppenabsatz begrüßten sie die Fotos von Daisy und Scott. Sie betrat das Zimmer, in dem sowohl ihre Mutter als auch ihr Vater gestorben waren. Eine Wand war in einem blassen Lavendelton gestrichen, es duftete nach frischer Bettwäsche und nach Lily. In Daisys Zimmer setzte sie sich an ihren alten Schreibtisch, fuhr mit dem Zeigefinger die eingeritzten Buchstaben mit Bens Initialen nach und lächelte leise. *Wo magst du jetzt sein, Ben? Werde ich dich wiedersehen? Wartest du auf mich? Unwahrscheinlich, aber eine nette Idee.*

Sie ging zurück nach unten und in den Garten hinaus, wo sie sich auf die Schaukel setzte. Daisy tauchte auf, mit ihrem Schulranzen auf dem Rücken. Sie nahm ihn ab und setzte sich auf die zweite Schaukel neben Eve.

«Mum hat es mir erzählt», sagte sie.

«Oh», sagte Eve.

«Hast du Angst?»

«Nein.»

«Warum nicht?»

«Wovor sollte ich denn Angst haben?»

Daisy dachte lange nach. «Keine Ahnung», sagte sie.

«Ich habe dir ein Klavier gekauft», sagte Eve. «Es müsste eigentlich jeden Tag geliefert werden.»

«Wirklich?» Daisy war aufrichtig überrascht und erfreut. «Ich dachte, du magst mich nicht.»

«Ich mag dich genau so, wie du mich magst.»

«Tja, das ist dann aber ganz schön viel», sagte Daisy grinsend.

«Kann man wohl sagen, vor allem weil es sogar ein kleiner Flügel ist.»

«Ein Flügel! Heilige Scheiße!», rief sie und sprang von der Schaukel.

«Wo rennst du denn hin?»

Sie zeigte zu Terry dem Touristen rüber. «Das muss ich Willie erzählen.»

«Gern geschehen!», rief Eve ihr nach.

Daisy blieb stehen, drehte sich um und kam zu ihr zurück. Eve hörte auf zu schaukeln, und Daisy umarmte sie.

«Danke, Eve! Ehrlich», sagte sie, ließ Eve sitzen und rannte davon.

«Gern geschehen, Miss Daisy!», sagte sie, und dann kamen ihr die Tränen, weil sie sich fragte, ob sie miterleben würde, wie dieses Mädchen erwachsen wurde, seinen Träumen nachjagte und sich zum ersten Mal verliebte.

Als Lily mit dem Kaffee wiederkam, fand sie ihre Freundin nachdenklich im Garten. Sie setzte sich auf die zweite Schaukel, und sie fingen an zu schaukeln, zuerst langsam und dann schneller und schneller und immer höher und höher, bis ihre Füße den Himmel berührten.

«Wer am höchsten schaukelt, hat einen Wunsch frei», rief Eve.

«Ich weiß, was ich mir wünsche!», sagte Lily.

«Ich hab dich lieb, Eve Hayes!»

«Ich hab dich lieb, Lily Brennan!»

Sie kreischten, wie sie es als Kinder getan hatten. Als ihnen beiden ein bisschen flau im Magen wurde und das Schaukelgerüst wenig vertrauenerweckend zu knarzen anfing, wurden sie langsamer und stoppten schließlich. Dann gingen sie zurück ins Haus und lebten ihr Leben weiter.

* * *

Eves Lebensplan

Ein Monat Ayurvedakur mit Adam in Kerala.
SUPER! Ich fühle mich phantastisch.

Zur Geburt von Pauls Baby da sein.
Oooohhhh, ein kleines Mädchen namens Lisa.

Den Verkauf von Lilys Haus und die finanzielle
Abwicklung überwachen. Ohne Schadenfreude – Zeit,
loszulassen.

Zu Lisas Taufe da sein.
Der Priester wollte nicht mal wissen, ob ich katholisch
bin. Was für eine seltsame Zeremonie.

Mit Adam, Lily und Daisy zwei Wochen nach Peru
reisen. Ich vermisse Clooney.

Die Wohnung kaufen. Ich bin endlich zu Hause.

Scott kennenlernen. Ist in Arbeit.

*Mit Adam unverheiratet glücklich sein bis an mein
Lebensende. Auch in Arbeit.*

Das Haus für hundert Euro an Lily verkaufen.

Clooney fünfzig Euro überweisen.

Erleben, wie der Rote Unhold ins Gefängnis wandert.

Da sein, wenn Lisa ihre ersten Schritte macht.

Da sein, wenn Scott seinen Abschluss macht.

Da sein, wenn Daisy heiratet.

Erleben, wie Clooney und Lily wieder zusammenkommen.

Scheiß drauf, ich bleibe, bis ich siebzig bin.

Eves Beerdigungsplan

Liebe Lily,

bitte sorge dafür, dass sie mich nicht aufbahren. Es soll mich bloß keiner anfassen. Es war widerlich, wie viele Nachbarn und Wildfremde Danny im Gesicht rumgefummelt haben.

Was den (geschlossenen!) Sarg betrifft, wäre mir ein dunkler lieber. Helles Holz sieht so billig aus. Und, falls möglich, unlackiert.

Gegen Blumen habe ich nichts, aber auf gar keinen Fall Nelken oder Lilien. (Nimm's bitte nicht persönlich.)

Natürlich möchte ich keine religiöse Zeremonie, nur eine kleine Gedenkfeier anlässlich meines Endes oder meines Neuanfangs, wo auch immer das dann sein wird. Ich wünsche mir, dass du eine Rede hältst, und Clooney und Adam natürlich auch. Daisy und ich sind uns in den letzten Monaten ziemlich nahegekommen, und wenn sie auch was sagen möchte, wäre das natürlich toll, aber wenn nicht, dann habe ich Verständnis. Paul wird nichts sagen, aber Gar und Gina wollen vielleicht, und das ist auch okay.

Anmerkung: Ich wünsche keine rührseligen oder langweiligen Reden. Bitte lass nicht zu, dass jemand über mich spricht, als wäre ich was Besonderes oder der beste Mensch der Welt gewesen. (Na ja, du darfst das vielleicht sagen, aber sonst keiner.) Ich hasse es, wenn sie in den Nachrichten zeigen, wie jemand ermordet wurde, und die Freunde und Familie dann immer behaupten, der Tote wäre der tollste Mensch gewesen, der je gelebt hat, und dass es so jemanden nie wieder geben würde. Ich warte immer noch darauf, dass endlich mal jemand sagt: «Na ja, er war schon ganz okay. Wenn er was getrunken hatte, war er zwar ein ziemliches Arschloch, aber erstochen zu werden, hat er dann doch nicht verdient.» Ich will, dass die Leute ihre Gefühle aufrichtig zum Ausdruck bringen. Ich bin nicht perfekt. Ich möchte, dass das klarwird.

Zur Musik: sehr wichtig! Bitte stell sicher, dass der Ort der Trauerfeier über eine Anlage verfügt. Bei Keanan war es grauenhaft, also bitte nicht dort. Ich möchte, dass «Tower Of Song» von Leonard Cohen gespielt wird, und zwar in voller Länge – brecht den Song ja nicht in der Mitte ab. Wir sprechen hier von allen acht Strophen. Danach hätte ich gerne «Grapefruit Moon» von Tom Waits und dann, nur zum Spaß und extra für Adam: «Trouble» von Ray LaMontagne. Ich würde mich freuen, wenn Daisy Klavier spielt, natürlich nur wenn sie will. Sie spielt so wunderbar. Dieses eine Stück aus dem Soundtrack von «Das Piano» gefällt mir besonders gut, aber ich möchte sie nicht drängen. Obwohl … Sollte sie bei meinem Tod schon über zwanzig sein, wäre ich ziemlich sauer, wenn sie nicht spielt.

Für die Feier danach liegt ein fetter Batzen Geld bereit, und wenn ich «Feier» sage, dann meine ich es auch so. Lasst mich in der Kiste beim Beerdigungsinstitut liegen und fahrt ins Killiney Hotel. Dort wird ein Vier-Gänge-Menü serviert, und dann will ich, dass bis zum Morgengrauen getrunken und getanzt wird. Wenn ich nur noch ein Häuflein Asche bin – und es spielt keine Rolle, welche Jahreszeit gerade herrscht –, dann wartet den nächsten sonnigen Tag ab und fahrt mit Dannys altem Boot hinaus: du, Clooney, Adam, Daisy und Scott, falls er mitkommen möchte. Gar, Gina, Paul, Simone und meine Patentochter sind ebenfalls eingeladen. Nehmt euch ein Picknick mit und werft mich ins Meer zu den Fischen und zu Danny. Und seid nicht traurig, sondern froh, dass wir uns wiedergefunden haben und dass wir das große Glück hatten, das Leben so zu leben, wie wir es taten. Und sollte Adam traurig und einsam sein, dann erinnere ihn bitte daran, dass er geliebt wurde und wieder lieben wird, auch wenn er dann böse dreinschaut.

Ich hab dich lieb, Lily Brennan.

PS: Sehr wichtig: Du musst überprüfen, aus welcher Richtung der Wind weht, ehe du mich ins Meer kippst. Die Windrichtung ist wesentlich.

Deine Eve

* * *

Zur Beachtung
Bis zum heutigen Tag ist Eve Hayes noch am Leben.

In Liebe,
Lily

Dank

Als ich zwanzig war, wurde ich von einem Auto angefahren. Diese Geschichte wollte ich schon immer erzählen. Allerdings sollte es nicht um das schlichte Szenario gehen, bei dem ein Auto einen Fußgänger überfährt, sondern vielmehr wollte ich einen unglaublichen Unfall schildern, bei dem der Leser sich fragt, ob so etwas überhaupt möglich ist. Ich hatte lange kein Glück mit dem Thema, bis ich in der Garderobe von TV3 eines Tages zufällig den Produzenten Tom Fabozzi fragte, ob er jemanden mit solch einer Geschichte kennen würde. Daraufhin erzählte Tom mir von seinem eigenen Unfall, in den er und seine Freundin eines späten Abends Anfang der neunziger Jahre in Sligo verwickelt waren, und die Geschichte war unglaublich. So unglaublich, dass alle Einzelheiten dieses Unfalls auf diesen Seiten wiederauferstanden sind, inklusive – so unwahrscheinlich es auch scheinen mag – mancher Dialogteile. Ich habe Tom durch meine Protagonistin Eve ersetzt und die Geschichte haargenau so niedergeschrieben, wie er sie mir erzählt hat. Er zeigte mir seine Röntgenaufnahmen und Befunde, schilderte mir in allen Einzelheiten den Genesungsprozess, und wir erinnerten uns gemeinsam an das Leben im Krankenhaus und die unerträgliche Monotonie, die damit verbunden ist, mit gebrochenen Knochen ans Bett gefesselt zu sein. Toms Liebenswürdigkeit, seine Geduld und die Fähigkeit, sich mit derartiger Klarheit und unglaublichem Humor an die schrecklichste Nacht seines Lebens zu erinnern, sind für mich unbezahlbar, und ich bin ihm über alle Maßen dankbar, weil damit der Takt für die übrige Geschichte und auch ihren Tonfall vorgegeben war. Ich danke dir sehr, Tom, und wir in den Studios von

TV3 vermissen dich alle und wünschen dir viel Erfolg in deiner neuen Rolle bei Fine Gael.

Was TV3 betrifft, so bedanke ich mich bei dem gesamten Team und den Damen, die ich durch die *Midday Show* kennengelernt habe. Die Zusammenarbeit mit euch war mir eine Ehre und große Freude.

Ich bedanke mich bei Dr. Thomas vom Ayurveda Spa im Carlton Atlantic Coast Hotel in Westport für seinen unschätzbaren Rat.

Ein großes Dankeschön geht auch an meine Freunde und Familie: Nach fünf Büchern wisst ihr selbst, wer ihr seid. Ich liebe euch alle.

Und natürlich an Donal, meinen Ehemann, der immer für mich da ist und sich so sehr um mich kümmert: Ich bin jeden Tag dankbar dafür, dass es dich gibt.

Außerdem bitte ich all jene vielmals um Verzeihung, die Hunger leiden mussten, weil ich mich monatelang eingesperrt habe: Hallie, Jo, John, Enda, Tracy, Lainey C, Eimear, The D'Oracle, Gamo … Ihr könnt den Gürtel lockern, die Küche ist wieder geöffnet.

Anna McPartlin

Weil du bei mir bist

Aus dem Englischen von Karolina Fell

Veröffentlicht im Rowohlt Taschenbuch Verlag

Die dünne blaue Linie

Es war Anfang März, und es regnete. Die Wolken erleichterten sich mit der Heftigkeit eines Betrunkenen, der nach vierzehn Pints in eine Ecke pinkelt. Ich sah zu dem Milchglasfenster und fragte mich, wie dieser Platzregen sich wohl auf meine weiße Wäsche auswirken würde, die da draußen im Wind an der Leine flatterte. Dann sah ich wieder auf den Boden und bemerkte den sanften Gelbton in den Kachelfugen um die Toilette herum.

Männer, dachte ich. *Wie schwer ist es eigentlich, aufs Klo zu zielen?* Ich sinnierte kurz darüber, was es eigentlich zu bedeuten hatte, dass mein Freund zielsicher Billardkugeln versenken oder das Auto in eine briefmarkengroße Parklücke manövrieren konnte, er aber, wenn es darum ging, mit seinem elften Finger in eine große Schüssel zu zielen, das Augenmaß eines besoffenen Teenagers hatte. Ich spürte die Kälte des Badewannenrandes durch meinen Rock.

Drei Minuten.

Drei Minuten können ganz schön lang sein. Ich fragte mich, ob sie mir wohl auch so lange vorkommen würden, wenn ich gerade dabei wäre, eine Bombe zu entschärfen. Ich fing an, die Sekunden zu zählen, aber das wurde mir schnell langweilig. Der Spiegel musste mal wieder geputzt werden. Das würde ich morgen machen. Abwesend spielte ich mit dem Stäbchen, das ich in der Hand hielt, bis mir wieder einfiel, dass ich da gerade draufgepinkelt hatte. Schnell legte ich es wieder hin. Ich wischte unsichtbare Fusseln von meinem Rock. Diese Angewohnheit hatte ich von meinem Vater, obwohl er natürlich keine Röcke trug. Das machten wir immer, wenn wir nervös waren. Manche Leute kneten ihre Hände; mein Vater und ich säuberten unsere Kleidung.

So richtig war mir diese gemeinsame Eigenschaft das erste Mal aufgefallen, als mein Bruder im Alter von siebzehn verkündete, dass er sich, statt Arzt zu werden, wie meine Eltern sich das vorgestellt hatten, für den Beruf des Pfarrers entschieden hatte. Meine Mutter, schwer gekränkt von dem Gedanken, ihren Sohn an einen abwesenden Gott zu verlieren, kreischte einen ganzen Abend herum, bevor sie zusammenbrach und sich vier Tage ins Bett legte. Mein Vater saß schweigend da und säuberte seinen Anzug. Er sagte keinen Ton, doch offenbar war auch er sehr enttäuscht. Wie ich mich erinnere, hat mich diese Sache damals nicht sonderlich interessiert. Als selbstsüchtige Teenagerin machte ich mir im Gegensatz zu meinen Eltern über Noels Werdegang herzlich wenig Gedanken, obwohl ich zugeben muss, dass mir die Vorstellung, einen Pfarrer in der Familie zu haben, ein bisschen peinlich war.

Wir hatten uns damals nicht viel zu sagen. Er war ein Streber, er las viel, hatte ein ernstes Wesen und pflegte sein politisches Bewusstsein. Er lernte ständig für die Schule, brachte den Müll raus, ohne darum gebeten worden zu sein, und war ein glühender *Doctor Who*-Fan. Er rauchte nicht und versuchte auch nie, als Minderjähriger an Alkohol zu kommen, wie übrigens auch nicht an Mädchen. Eine Zeit lang dachte ich, er sei schwul, aber ich gab diese Theorie wieder auf, als mir klar wurde, dass man interessant sein musste, um schwul zu sein. Aber jetzt waren wir erwachsen, und obwohl ich seine völlige Hingabe an den Allmächtigen bis jetzt nicht verstand, hatten sich die Zeiten geändert, und all die Eigenschaften, die ihn früher als langweiligen Streber hatten erscheinen lassen, machten ihn inzwischen zu einer faszinierenden Persönlichkeit. Heute gehört Pfarrer Noel zu meinen besten Freunden.

Zwei Minuten.

Ich war sechsundzwanzig Jahre alt. Mein Herz war vergeben, und ich lebte mit meiner Sandkastenliebe John zusammen. Ich hatte die Freude, miterlebt zu haben, wie mein Liebster von einem blonden, blauäugigen, träumerischen Jungen zu einem blonden, blauäugigen, selbstbewussten Mann geworden war. Wir waren seit fast zwölf Jahren zusammen, und für mich war er ganz klar der Richtige. Seit dem College lebten wir glücklich zusammen. Wir hatten eine nette Wohnung – zwei Schlafzimmer, zwei Badezimmer, eine Küche und ein hübsches Wohnzimmer – ganz in der Nähe von Stephens Green. Sie war klein und roch manchmal muffig, war aber für die Lage erstaunlich billig. Meine Arbeit gefiel mir. Lehrerin war zwar nie mein Traumjob gewesen, andererseits betrachtete ich es durchaus als Vorteil, nicht von beruflichem Ehrgeiz gequält zu werden. Unterrichten war einfach eine ganz normale Arbeit. An manchen Tagen mochte ich die Kinder, an anderen nicht, in jedem Fall war es eine sichere Anstellung. Meistens war ich um halb fünf zu Hause, und im Sommer hatte ich drei Monate frei. John war noch an der Uni und schrieb an seinem Doktor in Psychologie. Außerdem schaffte er es, nebenbei an vier Abenden die Woche als Barkeeper zu jobben. Manchmal verdiente er dabei mehr als ich, und er behauptete, dass er von den Betrunkenen mehr lerne als in den Seminaren an der Uni.

Wir waren glücklich. Wir waren ein ausgeglichenes, glückliches Paar. Wir hatten ein gutes Leben, gute Perspektiven und gute Freunde. Eine Menge Leute würden sich solch eine Geborgenheit wünschen, wie wir sie uns gegenseitig gaben.

Eine Minute.

Meine Mutter hatte schon oft laut darüber nachgedacht, wann John und ich endlich heiraten würden. Doch ich sagte jedes Mal, sie solle sich um Sachen kümmern, die sie etwas angingen. Worauf sie dann bemerkte, dass ich sie sehr wohl etwas anginge und wir uns über die Grenze zwischen Privatsphäre und Mutterliebe stritten. Mit sechsundzwanzig fühlte ich mich zu jung für die Ehe, basta, obwohl mich meine Mutter ständig daran erinnerte, dass sie selbst mit vierundzwanzig schon zwei kleine Kinder gehabt hatte.

«Das waren andere Zeiten», sagte ich immer, und das stimmte ja auch. Die meisten Freunde meiner Mutter waren mit Mitte zwanzig schon verheiratet und hatten Nachwuchs. Ich stammte aus einer völlig anderen Generation. MTV hatte das Tanzorchester abgelöst. Während sie mit Folk aufgewachsen war, hatte ich zu Madonna die Hüften kreisen lassen. Bevor sie meinen Vater kennenlernte, bestand ein toller Ausgeh-Abend für sie darin, sich im örtlichen Tanzschuppen an der Wand rumzudrücken und zu hoffen, dass einer der Kerle sie zum Walzer aufforderte. Ich dagegen gehörte zur Disco-Generation. Übrigens war von meinen Freunden keiner verheiratet.

Dreißig Sekunden.

Na gut, das stimmt nicht ganz. Anne und Richard haben sich an der Uni kennengelernt. Sie ist das mittlere Kind einer Mittelstandsfamilie aus Swords und er der Sohn eines der reichsten Grundbesitzer in Kildare. Sie standen gemeinsam Schlange, um sich während der Orientierungswoche für die Theater-AG einzuschreiben. Sie kamen ins Gespräch, schrieben sich doch nicht ein und gingen lieber Kaffee trinken. Seitdem sind sie unzertrennlich. Ein Jahr nach der Uni haben sie geheiratet. Wie auch immer, sie waren die Einzigen.

Clodagh, meine beste Freundin, seit ich vier bin, hat bis jetzt noch keine Beziehung länger als vier Monate durchgehalten. Sie war an der Uni zu einer ehrgeizigen, intelligenten und hart arbeitenden Karrierefrau geworden und schaffte es, sich in einer großen Werbeagentur innerhalb von drei Jahren zur Leiterin der Kundenbetreuung hochzuarbeiten. Bei ihr klappte einfach alles, nur ihr Liebesleben nicht, und dieses offensichtliche Versagen war ihr schmerzlich bewusst.

Dann war da noch Seán, Johns bester Freund, dunkelhaarig, melancholisch, kühl und schön. Clodagh nannte ihn den «fleischgewordenen David». Er hatte nicht nur achtzig Prozent der Studentinnen am Trinity College, sondern nebenher auch noch ein paar Dozentinnen flachgelegt. Seine bisher längste Beziehung dauerte einen Sommer, den wir alle gemeinsam in New Jersey verbrachten – mit einem amerikanischen Mädchen namens Candyapple (doch, so hieß sie wirklich, kein Spaß). Sie war der Inbegriff eines milchkaffeebraunen, dunkeläugigen, großbusigen, schmalhüftigen Albtraums. Sie hatte langes, gelocktes braunes Haar, das Anne irgendwie an Brian May, den Gitarristen von Queen, erinnerte. Seán nannte sie «köstlich»; wir anderen nannten sie «Brian». Sie blieben sechs Wochen zusammen. Nach der Uni und ein paar Fehlstarts fiel er auf die Füße und wurde Redakteur bei einem Männer-Magazin. Seine Schlagfertigkeit, seine aufrichtige Fußballvergötterung und seine enzyklopädischen Kenntnisse der weiblichen Sinnlichkeit garantierten ihm dauerhaften Erfolg. Eine Beziehung war ihm nicht wichtig, und Ehe oder Familie gehörten garantiert nicht zu seinen Prioritäten.

Zehn Sekunden.

John fühlte sich mit unserem Leben vollkommen wohl. Man kennt ja diese selbstgefälligen Paare, die man sofort hasst, wenn man sie zum erstem Mal sieht. John konnte genau diese Art Selbstgefälligkeit ausstrahlen. Es störte ihn offenbar nicht, dass Seán während des Studiums eine Frau nach der anderen rumkriegte. Es machte ihm nichts aus, dass er selber sein Leben lang nur mit einer einzigen Person Sex gehabt hatte. Er war zufrieden, wurde geliebt, war glücklich. Er war eine Ausnahme. Wir waren eine Ausnahme.

Als wir das erste Mal miteinander schliefen, waren wir sechzehn. Wir waren zelten in den Bergen von Wicklow. Es war eine warme Sommernacht, keine einzige Wolke war zu sehen. Der Vollmond strahlte rund und hell, der Himmel war mitternachtsblau und samten, die Laubkronen der Bäume ragten über uns auf und rochen nach Sonne. Kein Wind, nicht mal ein Hauch, die Welt schien stillzustehen. Wir hatten ein kleines Lagerfeuer, einen Picknickkorb, eine Packung Kondome und eine Flasche Wein, an dem wir beide kaum nippten, weil unsere unterentwickelten Geschmacksnerven die fruchtige Frische für ranzigen Mist hielten. Aus dem Knutschen wurde Fummeln, dann sehr heftiges Fummeln, dann erhitztes Rubbeln der Geschlechtsteile, und ein Hymen später lagen wir einander in den Armen, sahen zu den Nikotinflecken an dem blauen Nylonzelt hoch und fragten uns, warum um diese Sache eigentlich immer so ein Theater gemacht wurde.

Aber Clodagh hatte mich bereits vorgewarnt. Sie hatte mir schon gesagt, dass nur die Übung den Meister macht. John und ich schafften es ganze viermal, bevor wir stolz, glücklich und voller Geheimnisse nach Hause zurückkehrten.

Fünf Sekunden.

Ich war noch nicht so weit. Mir war schlecht, und ich betete, dass es am Stress lag und keine Morgen-Übelkeit war.

Verdammter Mist. Was soll ich machen? Ich will kein Kind. Ich will nicht heiraten. Ich will mich nicht fühlen, als wäre ich meine eigene Mutter, bevor ich was vom Leben gehabt habe. Ich will was unternehmen, auch wenn ich nicht genau weiß, was. Ich will neue Orte kennenlernen. Ich bin noch nicht so weit.

Ich hatte John weder gesagt, dass meine Periode seit zwei Wochen überfällig war, noch dass ich einen Schwangerschaftstest gekauft hatte. Normalerweise hatte ich keine Geheimnisse vor ihm, aber sicher war es richtig, ihn in diesem Fall nicht mit einzubeziehen.

Warum ihn unnötig beunruhigen?

Das Problem war nur, dass ich gar nicht sicher war, ob er überhaupt beunruhigt wäre. Er lächelte, wenn meine Mutter uns mit Fragen bezüglich Heirat und Kinderkriegen löcherte. Er betrachtete versonnen ein sabberndes Kind im Supermarkt, während ich mich ungeduldig zwischen den Leuten durchdrängelte und bloß so schnell wie möglich wieder mit unseren Einkäufen abziehen wollte.

Zwei Sekunden.

Er wäre begeistert, das ahnte ich. Und schlimmer noch: Er würde das Baby wollen. Es gäbe kein ratloses Stirnrunzeln, und es wären keine tränenreichen Entscheidungen zu treffen. Es gäbe nur Begeisterung und Pläne und Bücher und Babykleidung. Mir war schlecht.

Ich bin noch nicht so weit.

Meine Hände zitterten, als ich das Stäbchen umdrehte.

Bitte, sei nicht blau, bitte, bitte, sei nicht blau!

Meine Augen waren geschlossen, obwohl ich mich gar nicht erinnerte, sie geschlossen zu haben. Ich seufzte schwer, und das erinnerte mich daran, dass ich ja rauchte, also legte ich das Stäbchen weg und ging schnell ins Schlafzimmer, um die Zigaretten zu holen. Ich kam zurück und zündete mir eine an. Wild entschlossen zu genießen, atmete ich den Rauch tief ein – konnte ja schließlich meine letzte Zigarette für eine lange Zeit sein. Ich beschloss, die Zigarette ganz zu Ende zu rauchen, bevor sich meine Zukunft offenbaren würde. Diese Idee gab ich allerdings auf, als ich Johns Schlüssel in der Haustür hörte. Hastig hielt ich mit der einen Hand die Zigarette unter den Kaltwasserhahn, während ich mit der anderen wie irre herumwedelte, damit der Rauch sich auflöste, der in Schwaden in dem engen Raum hing. Ich hörte, wie er die Treppen herauf in Richtung meines Verstecks kam. Ich hatte keine Zeit mehr.

«Emma!»

«Ich bin hier drin!», rief ich, und meine Stimme klang ein bisschen zu schrill.

Er drückte die Klinke runter. Hilflos starrte ich auf die Tür und versteckte das Stäbchen im Ärmel meines Pullis. Es war abgeschlossen. Ich seufzte vor Erleichterung.

«Warum ist die Tür abgeschlossen?», fragte er misstrauisch.

«Ich schließe doch immer ab», log ich in der Hoffnung, dass er kurzfristig das Gedächtnis verloren hatte.

Hatte er aber nicht.

«Nein, das machst du nicht», sagte er und drückte immer noch die Klinke herunter.

«John», sagte ich streng, «kannst du mich nicht mal eine Sekunde in Ruhe lassen?» Ich hörte ihn ins Schlafzimmer gehen. Er murmelte irgendetwas, dass ich unausstehlich sei, wenn ich meine Tage hatte.

Schön wär's!

Ich setzte mich wieder und drehte das Stäbchen um. Ich sah es eine ganze Weile an. Ich umschloss es mit der Hand und sah wieder hin. Ich biss mir so fest auf die Lippe, dass es wehtat. Ich öffnete die Finger und sah auf ein herrlich weißes Testfensterchen. Nicht die Spur von Blau. Ich ging zum Fenster, um besseres Licht zu haben. Nichts. Es war leer. Keine blaue Linie. Ich hatte mein Leben zurück. Ich war nicht schwanger. Ich war nicht mal ein bisschen schwanger. Ich war nur spät dran, und ich war zu einer Party eingeladen.

Danke, lieber Gott!

Als Richards Großvater mit einundneunzig Jahren starb, hinterließ er Richard einen sehr großen Anteil seines Grundbesitzes und machte ihn damit extrem reich. Aus diesem Anlass sollte eine Party gefeiert werden, eine «Erbschaftsparty». Anfänglich hielt Anne diese Idee für ziemlich geschmacklos. «Er war ein sehr alter Herr, der nach einem erfüllten Leben voller Liebe und Erfolg gestorben ist. Warum sollte es da respektlos sein, euer Glück mit einer Party zu feiern?», hatte ich sie gefragt.

«Außerdem waren wir schon so lange auf keiner Party mehr», lautete Johns Beitrag zur Debatte.

«Abgesehen davon hatte mein Großvater viel Sinn für Humor. Er hätte diese Idee großartig gefunden», sagte Richard, der seinen neuen Reichtum unbedingt in großem Stil genießen wollte.

«Die Idee ist phantastisch! Wir können sein Leben feiern und die Tatsache, dass gute Freunde von uns steinreich sind», verteidigte auch Seán den Plan.

Schließlich kapitulierte Anne, und so kam es dazu, dass der Tag, an dem ich feststellte, dass ich kein neues Leben auf die Welt bringen würde, der Tag war, der mein eigenes Leben für immer veränderte.

Ich wollte dir schon so lange schreiben. Ich hätte mir eigentlich nicht träumen lassen, dass ich jemals wirklich dazu käme, aber als es so weit war, war es plötzlich ganz leicht. Erinnerungen sind etwas Absurdes. Manche sind verschwommen, manche kristallklar, manche zu schmerzhaft, um sie sich ins Gedächtnis zu rufen, und manche so schmerzhaft, dass man sie unmöglich vergessen kann. Denkt man an glückliche Momente zurück, wird einem warm ums Herz, man ruft sie sich ins Gedächnis, wie man im Pub eine Anekdote erzählt und sie für die Zuhörer noch ein bisschen ausschmückt. Die wirklich guten Zeiten leisten einem an den Abenden Gesellschaft, an denen man sich sonst einsam fühlen würde. Und die klarsten Erinnerungen hat man an solche Gelegenheiten, bei denen man extreme Höhen oder Tiefen durchlebt. Man erinnert sich an die Gefühle, die man in diesen Situationen hatte. Und das Gefühl überwältigender Freude oder unfassbarer Verzweiflung bringt das Gehirn dazu, Details wahrzunehmen, die man normalerweise nicht bemerken würde, wie die Farbe des T-Shirts, das jemand trug, oder eine bestimmte Handbewegung oder wie warm oder kalt es war.

Man kann sich die Lachfältchen einer geliebten Person ins Gedächtnis rufen oder die Art, wie ihr die Tränen in die Augen gestiegen sind. Aber Leid ist schwer in Worte zu fassen, und Leid gibt es immer im Leben. Es ist so natürlich wie Geborenwerden und Sterben. Das Leid macht uns zu dem, was wir sind, es erzieht uns, und es zähmt uns, es kann zerstören und retten. Wir alle kennen Reue – sogar Frank Sinatra. Manche Tragödien verursachen wir selbst, und manchmal wiederum passiert etwas, auf das keine Macht der Welt Einfluss hat, und wenn so etwas passiert, bleibt man wie erstarrt zurück.

Das Glück ist ein Geschenk. Es fühlt sich warm an, und wir sehen die wahre Schönheit. Man sollte das Glück nicht für selbstverständlich halten. Ich hätte es nicht für selbstverständlich halten sollen. Diese dünne blaue Linie bedeutete Glück. Ich wusste nicht, dass sie etwas bedeutete, was für immer verloren sein würde. Aber damals war ich noch nicht so weit.

Anna McPartlin bei rororo

Die letzten Tage von Rabbit Hayes

Niemand kennt mich so wie du

So was wie Liebe

Was aus Liebe geschieht

Weil du bei mir bist

Wo dein Herz zu Hause ist

Auf die Nacht folgt der Tag. Und auf den Tod das Leben.

Emmas Leben ist einfach perfekt. Und seit sie mit John zusammenwohnt, scheint das Glück vollkommen. Aber dann passiert ein schrecklicher Unfall, und plötzlich ist Emma allein. Als wäre auch sie selbst gestorben, verkriecht sie sich im Schneckenhaus ihres Schmerzes. Doch dem sehen Emmas Freunde nicht lange tatenlos zu. Und irgendwie ist auch John immer noch für sie da. Bald wird Emma klar, dass sie von den Menschen, die sie liebt, gebraucht wird. Dass sie stark sein muss, wenn sie für andere da sein will. Und sie begreift, dass das Glück ganz nah sein kann, wenn man meint, es für immer verloren zu haben.

Ro 276/1 · Rowohlt online: www.rowohlt.de · www.facebook.com/rowohlt

roroo 27178